LEBENSWORTE · LEBENSWORTE ·

# DIE GUTE SAAT

2026

# DIE GUTE SAAT

BIBELWORTE · LEBENSWORTE ·

2026

CSV

Christliche Schriftenverbreitung
An der Schloßfabrik 30 • 42499 Hückeswagen

Layout: Brockhaus in Dillenburg
Satz: Christliche Schriftenverbreitung
Redaktionelle Verantwortung: Hartmut Mohncke
Umschlag, Druck und Verarbeitung: BasseDruck, 58121 Hagen
Printed in Germany
www.csv-verlag.de

## *An unsere Leserinnen und Leser*

Immer wieder sieht man es: das Fisch-Symbol auf Kofferraum oder Heckscheibe eines Autos. Mal schlicht einfarbig, mal bunt und auffällig. Doch was hat es damit auf sich?

Dieses Zeichen steht nicht für einen Fischerei-Club, sondern signalisiert, dass der Besitzer ein Christ ist. Der Ursprung des Symbols reicht bis in die ersten Jahrhunderte des Christentums zurück. Damals wurden Christen, die sich öffentlich zu Jesus Christus bekannten, verfolgt, eingesperrt oder sogar getötet – wie heute noch in einigen Ländern. Der Fisch diente ihnen als geheimes Erkennungszeichen.

Das griechische Wort „Ichthys" für Fisch enthält zugleich ein Glaubensbekenntnis. Jeder Buchstabe steht für ein Wort, das mit Jesus in Verbindung steht: **I**esous – Jesus, **Ch**ristos – Christus, **Th**eu – Gottes, **Y**ios – Sohn, **S**oter – Erlöser (übersetzt).

Wahre Christen, die an Jesus Christus und sein Erlösungswerk am Kreuz glauben, haben neues Leben empfangen. Dieses Leben befähigt sie, wie ein Fisch „gegen den Strom zu schwimmen", statt jedem Trend hinterherzulaufen, um Sinn und Erfüllung zu suchen. Denn all das haben sie längst in Jesus Christus und seinem ewigen Wort – der Bibel – gefunden.

Der Wille Jesu ist es, dass seine Jünger bis heute von Ihm erzählen. Deshalb laden wir jeden ein, noch heute an Jesus Christus zu glauben und Ihm zu vertrauen.

Mit herzlichen Segenswünschen für das Jahr 2026

*Die Mitarbeiter*

*Lesen Sie die Bibel online:* **www.csv-bibel.de**

Hinweise: Die Bibelstellen werden nach der „Elberfelder Übersetzung" (Edition CSV Hückeswagen) angeführt. Ein Plan mit Vorschlägen für die persönliche Bibellese führt in drei Jahren durch die ganze Bibel.

Wenn Sie noch keine Bibel besitzen, können Sie gerne kostenlos und unverbindlich ein Neues Testament (zweiter Teil der Bibel) anfordern. Nutzen Sie dazu die Bestellkarte im Kalender.

# 1 Donnerstag Januar

Neujahr

SA 08:24 · SU 16:26
MA 13:50 · MU 06:43

***So, wie ich mit Mose gewesen bin, werde ich mit dir sein; ich werde dich nicht versäumen und dich nicht verlassen. Sei stark und mutig!***

Josua 1,5.6

**Mut-los oder mutig los?**

Es gibt Menschen, die scheinen vor nichts und niemand Angst zu haben. Und es gibt andere, die sich viel sorgen und dadurch schnell den Mut verlieren. Doch letztlich kennen wir alle das Gefühl der Mutlosigkeit – etwa, wenn wir vor einer neuen Aufgabe oder einer Veränderung im Leben stehen. Gerade dann aber brauchen wir Mut, um einen neuen Weg zu gehen.

Schon im Alten Testament, dem ersten Teil der Bibel, lesen wir von vielen Menschen, die von Gott ermutigt wurden. So auch Josua im heutigen Bibelwort. Er erhält eine große Aufgabe: Er soll das Volk Israel in das verheißene Land Kanaan führen, nachdem Mose gestorben ist – eine gewaltige Verantwortung mit vielen unbekannten Gefahren und Herausforderungen.

Gott erinnert Josua daran, dass Mut nicht heißt, keine Angst zu haben oder einfach abzuwarten. Mut bedeutet für Josua: zu wissen, dass Gott auf seiner Seite steht und mit ihm geht. Genau daran erinnert ihn Gott angesichts der bevorstehenden Aufgabe.

Vielleicht stehen auch wir vor einer neuen Herausforderung oder Situation, bei der wir nicht wissen, wie wir sie bewältigen sollen. Dann will Gott uns durch die Bibel auf sich hinweisen und uns einladen, Ihm zu vertrauen. Gott steht zu denen, die Ihm vertrauen. Und wenn – wie bei Josua – eine zweite Ermutigung nötig ist, dann gibt Gott auch diese:

„Habe ich dir nicht geboten: Sei stark und mutig? Erschrick nicht und fürchte dich nicht! Denn der HERR, dein Gott, ist mit dir überall, wohin du gehst" (Josua 1,9).

**Tägliche Bibellese** 2. Mose 1,1-22 · Lukas 1,1-12

# 2 Freitag Januar

SA 08:24 · SU 16:27
MA 14:51 · MU 08:00

***Ich bin das Alpha und das Omega, der Erste und der Letzte, der Anfang und das Ende.***

Offenbarung 22,13

## Jesus Christus kennenlernen – Alpha und Omega

Wer ist Jesus von Nazareth, genannt der Christus?

Wir wissen nicht einmal genau, wann Er geboren wurde, noch wann Er starb. Er hat keine Monumente hinterlassen, keine komplizierten Bücher geschrieben oder spektakuläre Erfindungen gemacht. 30 Jahre lebte Er völlig unauffällig als ältester Sohn in einer Handwerkerfamilie. Danach zog Er mit einer Schar von zwölf teils sehr unterschiedlichen Jüngern (Schülern) als wandernder Rabbi – so werden die Lehrer im Judentum bis heute genannt – durch Israel. Er starb in Jerusalem, wurde von den Führern seines eigenen Volks verurteilt, von den Römern hingerichtet und stand am dritten Tag aus den Toten auf. Soweit die historischen Fakten, die ausgezeichnet belegt sind.

Jesus kehrte nach 40 weiteren Tagen, in denen er sich nur seinen Nachfolgern zeigte, in den Himmel zurück.

Jesus Christus ist der wichtigste Mensch der Weltgeschichte, einzigartig und mit keinem anderen Menschen zu vergleichen. Es gibt so viel von Ihm zu erzählen, dass man buchstäblich nicht weiß, wo man anfangen soll. Johannes, der Jünger Jesu, schreibt gegen Ende seines Buchs über Jesus, dem Johannesevangelium, fast ein bisschen ratlos: „Es sind aber auch viele andere Dinge, die Jesus getan hat, und wenn diese einzeln niedergeschrieben würden, so würde, denke ich, selbst die Welt die geschriebenen Bücher nicht fassen" (Johannes 21,25).

Jesus ist der Sohn Gottes – Gott und Mensch in einer Person. Er bezeichnet sich selbst als „das Alpha und das Omega". Diese Buchstaben bezeichnen Anfang und Ende des griechischen Alphabets. Warum nicht einmal zusammentragen, was Jesus unvergleichlich macht? Von Alpha bis Omega, von A bis Z? Seine Einzigartigkeit lässt sich allerdings kaum in Worte fassen – es bleibt Annäherung, ein Vortasten.

Begleiten Sie uns auf dieser Entdeckungsreise?

**Tägliche Bibellese** 2. Mose 2,1-15 · Lukas 1,13-25

# 3 Samstag Januar

SA 08:24 · SU 16:28
MA 16:11 · MU 08:58

***Dein Wort ist Leuchte meinem Fuß und Licht für meinen Pfad.***

Psalm 119,105

## Auf exaktem Kurs

Schon zu Lebzeiten wird Gerhard Mercator (1512-1594) als Genie gefeiert. Geboren in der Nähe von Antwerpen, begeistert er sich schon früh für Geografie. Er saugt die Berichte der Seefahrer auf und wendet sich der Kartographie und dem Bau von Globen und Navigationsinstrumenten zu. Im Jahr 1541 präsentiert er sein eigenes Modell: Mit 41 Zentimeter Durchmesser ist sein Globus der bis dahin größte und genaueste seiner Art. Er lässt ihn in Serie produzieren und ist bald ein wohlhabender Mann.

Neun Jahre später siedelt er von seiner katholischen Heimat ins tolerantere Herzogtum Jülich-Kleve-Berg um. Er zieht nach Duisburg, richtet sich eine Werkstatt ein, wertet weiter akribisch Reiseberichte, Lotsenbücher und Vermessungsdaten aus. Dann – 1569 – legt er eine Weltkarte vor, die die gewölbte Gestalt der Erde in eine flache Karte verwandelt, wobei er eine Flächenverzerrung an den Polen in Kauf nimmt. Seeleute können seine Karte nun mithilfe eines Kompasses zur Bestimmung des exakten Kurses auf den Ozeanen verwenden.

Nach seinem Tod bringt sein Sohn das unvollendete, jedoch bereits weit über 100 Karten umfassende Werk heraus, an dem der Meister bis zuletzt gearbeitet hat: einen Atlas. Die nach Mercator benannte Projektionsmethode ist bis heute Grundlage des Karten- und Vermessungswesens.

So, wie die Karte von Mercator den Seeleuten half, den exakten Kurs auf dem Wasser zu bestimmen, so hilft die Bibel uns, den exakten Kurs zum Himmel einzuschlagen. Die Heilige Schrift ist von Gott selbst inspiriert, sie definiert das Ziel, beschreibt den Weg und zeigt Kurskorrekturen auf. Wer sich nach ihr richtet, erreicht ganz sicher das Ziel bei Gott.

**Tägliche Bibellese** 2. Mose 2,16–3,6 · Lukas 1,26-38

# 4 Sonntag Januar

SA 08:23 · SU 16:29
MA 17:40 · MU 09:37

***Und Jesus sprach in seiner Lehre: Hütet euch vor den Schriftgelehrten, die in langen Gewändern umhergehen wollen und die Begrüßungen auf den Märkten lieben und die ersten Sitze in den Synagogen und die ersten Plätze bei den Gastmählern; die die Häuser der Witwen verschlingen und zum Schein lange Gebete halten. Diese werden ein schwereres Gericht empfangen.***

Markus 12,38-40

## Gedanken zum Markus-Evangelium

Als Jesus Christus vor etwa 2000 Jahren in Israel lebte und lehrte, waren seine Zuhörer tief erstaunt über seine Worte, „denn er lehrte sie wie einer, der Vollmacht hat, und nicht wie die Schriftgelehrten." Es war Gott selbst, der durch seinen Sohn „Worte ewigen Lebens" sprach – Worte, die Herz und Gewissen der Menschen berührten (Markus 1,22; Johannes 6,68).

Ganz anders war es bei den damaligen Schriftgelehrten. Ihre Worte hatten wenig Kraft, weil sie sich nicht auf das Wort Gottes im Alten Testament, sondern auf die religiöse Tradition stützten. Doch nicht nur ihre *Lehre* war mangelhaft – auch ihr *Verhalten* war verwerflich. Ihre sechs erwähnten Handlungsweisen lassen sich auf zwei Hauptmotive zurückführen: „Egoismus“ und „Heuchelei“.

Die langen Gewänder waren Ausdruck der Selbstdarstellung.

Die Begrüßungen auf den Märkten offenbarten ihr Verlangen nach öffentlicher Anerkennung.

Die ersten Sitze in den Synagogen und Ehrenplätze bei den Gastmählern zeigten ihre anmaßende Haltung im religiösen wie im gesellschaftlichen Leben.

Ihre Habsucht und Heuchelei wurden besonders darin sichtbar, dass sie nicht einmal davor zurückschreckten, sich an den Schwächsten der Gesellschaft zu bereichern – während sie gleichzeitig lange Gebete hielten.

Das Urteil des Herrn über die Schriftgelehrten verdeutlicht ein göttliches Prinzip: Je vertrauter wir mit Gottes Willen sind, desto größer ist unsere Verantwortung, danach zu handeln.

**Tägliche Bibellese** 2. Mose 3,7-22 · Lukas 1,39-56

# 5 Montag Januar

SA 08:23 · SU 16:30
MA 19:09 · MU 10:04

***Alle Schrift ist von Gott eingegeben.***

2. Timotheus 3,16

## Die Bibel

Verglichen mit den zahllosen Büchern dieser Welt ist die Bibel einzigartig in ihrer Herkunft, Entstehung und Einheit. Sie besteht aus einer Sammlung von 66 Büchern, die über einen Zeitraum von 1500 Jahren von mehr als 40 verschiedenen Schreibern verfasst wurde.

Die Männer, die Gott auswählte, um dieses Buch zu schreiben, stammten aus unterschiedlichsten sozialen Schichten: Führer des Volkes (Mose, Josua), Könige (David, Salomo), Minister (Daniel, Nehemia), Schriftgelehrte (Esra, Paulus), ein Arzt (Lukas), ein Hirte (Amos), Fischer (Johannes, Petrus).

Doch diese Männer schrieben nicht nach eigenem Gutdünken. Als „heilige Menschen Gottes“

verfassten sie ihre Worte „getrieben vom Heiligen Geist“ (2. Petrus 1,21). Obwohl sie über lange Zeiträume hinweg lebten und oft weit voneinander entfernt waren, trugen sie – ohne sich untereinander abzustimmen – ihren Teil zu diesem einzigartigen Buch bei. Da sie unter der Leitung des Heiligen Geistes standen, fügen sich ihre Schriften zu einem harmonischen Ganzen. Diese „heiligen Schriften“ sind „von Gott eingegeben“ oder „gottgehaucht“ – sie sind Gottes Wort.

Das Ziel der Bibel ist es, den Menschen zu zeigen, wer Gott ist – durch seine Handlungen, seine Worte und seine Gedanken. Sie lüftet den Schleier über die vergangene Ewigkeit und gibt einen Ausblick auf die zukünftige Ewigkeit, sowohl für Gläubige als auch für Ungläubige.

Vor allem aber spricht die Bibel von Jesus Christus, dem Sohn Gottes. Schon im ersten Teil, dem Alten Testament, weist sie auf Ihn hin. Im Neuen Testament lesen wir dann, wie Er Gott vollkommen offenbart und am Kreuz das Erlösungswerk vollbracht hat.



DIE GUTE SAAT 2026 • CSV-Verlag • www.csv-verlag.de

# 6 Dienstag Januar

SA 08:23 · SU 16:31
MA 20:33 · MU 10:22

*Da es ja viele unternommen haben, eine Erzählung von den Dingen zu verfassen, die unter uns völlig geglaubt werden, so wie es uns die überliefert haben, die von Anfang an Augenzeugen und Diener des Wortes gewesen sind, hat es auch mir gut geschienen, der ich allem von Anfang an genau gefolgt bin, es dir, vortrefflichster Theophilus, der Reihe nach zu schreiben, damit du die Zuverlässigkeit der Dinge erkennst, in denen du unterrichtet worden bist.*

Lukas 1,1-4

## Das Evangelium nach Lukas …

… ist spätestens 60 n. Chr. geschrieben worden. Der Schreiber, Lukas, widmet seine Erzählung einem ansonsten unbekannten Griechen namens Theophilus und erklärt einleitend, dass er sorgfältig Nachforschungen angestellt und Augenzeugen befragt hat, um zuverlässig und wahrheitsgetreu berichten zu können.

Lukas beschreibt vieles, was die anderen Evangelien nicht erwähnen, darunter Einzelheiten zur Geburt Jesu, die Begegnung mit dem Zöllner Zachäus, das Gespräch mit dem reuigen Verbrecher am Kreuz sowie die Begebenheit mit den Jüngern auf dem Weg nach Emmaus (Kap. 1; 2; 19; 23; 24). Als Arzt (Kolosser 4,14) hat er einen besonderen Blick für die Nöte und Leiden der Menschen. So berichtet er exklusiv von den Gleichnissen des barmherzigen Samariters und des verlorenen Sohnes (Kap. 10; 15). Er richtet sich vor allem an Nichtjuden. Deshalb erklärt er geografische und politische Zusammenhänge, etwa, dass Kapernaum „eine Stadt in Galiläa" ist, und wer zu der Zeit herrschte, als Johannes der Täufer erstmals auftrat (Kap. 4,31; 3,1). Immer wieder betont Lukas, dass die gute Botschaft allen Menschen gilt: „Denn der Sohn des Menschen ist gekommen, zu suchen und zu erretten, was verloren ist" (Kap. 19,10).

Als Paulus um 64 n. Chr. seinen ersten Brief an Timotheus schreibt, zitiert er aus dem Lukasevangelium (1. Timotheus 5,18; Lukas 10,7). Das zeigt: Schon in dieser frühen Zeit war den Christen bewusst, dass das Lukasevangelium zur Heiligen Schrift und damit zum Kanon des Neuen Testaments gehört.

**Tägliche Bibellese** 2. Mose 4,18-31 · Lukas 1,67-80

# 7 Mittwoch Januar

SA 08:23 · SU 16:32
MA 21:53 · MU 10:37

***Jesus sprach zu ihnen: Geht hin in die ganze Welt und predigt der ganzen Schöpfung das Evangelium.***

Markus 16,15

***Der Glaube ist aus der Verkündigung, die Verkündigung aber durch Gottes Wort.***

Römer 10,17

## Die Autoren dieses Kalenders

Wir freuen uns, dass Sie mit der Lektüre dieses Kalenders begonnen haben. Vielleicht fragen Sie sich, wer diese täglichen Andachten und Bibelauslegungen verfasst.

Es sind Autoren und Lektoren ganz unterschiedlicher Herkunft und Prägung. Alle möglichen Berufsgruppen sind vertreten, es gibt jüngere und ältere Personen, und einige sind im Ruhestand. Die meisten sind verheiratet und haben größtenteils Kinder, andere sind alleinstehend. Viele hatten das Glück, in einem christlichen Elternhaus aufzuwachsen, doch eins verbindet sie alle: Sie haben erkannt, dass sie vor Gott Sünder sind und das ewige Gericht verdienen. Gleichzeitig wissen sie, dass sie durch Jesus Christus von diesem Gericht gerettet sind.

Sie sind davon überzeugt, dass die gesamte Bibel Gottes Wort ist und daher wahr und glaubwürdig. Sie glauben an den einen Gott, der alle Menschen liebt und sich durch seinen Sohn Jesus Christus offenbart hat. Jesus Christus kam vor 2000 Jahren auf die Erde und starb stellvertretend für sie am Kreuz von Golgatha. Sie wissen, dass Jesus wieder von den Toten auferstanden ist und jetzt im Himmel lebt, weil die Bibel es lehrt.

Die Bibel ist nicht nur das Fundament ihres Glaubens, sondern auch ihr Ratgeber in allen Lebensfragen. Die Autoren sind keine Einzelkämpfer: Obwohl sie keiner bestimmten Religionsgruppe oder christlichen Organisation angehören, fühlen sie sich mit allen wirklich gläubigen Christen verbunden. Und die Liebe Gottes, die sie selbst erfahren haben, drängt sie, die Botschaft der Bibel und ihre eigenen Erfahrungen mit Gott an andere weiterzugeben. Aus diesem Grund haben sie an der Entstehung dieses Kalenders mitgewirkt.

**Tägliche Bibellese** 2. Mose 5,1-14 · Lukas 2,1-7

# 8 Donnerstag Januar

SA 08:22 · SU 16:34
MA 23:08 · MU 10:49

***Als aber die Fülle der Zeit gekommen war, sandte Gott seinen Sohn.***

Galater 4,4

## Nur ein blassblauer Punkt

Im September 1977 startete die NASA die Raumsonde Voyager 1. Sie sollte unser Sonnensystem und den interstellaren Raum erforschen. Nachdem die Sonde bereits unglaubliche 6 Milliarden Kilometer zurückgelegt hatte, entstand am 14. Februar 1990 ein besonderes Foto – bis heute das aus der größten Entfernung aufgenommene Bild der Erde. Darauf zu sehen: ein winziger blassblauer Punkt, der wie ein Staubkorn in einem Sonnenstrahl zwischen den Saturnringen zu schweben scheint. Unsere Erde – nicht größer als ein Pixelfleck. Das inzwischen berühmte Bild ist unter dem Namen „Pale Blue Dot" (= blassblauer Punkt) bekannt.

Tja, größer ist unsere Erde im unermesslichen Universum nicht! Ein winziger Punkt. Und doch kamen und gingen auf ihr Generationen, stiegen Weltreiche auf und zerfielen, wurden Kriege geführt und geschahen schreckliche Katastrophen. Doch dieser blassblaue Punkt war nicht sich selbst überlassen – er wurde besucht. Warum? Weil hier Menschen leben, die einmal nach dem Bild ihres Schöpfers geschaffen wurden (1. Mose 1,27).

Jesus Christus ist Gott – und blieb es immer. Aber Er wurde Mensch und besuchte den unscheinbaren Punkt im All. Was für eine unfassbare Tatsache! „Er, der offenbart worden ist im Fleisch, ist ... gepredigt unter den Nationen, geglaubt in der Welt, aufgenommen in Herrlichkeit" (1. Timotheus 3,16).

Jesus, der Retter, kam, um zu leiden und zu sterben – damit Menschen von ihren Sünden erlöst werden können. Seitdem ist der Pixelfleck Erde nicht mehr derselbe: Hier wurde Jesus geboren, hier lebte und litt Er, hier stand sein Kreuz. Was für ein bedeutungsvoller Ort im Universum ist doch der blassblaue Punkt, auf dem wir leben!

**Tägliche Bibellese** 2. Mose 5,15–6,8 · Lukas 2,8-20

# 9 Freitag Januar

SA 08:22 · SU 16:35
MA –:– · MU 11:01

*Im Anfang war das Wort, und das Wort war bei Gott, und das Wort war Gott.*

Johannes 1,1

*Und das Wort wurde Fleisch und wohnte unter uns (und wir haben seine Herrlichkeit angeschaut, eine Herrlichkeit als eines Eingeborenen vom Vater) voller Gnade und Wahrheit.*

Johannes 1,14

*Der HERR besaß mich im Anfang seines Weges, vor seinen Werken von jeher. Ich war eingesetzt von Ewigkeit her, von Anbeginn, vor den Uranfängen der Erde. ... als er dem Meer seine Schranke setzte, dass die Wasser seinen Befehl nicht überschritten, als er die Grundfesten der Erde feststellte – da war ich Werkmeister bei ihm und war Tag für Tag seine Wonne, vor ihm mich ergötzend allezeit.*

Sprüche 8,22.23.29.30

## Jesus Christus kennenlernen – Ohne Anfang

„Im Anfang war das Wort“ – das ist ein geheimnisvoller Satz. Ein Blick in die folgenden Verse der Jesus-Biografie nach Johannes (Johannesevangelium) erklärt, wer „das Wort“ ist: Jesus Christus. Er, der als Baby in die Welt geboren, also „Fleisch“ wurde, war schon – „im Anfang bei Gott“.

Welcher Anfang ist gemeint? Der Anfang der Welt? Der Anfang von Raum und Zeit? Das im Grundtext verwendete griechische Wort *arche* bedeutet unter anderem „Ursprung, Prinzip“. Die Griechen verstanden darunter den Urgrund der Welt, den Ursprung alles Existierenden und den Beginn von allem. Das macht klar: Dieser Anfang, an dem Jesus war, ist vor allem anderen, liegt in der Ewigkeit, vor Raum und Zeit. Das belegt auch die poetische Aussage in Sprüche 8, die sich klar auf Jesus als die personifizierte Weisheit bezieht. Er war da, bevor irgendein „Werk“ Gottes begann, war bei Gott als Werkmeister der Schöpfung. Oder einfacher gesagt: Jesus ist Gott, der Ewige. Er, der Sohn, ist genauso Gott wie der Vater und der Heilige Geist (Dreieinigkeit). Und Gott, der Sohn, wurde Mensch – Jesus. Wer sich darüber nicht freut und staunt …

**Tägliche Bibellese** 2. Mose 6,9-30 · Lukas 2,21-35

# 10 Samstag Januar

SA 08:21 · SU 16:36
MA 00:20 · MU 11:12

***Könnte auch eine Frau ihren Säugling vergessen, dass sie sich nicht erbarmte über den Sohn ihres Leibes? Sollten sogar diese vergessen, ich werde dich nicht vergessen.***

Jesaja 49,15

## Die Vergessenen von Spinalonga

Nicht weit von der griechischen Insel Kreta liegt die Insel Spinalonga (o. Kalydon) – hier spielt der Roman *Die Insel der Vergessenen* von Victoria Hislop. Zwischen 1904 und 1957 wurden dort alle Leprakranken Kretas und Griechenlands zwangsweise angesiedelt. Sie hatten dabei kein Mitspracherecht. Ob jung oder alt, alle Kranken wurden auf diese Insel verbannt, um sie von der Gesellschaft zu isolieren und die Ansteckungsgefahr zu verringern.

Einmal auf Spinalonga, gerieten die Ausgestoßenen schnell in Vergessenheit: aus den Augen, aus dem Sinn. Erst 1957 wurde die letzte Leprakolonie Europas aufgelöst, und die Insel der Vergessenen wurde endgültig aufgegeben.

Wie schnell geraten Menschen in Vergessenheit! Dazu muss man nicht einmal auf einer einsamen Insel sein. Auch im Alltag können wir das Gefühl haben, übersehen zu werden – von Nachbarn, Freunden oder Angehörigen.

Doch welch ein Trost: Bei Gott ist kein Mensch vergessen. Niemand wird von Ihm verstoßen, keiner entgeht seinem Blick. Wenn wir uns Ihm zuwenden, dürfen wir seine Nähe erfahren. In den Psalmen lesen wir von Ihm: „Er hat das Schreien der Elenden nicht vergessen“ (Psalm 9,13). Dieses Bibelwort gilt auch heute und ermutigt uns, im Vertrauen auf Gott zu beten und Ihm ehrlich unsere Empfindungen mitzuteilen. Er wird ein aufrichtiges Gebet niemals unbeantwortet lassen.

**Tägliche Bibellese** 2. Mose 7,1-13 · Lukas 2,36-40

**11 Sonntag Januar**

SA 08:21 · SU 16:38
MA 01:32 · MU 11:25

*Und Jesus setzte sich dem Schatzkasten gegenüber und sah zu, wie die Volksmenge Geld in den Schatzkasten legt; und viele Reiche legten viel ein. Und eine arme Witwe kam und legte zwei Scherflein ein, das ist ein Cent. Und er rief seine Jünger herzu und sprach zu ihnen: Wahrlich, ich sage euch: Diese arme Witwe hat mehr eingelegt als alle, die in den Schatzkasten eingelegt haben. Denn alle haben von ihrem Überfluss eingelegt; diese aber hat von ihrem Mangel, alles, was sie hatte, eingelegt, ihren ganzen Lebensunterhalt.* Markus 12,41-44

## Gedanken zum Markus-Evangelium

In den weltlichen Geschichtsbüchern würde dieser Bericht über eine arme Witwe wohl keinen Platz finden. Wer interessiert sich schon für jemanden, der nur einen Cent spendet? Doch für Gott war es wichtig, diese Begebenheit in seinem

Wort festzuhalten – weil Er uns damit eine bedeutende Lektion vermitteln will.

Betrachten wir den Kontext, fällt auf, dass zuvor von Schriftgelehrten die Rede ist, „die die Häuser der Witwen verschlingen“ (V. 40). War „die arme Witwe am Schatzkasten“ eins ihrer Opfer? Möglich wäre es.

Auffällig ist auch der Gegensatz zwischen dem Verhalten der Witwe und dem der Schriftgelehrten: Die Frau *gibt alles*, was sie hat – sie hingegen *nehmen alles*, was sie kriegen können.

Es war durchaus lobenswert, dass die Reichen hier viel in den Schatzkasten einlegten, denn das Geld wurde für den Unterhalt des Tempels gebraucht. Was die zwei Scherflein der Witwe betraf – auf diese winzige Summe hätte man getrost verzichten können. Und hätte sie nicht wenigstens eine der beiden Münzen für sich behalten sollen?

Doch der Herr Jesus misst ihrer kleinen Spende größten Wert bei. Denn bei Ihm zählt nicht, wie viel wir geben, sondern wie viel wir für uns übrig lassen. Er freut sich über unsere Liebe und unseren Glauben. Denn wenn wir trotz Armut reichlich geben, setzen wir unser Vertrauen darauf, dass Gott für uns sorgen wird.

**Tägliche Bibellese** 2. Mose 7,14-29 · Lukas 2,41-52

# 12 Montag Januar

SA 08:20 · SU 16:39
MA 02:44 · MU 11:41

*Jesus sagt: Und ich, wenn ich von der Erde erhöht bin, werde alle zu mir ziehen.*

Johannes 12,32

## Das Zeugnis von Michelangelo

Michelangelo Buonarroti (1475-1564) zählt zu den bedeutendsten Künstlern der westlichen Welt. Bekannt als Maler, Bildhauer und Baumeister, hinterließ er außerdem einige großartige Gedichte. In einem seiner Gedichte, das er kurz vor seinem Tod schrieb, vergleicht er die fast 90 Jahre seines Lebens mit einer langen Schiffsreise auf stürmischer See. Michelangelo war sich bewusst, dass er am Ende dieser Reise Rechenschaft über sein Leben würde ablegen müssen. Und er wusste auch, dass ihm sein künstlerisches Talent dabei nicht helfen würde. Daher schließt er mit den Worten: „Weder Malerei noch Bildhauerei werden mich von nun an bezaubern: Meine

Seele hat sich ganz der Liebe dieses Gottes hingegeben, der am Kreuz seine Arme ausgebreitet hat, um uns aufzunehmen."

Michelangelo hatte verstanden, dass unser Lebenswerk, so groß es auch sein mag, uns vor Gott nicht rechtfertigen kann. Nur wenn wir uns Jesus, dem Sohn Gottes, zuwenden, der am Kreuz die verdiente Strafe für unsere Sünden getragen hat, können wir Vergebung und Heil für unsere Seele empfangen.

Die ausgebreiteten Arme des Gekreuzigten sind der höchste Ausdruck der Liebe und Barmherzigkeit Gottes, der „nicht will, dass irgendwelche verloren gehen, sondern dass alle zur Buße kommen" (2. Petrus 3,9).

*Komm in Jesu Retterarme,*
*der das Heil für dich erwarb,*
*dass Er deiner sich erbarme,*
*der am Kreuze für dich starb!*
*Denn durch Jesu Blut allein*
*wird dein Herz von Sünden rein.*

*(Verfasser unbekannt)*



DIE GUTE SAAT 2026 • CSV-Verlag • www.csv-verlag.de

# 13 Dienstag Januar

SA 08:19 · SU 16:41
MA 03:57 · MU 12:00

***Kommt zu mir; hört, und eure Seele wird leben.***

Jesaja 55,3

## Herzliche Einladung!

In der Bibel lädt Gott Menschen immer wieder mit einem „Komm" zu sich ein:

- „He, ihr Durstigen alle, kommt zu den Wassern! Und die ihr kein Geld habt, kommt, kauft ein und esst! Ja, kommt, kauft ohne Geld und ohne Kaufpreis Wein und Milch!" (Jesaja 55,1). Gottes Einladung richtet sich an alle, die erkannt haben, dass ihnen das Wichtigste im Leben fehlt. Gott lädt sie zu einem erfüllten Leben ein.
- „Kommt denn und lasst uns miteinander rechten, spricht der HERR. Wenn eure Sünden wie Scharlach sind, wie Schnee sollen sie weiß werden" (Jesaja 1,18). Alle, die unter der Last von

Schuld und Sünde seufzen, sind herzlich eingeladen. Sie dürfen so, wie sie sind, zu Gott kommen. Auf ihr Bekenntnis hin vergibt Er ihnen all ihre Sünden.

- „Kommt, denn schon ist alles bereit" (Lukas 14,17). Jesus Christus hat durch seinen Tod und seine Auferstehung alles getan, was für die Rettung verlorener Menschen erforderlich ist. Wer nun im persönlichen Glauben an Ihn zu Gott kommt, wird gerettet werden.
- „Kommt, folgt mir nach" (Markus 1,17). Diese Worte sind eine Einladung zur Nachfolge. Wer Jesus Christus als seinen Retter angenommen hat, ist nun aufgerufen, Ihm täglich als Jünger nachzufolgen.
- „Kommt und seht!" (Johannes 1,39). Diese Einladung gilt all denen, die den Sohn Gottes näher kennenlernen wollen. Wenn sie die Bibel lesen, werden sie erfahren, wie Jesus gelebt hat und was Er gesagt hat; wenn sie tun, was sie lesen, werden sie Ihm ähnlicher werden. So werden sie mehr und mehr begreifen, wer Er ist.

**Tägliche Bibellese** 2. Mose 8,21-28 · Lukas 3,15-22

# 14 Mittwoch Januar

SA 08:18 · SU 16:42
MA 05:08 · MU 12:27

***Denn so hat Gott die Welt geliebt, dass er seinen eingeborenen Sohn gab, damit jeder, der an ihn glaubt, nicht verloren gehe, sondern ewiges Leben habe.***

Johannes 3,16

## Kurz zusammengefasst

Der Tagesvers ist wie ein Extrakt. Er fasst komprimiert zusammen, was das Evangelium, die gute Botschaft Gottes, ist:

- „Gott" – ist der größte Geber;
- „die Welt" – ist die größte Zielgruppe;
- „hat so geliebt" – ist das höchste Motiv;
- „dass er … gab" – ist die größte Tat;
- „seinen eingeborenen/einzigartigen Sohn" – ist das größte Geschenk;
- „damit jeder" – ist die größte Chance;
- „der glaubt" – ist die einfachste Sache;

- „an ihn“ – hat die größte Anziehungskraft;
- „nicht verloren gehe“ – ist die beste Botschaft;
- „sondern“ – ist der größte Unterschied;
- „ewiges Leben“ – ist das höchste Gut;
- „habe“ – ist die größte Sicherheit.

Wer Gott beim Wort nimmt, trifft die beste Entscheidung.

**Tägliche Bibellese** 2. Mose 9,1-16 · Lukas 3,23-38

# 15 Donnerstag Januar

SA 08:18 · SU 16:44
MA 06:15 · MU 13:04

***Vermögen nützt nichts am Tag des Zorns, aber Gerechtigkeit errettet vom Tod.***

Sprüche 11,4

## Eine Geldmaschine

Heute vor 120 Jahren wurde der griechische Reeder Aristoteles Onassis geboren. Als er vor gut 50 Jahren, am 15. März 1975, im Alter von 69 Jahren in Paris starb, gehörte er zu den reichsten Menschen der Welt. Onassis wurde auf einer griechischen Insel, die ihm gehörte, neben seinem einzigen Sohn beigesetzt, der zwei Jahre zuvor durch einen Flugzeugabsturz ums Leben gekommen war. Als Onassis starb, hielt sich seine Frau, die Witwe des US-Präsidenten Kennedy, in New York auf. Nur seine Tochter Christina war bei ihm.

Ohne Zweifel beneideten viele Menschen Onassis um seinen Reichtum und seinen Einfluss. Jedenfalls ist seine Lebensgeschichte unter materiellen Gesichtspunkten eine der interessantesten Erfolgsstorys des 20. Jahrhunderts.

Aber was nützte ihm das? Er musste selbst eingestehen, dass er das Glück nicht gefunden hatte. Kurz vor seinem Tod erzählte er einem Freund: „Ich war eigentlich eine Maschine zum Geldmachen. Ich habe mein Leben wie in einem goldenen Tunnel zugebracht, den Blick auf den Ausgang gerichtet, der zum Glück führen sollte. Aber der Tunnel ging immer weiter."

Auch viele andere führen ihr Leben wie in einem Tunnel. Das muss nicht das „Geldmachen" sein; viele andere Bestrebungen gleichen ebenfalls einem solchen Tunnel. Das Leben ist dann auf einen bestimmten Punkt ausgerichtet, wo endlich das wirkliche Glück beginnen soll: „Wenn ich endlich in meiner Firma befördert werde ..."; „wenn wir im eigenen Haus wohnen ..."

Aber der Tunnel, der zum Glück führen soll, endet nie! Zu wirklicher Befriedigung und wahrem Glück gelangen wir nur, wenn Jesus Christus in unserem Herzen wohnt. Und dieses Glück kann uns dann nie mehr genommen werden, auch nicht durch Armut, Krankheit oder Tod.

# 16 Freitag Januar

SA 08:17 · SU 16:45
MA 07:13 · MU 13:54

***Gott hat am Ende dieser Tage zu uns geredet im Sohn, … durch den er auch die Welten gemacht hat; welcher die Ausstrahlung seiner Herrlichkeit und der Abdruck seines Wesens ist und alle Dinge durch das Wort seiner Macht trägt.***

Hebräer 1,2.3

## Jesus Christus kennenlernen – Er schuf das All

Jesus, der Nazarener, der schlichte Zimmermann aus Nazareth, ist zugleich derjenige, der das unfassbar riesige Universum geschaffen hat! Nicht weniger sagt der Tagesvers über Ihn aus!

Im Altertum ging man davon aus, dass es ungefähr 6 000 Sterne gibt, etwa 3 000 konnte man jeweils auf einer Erdhalbkugel mit bloßem Auge erkennen. Zur Zeit Galileis (1564-1642), als die ersten Ferngläser erfunden und hergestellt wurden, schätzte man die Zahl der Sterne auf 30 000. Je besser Teleskope wurden, desto weiter wanderte der Blick der Menschen hinaus ins All. Hubble, Gaia und neuerdings James Webb liefern atemberaubende Bilder. Heute schätzt man die Zahl der Sterne auf eine Größenordnung um 70 Trilliarden, das ist eine 70 mit 21 Nullen. Aber im Grunde weiß es niemand, erst recht kann es niemand nachzählen. Niemand? Jesus kann es, definitiv!

Der Schreiber von Psalm 147 stellt fest: „Der HERR zählt die Zahl der Sterne, nennt sie alle mit Namen" (Verse 2 und 4). Und hinter der Bezeichnung „der HERR", die im Alten Testament 1000-fach vorkommt, verbirgt sich oft Jesus, der Sohn Gottes.

Jesus, der HERR, kennt und zählt die Sterne nicht nur, Er hält sie auch in ihren Umlaufbahnen fest, Er bestimmt die Geschwindigkeit ihrer Rotationen und ihre Abstände voneinander. Die relativ winzige Erde hat Er so im Weltall platziert, dass sie optimale Lebensbedingungen für seine Menschen bietet.

Völlig unbegreiflich, dass dieser großartige, mächtige Schöpfer sich so klein gemacht hat, dass Er auf der Erde als Mensch leben und sterben konnte. Erklären lässt sich diese Liebe nicht, nur dankbar bestaunen!

**Tägliche Bibellese** 2. Mose 10,1-11 · Lukas 4,14-30

# 17 Samstag Januar

SA 08:16 · SU 16:47
MA 07:59 · MU 14:57

***Wendet euch zu mir und werdet gerettet, alle ihr Enden der Erde! Denn ich bin Gott und keiner sonst.***

Jesaja 45,22

## Mehr als nur eine Geschichte

„Entschuldigen Sie bitte!" Erwartungsvoll schaue ich in die Runde verschiedenster Religionsstifter: „Wie komme ich zu Gott?" „Hier entlang", antworten sie einstimmig und zeigen mir eine Brücke über ein großes Wasser. KORREKT LEBEN steht groß über der Brücke. „Einfach alle Gebotsschilder befolgen, dann kommst du sicher an."

Ich entdecke ein Schild: *Ermorde niemanden!* Direkt dahinter ein zweites: *Begehe keinen Raubüberfall!* „Ist ja einfach", denke ich erleichtert und beschleunige meine Schritte.

*Sei freundlich! Hinterziehe keine Steuern! Spende an Arme!* Obwohl mir die Brücke bei jedem Schritt wackeliger vorkommt, lasse ich mich nicht beunruhigen. Ich weiß: Ich bin ein guter Mensch, ich schaffe das!

Plötzlich wird die Brücke beängstigend eng, dann endet auch noch das Geländer. *Schaue keine Pornos!* Ein Glück, dass ich damit keine Probleme habe. Ich spüre ein erhebendes Gefühl in mir aufsteigen.

Hoppla! Fast hätte ich das nächste Schild übersehen: *Schau nicht auf andere herab!* Mir wird schwindelig. *Fluche und meckere nicht!* Nun verliere ich völlig die Balance. Mit den Armen rudernd stolpere ich einen weiteren Schritt nach vorne. *Sag immer die Wahrheit!*

Die Buchstaben tanzen vor meinen Blicken. „Es sind doch bloß Notlüüüüü ...!" Ich falle ... höre mich schreien ... dann verschließt Wasser meinen Mund. Panik überfällt mich, als ich die bittere Wahrheit erfasse: Ich schaffe es nicht! Ich bin verloren!

Da – ein Rettungsboot. Plötzlich begreife ich, dass der einzige Weg, der wirklich zu Gott führt, ein ganz anderer ist: Im Boot steht nämlich der Mann, der gesagt hat: „Ich bin der Weg ... Niemand kommt zum Vater als nur durch mich" (Johannes 14,6).

**Tägliche Bibellese** 2. Mose 10,12-23 · Lukas 4,31-44

# 18 Sonntag Januar

SA 08:15 · SU 16:48
MA 08:33 · MU 16:09

*Und als er aus dem Tempel heraustritt, sagt einer seiner Jünger zu ihm: Lehrer, siehe, was für Steine und was für Gebäude! Und Jesus sprach zu ihm: Siehst du diese großen Gebäude? Hier wird nicht ein Stein auf dem anderen gelassen werden, der nicht abgebrochen wird. Und als er auf dem Ölberg saß, dem Tempel gegenüber, fragten ihn Petrus und Jakobus und Johannes und Andreas für sich allein: Sage uns, wann wird das sein, und was ist das Zeichen, wann dies alles vollendet werden soll?* Markus 13,1-4

## Gedanken zum Markus-Evangelium

Es war ein beeindruckendes Bauwerk, das König Herodes in 46 Jahren errichten ließ. Genau genommen existierte dieser Tempel in Jerusalem bereits seit 516 v. Chr., doch Herodes hatte ihn umgebaut und erheblich vergrößert, so dass er zu den architektonischen und künstlerischen

Weltwundern der damaligen Zeit zählte. Wie schockierend für den Jünger zu hören, dass dieses prächtige Gebäude eines Tages völlig zerstört werden würde! Denn wer den Tempel mit eigenen Augen gesehen hatte, konnte sich kaum vorstellen, dass er in absehbarer Zeit nicht mehr existieren sollte. Doch genau so kam es: Im Jahr 70 n. Chr. zerstörte das Heer des römischen Feldherrn Titus die Heilige Stadt samt Tempel. Es war ein göttliches Strafgericht über das jüdische Volk, weil es seinen Messias verworfen hatte (vgl. Lukas 19,44).

Der Jünger zweifelte offenbar nicht an der Aussage seines Herrn. Doch vier von ihnen wollten es genauer wissen. Sie nutzten die Gelegenheit auf dem Ölberg – einem Ort, der ihnen vertraut war (vgl. Lukas 22,39). „Wann wird das sein", wollen sie wissen und fragen nach dem genauen Zeitpunkt. Um sich darauf vorzubereiten, interessieren sie sich auch für die Vorzeichen dieses Ereignisses. Daraufhin beginnt der Herr seine letzte prophetische Rede, die auch in Matthäus 24 und 25 überliefert ist. Was folgt, ist jedoch weit mehr als eine bloße Aufzählung zukünftiger Ereignisse, die möglicherweise unsere Neugierde wecken könnten. Es ist eine Ansprache an Herz und Gewissen.

**Tägliche Bibellese** 2. Mose 10,24–11,10 · Lukas 5,1-11

# 19 Montag Januar

SA 08:14 · SU 16:50
MA 08:58 · MU 17:27

***Einst waren auch wir unverständig, ungehorsam, irregehend, dienten mancherlei Begierden und Vergnügungen, führten unser Leben in Bosheit und Neid, verhasst und einander hassend. Als aber die Güte und die Menschenliebe unseres Heiland-Gottes erschien, errettete er uns.***

Titus 3,3-5

## Die Betschuanen

Im 19. Jahrhundert arbeitete der Pionier und Missionar Robert Moffat fünfzig Jahre in Südafrika unter dem Stamm der Betschuanen am Oranje-Fluss. Seine Fähigkeiten als Gärtner, Zimmermann und Schmied brachten ihm den Respekt der Einheimischen ein. Sein Hauptanliegen aber war es, den Menschen die Botschaft von Jesus Christus zu bringen. Dazu übersetzte er die Bibel in ihren Dialekt. Eines Tages kam ein Betschuane zu Moffat und sagte: „Meister, ich möchte dich etwas fragen: Kannten die Leute, die das Neue Testament geschrieben haben, unseren Stamm? Wir haben in unserem Dorf darüber diskutiert und viele meinen: Ja." „Wie kommt ihr darauf?", fragte Moffat verwundert.

„Nun, wir denken, sie müssen uns gekannt haben, denn all das Böse, das wir tun und denken, steht in diesem Buch."

Viele Betschuanen wurden damals von den klaren Aussagen des Wortes Gottes überzeugt, weil es alles Böse schonungslos aufdeckt. Gleichzeitig erkannten sie aber auch die Liebe, in der Gott sie von ihrer Schuld befreien wollte. Durch den Glauben an Jesus Christus wurde ihr Leben grundlegend verändert.

Wie lese ich die Bibel? Beziehe ich sie – wie diese Betschuanen – bewusst auf mich selbst? Öffne ich mich der göttlichen Kritik an meinem bisherigen Leben? Oder bin ich mit mir und meiner Lebensweise zufrieden? Bin ich bereit, den Bibelvers Jesaja 55,7 auf mich zu beziehen? Er lautet: „Der Gottlose verlasse seinen Weg ... und er kehre um zu dem HERRN, so wird er sich seiner erbarmen, und zu unserem Gott, denn er ist reich an Vergebung."

**Tägliche Bibellese** 2. Mose 12,1-16 · Lukas 5,12-16

# 20 Dienstag Januar

SA 08:13 · SU 16:52
MA 09:17 · MU 18:45

***Christus hat uns geliebt und sich selbst für uns hingegeben.***

Epheser 5,2

**Liebe ist ...**

„Liebe ist ...", so beginnen die Sätze einer bekannten Spruchsammlung. Sie deuten an, wie Liebe sich in bestimmten Situationen äußern kann. Aber was Liebe in ihrem tiefsten Grund wirklich ist, darüber können diese Sprüche nur wenig sagen.

Liebe ist auch das Thema, das in den Liedern aller Völker und Zeiten am häufigsten besungen wurde, und noch heute kommt kaum ein moderner „Hit" ohne Liebe aus. Und wie viele tiefsinnige Bücher sind schon über die Liebe geschrieben worden!

Von den vielen Aspekten, die man nennen könnte, wollen wir einen herausgreifen: Wahre Liebe will geben! Eine Liebe, die immer nur für sich will, verdient diesen Namen nicht. Damit ist vieles entlarvt, was so leichtfertig Liebe genannt wird. Wahre, reine Liebe hat Seltenheitswert.

In der Bibel finden wir einen Menschen, der geradezu von Liebe geprägt ist: Jesus Christus! Alles, was Er tat, war bestimmt von der Liebe zu Gott und zu den Menschen. Unser heutiger Bibelvers spricht davon, dass Er den höchsten Liebesbeweis erbracht hat.

Für andere aus Liebe zu sterben, stellt einen sehr hohen Maßstab dar. Jesus Christus ist für uns gestorben! Dies sollte Ihn uns in einem völlig neuen Licht erscheinen lassen. Wenn in unserem Leben Liebe fehlt – was viele Menschen empfinden –, dann sollten wir das Kreuz von Golgatha genauer betrachten, insbesondere die Person, die dort gelitten hat! Wer sich mit dem Gekreuzigten eingehend befasst, beginnt zu verstehen, was wahre Liebe bedeutet.

**Tägliche Bibellese** 2. Mose 12,17-28 · Lukas 5,17-26

# 21 Mittwoch Januar

SA 08:12 · SU 16:53
MA 09:33 · MU 20:04

*Dies habe ich euch geschrieben, damit ihr wisst, dass ihr ewiges Leben habt, die ihr glaubt an den Namen des Sohnes Gottes.*

1. Johannes 5,13

## Lass den Ast los!

„Ich muss dir gestehen, Lisa, dass ich von Tag zu Tag mehr Angst bekomme, wenn ich an den Tod denke. Ich mache mir große Sorgen um das, was danach kommt."

„Das ist gut so, Eva, denn so bringt Gott dich im Glauben voran."

Überrascht von dieser Antwort schildert Eva ihre Anstrengungen, von ihren Sünden befreit zu werden: Sie betet, geht regelmäßig zum Gottesdienst und bemüht sich, nichts Böses zu tun.

„Und du", fügt sie hinzu, „was hast du getan, dass du so ruhig in die Zukunft blicken kannst?"

„Ich habe nichts getan. Jesus hat alles für mich getan. Er ist stellvertretend für meine Sünden gestorben. Daran halte ich fest."

Lisas Antwort geht Eva nicht mehr aus dem Kopf: „Jesus hat alles für mich getan ..." In einer Nacht hat sie einen beeindruckenden Traum: Sie stürzt in einen schrecklichen Abgrund. Doch im Fallen greift sie nach einem Ast und bleibt über dem Nichts hängen. Verzweifelt ruft sie: „Hilfe, Herr, rette mich!" Da hört sie deutlich eine Stimme: „Lass den Ast los!" Aber sie klammert sich nur umso fester daran und schreit weiter um Hilfe. Wieder hört sie: „Ich kann dich nur retten, wenn du den Ast loslässt." Schließlich verlassen sie ihre Kräfte, und als sie loslässt, fällt sie sanft in ausgestreckte Arme und ... wacht auf. Da begreift Eva, dass Jesus ihr ganzes Vertrauen verdient. Seinem Erlösungswerk am Kreuz kann und muss nichts mehr hinzugefügt werden. Jetzt sagt auch sie mit voller Überzeugung: „Jesus hat alles für mich getan!"

„Durch die Gnade seid ihr errettet, mittels des Glaubens; und das nicht aus euch, Gottes Gabe ist es; nicht aus Werken, damit niemand sich rühme" (Epheser 2,8.9).

**Tägliche Bibellese** 2. Mose 12,29-42 · Lukas 5,27-39

# 22 Donnerstag Januar

SA 08:11 · SU 16:55
MA 09:45 · MU 21:22

***Weil du teuer, wertvoll bist in meinen Augen und ich dich lieb habe.***

Jesaja 43,4

## Wie wertvoll bin ich?

Hätte ich in China unter Mao Tse-tung, in Russland unter Stalin oder in Deutschland unter Hitler gelebt, so wäre ich möglicherweise als *wertlos* eingestuft worden.

Ein Chemiker würde den Materialwert meines Körpers als *äußerst gering* einschätzen.

Wäre ich im 19. Jahrhundert in die Hände elnes Sklavenhändlers geraten, hätte er mich entsprechend meiner körperlichen Verfassung vielleicht auf *200-300 $* geschätzt.

Hätte ich als Zivilist in Afghanistan gelebt und wäre dort ums Leben gekommen, hätte die US-Regierung meine Angehörigen mit durchschnittlich *3.118 €* entschädigt.

Wäre ich als Polizist bei den Terroranschlägen in New York am 11. September 2001 ums Leben gekommen, so hätte man meinen Wert auf *500.000 $* beziffert.

Hieße ich Neymar und wäre Fußballspieler, so hätte der Fußball-Club Paris Saint-Germain mich im August 2017 für stolze *222 Millionen Euro* gekauft.

Was bin ich wert? Wie lange bin ich etwas wert? Und schließlich: Für wen bin ich etwas wert? – Es gibt jemanden, der mich schon gesehen hat, „als ich gemacht wurde im Geheimen, gewirkt wie ein Stickwerk in den untersten Örtern" (Psalm 139,15). Er sah mich als Embryo, nahm Kenntnis von meiner Geburt und hat mein ganzes Leben überblickt. Für Ihn bin ich so wertvoll, dass Er bereit war, für mich sein Leben zu geben, damit ich ewig bei Ihm sein könnte.

Wie wertvoll wurde mir mein Erlöser, als ich erfuhr, was Er bereit war, für mich zu bezahlen! Er hat auch für dich bezahlt. Weil Er dich liebhat, dich besitzen möchte, dir Gutes tun möchte! – Jesus Christus wartet auf dich.

**Tägliche Bibellese** 2. Mose 12,43–13,10 · Lukas 6,1-11

# 23 Freitag Januar

SA 08:10 · SU 16:56
MA 09:57 · MU 22:40

***Maria sprach: Meine Seele erhebt den Herrn, und mein Geist frohlockt in Gott, meinem Heiland.***

Lukas 1,46.47

***Der Vater hat den Sohn gesandt als Heiland der Welt.***

1. Johannes 4,14

## Jesus Christus kennenlernen – Der Heiland

Das Leben der jungen Jüdin Maria ist in unvorstellbarem Maß durcheinandergewirbelt worden. Ein Engel, ein himmlischer Bote Gottes, brachte ihr die Nachricht, dass sie – obwohl noch nicht verheiratet, sondern erst verlobt – schwanger werden und den lange ersehnten Messias (Christus) Israels zur Welt bringen soll. Er erzählte ihr auch von einem weiteren Wunder: Ihre viel ältere, „hochbetagte" Verwandte Elisabeth erlebt gerade ihr persönliches Wunder und erwartet ebenfalls ein Kind.

Maria macht sich auf den Weg zu ihr – dort wird sie Verständnis und Ermutigung finden. Die herzliche Begrüßung Elisabeths tut Maria sichtlich gut. Man merkt es daran, dass sich jetzt bei ihr der Jubel Bahn bricht: „Mein Geist frohlockt in Gott, meinem Heiland." Aber was bedeutet „Heiland" eigentlich? Martin Luther übersetzte damit das griechische Wort *soter*, das „Erlöser" oder „Retter" bedeutet. Im Althochdeutschen heißt „Heiland" so viel wie „der Heilende". Wen meint Maria mit diesem Wort? Wen bezeichnet sie als ihren Heiland? Die Antwort ist klar: Gott. Ja, auch diese auserwählte Frau, die Mutter Jesu, kennt und braucht Ihn als Retter.

Der zweite Tagesvers zeigt, dass Gott seinen Sohn als Heiland, als Retter, gesandt hat. Ein Widerspruch? Nein, im Gegenteil: Gott, der Vater, und Gott, der Sohn, sind in ihren Heilsabsichten vollkommen eins. Ein Geheimnis, das der menschliche Verstand nicht begreifen kann – und doch wunderschön. Wenn Gott, der Vater, und Gott, der Sohn, retten wollen, wer könnte sie jemals daran hindern! Das Heil wird der ganzen Welt angeboten; keiner ist ausgenommen. Es liegt nun an uns, die Rettung anzunehmen, um wie Maria sagen zu können: „Mein Heiland".

**Tägliche Bibellese** 2. Mose 13,11-22 · Lukas 6,12-19

# 24 Samstag Januar

SA 08:09 · SU 16:58
MA 10:10 · MU –:–

***Auch wenn ich wanderte im Tal des Todesschattens, fürchte ich nichts Übles, denn du bist bei mir.***

Psalm 23,4

***Jesus spricht: Siehe, ich bin bei euch alle Tage bis zur Vollendung des Zeitalters.***

Matthäus 28,20

## Liedergeschichten – So nimm denn meine Hände

Manche Glaubenslieder sind weltbekannt geworden. Dazu gehören Klassiker wie „Amazing Grace" oder „Friede mit Gott". Doch nur selten kennen wir die bewegende Geschichte, die hinter diesen tiefgründigen Liedern und Chorälen steht. Jedes dieser Lieder ist entstanden aus einer besonderen Glaubenserfahrung ihrer Verfasser, die fest in ihrem Glauben gegründet waren.

Auch das bekannte Lied „So nimm denn meine Hände" (1862) wurde in einer besonderen Situation geschrieben. Die Dichterin, Julie Katharina von Hausmann (1826-1901), ist jung, frisch verlobt und eine überzeugte Christin. Kurz vor der Hochzeit reist ihr Verlobter nach Afrika, um dort eine Missionsstation aufzubauen. Der Plan ist, dass er vor Ort Vorbereitungen trifft, während Julie sich um fehlende Papiere kümmert und ihm danach folgt. Die Hochzeit soll in Afrika stattfinden.

Endlich kann sie abreisen. Doch in Afrika angekommen, erwartet sie nicht ihr Verlobter, sondern nur die erschütternde Nachricht, dass er wenige Wochen zuvor an einer Tropen-Krankheit gestorben ist. Man führt sie zu seinem Grab, und noch am selben Abend – so wird erzählt – dichtet sie dieses Lied. Darin drückt sie ihre tiefe Hilflosigkeit aus, aber auch ihr festes Vertrauen auf Gott.

Bis heute macht dieses Lied vielen Mut, weil es auf den hinweist, der in jeder Lebenslage nahe ist: Jesus Christus.

*So nimm denn meine Hände und führe mich,*
*bis ich den Lauf vollende und ewiglich!*
*Ich kann allein nicht gehen, nicht einen Schritt.*
*Wo Du wirst gehn und stehen, da nimm mich mit.*

**Tägliche Bibellese** 2. Mose 14,1-14 · Lukas 6,20-30

# 25 Sonntag Januar

SA 08:07 · SU 17:00
MA 10:24 · MU 00:01

*Jesus aber fing an, zu ihnen zu sagen: Gebt acht, dass euch niemand verführe! Viele werden unter meinem Namen kommen und sagen: „Ich bin es!“, und sie werden viele verführen. Wenn ihr aber von Kriegen und Kriegsgerüchten hören werdet, so erschreckt nicht. Dies muss geschehen, aber es ist noch nicht das Ende. Denn Nation wird sich gegen Nation erheben und Königreich gegen Königreich. Es werden Erdbeben sein an verschiedenen Orten; es werden Hungersnöte sein. Dies ist der Anfang der Wehen.*

Markus 13,5-8

## Gedanken zum Markus-Evangelium

Jesus hat seinen Jüngern angekündigt, dass die prächtigen Tempelbauten dem Erdboden gleichgemacht würden. Das Interesse der Jünger ist geweckt: „Wann wird das sein, und was ist das Zeichen, wann dies alles vollendet werden soll?“

Auf die erste Frage gibt der Herr keine direkte Antwort. Stattdessen warnt Er eindringlich vor Verführung, denn der Teufel ist darin ein Meister. Als großer Gegenspieler von Christus versucht er, die Aufmerksamkeit von Ihm abzulenken, indem er Ihn nachahmt. Diese Verführung wird im Antichrist gipfeln, „der sich selbst darstellt, dass er Gott sei" (2. Thessalonicher 2,4). Leider werden viele Juden dieser Lüge zum Opfer fallen.

Anschließend spricht Jesus von Kriegen und Naturkatastrophen. Diese Ereignisse stehen zeitlich nicht unmittelbar mit der Zerstörung des Tempels in Verbindung, sondern werden in der „Zeit des Endes" stattfinden (vgl. Daniel 8,17.19; 11,35.40; 12,4.9). Gemeint ist die Phase unmittelbar vor der Erscheinung Christi, wenn Er sein Reich errichten wird.

Diese Zeit wird die Brautgemeinde Christi – also alle Erlösten zwischen Pfingsten und der Entrückung – nicht miterleben, denn sie wird bereits bei Christus im Himmel sein. Wer Christus angenommen hat, kommt nicht unter diese Gerichte, denn sie sind für solche bestimmt, die Ihn abgelehnt haben. Für erlöste Christen gilt: „Das Ende aller Dinge ist nahe gekommen" (1. Petrus 4,7). Sie dürfen den Herrn täglich erwarten.

**Tägliche Bibellese** 2. Mose 14,15-31 · Lukas 6,31-38

# 26 Montag Januar

SA 08:06 · SU 17:02
MA 10:42 · MU 01:26

***Das Wort ist gewiss und aller Annahme wert, dass Christus Jesus in die Welt gekommen ist, um Sünder zu erretten, von denen ich der erste bin.***

1. Timotheus 1,15

## Veränderung im Leben

Roy ist wegen Mordes zu lebenslanger Haft verurteilt worden. Nach 17 Jahren beantragt er vorzeitige Entlassung. Der Seelsorger, der ihn betreut, wird zu einer Stellungnahme vor Gericht geladen.

„Warum plädieren Sie für die Begnadigung dieses Mannes?", fragt der Richter. Der Seelsorger antwortet: „Weil Gott in sein Leben getreten ist."

Der Richter sieht ihn verwirrt an. „Was meinen Sie damit, dass Gott in sein Leben getreten ist?"

„Das erkläre ich Ihnen gern", erwidert der Seelsorger. „Als Roy verurteilt wurde, dachte er, er hätte es nur mit den menschlichen Gerichten zu tun. Eines Tages erkannte er jedoch, dass er sich auch vor Gott verantworten muss. Seine Schuld vor Gott lastete schwerer auf ihm als seine Schuld vor Menschen. Er verzweifelte an der Frage: Wie kann ich meine abscheulichen Taten vor Gott wiedergutmachen? Dann hörte er die wunderbare Botschaft von der Gnade Gottes. Er verstand, dass Gott seinen Sohn Jesus Christus für fremde Schuld bestraft hatte. Diese Botschaft nahm er glaubend für sich in Anspruch und wurde von der Last seiner Schuld befreit. Roy ist nun ein neuer Mensch! Sein Leben und seine gesamte Einstellung haben sich zum Guten gewandelt."

Der Richter ist beeindruckt, aber noch nicht ganz überzeugt. „Gut", sagt er, „aber jetzt noch eine persönliche Frage: Würden Sie ihn als Nachbarn akzeptieren, falls er freikommt?" „Nicht nur als Nachbarn", versichert der Seelsorger, „sondern als einen Bruder!"

Roy wird freigelassen und erzählt voller Freude überall, was Gottes Gnade in einem Menschen bewirken kann – selbst bei einem Schwerverbrecher!

„Wenn jemand in Christus ist, da ist eine neue Schöpfung; das Alte ist vergangen, siehe, Neues ist geworden" (2. Korinther 5,17).

**Tägliche Bibellese** 2. Mose 15,1-16 · Lukas 6,39-49

# 27 Dienstag Januar

SA 08:05 · SU 17:03
MA 11:06 · MU 02:53

***Denn Wind säen sie, und Sturm ernten sie.***

Hosea 8,7

## Redewendungen, die aus der Bibel stammen (1)

Wissen Sie, wie stark die Bibel die deutsche Sprache geprägt hat? Eine ganze Reihe von Redewendungen und lehrreichen Sprüchen, die wir bis heute im Alltag verwenden, stammen aus der Bibel.

Der Tagesvers zum Beispiel entspricht fast genau der bekannten Redewendung: „Wer Wind sät, wird Sturm ernten.“ Sie bedeutet: Wer Unruhe stiftet oder etwas Böses verursacht, muss mit noch schlimmeren Konsequenzen rechnen. Kleine Handlungen oder Entscheidungen können große unkontrollierbare Folgen haben. Wer hätte gedacht, dass diese Erfahrung schon einem Schreiber des Alten Testaments aus dem 8. Jahrhundert vor Christus bekannt war!

Auch im Neuen Testament zeigt Gott ein ähnliches Prinzip auf: Der Mensch erntet, was er sät (vgl. Galater 6,7). Diese Wahrheit sollte uns zur Vorsicht warnen – sowohl im Reden als auch im Handeln.

Das gilt für unsere zwischenmenschlichen Beziehungen, aber noch mehr für unsere Beziehung zu Gott. Wer in diesem Leben nur für das Diesseits „sät“, wird niemals das ewige Leben „ernten“.

Allein der Glaube an Jesus Christus ist die „Saat“, die Frucht für die Ewigkeit hervorbringt. Wer an Ihn glaubt und für Ihn lebt, wird für seine Treue und Hingabe belohnt werden.

Wer jedoch „für sein eigenes Fleisch sät“, also seinem Eigenwillen folgt, „wird von dem Fleisch Verderben ernten“ (Galater 6,8). Alles, wofür er sich in seinem Leben eingesetzt hat, wird vergehen – und er selbst wird verloren sein.

„Glaube an den Herrn Jesus, und du wirst errettet werden“ (Apostelgeschichte 16,31).

# 28 Mittwoch Januar

SA 08:04 · SU 17:05
MA 11:41 · MU 04:20

***Errette mich in deiner Gerechtigkeit!***

Psalm 31,2

## Gott ist gerecht

Ein angesehener Richter lag im Sterben. Zeit seines Lebens war er für seine unbestechliche Gerechtigkeit bekannt gewesen, und das hatte ihm Zufriedenheit gegeben. Doch nun, auf dem Krankenbett, quälten ihn beunruhigende Gedanken über die Zukunft. Ihm wurde bewusst, dass er trotz seines redlichen und vorbildlichen Lebens ein Sünder war – und dass er vor Gott nicht als gerecht bestehen konnte, so sehr er sich auch um Gerechtigkeit bemüht hatte.

Ein Freund stellte ihm eine entscheidende Frage: „Bist du errettet?" Der Richter musste verneinen. „Möchtest du gern gerettet werden?", fragte der Freund weiter. – „Ja", antwortete er, „aber nicht, wenn Gott dafür irgendetwas Ungerechtes tun muss." Er wollte nur auf einer gerechten Grundlage und in rechter Weise errettet werden.

Ähnliches Ringen durchlebte Martin Luther. Auch er sah sich als Sünder, und gerade Bibelstellen wie unser heutiger Tagesvers erfüllten ihn mit tiefer Angst. Er fragte sich: Muss denn Gottes Gerechtigkeit den Sünder nicht bestrafen? Wie kann sie ihn dann retten? Selbst das Studium des Römerbriefs brachte ihm zunächst keine Erleichterung, obwohl dort ausdrücklich gesagt wird, dass im Evangelium Gottes Gerechtigkeit offenbart wird (Römer 1,17).

Sowohl der Richter als auch Luther fanden schließlich die Antwort: Gottes Gerechtigkeit wurde am Kreuz von Golgatha zufriedengestellt. Denn dort nahm Christus als Stellvertreter die gerechte Strafe Gottes auf sich. Deshalb ist Gott jetzt vollkommen gerecht, wenn Er den rettet und rechtfertigt, der an Jesus Christus glaubt und sein stellvertretendes Sterben für sich in Anspruch nimmt. So bilden Gottes Gerechtigkeit und seine Liebe zu dem verlorenen Sünder eine harmonische Einheit (Römer 3,26).

# 29 Donnerstag Januar

SA 08:02 · SU 17:07
MA 12:32 · MU 05:41

***Auf dich werden vertrauen, die deinen Namen kennen; denn du hast nicht verlassen, die dich suchen, HERR.***

Psalm 9,11

## Der Einfluss einer Mutter

In den 1980er Jahren wächst Sascha in einem totalitären Staat allein bei seiner Mutter auf. Als er zehn Jahre alt ist, erscheint die Polizei, um ihn seiner Mutter wegzunehmen, da sie Christin ist. Verzweifelt klammert er sich an sie und ruft: „Mama, ich will bei dir bleiben!" Weinend schließt sie ihn in ihre Arme. Aber sie ist machtlos. Als die Nachbarn empört herbeilaufen, sagt einer der Polizisten beschwichtigend: „Wir wollen die beiden nicht trennen, sie kann mitkommen!" Beide steigen ein, doch schon nach kurzer Fahrt hält das Auto in einem Wald an. Die Mutter wird aufgefordert, auszusteigen. Dann fährt das Auto ab, und die Mutter wird in ihrem Schmerz zurückgelassen.

Unermüdlich betet sie für Sascha, und ihre Gebete werden schließlich erhört. Sie findet das Haus, in dem der Junge lebt. Beim ersten Kontakt sagt die Erzieherin: „Sie haben wirklich einen besonderen Sohn! Vor dem Schlafen kniet er sich hin und betet. Die anderen Kinder verspotten ihn, aber am nächsten Morgen betet er wieder. Er betet auch vor jedem Essen. Und überhaupt ist er sehr friedlich und ruhig!"

Als die beiden im Besucherzimmer allein sind, fragt die Mutter: „Sascha, warum hast du mir nie geschrieben?" „Ich darf nicht, wir werden ständig überwacht." Nach einer Weile kehrt die Erzieherin zurück und findet die beiden kniend im Gebet. Sie hält inne und hört, wie Sascha seinem Herrn Jesus mit einfachen Worten dankt, dass Er für ihn gestorben ist und immer bei ihm ist. Dann betet er für sie und das ganze Personal, ja sogar für die anderen Kinder, die ihn immer auslachen.

Einige Tage später ruft die Erzieherin Sascha zu sich. „Dein Glaube beeindruckt mich", beginnt sie. „Ich habe gehört, wie du mit deiner Mutter gebetet hast. Das hat mich nicht mehr losgelassen! Jetzt glaube auch ich an Jesus Christus. Er ist mein Erlöser!"

**Tägliche Bibellese** 2. Mose 16,13-30 · Lukas 7,18-23

# 30 Freitag Januar

SA 08:01 · SU 17:08
MA 13:42 · MU 06:45

***Am folgenden Tag sieht Johannes der Täufer Jesus zu sich kommen und spricht: Siehe, das Lamm Gottes, das die Sünde der Welt wegnimmt! ... Am folgenden Tag stand Johannes wieder da und zwei von seinen Jüngern, und hinblickend auf Jesus, der da wandelte, spricht er: Siehe, das Lamm Gottes!***

Johannes 1,29.35.36

## Jesus Christus kennenlernen – Das Lamm Gottes

Bethanien am Jordan: Hier tauft Johannes der Täufer viele jüdische Menschen, die zur Buße bereit sind und ihre Sünden bekennen. Eines Tages kommt Jesus an den Jordan, um sich ebenfalls von Johannes taufen zu lassen. Johannes sieht in Ihm nicht einen Menschen, der wegen begangener Sünden Buße tun muss. Im Gegenteil, er sagt zu seinen Zuhörern: „Schaut hin, dieser Mann ist das Lamm Gottes, das die Sünde der Welt wegnimmt."

Diese Aussage ist den Juden, die Johannes umgeben, nicht so fremd wie für uns moderne Menschen, die nicht zum Volk Israel gehören. Das Lamm spielt eine zentrale Rolle: beim Pessach (Passah), dem Fest, das an die Befreiung Israels aus Ägypten erinnert. Jährlich essen die Israeliten ein am Feuer gebratenes Lamm (2. Mose 12,3-14). Mehr noch: Zweimal täglich – morgens und abends – bringen die Priester in Jerusalem ein Lamm als Opfer dar (2. Mose 29,38-42). Lämmer sind also im jüdischen Gottesdienst gut bekannt. Doch keins dieser Lämmer ist je „Lamm Gottes" genannt worden, und keins hat auch nur im Entferntesten „die Sünde der Welt" wegnehmen können. Jesus Christus ist einzigartig: Der Sündlose wird das Opfer für die Sünde, damit diese einmal vollständig aus dem Universum verschwindet.

Am nächsten Tag steht Johannes wieder mit seinen Schülern zusammen und deutet erneut auf Jesus: „Seht, das Lamm Gottes!" Zwei von ihnen – Andreas und vermutlich Johannes, der Sohn des Zebedäus – nutzen die Gelegenheit, um zu Jesus zu gehen.

Ob sich auch heute noch Menschen von „dem Lamm Gottes" angezogen fühlen?

**Tägliche Bibellese** 2. Mose 16,31–17,7 · Lukas 7,24-35

# 31 Samstag Januar

SA 07:59 · SU 17:10
MA 15:06 · MU 07:32

*Mein Auge verschmachtet vor Elend; zu dir, HERR, habe ich jeden Tag gerufen, zu dir habe ich meine Hände ausgebreitet. ... Warum, HERR, verwirfst du meine Seele, verbirgst dein Angesicht vor mir?*

Psalm 88,10.15

## Zornig auf Gott

Frank und Marie hatten eine kleine Tochter, die im Alter von 18 Monaten starb. Seitdem empfinden sie eine tiefe Leere, die mit der Zeit immer schwerer zu ertragen ist. Alle Versuche, diesen Schmerz zu überwinden, scheitern. Wie können sie nach einer solchen Tragödie noch an die Existenz Gottes glauben? Und wenn es Ihn gibt – warum hat Er ihnen dieses schreckliche Leid nicht erspart? Sie beginnen, mit Gott zu hadern und werden wütend auf Ihn.

Auch wenn wir solch ein Leid noch nicht erlebt haben, kann es vorkommen, dass wir zornig auf

Gott werden. Auch mir, der ich gläubiger Christ bin, ist das leider schon passiert.

Ich hatte intensiv für etwas gebetet, von dem ich überzeugt war, dass es dem Willen Gottes entsprach. Ich vertraute auch auf seine Macht, es zu verwirklichen. Doch plötzlich kam alles anders – eine herbe Enttäuschung! Von diesem Moment an wollte ich mit Gott nichts mehr zu tun haben. Warum hat Er meine Gebete nicht erhört? Will Er mich nicht glücklich machen?

Viel später erkannte ich, dass meine Auffassung von Glück nicht im Einklang mit Gottes Plan war. Meine Vorstellung von einem glücklichen Leben war begrenzt und bruchstückhaft. Ich hatte übersehen, dass es einen unsichtbaren Bereich gibt, in dem ein höheres und unvergängliches Glück zu finden ist. Die Freude, die ich bis dahin gekannt hatte, war nur ein schwaches Muster einer viel größeren Freude – der Freude mit Gott! Mein Zorn gegenüber Gott verwandelte sich in Dankbarkeit, denn ich verstand, dass Gott mir meine Wünsche aus Liebe verweigert hatte. Er hat den Überblick über mein Leben und handelt stets zu meinem Besten. „Wir wissen, dass denen, die Gott lieben, alle Dinge zum Guten mitwirken" (Römer 8,28).

**Tägliche Bibellese** 2. Mose 17,8-16 · Lukas 7,36-50

# 1 Sonntag Februar

SA 07:58 · SU 17:12
MA 16:35 · MU 08:03

***Ihr aber, gebt acht auf euch selbst: Sie werden euch an Synedrien und an Synagogen überliefern; ihr werdet geschlagen und vor Statthalter und Könige gestellt werden um meinetwillen, ihnen zum Zeugnis; und allen Nationen muss zuvor das Evangelium gepredigt werden.***

Markus 13,9.10

## Gedanken zum Markus-Evangelium

Wir befinden uns hier in der sogenannten Endzeitrede Jesu, in der Er seine Jünger auf zukünftige Ereignisse vorbereitet: Kriege und Erdbeben werden den „Anfang der Wehen" bilden. Doch an erster Stelle warnt der Herr vor Verführung: Es werden Personen auftreten, die sich fälschlicherweise als der Christus ausgeben.

Nun fordert Jesus seine Jünger erneut auf, wachsam zu sein. Denn wer an Ihn glaubt, muss mit heftigem Widerstand rechnen. Doch wer hätte damals geahnt, dass Jünger Jesu tatsächlich an „Synedrien" und „Synagogen" überliefert werden würden – an Gremien, in denen die religiösen Führer dominierten? Die Apostelgeschichte berichtet, dass genau das geschah. Wer Jesus als den Christus bezeugte, galt als Ketzer und wurde verfolgt – zum Teil mit Unterstützung durch die weltliche Gerichtsbarkeit. So musste sich der Apostel Paulus vor den Statthaltern Felix und Festus, dem König Agrippa und schließlich sogar vor dem Kaiser in Rom verantworten (vgl. Apostelgeschichte 24,24-27; 25,1-23).

Die meisten dieser hochgestellten Personen blieben Feinde Jesu Christi. Doch die Gnade Gottes bietet sich jedem án. Auch wenn sie schwerlich in das Reich Gottes eingehen – „bei Gott sind alle Dinge möglich" (Matthäus 19,23-26).

Wie gnädig ist Gott! Er will Menschen retten (vgl. 2. Petrus 3,9). Deshalb lässt Er das Evangelium verkündigen – bis Christus in Herrlichkeit erscheint und das Friedensreich errichtet.

**Tägliche Bibellese** 2. Mose 18,1-12 · Lukas 8,1-8

# 2 Montag Februar

SA 07:56 · SU 17:14
MA 18:03 · MU 08:25

***Männer von Athen, als ich umherging und die Gegenstände eurer Verehrung betrachtete, fand ich auch einen Altar, an dem die Aufschrift war: Dem unbekannten Gott. Was ihr nun, ohne es zu kennen, verehrt, das verkündige ich euch.***

Apostelgeschichte 17,22.23

## Glaube an einen Niemand-Gott

Mir saß ein russisches Ehepaar gegenüber. Beide waren kommunistisch erzogen und überzeugt: „Gott gibt es nicht." Dann aber erzählte der Mann:

„Wir sind Bildhauer und arbeiteten vor einiger Zeit an einem Standbild. Dabei wurde uns bewusst, wie erstaunlich der menschliche Daumen ist. Wäre er nicht den anderen Fingern gegenüberliegend, sondern wie unsere Zehen angeordnet, könnten wir weder greifen noch festhalten. Wer hat ihn so gemacht? Uns war beigebracht worden, dass Himmel und Erde aus dem Nichts entstanden sind. Doch wer auch immer diesen kleinen Daumen erschaffen hat, allein dafür wäre er zu loben.

Für uns war im Himmel niemand – Gott gab es ja nicht! Meine Frau sagte, selbst wenn das so sei, sei sie entschlossen, von ganzem Herzen diesen ‚Niemand' zu verehren, der den Daumen gemacht hat. Also verehrten wir beide einen ‚Niemand-Gott'. Mit der Zeit wurde unser Glaube umfassender, denn uns wurde bewusst, dass der Schöpfer des Daumens auch die Sterne, die Blumen und alles andere Schöne im Leben geschaffen hat."

Dieses Ehepaar war glücklich, als es hörte, dass sein Glaube an den „Niemand-Gott" nicht vergeblich war. Denn dieser Gott liebte sie so sehr, dass Er seinen eigenen Sohn sandte, der sich für sie am Kreuz opferte. Von da an war es für beide nur noch ein kleiner Schritt, persönliche Errettung und Erlösung durch Jesus Christus zu erfahren.

Wer sich heute Christ nennt, hat keine Entschuldigung: Er kann Gott kennen, Ihm danken und Ihn ehren (Römer 1,18-21).

**Tägliche Bibellese** 2. Mose 18,13-27 · Lukas 8,9-18

# 3 Dienstag Februar

SA 07:55 · SU 17:16
MA 19:26 · MU 08:41

***Gewiss, vergebens habe ich mein Herz gereinigt und meine Hände in Unschuld gewaschen.***

Psalm 73,13

## Redewendungen, die aus der Bibel stammen (2)

In einer Tageszeitung vom Oktober 2023 heißt es über einen hochrangigen Politiker: „Er wird seine Hände nicht in Unschuld waschen können." Diese Redewendung ist weit verbreitet und wird verwendet, wenn jemand versucht, sich von einer Sache oder Verantwortung loszusagen, obwohl er möglicherweise doch eine Mitschuld trägt.

Diese Haltung war schon im Alten Testament verbreitet, wie der Tagesvers zeigt. Doch erst richtig bekannt wurde die Redewendung durch Pontius Pilatus. Die Bibel berichtet, dass die

Obersten des Volkes Israel ihn drängten, Jesus Christus kreuzigen zu lassen – obwohl Pilatus als Richter die Unschuld Jesu zweifelsfrei festgestellt hatte! Schließlich gab er dem Druck nach: „Als aber Pilatus sah, dass er nichts ausrichtete, sondern vielmehr ein Tumult entstand, nahm er Wasser, wusch sich die Hände vor der Volksmenge und sprach: Ich bin schuldlos an dem Blut dieses Gerechten, seht ihr zu" (Matthäus 27,24).

Mit dieser symbolischen Geste wollte er jede Schuld an der Kreuzigung Jesu von sich weisen. Doch Gott wird diesen Richter, der gegen Recht und Gewissen entschied, eines Tages zur Rechenschaft ziehen.

Für jeden von uns kommt der Tag, an dem er vor Gott erscheint und sich für sein Reden und Tun verantworten muss. Dann hilft es nicht mehr zu sagen: „Ich wasche meine Hände in Unschuld." Entscheidend wird allein sein, dass meine Sünden durch das Blut Jesu abgewaschen sind, so dass ich rein vor Gott stehe: „Das Blut Jesu Christi ... reinigt uns von aller Sünde" (1. Johannes 1,7).

**Tägliche Bibellese** 2. Mose 19,1-25 · Lukas 8,19-25

# 4 Mittwoch Februar

SA 07:53 · SU 17:17
MA 20:44 · MU 08:55

***Glückselig der Mensch, den Gott straft! So verwirf denn nicht die Züchtigung des Allmächtigen. Denn er bereitet Schmerz und verbindet, er zerschlägt, und seine Hände heilen.***

Hiob 5,17.18

## Göttliche Heilung

Ein Bauer hatte ein Fohlen, das niemanden an sich heranließ. Es war eigensinnig und störrisch. Eines Tages lief es vom Hof weg, und alle Suchaktionen blieben erfolglos. Wahrscheinlich tobte es sich irgendwo in den Bergen aus.

Eines Nachts wird der Bauer durch das laute Bellen seiner Hunde geweckt. Hufgetrappel vor dem Haus lockt ihn nach draußen. Und welche Überraschung: Sein Fohlen ist zurückgekehrt! Es hinkt, denn ein Splitter hat seinen Huf verletzt. Doch es weiß, wo es Hilfe finden kann. Ruhig lässt es den Bauern an sich heran und hebt sein Bein an, damit er den Splitter entfernen kann. Dankbar leckt es seine Hand und springt glücklich umher.

Wer hat nicht schon einmal den Wunsch verspürt, unabhängig zu sein und sich von allen Zwängen zu befreien? Manchmal möchte man den göttlichen Geboten trotzen, um seinen Leidenschaften freien Lauf zu lassen. Gott gewährt dem Menschen diese Freiheit, doch sie führt oft zu Problemen und neuen Abhängigkeiten.

Gott ist nicht gleichgültig gegenüber dem Elend eines Menschen, der auf Abwege geraten ist. Er will helfen, Einsicht schenken und letztlich zur Umkehr bewegen. Manchmal nutzt Er dazu Krankheiten, Unfälle, den Verlust eines geliebten Menschen oder andere schwerwiegende Ereignisse.

Wenn du spürst, dass Gott dir auf diese Weise etwas sagen will, dann überdenke dein Leben! Gibt es da etwas, das du verurteilen musst? Dann wende dich an Gott. Habe Vertrauen zu Ihm – wie das verletzte Fohlen zu seinem Besitzer – und bekenne Ihm dein Fehlverhalten. Glaube an Jesus Christus, und du wirst ein befreites, glückliches Leben in der Gemeinschaft mit Gott führen können.

„Kehrt um zu dem HERRN, eurem Gott; denn er ist gnädig und barmherzig, langsam zum Zorn und groß an Güte" (Joel 2,13).

**Tägliche Bibellese** 2. Mose 20,1-7 · Lukas 8,26-39

**5 Donnerstag Februar**

SA 07:52 · SU 17:19
MA 22:00 · MU 09:07

***Sei mir gnädig, o Gott, nach deiner Güte! Nach der Größe deiner Erbarmungen tilge meine Übertretungen! Wasche mich völlig von meiner Ungerechtigkeit, und reinige mich von meiner Sünde!***

Psalm 51,3.4

## Vom Licht der Sterne zum Licht der Sonne

Raza, ein gebildeter Mann aus Myanmar, findet am Bahnhof seiner Heimatstadt ein kleines Buch, das offenbar ein Reisender verloren hat. Beim flüchtigen Durchblättern stellt er fest, dass es sich um einen Gedichtband handelt. Tatsächlich hält er, ohne es zu wissen, das Buch der Psalmen in den Händen, einen Teil des Alten Testaments der Bibel.

Neugierig beginnt er zu lesen. Obwohl die Psalmen aus einer sehr alten Zeit und einer ihm fremden Kultur stammen, fühlt er sich angesprochen. Bald merkt er, dass die Themen darin auch heute noch relevant sind: Es geht um Gott, der

Himmel und Erde geschaffen hat, um seine Gerechtigkeit, Gnade und Fürsorge, sowie um Menschen, die ihre Sehnsucht nach Vergebung und Befreiung ausdrücken.

Noch bevor Raza das Buch vollständig gelesen hat, zerstört er seine Götzen und entscheidet sich, nur noch dem Gott zu dienen, den er in den Psalmen gefunden hat. Der heutige Bibelvers aus Psalm 51 wird zu seinem täglichen Gebet: „Sei mir gnädig, o Gott …“

Eines Tages begegnet er einem christlichen Missionar, der ihm ein Neues Testament schenkt. Mit großer Aufmerksamkeit liest er daraufhin die Evangelien. Die Psalmen haben ihm gezeigt, dass Gott bereit ist, ihm zu vergeben und ihn zu erlösen. Im Neuen Testament erkennt er nun, auf welcher Grundlage Gott Sünden vergeben kann: Gott hat seinen Sohn Jesus Christus stellvertretend für die Sünden derer, die an Ihn glauben, bestraft – mit dem Tod am Kreuz!

Dankbar nimmt Raza diese gute Botschaft für sich an. Endlich hat er die Gewissheit, dass Gott ihm alle Sünden vergeben hat. Überglücklich bezeugt er: „Bisher habe ich im Licht der Sterne gelebt, doch jetzt ist mir die Sonne aufgegangen!“

**Tägliche Bibellese** 2. Mose 20,8–21,6 · Lukas 8,40-48

# 6 Freitag Februar

SA 07:50 · SU 17:21
MA 23:14 · MU 09:18

***Dann wurde Jesus von dem Geist in die Wüste hinaufgeführt, um von dem Teufel versucht zu werden.*** Matthäus 4,1

## Jesus kennenlernen – Versuchung

„Jemand in die Wüste schicken" – ein geflügeltes Wort, das bedeutet, jemanden mehr oder weniger ehrenvoll zu entlassen.

Doch Jesus, der Sohn Gottes, wird buchstäblich in die Wüste geschickt – und zwar vom Heiligen Geist. Der Zweck dieses Aufenthalts: Er soll beweisen, dass Er für die Mission, die Ihm der Vater gegeben hat, geeignet und bevollmächtigt ist. Jesus wird versucht – oder, wie wir heute sagen würden, „getestet".

Das Werkzeug dieser Prüfung ist Gottes feindseliger Gegenspieler: Satan. Er setzt alles daran, dem Sohn Gottes die Ehre abzuschneiden – und doch dient er letztlich ungewollt Gottes Plänen. Ein geheimnisvolles Zusammenspiel.

Der Sohn Gottes verbringt also in Gottes Auftrag 40 Tage in der Wüste. Während dieser Zeit fastet Er. Dass Er nach dieser langen Zeit hungrig ist, überrascht nicht – schließlich kennt Er als Mensch natürliche Bedürfnisse.

Zeit für Satans „Auftritt". Er macht Jesus drei Vorschläge:

1. Steine zu Brot verwandeln, um seinen Hunger zu stillen.
2. Sich vom Dach des Tempels herabwerfen, weil Gott versprochen hat, Ihn zu bewahren (vgl. Psalm 91,11.12).
3. Die Herrschaft der Welt annehmen, wenn Er Satan als „Gegenleistung" anbetet – eine besonders dreiste Forderung.

Doch Jesus bleibt standhaft. Mit großer Ruhe und wunderbarer Würde wehrt Er alle Versuchungen ab, indem Er sich auf die Heilige Schrift beruft. Schließlich muss Satan unverrichteter Dinge abziehen.

Jesus hat bewiesen, dass der Satan „nichts in ihm hat" (Johannes 14,30), keinen Anknüpfungspunkt, um Ihn zur Sünde zu verleiten. Denn Jesus ist absolut rein, sündlos und heilig – einzig für Gott da.

**Tägliche Bibellese** 2. Mose 21,7-37 · Lukas 8,49-56

**7** **Samstag** **Februar**

SA 07:48 · SU 17:23
MA –:– · MU 09:31

***Auch ihr, seid bereit! Denn in einer Stunde, in der ihr es nicht meint, kommt der Sohn des Menschen.*** Matthäus 24,44

## Vor dem Sterben zu erledigen

Es gibt Internetseiten und Bücher, die Empfehlungen auflisten, was man vor seinem Tod getan haben sollte, „damit man nichts zu bereuen hat". Die Vorschläge reichen von seriös, wie „singen lernen", bis absurd, wie „sich von der Polizei verhaften lassen". Der Leser wird dazu eingeladen, sich seine eigene Liste zusammenzustellen. Eigentlich eine gute Sache, da sie dazu anregt, nachzudenken und zu unterscheiden: Was ist wirklich wichtig, und was ist eher nebensächlich oder gar unsinnig?

Die Bibel zeigt, dass man eins unbedingt tun sollte: sich Gedanken über die Ewigkeit machen. Denn „es ist den Menschen gesetzt, einmal zu sterben, danach aber das Gericht" (Hebräer 9,27). So hart diese Aussage klingen mag – es gibt glücklicherweise einen Weg, dieses Gericht abzuwenden: „Glaube an den Herrn Jesus, und du wirst errettet werden“ (Apostelgeschichte 16,31). Dieser Punkt gehört also unbedingt auf die To-do-Liste, und zwar ganz oben!

Weitere Anregungen:

- Das Neue Testament vollständig lesen
- Täglich beten
- Wöchentlich eine biblische Predigt anhören
- 20 Bibelverse auswendig lernen
- Das 1. Buch Mose lesen
- Den 23. Psalm abschreiben

Manche meinen, eine Bekehrung zu Gott ziehe eine ganze Reihe von Zwängen nach sich. Diese Vorstellung basiert jedoch auf einem falschen Gottesbild: Gott ist zwar ein gebietender, doch zugleich ein gebender Gott. Er schenkt demjenigen, der an Jesus Christus glaubt, das ewige Leben und darüber hinaus viele weitere Segnungen. Er hat „kein Gefallen am Tod des Gottlosen, sondern dass der Gottlose von seinem Weg umkehre und lebe“ (Hesekiel 33,11). Deshalb noch einmal: Der erste Punkt auf der Checkliste sollte unbedingt lauten:

- Gott meine Sünden bekennen und Jesus Christus als meinen Retter annehmen.

**Tägliche Bibellese** 2. Mose 22,1-30 · Lukas 9,1-9

# 8 Sonntag Februar

SA 07:47 · SU 17:24
MA 00:27 · MU 09:45

*Und wenn sie euch hinführen, um euch zu überliefern, so sorgt euch vorher nicht, was ihr reden sollt, sondern was irgend euch in jener Stunde gegeben wird, das redet. Denn nicht ihr seid die Redenden, sondern der Heilige Geist. Und der Bruder wird den Bruder zum Tod überliefern und der Vater das Kind; und Kinder werden sich erheben gegen die Eltern und sie zu Tode bringen. Und ihr werdet von allen gehasst werden um meines Namens willen. Wer aber ausharrt bis ans Ende, der wird errettet werden.* Markus 13,11-13

## Gedanken zum Markus-Evangelium

Jesus bereitet seine Jünger auf zukünftige Ereignisse vor. Ihm ist nichts verborgen – Er kennt alles im Voraus. So kündigt Er ihnen an, dass sie sich vor religiösen und politischen Autoritäten verantworten müssen, weil sie sich zu Ihm bekennen. Wie gut, dass wir unsere Zukunft nicht im Detail kennen! Vermutlich würden wir bei negativen Aussichten nur noch in Angst leben und resignieren. Doch als Jünger Jesu müssen wir uns bewusst sein, dass wir von den Ungläubigen nichts Gutes zu erwarten haben: „Ein Knecht ist nicht größer als sein Herr. Wenn sie mich verfolgt haben, werden sie auch euch verfolgen", sagt der Herr in Johannes 15,20. Wie tröstlich, dass der Heilige Geist gerade in solchen herausfordernden Momenten den Jüngern Jesu beisteht. Sie müssen keine Verteidigungsstrategien ausarbeiten. Ein festes Gottvertrauen lässt Gottes Kraft und Geist auf erstaunliche Weise wirken.

Schon heute beobachten wir, dass in unserer Gesellschaft die natürliche Liebe innerhalb der Familie zunehmend verloren geht. In manchen Kulturen brechen alle Dämme des Hasses, sobald ein Familienmitglied sich als Nachfolger Jesu zu erkennen gibt. In der zukünftigen Drangsalszeit werden die Juden, die einen lebendigen Glauben an den Messias haben und Ihn erwarten, diese Feindschaft besonders durch ihre ungläubigen Familien und Landsleute erfahren. Doch wer ausharrt, zeigt, dass er göttliches Leben besitzt – der Segen des Tausendjährigen Reichs ist ihm gewiss.

**Tägliche Bibellese** 2. Mose 23,1-19 · Lukas 9,10-17

# 9 Montag Februar

SA 07:45 · SU 17:26
MA 01:41 · MU 10:03

*Hörer des Gebets!*

Psalm 65,3

## Gott hört Gebet

Wenn Gebete nur Selbstgespräche wären, die ohne Wirkung und Antwort verhallen und ignoriert würden – wäre das nicht frustrierend? Der Psalmendichter David ist fest davon überzeugt, dass es für seine Gebete einen Empfänger gibt. Er weiß, dass Gott Gebete hört und beantwortet, jedoch nicht immer so, wie er es erwartet oder erhofft:

- Manchmal antwortet Gott mit einem „Ja!". Er erhört das Gebet, weil es mit seinem Willen und seinen Gedanken übereinstimmt.
- Manchmal gibt es ein „Nein!". Denn nicht jedes Gebet ist weise und vorausschauend. Da Gott nur das Beste für uns Menschen im Sinn hat, kann Er unsere Bitten manchmal nicht

erhören – und wird uns das auch früher oder später klarmachen.

- Manchmal sagt Gott auch „Warte!". Denn oft ist es nicht gut für uns und andere, wenn unsere Bitten sofort erfüllt werden. Geduld ist gefragt und wir müssen lernen, auf Gott zu hören.
- Manchmal antwortet Er mit „Anders als gedacht!". Dann hat Er einen anderen, besseren Weg für uns vorgesehen.

Doch in jedem Fall wird Gott ein aufrichtiges Gebet beantworten. Jesus selbst sagte: „Bittet, und es wird euch gegeben werden; sucht, und ihr werdet finden; klopft an, und es wird euch aufgetan werden. Denn jeder Bittende empfängt, und der Suchende findet, und dem Anklopfenden wird aufgetan werden" (Matthäus 7,7.8). Ob ich gut formuliert oder in einem Stoßgebet „bitte", ob ich fokussiert oder über einen längeren Zeitraum „suche", ob ich verzweifelt oder überlegt „anklopfe" – Gott wird immer antworten. Es mag früher oder später sein, auf die eine oder andere Weise, es kann ein Ja oder ein Nein sein: Gott ist ein „Hörer des Gebets!" – damals bei David und heute im 21. Jahrhundert.

**Tägliche Bibellese** 2. Mose 23,20-33 · Lukas 9,18-27

# 10 Dienstag Februar

SA 07:43 · SU 17:28
MA 02:53 · MU 10:26

***Kommt denn und lasst uns miteinander rechten, spricht der HERR. Wenn eure Sünden wie Scharlach sind, wie Schnee sollen sie weiß werden.*** Jesaja 1,18

## Redewendungen, die aus der Bibel stammen (3)

Als die Brüder Grimm 1812 ihr berühmtes Märchen „Schneewittchen" veröffentlichten, gaben sie der Prinzessin diesen niederdeutschen Namen, der auf Hochdeutsch „Schneeweißchen" bedeutet. Er leitet sich von ihrer Haut ab, die „weiß wie Schnee" ist. Seitdem steht dieser Ausdruck für die Unschuld und Reinheit eines Menschen.

Auch das heutige Bibelwort stellt die Reinheit des Menschen in den Mittelpunkt. In diesem Vers ruft Gott sein Volk durch den Propheten Jesaja auf, zu Ihm umzukehren. Durch ein Leben ohne Gott hatten sie Ihn verunehrt und schwere Schuld auf sich geladen. Doch es gab einen Ausweg:

Wer zu Gott umkehrte, Ihn um Vergebung bat und sein böses Handeln aufgab, wurde reingewaschen. Das Schöne daran ist: Nach diesem Waschen bleibt nichts mehr von den dunklen Flecken der Sünde sichtbar. Nichts erinnert mehr an das, was Gott vergeben hat.

Ein Bild dafür finden wir in der Natur: Wenn die Landschaft von Schnee bedeckt ist, erscheint alles rein, hell und klar. Doch wenn der Schnee schmilzt, kommt alles, was darunter verborgen war, wieder zum Vorschein. Bei Gott ist das anders. Wenn Er vergibt, bleibt alles rein, hell und „weiß wie Schnee". Keine Spur der Sünde bleibt vor Ihm bestehen. Diese Wahrheit wird im Neuen Testament ausdrücklich bestätigt: „Ihrer Sünden und ihrer Gesetzlosigkeiten werde ich [Gott] nie mehr gedenken."

Was Gott einmal vergeben hat, wird Er nie mehr hervorholen. Wie glücklich ist jeder, der weiß: Mir sind „die Sünden vergeben um seines Namens willen" (Hebräer 10,17; 1. Johannes 2,12).

**Tägliche Bibellese** 2. Mose 24,1-18 · Lukas 9,28-36

# 11 Mittwoch Februar

SA 07:42 · SU 17:30
MA 04:02 · MU 10:59

***Die Gnade und die Wahrheit ist durch Jesus Christus geworden.***

Johannes 1,17

***Die Gnade Gottes ist erschienen, heilbringend für alle Menschen.***

Titus 2,11

## Angebot für alle

Die Gnade Gottes ist kein Geschenk, das nur bestimmten Menschen angeboten wird. Sie gilt allen.

Gnade, so lehrt uns die Bibel, ist Gottes unumschränktes Wohlwollen uns Menschen gegenüber. Sie ist die Antwort seiner Liebe auf unsere Feindschaft. Sie ist Gottes ausgestreckte Hand, die uns zu sich ziehen will.

Die Gnade Gottes kann uns nur angeboten werden, weil der Herr Jesus Christus das Gericht auf sich genommen hat, das verlorene Sünder für ihre Schuld verdienen.

Man kann glauben oder nicht glauben, man kann die Gnade Gottes annehmen oder ablehnen, aber die Gnade selbst bleibt in ihrer Gültigkeit uneingeschränkt. Sie entspringt dem Willen Gottes. Man kann sie sich nicht verdienen, man kann sie nur empfangen.

Und wer braucht Gnade? Ausnahmslos alle. Wer den Herrn Jesus Christus noch nicht als seinen Erlöser kennt, braucht die Gnade Gottes, um zu Ihm zu kommen und das ewige Leben zu empfangen.

Und wer Christus bereits als seinen Retter kennt, braucht sie, um zu seiner Ehre zu leben.

Wer oder was wir auch sein mögen – wir haben uns die Wohltaten Gottes nie verdient; wir empfangen sie aus Gnade. Und wer dankbar weiß, dass er Gottes reiche Gnade empfangen hat, dem gibt sie auch die Kraft, nach Gottes Willen zu leben.

**Tägliche Bibellese** 2. Mose 25,1-22 · Lukas 9,37-50

# 12 Donnerstag Februar

SA 07:40 · SU 17:31
MA 05:04 · MU 11:44

***Alles hat er schön gemacht zu seiner Zeit; auch hat er die Ewigkeit in ihr Herz gelegt, ohne dass der Mensch das Werk, das Gott gewirkt hat, von Anfang bis Ende zu erfassen vermag.***

Prediger 3,11

## Gespräch mit einem Embryo

Nehmen wir einmal an, wir könnten mit einem Embryo im Mutterleib sprechen. Wir würden ihm erzählen, dass seine Zeit dort bald zu Ende geht und sein Leben außerhalb der Mutter weitergeht. Würde er uns nicht entgegnen, sein jetziges Leben sei das einzig wahre – und alles andere Unsinn?

Doch eigentlich müsste der Embryo sich sagen: „Ich habe Arme, kann sie aber kaum ausstrecken – vermutlich brauche ich sie später. Außerdem habe ich Beine, die ich zusammengekauert gegen die Brust drücken muss; bestimmt werde ich sie für mein Leben draußen benötigen. Auch meine Augen brauche ich noch nicht, denn hier drinnen ist alles dunkel; wahrscheinlich folgt jedoch bald ein Leben, in dem ich mit ihnen viel Schönes entdecken kann."

Wenn also der Embryo über seine Existenz nachdächte, könnte er eine Vorstellung über sein Leben außerhalb des Mutterleibs entwickeln, ohne es schon selbst erlebt zu haben.

Ähnlich verhält es sich mit unserem Dasein auf der Erde. Wir leben und lernen, sammeln Wissen und Erfahrung. Dann sterben wir – und alles ist vorbei? Ist das wirklich so? Warum hat ein Embryo Hände, Beine und Augen? Weil sie für etwas bestimmt sind, das noch vor ihm liegt. So ist es auch mit unserem Leben: In uns lebt eine Ahnung, dass es noch mehr geben muss – etwas Größeres. Eine Sehnsucht nach Gott und nach einem Leben bei Ihm.

Und genau das – eine Ewigkeit bei Ihm in seiner Herrlichkeit – verspricht Gott allen, die an seinen Sohn Jesus Christus glauben!



DIE GUTE SAAT 2026 • CSV-Verlag • www.csv-verlag.de

# 13 Freitag Februar

SA 07:38 · SU 17:33
MA 05:55 · MU 12:41

***Es geschah aber, als das ganze Volk getauft wurde und Jesus getauft war und betete, dass der Himmel aufgetan wurde und der Heilige Geist in leiblicher Gestalt, wie eine Taube, auf ihn herniederfuhr und eine Stimme aus dem Himmel erging: Du bist mein geliebter Sohn, an dir habe ich Wohlgefallen gefunden.***

Lukas 3,21.22

***Und Johannes zeugte und sprach: Ich schaute den Geist wie eine Taube aus dem Himmel herniederfahren, und er blieb auf ihm.***

Johannes 1,32

## Jesus kennenlernen – Er hat Charisma

„Er oder sie hat Charisma!“ Mit diesem Ausdruck bezeichnen wir eine Person mit starker und gewinnender Ausstrahlung. Zweifellos besaß auch Jesus Christus in diesem allgemeinsprachlichen Sinn Charisma. In der Bibel jedoch bedeutet „Charisma“ etwas Höheres: Es bezeichnet

„Gnadengaben" – geistliche Befähigungen, die Gott, der Heilige Geist, jedem einzelnen Gläubigen zuteilt. Doch nie zuvor und nie danach wurde die Kraft des Heiligen Geistes so sichtbar wie in Jesus. Das zeigte sich besonders dann, wenn Er mit dämonischen Mächten konfrontiert wurde.

Zum Beispiel jenseits des Sees Genezareth, wo Er einem Menschen begegnet, der schwer okkult belastet ist – buchstäblich von Dämonen getrieben, die völlig von ihm Besitz ergriffen haben. Furchterregend. Doch dann geschieht etwas Eigenartiges. Der von Dämonen beherrschte Mann fällt vor Jesus nieder und spricht Ihn als „Jesus, Sohn Gottes, des Höchsten" an (vgl. Lukas 8,28). Im Gegensatz zu den oft so „kurzsichtigen" Menschen wissen die Dämonen, Satans Helfer, ganz genau, wen sie in Jesus vor sich haben. Sie lassen sich nicht durch das Äußere, durch Status oder Herkunft täuschen, sondern erkennen unmittelbar Gottes Kraft in Ihm und zittern vor Angst. Denn sie wissen, dass Er ihnen mit Vollmacht gebieten kann und ihr Ende das Verderben sein wird (vgl. Markus 1,24). Wo Jesus in der Kraft des Heiligen Geistes hinkommt, müssen die Dämonen weichen – dort gibt es Befreiung und Rettung!

**Tägliche Bibellese** 2. Mose 26,1-14 · Lukas 10,1-16

# 14 Samstag Februar

SA 07:36 · SU 17:35
MA 06:33 · MU 13:51

***Der Herr ist mein Helfer, und ich will mich nicht fürchten; was wird mir ein Mensch tun?***

Hebräer 13,6

## Gegen die Angst

Etwas in mir hat Angst – trotz der vergleichsweise guten sozialen Absicherung in unserer westlichen Welt.

Etwas in mir friert – trotz meiner warmen Wohnung.

Etwas in mir hungert – trotz des Überflusses, den ich nicht leugnen kann.

Versicherungen, Zentralheizung und Tiefkühltruhe sind sinnvolle Maßnahmen gegen Verluste, Kälte und Hunger. Doch all diese Einrichtungen können nicht verbergen, dass ich auf der Grenze zwischen Sicherheit und Bedrohung lebe. Mit jeder Vorsorge und Absicherung mache ich meine innere Angst sogar sichtbar.

Das prägte mein Leben über viele Jahre. Doch dann bin ich dem Ruf des Herrn Jesus Christus gefolgt. Er hat gesagt:

„Kommt her zu mir, alle ihr Mühseligen und Beladenen, und ich werde euch Ruhe geben" (Matthäus 11,28).

Meine Bekehrung war für mich eine unmittelbare und anhaltende Erleichterung von dem, was mich bedrückte. Ich habe offen vor Gott zugegeben, dass ich ein Sünder bin, Ihm meine bewussten Sünden bekannt und Ihn um Vergebung gebeten. Ich glaube, dass Jesus auch für mich gestorben ist. Danach habe ich erlebt, wie nicht nur die Last des Gewissens von mir abfiel, sondern auch das ängstliche Sorgen ein Ende fand.

Durch die Bibel weiß ich, dass Gott mich angenommen hat. Und Tag für Tag erfahre ich, dass ich trotz aller Probleme dieser Welt in seiner Hand geborgen bin. Deshalb ist der Glaube für mich keine bloße Kopfsache – er betrifft den ganzen Menschen: Geist, Seele und Körper.

**Tägliche Bibellese** 2. Mose 26,15-30 · Lukas 10,17-29

***Wenn ihr aber den Gräuel der Verwüstung stehen seht, wo er nicht sollte – wer es liest, beachte es –, dann sollen die, die in Judäa sind, in die Berge fliehen; wer aber auf dem Dach ist, steige nicht in das Haus hinab und gehe nicht hinein, um etwas aus seinem Haus zu holen; und wer auf dem Feld ist, kehre nicht zurück, um sein Oberkleid zu holen.***

Markus 13,14-16

## Gedanken zum Markus-Evangelium

Beim Lesen dieser drei Verse fallen zwei Dinge auf:

1. Die Jünger, zu denen Jesus damals sprach, leben schon lange nicht mehr. Wann also haben sie den „Gräuel der Verwüstung" gesehen?
2. Der Herr setzt bei seinen Jüngern voraus, dass sie wissen, was mit „Gräuel der Verwüstung" gemeint ist.

Zu 1.: Die Zwölf haben den „Gräuel der Verwüstung" nie selbst gesehen. Sie repräsentieren hier die gläubigen Juden der zukünftigen Drangsalszeit, die in Israel eine Minderheit bilden und brutal verfolgt werden.

Zu 2.: Die Jünger kannten das Alte Testament und waren mit dem Buch Daniel vertraut. Dort wird an drei Stellen ein „Gräuel“ erwähnt. Am deutlichsten ist Kapitel 12,11: „Und von der Zeit an, da das beständige Opfer abgeschafft wird, und zwar um den verwüstenden Gräuel aufzustellen, sind 1290 Tage.“ Ein „Gräuel“ ist etwas, was Gott völlig zuwider ist. Dort, wo die Juden dem lebendigen Gott ihre Opfer bringen – im Tempel –, wird der Antichrist Platz nehmen und sich als Gott verehren lassen. Zudem wird er anordnen, ein Bild aufzustellen, das dem Herrscher des Römischen Reichs geweiht ist. Jeder wird gezwungen, es anzubeten. Wer sich weigert, wird durch dieses Bild getötet (vgl. 2. Thessalonicher 2,4; Offenbarung 13,14.15).

Es wird eine schreckliche Zeit sein. Doch beachten wir: Der Antichrist wird erst dann auftreten, wenn der Heilige Geist und die Versammlung (Gemeinde) nicht mehr auf der Erde sind (vgl. 2. Thessalonicher 2,1-8). Die Drangsal wird das Volk der Juden treffen – daher gilt die Aufforderung speziell für jene, „die in Judäa sind“.

**Tägliche Bibellese** 2. Mose 26,31–27,8 · Lukas 10,30-42

# 16 Montag Februar

SA 07:32 · SU 17:39
MA 07:23 · MU 16:26

***Am Morgen säe deinen Samen ...; denn du weißt nicht, welches gedeihen wird.***

Prediger 11,6

***Deine Zusage hat mich belebt.***

Psalm 119,50

## Auszug aus einem Brief (Juni 2022)

Ich übergab mein Leben an Jesus Christus, nachdem ich eine Tagesandacht aus dem Kalender *Die Gute Saat* gelesen hatte.

Vor fünf Jahren schrieb ich ein Buch darüber. In einem Kapitel erzähle ich, wie ich „zufällig" auf ein Kalenderblatt stieß, das jemand im Zug liegengelassen hatte: „Den Kopf voll schwerer Gedanken, sitze ich völlig erschöpft im Zug und stoße einen tiefen Seufzer aus. Da fällt mein Blick auf ein Stück Papier, das auf der Fensterbank liegengeblieben ist. Der Bibeltext weckt meine Aufmerksamkeit: ‚Die ganze Welt liegt in dem Bösen'

(1. Johannes 5,19). Jesus sagt ‚Ich bin das Licht der Welt; wer mir nachfolgt, wird nicht in der Finsternis wandeln, sondern wird das Licht des Lebens haben‘ (Johannes 8,12).

Nie zuvor hatte ich von Jesus gehört. Doch genau in diesem Moment, als es mir besonders schlecht ging, sprach Gott zu mir. Ich hatte bedrohlich viel Gewicht verloren und stand am Rand des Todes. Ich litt unter Magersucht, Depressionen, und völlige körperliche Erschöpfung hatte mich an den Abgrund gebracht – es war fünf vor zwölf. Ich bin unendlich dankbar, dass ich diesen Zettel las und dadurch den Weg zu Jesus fand.

Gott gebraucht sein Wort auf mächtige Weise, um verzweifelte Menschen zu retten. Bitte macht weiter damit, die gute Nachricht zu verbreiten – es ist so wertvoll! Ich bete, dass ihr immer wieder neue Kraft dazu bekommt und eure Herzen jeden Tag nahe am Herzen des Vaters bleiben.

Wenn die Person, die das Blatt im Zug liegengelassen hat, wüsste, was dadurch in meinem Leben geschehen ist, würde sie gewiss freudig überrascht sein …“

(Charlotte V.)

**Tägliche Bibellese** 2. Mose 27,9-21 · Lukas 11,1-13

# 17 Dienstag Februar

SA 07:31 · SU 17:40
MA 07:39 · MU 17:47

***Die Menge derer aber, die gläubig geworden waren, war ein Herz und eine Seele.***

Apostelgeschichte 4,32

## Redewendungen, die aus der Bibel stammen (4)

Menschen, die eine sehr enge Beziehung zueinander haben, sich lieben und bestens verstehen, werden oft als „ein Herz und eine Seele" beschrieben. Solche Verbindungen sind unzertrennlich – einer steht für den anderen ein, und beide suchen den harmonischen Ausgleich, um Konflikte zu vermeiden. Diese Redewendung mit biblischem Ursprung beschreibt ein Idealbild in unseren zwischenmenschlichen Beziehungen.

Zu Beginn der Christenheit war diese Redewendung jedoch mehr als ein Ideal – sie war Realität: Die ersten Christen bildeten eine Gemeinschaft aus Menschen unterschiedlicher

Herkunft, Stellung und Charaktere. Doch durch den gemeinsamen Glauben an den Herrn Jesus Christus konnten sie diese Unterschiede überwinden. Sie achteten darauf, dass nichts den Frieden dieser Gemeinschaft störte. Ihre Mitmenschen konnten erkennen, dass sie das Gebot Jesu befolgten, das Er kurz vor seinem Tod verkündet hatte: „Daran werden alle erkennen, dass ihr meine Jünger seid, wenn ihr Liebe untereinander habt" (Johannes 13,35).

Die Bibel zeigt, dass es nur *eine* Person bewirken kann, dass Unterschiede überbrückt und Menschen trotz ihrer Verschiedenheit miteinander verbunden werden: Jesus Christus. Nur der Glaube an Ihn schafft eine solche Beziehung, die hier beginnt und in Ewigkeit fortbesteht. Christen sind nie auf sich allein gestellt: Außer mit ihrem Herrn im Himmel wissen sie sich mit allen wahren Gläubigen auf der Erde verbunden. Und eines Tages werden sie sich alle einmal bei Jesus Christus im Himmel wiedersehen.

# 18 Mittwoch Februar

SA 07:29 · SU 17:42
MA 07:53 · MU 19:06

***Er hat unsere Leiden getragen, und unsere Schmerzen hat er auf sich geladen. Und wir, wir hielten ihn für bestraft, von Gott geschlagen und niedergebeugt; doch um unserer Übertretungen willen war er verwundet, um unserer Ungerechtigkeiten willen zerschlagen. Die Strafe zu unserem Frieden lag auf ihm.***

Jesaja 53,4.5

## Messias-Hoffnung

Der 12-jährige Mark wuchs in Odessa am Schwarzen Meer auf. Eines Tages kam er in das Zimmer seiner Großmutter und fand sie mit ihrer hebräischen Bibel auf dem Schoß. In ihren Augen glänzten Tränen.

„Mark", sagte sie, „ich möchte dir etwas aus der Bibel vorlesen." Dann begann sie, unseren Tagesvers aus dem Propheten Jesaja zu zitieren. „Diese Verse beziehen sich auf unseren Messias, den

Erlöser des Volkes Israel", erklärte sie ihm. „Eines Tages wird Er kommen und für unsere Sünden leiden. Mark, ich warte seit über 40 Jahren auf Ihn, doch Er ist noch nicht gekommen. Aber du bist noch jung. Vielleicht wirst du es erleben. Denk daran und erwarte Ihn – Er wird ganz bestimmt kommen und alles erfüllen, was über Ihn vorhergesagt ist."

Diese alte Frau starb, ohne je von Jesus Christus gehört zu haben. Doch wer nicht nur das Alte, sondern auch das Neue Testament kennt, ist in einer viel besseren Lage: Wir wissen, dass Gottes Sohn, der verheißene Messias, bereits gekommen ist. Er hat am Kreuz gelitten und ist schließlich für die Schuld aller gestorben, die an Ihn glauben.

Diese frohe Botschaft des Neuen Testaments gilt jedem Menschen – unabhängig von seiner Herkunft. Und sie gilt ganz besonders den Nachkommen des Gottesvolkes Israel. Wer den Worten des Propheten Jesaja glaubt, wird die Erlösung durch Jesus Christus erfahren.

**Tägliche Bibellese** 2. Mose 28,15-30 · Lukas 11,29-42

# 19 Donnerstag Februar

SA 07:27 · SU 17:44
MA 08:05 · MU 20:26

***Jesus spricht: Ich bin als Licht in die Welt gekommen, damit jeder, der an mich glaubt, nicht in der Finsternis bleibe.***

Johannes 12,46

## Eine verantwortungsvolle Tätigkeit

Long Island ist eine Insel im Bundesstaat New York. Im Jahr 1871 wurde dort ein Leuchtturm in Betrieb genommen, der – da er auf Stelzen steht – einem Wasserkäfer ähnelt und liebevoll „Bug light" (Käferlicht) genannt wird. Im Jahr 1911 lief ein Dampfschiff in dichtem Nebel dort auf Grund, weil der Leuchtturmwärter nachlässig geworden war und das Nebelhorn nicht rechtzeitig betätigt hatte. Glücklicherweise überlebten alle Passagiere.

Leuchtturmwärter – ein Beruf, den es heute nur noch selten gibt – mussten pflichtbewusst und aufmerksam sein, denn von ihrer Arbeit hing ab, ob Menschenleben gerettet werden konnten. Sie mussten sich um das Licht kümmern, es bei Sonnenuntergang anzünden und bei Sonnenaufgang wieder löschen. Fenster und Linse waren sauber zu halten, damit das Licht möglichst weit scheinen konnte. Die Lampendochte mussten geschnitten werden, um Rußbildung zu vermeiden; außerdem waren die Nebelhörner oder -glocken zu bedienen. Auch Turm und Unterkunft mussten instand gehalten und regelmäßig gestrichen werden.

Jesus Christus kam „als Licht in die Welt". Bei Ihm war nichts verschwommen oder undeutlich. Er redete klar und deutlich von Gott und stellte Menschen in das Licht Gottes. Keiner konnte damals behaupten, er hätte es nicht verstanden oder gewusst.

Nun sind diejenigen, die Jesus nachfolgen, „Licht der Welt" (Matthäus 5,14). Christen sollen also leuchten – durch ihr Leben und ihre Worte klar und verständlich auf Jesus hinweisen. Eine wichtige, anspruchsvolle, aber nicht unmögliche Aufgabe. – Erlauben Sie mir bitte die Frage: Leuchten Sie schon – oder wird Ihnen noch geleuchtet?

**Tägliche Bibellese** 2. Mose 28,31-43 · Lukas 11,43-54

# 20 Freitag Februar

SA 07:25 · SU 17:46
MA 08:18 · MU 21:49

***Jesus blickte ihn an und sprach: Du bist Simon, der Sohn Jonas; du wirst Kephas heißen (was übersetzt wird: Stein).*** Johannes 1,42

## Jesus Christus kennenlernen – Er verändert Menschen

Es ist ganz am Anfang. Jesus hat seine öffentliche Arbeit in Israel noch nicht begonnen und hält sich in Bethanien bei Johannes dem Täufer am Jordan auf. Gerade ist Ihm Andreas aus Galiläa begegnet (Johannes 1,37-39). Dieser ist so begeistert und überzeugt von Jesus, dass er sofort auch seinen Bruder Simon zu Ihm bringt. „Wir haben den Messias gefunden!", ruft er voller Freude. Jesus sieht Simon an und Er kann ihm – wie jedem einzelnen Menschen – bis ins Herz sehen. Er kennt Simons Vergangenheit, sieht seine Gegenwart und kennt seine Zukunft. All dies klingt in dem kurzen Satz an: „Du bist Simon, du wirst ‚Stein' (griechisch: Petros) heißen." In diesem schlichten Zimmermann Jesus ist ein Wissen und eine Weisheit aus der

Ewigkeit. Kein Wunder, dass Andreas und Simon sich zu dem Sohn Gottes hingezogen fühlen.

Wenn wir Simons Biografie in der Bibel verfolgen, erleben wir staunend, wie aus einem aufrichtigen, aber unbeständigen, impulsiven Draufgänger, der sich selbst überschätzt, ein „Stein" wird – ein Mann, der sich nur noch auf den „Felsen" Jesus Christus gründet und verlässt. Diese Wandlung lässt sich durch menschliche Einflüsse nicht wirklich erklären. Jesus, der Sohn Gottes, hat Petrus zu einem neuen Menschen gemacht! Sein Vorbild, sein geduldiger Unterricht und seine Korrektur spielten dabei gewiss eine wichtige Rolle. Doch der entscheidende Moment war, als Jesus den Heiligen Geist Gottes auf seine Nachfolger ausgoss. Der Heilige Geist, diese göttliche Person, verändert Menschen bis heute. Er befreit die Erlösten vom Alten, das sie belastet und nach unten zieht. Er hilft ihnen, Menschen Gottes zu werden!

*Stern, auf den ich schaue, Fels, auf dem ich steh,*
*Führer, dem ich traue, Stab, an dem ich geh,*
*Brot, von dem ich lebe, Quell, an dem ich ruh,*
*Ziel, das ich erstrebe, alles, Herr, bist du.*

*(Adolf Krummacher 1857)*

**Tägliche Bibellese** 2. Mose 29,1-18 · Lukas 12,1-12

# 21 Samstag Februar

SA 07:23 · SU 17:47
MA 08:31 · MU 23:13

***Jesus spricht: Ich bin die Wurzel und das Geschlecht Davids, der glänzende Morgenstern.*** Offenbarung 22,16

***Und so besitzen wir das prophetische Wort umso fester, auf das zu achten ihr wohltut, als auf eine Lampe, die an einem dunklen Ort leuchtet, bis der Tag anbricht und der Morgenstern aufgeht in euren Herzen.***

2. Petrus 1,19

## Der Morgenstern

Morgenstern und Abendstern sind Begriffe aus der Astronomie, die meistens den Planeten Venus beschreiben, je nachdem, wann er am Himmel sichtbar ist. Wenn die Venus kurz nach Sonnenuntergang hell leuchtend im Westen erscheint, wird sie als Abendstern bezeichnet. Erscheint sie hingegen kurz vor Sonnenaufgang im Osten, nennt man sie Morgenstern. Nach dem Mond ist die Venus das hellste Objekt am Nachthimmel.

Im letzten Buch der Bibel bezeichnet sich der Herr Jesus Christus selbst als der glänzende Morgenstern und verbindet diese Aussage mit der Verheißung: „Siehe, ich komme bald!" In unserer Welt ist es moralisch finster geworden, was zu Elend, Leid und Unterdrückung führt, die die Nationen stark prägen. Die Sehnsucht nach Hilfe ist groß. Für die Menschen, die zu Christus gehören und Ihn als Erretter von Sünde und Schuld angenommen haben, gibt es eine lebendige und sichere Hoffnung – so wie der Morgenstern den nahenden Morgen ankündigt. Sie erwarten Jesus Christus als den glänzenden Morgenstern, der jetzt schon in ihren Herzen aufgegangen ist. Der Tag wird anbrechen, wo alle, die an Ihn glauben, für immer bei Ihm im Himmel sein werden.

*Ich blick auf Ihn, den Morgenstern,*
*und sieh, die Wolke fliehet.*
*Ich folg Ihm nach, so froh und gern,*
*weil Seine Lieb mich ziehet,*
*und Friedensströme klar und rein*
*mein Leben sanft durchdringen.*
*Mir mangelt nichts, denn ich bin Sein.*
*Wie sollt ich denn nicht singen?* *(Dora Rappard)*

**Tägliche Bibellese** 2. Mose 29,19-30 · Lukas 12,13-21

# 22 Sonntag Februar

SA 07:21 · SU 17:49
MA 08:48 · MU –:–

***Wehe aber den Schwangeren und den Stillenden in jenen Tagen! Betet aber, dass es nicht im Winter stattfinde; denn jene Tage werden eine Drangsal sein, wie sie seit Anfang der Schöpfung, die Gott schuf, bis jetzt nicht gewesen ist und nicht wieder sein wird. Und wenn nicht der Herr die Tage verkürzt hätte, so würde kein Fleisch errettet werden; aber um der Auserwählten willen, die er auserwählt hat, hat er die Tage verkürzt.***

Markus 13,17-20

## Gedanken zum Markus-Evangelium

Schon der Prophet Jeremia kündigte die „Drangsal Jakobs" an. Er schreibt: „Wehe, denn groß ist jener Tag, ohnegleichen, und es ist eine Zeit der Drangsal für Jakob! Doch er wird aus ihr gerettet werden" (Jeremia 30,7).

Diese Drangsal ist eine Zeit des Gerichts, die über das Volk Israel kommen wird, weil es seinen

Messias verworfen hat. Als Pilatus damals von dem „Blut dieses Gerechten" sprach, antwortete die Volksmenge: „Sein Blut komme über uns und über unsere Kinder!" (Matthäus 27,24.25). Wie schmerzlich ist es, wenn sich die Folgen dieser Worte erfüllen.

Gott ist gerecht – sein Gericht ist unabwendbar. Das „Wehe" verdeutlicht, wie unerträglich die Drangsal sein wird – schlimmer als jede Katastrophe, die die Erde je erlebt hat. Doch selbst wenn Gott strafen muss, erweist Er großes Erbarmen. Deshalb werden die Jünger aufgefordert zu beten – Gott wird ihnen Erleichterung schenken, damit ihre Flucht gelingt. Zudem sorgt Er in jener Zeit dafür, dass trotz dieser großen Drangsal ein Überrest bewahrt bleibt: seine Auserwählten, die Gläubigen.

Nach dreieinhalb Jahren wird Christus als König der Könige erscheinen und seine Feinde vernichten. Dann werden die Gläubigen in sein Friedensreich eingehen und bekennen: „Es sind die Gütigkeiten des HERRN, dass wir nicht aufgerieben sind; denn seine Erbarmungen sind nicht zu Ende" (Klagelieder 3,22).

**Tägliche Bibellese** 2. Mose 29,31-46 · Lukas 12,22-34

# 23 Montag Februar

SA 07:19 · SU 17:51
MA 09:10 · MU 00:40

***Im Meer ist dein Weg, und deine Pfade sind in großen Wassern, und deine Fußstapfen sind nicht bekannt.***

Psalm 77,20

***Meine Gedanken sind nicht eure Gedanken, und eure Wege sind nicht meine Wege, spricht der HERR.***

Jesaja 55,8

## Gott führt uns zu sich

Ein neunjähriger Junge, das einzige Kind eines christlichen Ehepaars, bat seine Mutter immer wieder inständig, mit ihm auf den Knien für diejenigen zu beten, die den Herrn Jesus noch nicht kannten und nicht errettet waren.

Oft traf er sich mit seinen Cousins zum Spielen. Eines Tages verletzte ihn einer von ihnen mit einem gefährlichen Gegenstand so unglücklich, dass er in die Notaufnahme eines Krankenhauses gebracht werden musste. Drei Tage später verstarb er. Dieses tragische Ereignis erschütterte Eltern und Nachbarn zutiefst.

Bei der Beerdigung wurde das Evangelium verkündet. Die Familienmitglieder, für die das Kind so eindringlich gebetet hatte, wurden von der Botschaft der Liebe Gottes berührt. Andere, deren Beziehung zu Gott erkaltet war, erkannten ihre Schuld und erneuerten ihr Leben mit Jesus Christus. Ein Ehepaar, das von weit her angereist war, hörte die Botschaft zum ersten Mal und nahm Jesus als Erretter an. Sie hatten zuvor nie erfahren, dass sie mit Gott versöhnt werden mussten. Heute versammeln sich an ihrem Wohnort Gläubige regelmäßig zum Gottesdienst und zur Predigt von Gottes Wort.

Wir verstehen nicht immer, wie Gott wirkt. Er kann sowohl tiefes Leid als auch das Gebet eines Kindes gebrauchen, um seinen Plan zu erfüllen. Oft bleiben seine Hand für uns unsichtbar und seine Wege rätselhaft. Doch alles dient dazu, dass Menschen letztendlich gesegnet werden.

**Tägliche Bibellese** 2. Mose 30,1-16 · Lukas 12,35-48

# 24 Dienstag Februar

SA 07:17 · SU 17:53
MA 09:41 · MU 02:07

***Sogleich fiel es wie Schuppen von seinen Augen, und er sah wieder und stand auf und wurde getauft.***

Apostelgeschichte 9,18

## Redewendungen, die aus der Bibel stammen (5)

Wer plötzlich etwas erkennt, was ihm vorher verborgen oder unklar war, dem „fällt es wie Schuppen von den Augen". Auch diese Redewendung stammt aus der Bibel und entspricht exakt dem griechischen Urtext. Sie ist in unserem Wortschatz fest verankert.

Der Tagesvers berichtet von Saulus, einem strenggläubigen, hochgebildeten Juden, der alle jüdischen Vorschriften und Gesetze penibel beachtete. Er war überzeugt, den Glauben an Jesus von Nazareth mit allen Mitteln bekämpfen zu müssen – und verfolgte die Christen mit großem Eifer. Doch plötzlich begegnete ihm Jesus Christus vor der Stadt Damaskus in einem strahlenden Licht. Dieses himmlische Licht übertraf den Glanz der Sonne und ließ Saulus erblinden. Drei Tage lang überdachte er seine Begegnung mit Jesus, den er tot geglaubt hatte. Er dachte über sein bisheriges Leben nach und musste sich eingestehen, dass er „ein Lästerer, Verfolger und Gewalttäter" war – der „Erste der Sünder" (1. Timotheus 1,13.15).

Nach diesen drei Tagen beauftragte der Herr Jesus einen Mann namens Ananias, Saulus aufzusuchen und ihm die Hände aufzulegen. Daraufhin erhielt er sein Augenlicht wieder zurück – und es „fiel wie Schuppen von seinen Augen". Von diesem Moment an sah er klar – äußerlich und innerlich. Sein Leben nahm eine radikale Wende: Der einstige Verfolger wurde zu einem hingebungsvollen Diener Jesu Christi, für den im Vergleich mit dessen faszinierender Person alles andere wertlos erschien (vgl. Philipper 3,8). Sein Ziel war es, Jesus immer besser kennenzulernen und Ihm ähnlicher zu werden. Mit allen Fasern streckte Er sich nach seinem geliebten Herrn aus.

Wie wünschenswert wäre es, wenn es auch heute vielen Menschen so erginge und es wie Schuppen von ihren Augen fiele.

**Tägliche Bibellese** 2. Mose 30,17-38 · Lukas 12,49-59

# 25 Mittwoch Februar

SA 07:15 · SU 17:54
MA 10:25 · MU 03:30

***Wenn jemand Christi Geist nicht hat, der ist nicht sein.*** Römer 8,9

## „Das Feuer fehlt noch"

Die Frau eines angesehenen, stadtbekannten Mannes hatte eine Predigt von Johann Gottfried Seeger (1715-1782) gehört. Bewegt erzählte sie ihrem Mann davon und zog ein erschütterndes Fazit: „Wenn Seeger recht hat, dann sind wir beide für ewig verloren."

Ihr Mann reagierte abwehrend: „Den will ich sehen, der mir meine Seligkeit absprechen will." Aber seine Frau beharrte: „Wenn du Seeger gehört hättest, würdest du ganz anders über dich denken." – „Nun gut", entgegnete er, „ich kann ihn ja mal hören. Ich werde ihn demnächst zum Essen einladen."

Kurz darauf folgte die Einladung, und Seeger kam. Der Hausherr hatte dafür gesorgt, dass während Seegers Anwesenheit alles still, ordentlich und „christlich“ zuging.

Nach dem Essen wandte er sich direkt an den Prediger: „Herr Pfarrer, nun konnten Sie sich ein Bild davon machen, wie es bei mir aussieht. Sagen Sie mir: Kann ich so in den Himmel kommen?“

Seeger erwiderte ruhig: „Lieber Herr ..., Kohlen sind schon da, aber das Feuer fehlt noch.“ Mit diesen Worten verabschiedete er sich.

Zweifellos führen viele Menschen äußerlich ein christliches Leben. Sie besitzen die „Kohlen“ – religiöse Formen, gute Werke, ein sittliches Verhalten. Doch was ihnen fehlt, ist das „Feuer“ des neuen Lebens: der Heilige Geist. Diesen empfangen nur diejenigen, die sich vor Gott als verloren erkennen, aufrichtig Buße tun und an Christus und seinen Sühnetod glauben. Erst dann werden die „Kohlen“ für Gott entzündet.

„Wenn jemand nicht von neuem geboren wird, so kann er das Reich Gottes nicht sehen“ (Johannes 3,3).

# 26 Donnerstag Februar

SA 07:13 · SU 17:56
MA 11:27 · MU 04:38

***Denn sei es, dass wir leben, wir leben dem Herrn; sei es, dass wir sterben, wir sterben dem Herrn. Sei es nun, dass wir leben, sei es, dass wir sterben, wir sind des Herrn.***

Römer 14,8

## Christen in aller Welt – Jorina aus Bangladesch

Die Geschichte, wie Jorina und ihr Mann zum christlichen Glauben fanden, ist eher ungewöhnlich. In Bangladesch gehören rund 90 Prozent der über 170 Millionen Einwohner dem Islam an. So auch Jorina und ihr Mann. Eines Tages erhielten sie Besuch von zwei Christen, die mit ihnen ins Gespräch kommen wollten. Doch eigenartigerweise zitierten sie ausschließlich aus dem Koran.

Jorina erzählt: „Wir waren überrascht – aber durch dieses Vorgehen der beiden Christen wurden wir neugierig und begannen, sowohl die Bibel als auch den Koran sorgfältig zu studieren. Dabei erkannten wir, dass die Bibel die Wahrheit sagt, indem sie von Jesus Christus, dem Sohn Gottes, spricht. Wir nahmen die Rettung durch den Herrn Jesus Christus an. Danach versuchten wir, auch unseren Familien und Nachbarn von unserem Glauben zu erzählen. Doch wir stießen auf Ablehnung: Unsere Familien brachen den Kontakt mit uns ab. Im Dorf werden wir seitdem schikaniert, beleidigt und ausgegrenzt. Besonders unsere Kinder leiden – sie werden in der Schule gemobbt und haben keine Freunde. Aber das ertragen wir. Jeder von uns hat sich fest vorgenommen, nicht Böses mit Bösem zu vergelten, sondern zu vergeben und freundlich zu bleiben.

Nur etwa 0,3 Prozent der Bevölkerung Bangladeschs sind Christen. Da Religionsfreiheit herrscht, werden wir von der Regierung nicht verfolgt. Der größte Druck kommt von unserem sozialen Umfeld – von Familie und Freunden. Dennoch ist unser Haus ein Treffpunkt für Christen geworden. Wir fürchten uns nicht: Wenn wir sterben, dann für Gott – und wenn wir leben, dann leben wir, um Ihm zu dienen. Bitte betet auch in Deutschland dafür, dass noch viele Menschen in Bangladesch zum lebendigen Glauben an Christus finden – das wäre wunderbar!"

**Tägliche Bibellese** 2. Mose 31,12-18 · Lukas 13,10-17

# 27 Freitag Februar

SA 07:11 · SU 17:58
MA 12:44 · MU 05:29

***Ein Aussätziger kommt zu Jesus, bittet ihn und kniet vor ihm nieder und spricht zu ihm: Wenn du willst, kannst du mich reinigen. Und innerlich bewegt streckte er seine Hand aus, rührte ihn an und spricht zu ihm: Ich will; werde gereinigt!***

Markus 1,40.41

## Jesus Christus kennenlernen – Er ist barmherzig

Aussätzige in biblischer Zeit waren wohl die ärmsten Seelen, die man sich vorstellen kann. Aussatz, ein Sammelbegriff für höchst ansteckende Hautkrankheiten, möglicherweise auch die gefürchtete Lepra, schloss einen Erkrankten nicht nur vom Besuch des Tempels und der Teilnahme am religiösen Leben aus, sondern auch aus allen anderen familiären und sozialen Beziehungen. Aussätzige lebten gemeinsam in Quarantäne-Unterkünften, mussten sich verhüllen, sich von Gesunden fernhalten und schon von weitem „Unrein, unrein!“ rufen. Ausgestoßen, ohne jede Aussicht auf Rückkehr oder Heilung. Erniedrigt. Draußen.

Ein solcher Kranker nähert sich Jesus, fällt vor Ihm nieder und bittet um Heilung. Damit verletzt der Aussätzige die strengen Abstandsregeln. Weicht Jesus zurück? – Die Spannung ist spürbar. – Voll liebevoller Barmherzigkeit, im Inneren tief bewegt, streckt Er seine Hand aus und berührt den kranken Mann.

Diese Berührung, diese Zuwendung ist wie Balsam für die einsame Seele des Kranken. Aber dabei bleibt Jesus nicht stehen. Er spricht dem Kranken zu: „Ich will dir helfen, sei gesund!“ Und es geschieht sofort.

Der Mann ist so berührt und beeindruckt von Jesus, dass er über seine wunderbare Heilung einfach nicht schweigen kann, obwohl Jesus ihn, um Aufsehen zu vermeiden, dazu auffordert. Die Begegnung mit Jesus, seine liebevolle Zuwendung und Hilfe, hat sein Leben völlig verändert.

**Tägliche Bibellese** 2. Mose 32,1-10 · Lukas 13,18-21

# 28 Samstag Februar

SA 07:09 · SU 18:00
MA 14:10 · MU 06:04

***Er war verachtet und verlassen von den Menschen, ... er war verachtet, und wir haben ihn für nichts geachtet.*** Jesaja 53,3

***Denn die Schrift sagt: „Jeder, der an ihn glaubt, wird nicht zuschanden werden."*** Römer 10,11

## Unerwartete Hoffnung

Am 7. Juni 1903 verlässt der Passagierdampfer „Liban" den Hafen von Marseille mit Kurs auf Korsika Eine Passagierin, Madame S., ist beunruhigt und sucht nach einem Begleiter, der ihr im Fall eines Unglücks zur Seite stehen kann. Ein Mitreisender namens René bietet ihr seine Hilfe an. Doch Madame S. lehnt sein Angebot mit einer gewissen Geringschätzung ab – sie hält ihn für wenig robust und im Ernstfall für unfähig, ihr beizustehen. Das Meer ist ruhig, das Wetter ideal. Alles deutet auf eine sichere Überfahrt hin. Doch am Ausgang des Hafens von Marseille taucht plötzlich ein anderes

Schiff, die „Insulaire“, aus einer Meerenge hinter der Insel Maïre auf und steuert direkt auf die „Liban“ zu. Die Kollision ist unvermeidlich. Innerhalb weniger Minuten sinkt die „Liban“ und reißt viele Passagiere mit in die Tiefe.

Madame S. wird bewusstlos aus dem Wasser gezogen und auf ein kleines Boot gebracht, das den Schiffbrüchigen zu Hilfe eilt. Als sie wieder zu sich kommt, erfährt sie, wem sie ihr Leben verdankt: René, den sie für unfähig gehalten hatte! Mit Geschick und Ausdauer hatte er sie so lange über Wasser gehalten, bis die Rettungskräfte eintrafen.

Ein Passagierdampfer versinkt an einem heiteren Tag auf ruhiger See – unerwartet und endgültig. Auch unser Leben kann plötzlich zu Ende gehen. Deshalb ist es entscheidend, vorzusorgen und einen Retter an seiner Seite zu haben. Jesus Christus, der Sohn Gottes, bietet sich jedem Menschen an. Doch viele halten Ihn nicht für tauglich. Dass ein Mann, der am Kreuz starb, der „Heiland der Welt“ sein soll, erscheint dem Verstand als Torheit. Doch wer Gottes Wort glaubt, erfährt, dass Christus „Gottes Kraft und Gottes Weisheit ist“ (1. Korinther 1,24).

**Tägliche Bibellese** 2. Mose 32,11-20 · Lukas 13,22-30

# 1 Sonntag März

SA 07:06 · SU 18:01
MA 15:37 · MU 06:28

***Und dann, wenn jemand zu euch sagt: „Siehe, hier ist der Christus! Siehe, dort!", so glaubt es nicht. Denn es werden falsche Christi und falsche Propheten aufstehen und werden Zeichen und Wunder tun, um wenn möglich die Auserwählten zu verführen. Ihr aber gebt acht! Siehe, ich habe euch alles vorhergesagt.***

Markus 13,21-23

## Gedanken zum Markus-Evangelium

Die meisten Menschen interessieren sich für die Zukunft. Heute erstellen Wissenschaftler konkrete Prognosen, in denen sie Faktoren wie Klimawandel und Digitalisierung berücksichtigen. Doch ob sich alles so entwickelt, wie vorhergesagt, weiß niemand. Nur Gott kann Dinge voraussagen, die tatsächlich eintreffen, denn Er allein ist allwissend.

Die Vorhersage Jesu, dass die Tempelgebäude in Jerusalem dem Erdboden gleichgemacht werden würden, ist Realität geworden: Seit 70 n. Chr. gibt es dort keinen Tempel mehr. Das ist nur eine von vielen biblischen Prophezeiungen, die sich bereits erfüllt haben. Ebenso zweifellos werden sich die zahlreichen anderen Vorhersagen – einschließlich der des Alten Testaments – erfüllen.

Auffällig ist, dass Jesus Christus im Blick auf die Endzeit gleich zweimal vor Verführung warnt (vgl. V. 5.21). Viele werden sich selbst als „Christus" ausgeben – und Erfolg haben; die Mehrheit des jüdischen Volks wird den Antichristen annehmen.

Doch die Auserwählten, also diejenigen, die dann das Evangelium des Reichs angenommen haben und auf den wahren Christus hoffen, werden nicht darauf hereinfallen. Gerade sie hat der Teufel im Visier: Falsche Propheten werden alles daransetzen, sie zu verführen. Mit „Zeichen und Wundern" erwecken sie den Eindruck, es handle sich um Christus selbst oder um seine Apostel (vgl. Johannes 4,48; 2. Korinther 12,12).

Auch heute hört man unter Christen von Wunderheilern, die große Versprechungen machen. Doch seien wir wachsam: Der Teufel tritt gern als „Engel des Lichts" auf und will auf diese Weise Menschen in seinen Bann ziehen.

**Tägliche Bibellese** 2. Mose 32,21-35 · Lukas 13,31-35

# 2 Montag
## März

SA 07:04 · SU 18:03
MA 17:00 · MU 06:46

***Die Augen des HERRN sind auf die Gerechten gerichtet und seine Ohren auf ihr Schreien. Sie schreien, und der HERR hört, und aus allen ihren Bedrängnissen errettet er sie.***

Psalm 34,16.18

### Schiffbruch – aber nicht ohne Hilfe

Juni 1942: Die verwitwete Missionarin Ethel Bell verlässt mit ihren beiden Kindern die Elfenbeinküste, um in die USA zurückzukehren. Die Schiffsreise verläuft zunächst planmäßig, doch dann kreuzt in den Wirren des Krieges ein feindliches U-Boot ihren Kurs und greift den Dampfer mit Torpedos an. Er sinkt – nur Ethel Bell, ihre beiden Kinder und 16 weitere Passagiere überleben. Zwanzig Tage lang treiben sie in einem Rettungsboot auf dem Ozean, bis sie schließlich von einem anderen Schiff entdeckt und gerettet werden – krank, unterernährt, aber am Leben.

Später schreibt Bell in ihrem Buch *Schiffbrüchig*: „Das Gebet war das Wichtigste, während wir um unser Überleben kämpften. Nichts ist unmöglich, wenn wir beten. Unser Gebet kann Gottes mächtige Hand bewegen, und Er handelt, um uns zu helfen."

Diese Begebenheit soll uns Mut machen, in jeder Lebenslage zu Gott zu beten. Nichts ist Ihm zu groß oder zu schwer – schließlich ist Er der allmächtige Gott. In seiner Liebe zu uns ist Er stets bereit, uns bei allem zu helfen und uns beizustehen. Der bekannte China-Missionar Hudson Taylor sagte einmal: „Wir brauchen keinen großen Glauben, sondern den Glauben an einen großen Gott." Das ist das Geheimnis des Gebets: Wenn wir den großen Gott vor Augen haben, werden unsere größten Probleme klein.

# 3 Dienstag März

SA 07:02 · SU 18:05
MA 18:20 · MU 07:01

***Wohin sollte ich gehen vor deinem Geist und wohin fliehen vor deinem Angesicht? … Spräche ich: „Nur Finsternis möge mich umhüllen, und Nacht werde das Licht um mich her" – auch Finsternis würde vor dir nicht verfinstern, und die Nacht würde leuchten wie der Tag, die Finsternis wäre wie das Licht.***

Psalm 139,7.11.12

## Gott sieht mich

Ein Mensch kann sich vor anderen verstecken und untertauchen, so dass ihn niemand findet – doch Gott sieht ihn. Weder im Himmel (oben) noch im Scheol (unten), und auch nicht am Ende des Meers (in der äußersten Ferne) gibt es einen Ort, wo ein Mensch sich vor dem Blick und der Beobachtung Gottes verbergen kann (Verse 8.9). Ein arabisches Sprichwort bringt es treffend auf den Punkt: Eine schwarze Ameise in schwarzer Nacht auf einem schwarzen Stein – Gott sieht sie. „Die Finsternis wäre wie das Licht". Was in der Antike noch unvorstellbar war, ist heute im Zeitalter der Röntgen- und Ultrastrahlen sowie Wärmebildkameras für uns eine alltägliche Realität.

Elihu, einer der Weisen der Bibel, sagt: „Da ist keine Finsternis und kein Todesschatten, dass sich darin verbergen könnten, die Frevel tun" (Hiob 34,22). Jesus betont, dass Gott, sein Vater, sowohl im Verborgenen ist als auch im Verborgenen sieht (Matthäus 6,18).

Wie auch viele andere biblische Personen zeigt uns David, wie wir lernen können, vor Gott keine Angst mehr zu haben und uns nicht mehr vor Ihm verstecken zu müssen. Am Ende des obigen Psalms betet er: „Erforsche mich, Gott, und erkenne mein Herz; prüfe mich und erkenne meine Gedanken! Und sieh, ob ein Weg der Mühsal bei mir ist, und leite mich auf ewigem Weg!" (V. 23.24). David lädt Gott in sein Leben ein und wünscht sich, dass dieser ihm zeigt, was das Miteinander stört und hindert. Er will Sünden erkennen und bekennen, falsche Wege verlassen und ein Leben führen, das Gott Freude bereitet. Ein vorbildlicher und zeitgemäßer Wunsch!

**Tägliche Bibellese** 2. Mose 33,12-23 · Lukas 14,12-24

# 4 Mittwoch März

SA 07:00 · SU 18:06
MA 19:37 · MU 07:13

***Jesus spricht: Ich bin die Tür; wenn jemand durch mich eingeht, so wird er errettet werden.***

Johannes 10,9

***Geht ein durch die enge Pforte.***

Matthäus 7,13

***Denn durch die Gnade seid ihr errettet, mittels des Glaubens; und das nicht aus euch, Gottes Gabe ist es.***

Epheser 2,8

## Die Tür zu Gott

In allen Religionen geht es um die Frage, wie Menschen erlöst werden können. Die Erlösung sei mit einer Tür vergleichbar, die zu Gott führt. Um durch diese Tür gehen zu können, müsse man eine Reihe von Regeln befolgen und gute Taten tun. Erst am Ende des Lebens gehe man durch diese Tür. – Demnach hängt alles davon ab, wie man sich bis zum Ende seines Lebens verhält. So kann also niemand sicher sein, dass er das Ziel erreicht, und es bleibt die quälende Frage: Reichen meine guten Taten aus, um Gott (oder, je nach Religion, die Götter) zufriedenzustellen?

Die Botschaft der Bibel dagegen ist völlig anders. Sie stellt uns den Retter vor: Jesus, den Sohn Gottes, der von sich sagt: „Ich bin die Tür; wenn jemand durch mich eingeht, so wird er errettet werden." Wer an Jesus Christus glaubt, der ist durch diese Tür hindurchgegangen und gerettet. Das heißt: Wenn ich an den Herrn Jesus glaube, bekomme ich das ewige Leben – hier und heute! Ich kann also schon heute wissen, was mich nach dem Tod erwartet.

Die „Pforte" oder „Tür" ist eng, weil man durch sie nur gelangen kann, wenn man nichts von sich selbst mitnimmt. Wer meint, mit guten Werken kommen zu müssen, passt nicht hindurch. Nur wer sich vor Gott klein macht und seine Schuld vor Gott eingesteht, kann hindurchgelangen. Dann schenkt Er mir aus reiner Gnade seine vollkommene Erlösung, und mein Zugang zum Himmel ist völlig sicher, weil mein Retter jetzt schon dort ist. Die Errettung ist also „nicht aus euch", sondern „Gottes Gabe".

**Tägliche Bibellese** 2. Mose 34,1-10 · Lukas 14,25-35

# 5 Donnerstag März

SA 06:58 · SU 18:08
MA 20:52 · MU 07:25

*Ich preise dich dafür, dass ich auf eine erstaunliche, ausgezeichnete Weise gemacht bin. Wunderbar sind deine Werke, und meine Seele weiß es sehr wohl.* Psalm 139,14

## Hilflos und schutzlos, aber liebevoll versorgt

140 Gramm – nur wenig schwerer als eine Tafel Schokolade und ungefähr so groß wie ein Stück Butter sind Panda-Babys bei ihrer Geburt. Mit runzliger, rosafarbener Haut kommen sie zur Welt, blind und taub. Sie sind noch nicht in der Lage, Kot oder Urin auszuscheiden. Auch ihre Körpertemperatur können sie nicht selbst regulieren. Ein neugeborenes Panda-Baby ist völlig hilflos. Doch Gott sorgt dafür, dass aus dem Winzling innerhalb eines Jahres ein stattlicher Panda wird.

Ohne die Fürsorge seiner Mutter würde kein Panda-Baby überleben. Deshalb lassen die

Muttertiere ihre Neugeborenen in den ersten Wochen keine Sekunde allein – selbst dann nicht, wenn sie selbst essen und trinken müssen. Sie nehmen ihr Junges oft in den Arm, um es zu wärmen. Sie versorgen es reichlich mit gesunder Muttermilch und massieren seine Muskeln, um den Stoffwechsel anzuregen. Nach drei Wochen ist der Körper des Babys vollständig mit dem typischen schwarz-weißen Fell bedeckt. Mit etwa sechs Wochen öffnen die Jungtiere zum ersten Mal die Augen, zwei Wochen später auch die Gehörgänge. Drei weitere Monate vergehen, bis sie erste unbeholfene Krabbelversuche unternehmen. Sie lernen laufen und klettern, und beginnen, feste Nahrung zu fressen.

Das alles hat Gott wunderbar erschaffen und eingerichtet. Genauso wie Himmel und Erde, die Pflanzen und alle Tiere – die Vögel am Himmel, die Fische im Wasser und die Landtiere. Und schließlich den Menschen mit seinen erstaunlichen Fähigkeiten. Sie alle sind Kunstwerke aus Gottes genialer Schöpferhand und werden von Ihm versorgt.

**Tägliche Bibellese** 2. Mose 34,11-26 · Lukas 15,1-10

# 6 Freitag März

SA 06:56 · SU 18:10
MA 22:06 · MU 07:37

***Jesus sagt: Ich bin innerlich bewegt über die Volksmenge, denn schon drei Tage weilen sie bei mir.***

Markus 8,2

***Und sie erstaunten sehr über seine Lehre; denn er lehrte sie wie einer, der Vollmacht hat, und nicht wie die Schriftgelehrten.***

Markus 1,22

## Jesus kennenlernen – Worte des Lebens

Wer hat nicht schon unter Lehrern, Dozenten und Rednern „gelitten", die ihren Stoff so eintönig vermitteln, dass man kämpfen muss, um nicht einzuschlafen!

Bei Jesus ist das anders. Ganz anders. Um Ihn versammeln sich immer wieder unzählige Menschen und hören Ihm stunden-, ja tagelang zu. Jesus spricht ihre Sprache, theoretisiert nie, sondern erzählt anschauliche Gleichnisse aus dem

Alltag. Er überrascht mit unerwarteten Pointen, Ironie und klaren Ansagen: „Blinde Leiter, die ihr die Mücke seiht, das Kamel aber verschluckt!“ (Matthäus 23,24). Er trifft immer die Herzen und Gewissen seiner Zuhörer.

Doch hinter Jesu Worten steckt weit mehr als eine außergewöhnliche Redegabe. Der tiefgehende Prolog des Evangeliums nach Johannes (Johannes 1,1-3) gibt einen Einblick in dieses Geheimnis: Jesus ist „das Wort“, das „im Anfang war“ – ewig. „Das Wort war bei Gott“ und ist zugleich selbst Gott. Außerdem ist „das Wort“ der Schöpfer – nichts existiert ohne Ihn. Und das Besondere: „Das Wort wurde Fleisch“, wurde Mensch, und „wohnte unter uns“ (Johannes 1,14).

Jesus ist das Wort, Er ist Gott und Mensch in einer Person. Wo Er spricht, kann sich niemand seiner Wirkung entziehen oder gleichgültig bleiben. Wer Ihn hört, stimmt entweder überzeugt zu – oder lehnt Ihn leidenschaftlich ab. Neutral bleiben? Unmöglich!

**Tägliche Bibellese** 2. Mose 34,27-35 · Lukas 15,11-19

# 7 Samstag März

SA 06:54 · SU 18:11
MA 23:21 · MU 07:50

***… einander ertragend und euch gegenseitig vergebend, wenn einer Klage hat gegen den anderen; wie auch der Christus euch vergeben hat, so auch ihr.***

Kolosser 3,13

## Das Heilmittel der Vergebung

Der Maler Marcel Poggioli (1882-1969), der lange Zeit drogenabhängig war, schreibt in einem Artikel über seine Vergangenheit und die inneren Konflikte, die er in seiner Jugend erlebte: „Ich habe beschlossen, meinem Vater, meinem Arzt und der ganzen Gesellschaft zu vergeben. Ich habe verstanden, dass Vergebung wie ein Pflaster wirkt, das innere Wunden verschließt. Auch wenn Narben bleiben, ist der Schmerz kaum noch spürbar. Ich kann jedem, der noch unter Problemen aus der Kindheit oder ungelösten Konflikten leidet, nur raten, den Beteiligten zu vergeben. Es gibt immer einen Ausweg. Mit Jesus Christus wandelt sich der Sinn unseres Lebens zum Guten und Er gibt uns die Kraft, anderen Menschen zu vergeben."

Vollständige Vergebung beruht auf einem Bekenntnis. Nur so vergibt Gott all unsere Sünden: Wir müssen sie Ihm aufrichtig bekennen. Wer weiß, dass Gott alle seine Sünden um des Namens Jesu willen vergeben hat, kann auch anderen vergebungsbereit begegnen (vgl. 1. Johannes 2,12). Folgen wir dem Beispiel Jesu: Als Er gekreuzigt wurde, obwohl Er keine einzige Sünde begangen hatte, betete Er für seine Peiniger: „Vater, vergib ihnen, denn sie wissen nicht, was sie tun" (Lukas 23,34). Solch ein Gebet fällt uns gewiss nicht immer leicht. Doch je größer unsere Dankbarkeit gegenüber Gott ist, desto größer wird auch unsere Bereitschaft, denen zu vergeben, die uns verletzt haben. Vergebung ist das Heilmittel gegen Verbitterung – sie hilft, den erlebten Schmerz hinter sich zu lassen.

**Tägliche Bibellese** 2. Mose 35,1-19 · Lukas 15,20-32

# 8 Sonntag März

SA 06:52 · SU 18:13
MA –:– · MU 08:06

***Aber in jenen Tagen, nach jener Drangsal, wird die Sonne verfinstert werden und der Mond seinen Schein nicht geben, und die Sterne werden vom Himmel fallen, und die Kräfte in den Himmeln werden erschüttert werden.***

Markus 13,24.25

## Gedanken zum Markus-Evangelium

Nach der Aufnahme der Brautgemeinde Jesu in den Himmel wird in Europa der Abfall einsetzen. Die biblischen Werte werden vollständig verworfen. Diese Bewegung wird der Antichrist, auch „Mensch der Sünde" genannt, aufgreifen und sich selbst als Gott anbeten lassen. Parallel dazu wird Gott im Volk Israel Menschen zum wahren Glauben erwecken. Sie werden in die Welt hinausgehen und verkündigen, dass Jesus Christus wiederkommen wird, um sein Reich zu errichten (Evangelium des Reiches). Doch viele, die glauben, werden einer schrecklichen Verfolgung ausgesetzt sein (Zeit der Drangsal), die der Teufel in Gang setzt, weil er und seine Engel dann vom Himmel auf die Erde geworfen worden sind (vgl. Offenbarung 12,7-12).

Am Ende dieser dreieinhalbjährigen Zeitperiode wird es gewaltige Umwälzungen geben. Ein Bibelausleger beschreibt sie folgendermaßen: „Sonne, Mond und Sterne werden in der Bibel manchmal als Symbole für höchste, abgeleitete und untergeordnete Macht verwendet. Hier ist von ‚Kräften in den Himmeln' die Rede, wie der letzte Teil von Vers 25 zeigt. Doch diese Rede des Herrn ist nicht durch eine so ausgeprägte Symbolsprache gekennzeichnet wie das Buch der Offenbarung. Deshalb nehmen wir an, dass im wörtlichen Sinn Erschütterungen, die auch die Himmelskörper einbeziehen, nicht auszuschließen sind – insbesondere, da wir wissen, dass sich die Sonne buchstäblich verdunkelte, als Jesus starb. Die Verfinsterung jener Tage wird dazu dienen, den Lichtglanz seiner Erscheinung umso deutlicher hervortreten zu lassen, wenn Er in Wolken mit großer Macht und Herrlichkeit kommt" (F. B. Hole: Grundzüge des Neuen Testaments, Band 1).

**Tägliche Bibellese** 2. Mose 35,20-35 · Lukas 16,1-13

# 9 Montag März

SA 06:49 · SU 18:15
MA 00:35 · MU 08:27

*Gott spricht und bestellt einen Sturmwind, der hoch erhebt seine Wellen. Sie fahren hinauf zum Himmel, sinken hinab in die Tiefen; es zerschmilzt in der Not ihre Seele. Sie taumeln und schwanken wie ein Betrunkener, und zunichte wird all ihre Weisheit.*

Psalm 107,25-27

## Verschwunden im Dunkel (1)

Am 1. Januar 1995 tobt vor der holländischen Küste ein schwerer Orkan. Zwei Rettungsboote laufen aus, um einem Frachtschiff in Seenot zu helfen. Bei diesem Einsatz geht ein holländischer Helfer über Bord. An der sofort eingeleiteten Suchaktion beteiligt sich auch der Borkumer Seenotrettungskreuzer ALFRIED KRUPP. Nach ca. 2 ½ Stunden wird der Schiffbrüchige entdeckt und gerettet. Die ALFRIED KRUPP nimmt Kurs auf die Heimfahrt.

22.14 Uhr. Der Maschinist Theo Fischer ist vom oberen Fahrstand der ALFRIED KRUPP auf dem Weg in den Maschinenraum. Da wird das Schiff plötzlich von schweren Grundseen und gewaltigen Wassermassen erfasst. Es kentert, wird überrollt und liegt kurzzeitig kieloben. Teile der Ausrüstung reißen sich los, schlagen sich in die Decke ein. Zwei Scheiben brechen, die Elektrik wird beschädigt, die Motoren schalten sich sofort ab. Zwar richtet sich die ALFRIED KRUPP nach dem gewaltigen Schlag wieder selbst auf – doch Theo Fischer ist nicht mehr an Bord. Er hat sich für den Kontrollgang nach unten nur kurz abgeschnallt – da riss die Welle ihn fort.

Ja, das Leben ist gefährlich. Nicht nur auf dem Wasser, auch an Land. Sind wir vorbereitet, haben wir vorgesorgt? Kennen wir den, der das Leben jedes Menschen in seiner Hand hat? Kennen wir Jesus Christus als unseren Retter und Herrn? Er will uns Frieden im Gewissen und Ruhe im Herzen schenken. Er will unser Leben gestalten – und uns sicher „in den ersehnten Hafen" bei Ihm bringen (V. 30). Vertrauen wir uns Ihm an!

**Tägliche Bibellese** 2. Mose 36,1-13 · Lukas 16,14-18

# 10 Dienstag März

SA 06:47 · SU 18:16
MA 01:47 · MU 08:56

***Hieran haben wir die Liebe erkannt, dass er für uns sein Leben hingegeben hat; auch wir sind schuldig, für die Brüder das Leben hinzugeben.***

1. Johannes 3,16

## Verschwunden im Dunkel (2)

1. Januar 1995, 22.14 Uhr. Der Seenotrettungskreuzer ALFRIED KRUPP kentert in einem Orkan, richtet sich jedoch selbstständig wieder auf. Doch das Schiff ist manövrierunfähig – ohne Antrieb, ohne Strom. Der Fahrstand ist beschädigt, das Tochterboot zusammengedrückt. Die Mannschaft kann noch einen Notruf absetzen, dann bricht der Funkkontakt ab.

23.50 Uhr. Ein Helikopter sichtet das havarierte Schiff, das in schwerer See treibt. Vormann Bernhard Gruben hangelt sich aufs Vorschiff und versucht, das Winden-Seil des Hubschraubers zu greifen. Doch die See ist zu schwer, die Rollbewegung des Schiffs zu heftig – es liegt mit fast 100 Grad Schlagseite im Wasser. Gruben beschließt, sich zurück zum Aufbau zu hangeln. Doch da stürzt eine weitere gewaltige Wassermasse über das Schiff und er wird über Bord gerissen. Nur kurz noch ist das Lichtsignal an seiner Rettungsweste zu sehen, dann ist er verschwunden.

Über 87.000 Menschen sind in den 160 Jahren seit Gründung der Deutschen Gesellschaft zur Rettung Schiffbrüchiger gerettet worden: Segler im Sturm, Fischer in Not, Seeleute auf Frachtern und Bohrinseln, Kranke und Schwangere von den Inseln. Doch immer wieder sind dabei auch Retter auf See geblieben.

Von ihnen, die ihr Leben eingesetzt und es verloren haben, gehen meine Gedanken zu dem größten aller Lebensretter: zu Jesus Christus. Er kam, um Menschen für die Ewigkeit zu retten, und wusste, dass Er dafür sein Leben lassen musste. Und Er war bereit dazu. – Weil Er am Kreuz gestorben ist, darf ich jetzt schon ein Leben mit Ihm führen und im Himmel einmal ewig bei Ihm sein. Seine Hingabe und Liebe überwältigen mich!

**Tägliche Bibellese** 2. Mose 36,14-34 · Lukas 16,19-31

# 11 Mittwoch März

SA 06:45 · SU 18:18
MA 02:52 · MU 09:36

***Der Teufel war ein Menschenmörder von Anfang an und steht nicht in der Wahrheit, weil keine Wahrheit in ihm ist. Wenn er die Lüge redet, so redet er aus seinem Eigenen, denn er ist ein Lügner und ihr Vater.***

Johannes 8,44

## Vorsicht Lüge

Gott hatte dem ersten Menschenpaar einen wunderbaren Garten anvertraut. Bis auf eine einzige Ausnahme durften Adam und Eva von jedem Baum des Gartens nach Belieben essen. Doch dann trat der Teufel auf und säte bei unseren Ureltern Misstrauen. Seine Frage an sie lautete: „Hat Gott wirklich gesagt, ihr sollt nicht essen von jedem Baum des Gartens?“ (1. Mose 3,1). Er verdrehte alles – und hatte leider Erfolg. Seitdem sind die Menschen offen für seine Lügen und haben sich immer weiter von Gott entfernt.

Am liebsten will der Teufel die Menschen glauben machen, es gäbe gar keinen Gott und keinen Teufel. Darüber hinaus hat er aber noch für verschiedene Altersgruppen und Menschentypen besondere Lügen bereit.

Den Jungen sagt er: „Es ist viel zu früh, dich jetzt schon um Gott zu kümmern. Mach was aus deinem Leben und genieße das Jungsein!"

Die Älteren fängt er damit: „Es ist zu spät. Du hast dein Leben ohne Gott geführt. Und jetzt hast du keine Kraft mehr, es zu ändern."

Den „Besseren" redet er ein: „Gott ist zu gütig, um dich zu bestrafen. So schlecht bist du doch gar nicht. Also mach dir keine Sorgen."

Den „Außenseitern" hält er vor: „So, wie du bist, kannst du nicht zu Gott kommen. Du musst dich zuerst bessern."

Und den „Grüblern" sagt er: „Der Weg zur Errettung, wie die Bibel ihn darstellt, ist viel zu einfach, um wahr zu sein. Das wäre ja zu schön, wenn man Gott nur seine Sünden offen eingestehen müsste und an Jesus zu glauben hätte."

Was kann uns vor diesen Lügen schützen? Nur die Wahrheit! Und die finden wir in Jesus Christus und in der Bibel, dem zuverlässigen Wort Gottes.

**Tägliche Bibellese** 2. Mose 36,35–37,16 · Lukas 17,1-10

# 12 Donnerstag März

SA 06:43 · SU 18:20
MA 03:47 · MU 10:27

***Schwingt sich der Habicht durch deinen Verstand empor, breitet seine Flügel aus nach Süden?***

Hiob 39,26

## Vögel – Ingenieurskunst bis ins Detail

Ein Vogel kann fliegen, weil Körper und Gefieder perfekt aufeinander abgestimmt sind: Die Flugfedern sind leicht und zugleich stark, biegsam, drehbar und knickfest. Schaft, Federäste und Federstrahlen sind präzise angeordnet, teilweise über Kreuz, und sorgen so für Stabilität und Knickfestigkeit. Die Federstrahlen, die beidseitig vom Federast abzweigen, sind durch sogenannte Hakenstrahlen wie bei einem Reißverschluss miteinander verhakt. Sie schließen so dicht, dass die Oberfläche luftundurchlässig ist.

Der Federschaft ist schaumartig gefüllt und kehrt nach einer Verformung elastisch in seine ursprüngliche Form zurück. Die einzelnen, teilweise unterschiedlich geformten Federn sind über Muskeln mit dem Körper verbunden. Diese benötigen Blutgefäße und Nerven, die mit dem Gehirn verknüpft sind – so kann der Vogel seine Federn gezielt ausrichten, um stabile Flügelflächen zu formen. Sein Skelett ist leicht, robust und relativ starr, bietet dabei aber zugleich optimale Ansatzstellen für die kräftige Flugmuskulatur.

Erst das perfekte Zusammenspiel all dieser Komponenten ermöglicht das Fliegen. Allein das ist schon erstaunlich. Denn fällt nur ein einziges Teil weg, wird das Fliegen trotz Federn unmöglich. Wissenschaftler sprechen hier von „nicht reduzierbar komplex". Verschiedene Bauteile müssen aus dem richtigen Material bestehen, zur richtigen Zeit am richtigen Ort sein und koordiniert zusammenwirken. Und all das musste schon im ersten Vogelei vollständig angelegt und ausgebildet sein.

Fliegende Vögel sind ein wahres Wunder der Ingenieurskunst. Kein planloser Zufall hat sie hervorgebracht, sondern der große Schöpfer-Gott!

**Tägliche Bibellese** 2. Mose 37,17-29 · Lukas 17,11-19

# 13 Freitag März

SA 06:41 · SU 18:21
MA 04:30 · MU 11:32

***Und frühmorgens, als es noch sehr dunkel war, stand er auf und ging hinaus; und er ging hin an einen öden Ort und betete dort.*** Markus 1,35

## Jesus Christus kennenlernen – Jesus betet

Ein ausgefüllter, anstrengender Tag liegt hinter Jesus. Ein Sabbat, der Ruhetag in Israel, an dem nicht gearbeitet werden durfte. Morgens ein Besuch in der Synagoge von Kapernaum. Ein jüdischer Gottesdienst. Jesus predigt und setzt alle Zuhörer in Erstaunen, weil seine Botschaft so frisch und neu und machtvoll ist. Dann kommt es zum Zwischenfall: Ein stark okkult belasteter Mann, der von einem Dämon besessen ist, stört den Gottesdienst und schreit Jesus an: „Bist du gekommen, um uns zu vernichten? Ich kenne dich, du bist der Heilige Gottes!" Jesus verbietet dem Dämon, weiterzusprechen, und vertreibt ihn aus dem unglücklichen Mann. Die Synagogenbesucher staunen und die Neuigkeiten über Jesus verbreiten sich blitzschnell in der ganzen Gegend. Danach ist Jesus bei seinem Jünger Petrus zu Gast und macht dessen Schwiegermutter gesund, die mit hohem Fieber im Bett liegt. Am Abend nach Sonnenuntergang, als nach jüdischer Zeitmessung der Sabbat endet und der Alltag beginnt, kommt ganz Kapernaum vor Petrus' Haus zusammen. Alle bringen ihre Kranken und okkult Belasteten. Und Jesus heilt, befreit und hilft vielen (vgl. Markus 1,21-34). Bestimmt ist es spät geworden.

Doch schon früh, noch ehe die Sonne aufgeht, steht Jesus auf und zieht sich an eine einsame Stelle in der Natur zurück. Dort betet er, das heißt, Er spricht mit seinem Vater im Himmel.

Jesus betet viel, oft, eindringlich, manchmal ganze Nächte. Warum ist Ihm das Gebet so wichtig?

1. Jesus liebt seinen Vater. Mit Ihm im Gespräch zu sein, ist für Jesus völlig „normal" und wichtig – wie, wenn man eine Beziehung pflegt.
2. Zu erfahren und zu tun, was der himmlische Vater will, ist Speise für Jesus, sozusagen lebensnotwendig (vgl. Johannes 4,34). Daraus schöpft Er jeden Tag Kraft für sein Leben auf der Erde.

**Tägliche Bibellese** 2. Mose 38,1-8 · Lukas 17,20-37

# 14 Samstag März

SA 06:38 · SU 18:23
MA 05:02 · MU 12:45

***Der Fels meiner Stärke, meine Zuflucht, ist in Gott. Vertraut auf ihn allezeit, o Volk! Schüttet euer Herz vor ihm aus! Gott ist unsere Zuflucht.***

Psalm 62,8.9

## Bunker oder Höhle?

Ein amerikanisches Unternehmen hat sich darauf spezialisiert, ehemalige Atomschutzbunker zu Luxusresidenzen auszubauen. Ziel ist es, ein komfortables und zugleich geschütztes Leben anzubieten. Als Bedrohungen werden atomare Angriffe, chemische Attacken und großflächige Sonneneruptionen gesehen, gegen die man sich wappnen will.

Der Mensch sieht mit Stolz auf seine wissenschaftlichen und technischen Fortschritte. Trotzdem wird das Leben immer beängstigender. Wir wissen genau, dass schon ein geringfügiges Ereignis das empfindliche Gleichgewicht unserer Zivilisation massiv erschüttern kann. Wo gibt es im Katastrophenfall einen wirklich sicheren Zufluchtsort?

Die Bibel berichtet von König David, der vor seinen Feinden flieht. Er fühlt sich wie ein Rebhuhn, das in den Bergen gejagt wird. Schließlich sucht er mit seinen Gefährten Schutz in einer Höhle. Dort schreibt er: „Gott, sei mir gnädig! Denn zu dir nimmt Zuflucht meine Seele, und ich will Zuflucht nehmen zum Schatten deiner Flügel, bis das Verderben vorübergezogen ist“ (Psalm 57,2). Seine wahre Zuflucht war also nicht die Höhle, sondern Gott, auf den er vertraute! Ist das nicht bemerkenswert?

Auch heute darf jeder sein Vertrauen auf diesen Gott setzen. Er ist der souveräne, allmächtige und einzige Gott, der Schöpfer von Himmel und Erde. Außerdem ist Er ein Gott voller Liebe und Erbarmen, was Er durch die Sendung seines Sohnes zu unserer Rettung eindrucksvoll bewiesen hat. Er will jedem Menschen in Not helfen – auch Ihnen! Sein Schutz ist viel wirksamer als der einer Höhle, eines Atomschutzbunkers oder irgendeiner anderen menschlichen Schutzvorrichtung! „Der Name des HERRN ist ein starker Turm; der Gerechte läuft dahin und ist in Sicherheit“ (Sprüche 18,10).

**Tägliche Bibellese** 2. Mose 38,9-31 · Lukas 18,1-8

# 15 Sonntag März

SA 06:36 · SU 18:25
MA 05:26 · MU 14:02

***Und dann werden sie den Sohn des Menschen kommen sehen in Wolken mit großer Macht und Herrlichkeit. Und dann wird er die Engel aussenden und seine Auserwählten versammeln von den vier Winden her, vom Ende der Erde bis zum Ende des Himmels.***

Markus 13,26.27

## Gedanken zum Markus-Evangelium

In Verbindung mit der großen Drangsal, die das Volk Israel treffen wird, werden gewaltige Umwälzungen stattfinden: Autoritäten werden gestürzt, und selbst die Himmelskörper werden für eine Zeit ihre Aufgabe als Lichtspender verlieren. Dann kommt der Moment, auf den die Erde schon seit ihrem Bestehen wartet: Jesus Christus wird seine Herrschaft antreten und tausend Jahre lang in Frieden regieren.

Auf die herrliche Erscheinung Christi braucht niemand aufmerksam zu machen – kein Stern, wie damals in Bethlehem, ist nötig. Alle Menschen werden Ihn sehen, denn Christus wird nicht irgendwo im Verborgenen auftreten. Schon am Himmel wird Er sichtbar sein, bevor Er die Erde betritt.

Das Buch der Offenbarung beschreibt diesen großartigen Moment im Detail: Zuerst wird eine große Menschenmenge im Himmel „Halleluja!" rufen. Dann öffnet sich der Himmel: „Und siehe, ein weißes Pferd, und der darauf saß, genannt ‚Treu und Wahrhaftig', und er richtet und führt Krieg in Gerechtigkeit ... Und die Kriegsheere, die in den Himmeln sind, folgten ihm auf weißen Pferden, angetan mit feiner Leinwand, weiß und rein ... Und er trägt auf seinem Gewand und auf seiner Hüfte einen Namen geschrieben: König der Könige und Herr der Herren" (Kap. 19,11-16).

Schließlich werden unzählige Juden aus aller Welt, deren Namen im „Buch des Lebens des geschlachteten Lammes" geschrieben sind, von den Engeln Gottes in ihre ursprüngliche Heimat nach Israel versammelt. Es wird eine wunderbare Segenszeit anbrechen, in der sie unter ihrem Weinstock und unter ihrem Feigenbaum wohnen werden (Offenbarung 13,8; vgl. Hesekiel 37,15-28; Micha 4,4).

**Tägliche Bibellese** 2. Mose 39,1-21 · Lukas 18,9-17

# 16 Montag März

SA 06:34 · SU 18:26
MA 05:44 · MU 15:22

***Wenn deinen Hasser hungert, gib ihm Brot zu essen, und wenn er durstig ist, gib ihm Wasser zu trinken; … und der HERR wird dir vergelten.***

Sprüche 25,21.22

***Ich [Jesus Christus] aber sage euch: Liebt eure Feinde und betet für die, die euch verfolgen.***

Matthäus 5,44

## Das Reisfeld des Nachbarn

Der chinesische Prediger Watchman Nee (1903-1972) setzte sich intensiv dafür ein, Christen zu unterstützen, die sich in der Volksrepublik China heimlich in den Häusern versammelten. Wegen seines Glaubens an Jesus Christus verbrachte er die letzten 20 Jahre seines Lebens in einem Arbeitslager. In einem seiner zahlreichen Bücher berichtet er: Ein Christ in Südchina besaß ein Reisfeld auf halber Höhe eines Hangs. In der Trockenzeit musste er Wasser aus dem

Bewässerungskanal schöpfen und mühsam auf sein Feld tragen. Unterhalb davon lagen die beiden Felder seines Nachbarn. Eines Nachts durchbrach dieser den Erdwall, der die Felder trennte, und ließ das Wasser auf seine Felder fließen. Der Christ reparierte den Erdwall und trug erneut Wasser auf sein Feld hinauf. Doch der Nachbar wiederholte seine Masche drei- oder viermal.

Daraufhin sprach der Christ mit seinen Freunden darüber. „Ich habe versucht, geduldig zu bleiben und mich nicht zu wehren", klagte er, „aber ist das recht?"

Nachdem sie gemeinsam gebetet hatten, meinte einer von ihnen: „Wenn wir immer nur das tun, was recht ist, sind wir arme, schwache Christen. Wir sollten mehr tun als nur das, was recht ist."

Am nächsten Morgen bewässerte der Christ die beiden unteren Felder seines Nachbarn und erst am Nachmittag sein eigenes Feld. Der Nachbar war sehr erstaunt darüber und wollte den Grund wissen. Der Christ konnte ihm von seinem Glauben erzählen. Der Nachbar wurde in seinem Gewissen angerührt und fand später auch zum Glauben an Jesus Christus.

**Tägliche Bibellese** 2. Mose 39,22-31 · Lukas 18,18-30

**17** **Dienstag**
**März**

SA 06:32 · SU 18:28
MA 05:59 · MU 16:42

***Dein Wort ist Wahrheit.***

Johannes 17,17

## Meine Entdeckungen in der Bibel

*Beim Lesen der Bibel* habe ich erkannt, wer Gott ist. Er ist der Schöpfer des ganzen Universums, existiert ewig und verändert sich nie. Er überblickt den gesamten Lauf der Zeit und kennt daher alles im Voraus. Er ist allmächtig, allgegenwärtig und allwissend. Er ist gerecht und heilig, aber auch gnädig und geduldig. Er ist Licht und Liebe.

*Beim Lesen der Bibel* habe ich auch mich selbst erkannt – als ein egoistisches, eingebildetes und undankbares Wesen, das gleichgültig gegenüber dem Willen Gottes, meines Schöpfers, ist und schuldig vor Ihm steht.

*Beim Lesen der Bibel* entdeckte ich, dass Gott mir die Vergebung meiner Schuld anbietet. Dazu hat Er seinen Sohn Jesus Christus auf die Erde gesandt. Jesus war der einzige sündlose Mensch und hat in seinem Leben das Wesen Gottes offenbart.

*Beim Lesen der Bibel* habe ich die Gnade Gottes erkannt: Als ich Ihm meine Schuld bekannte, hat Gott mir alles vergeben. Ich musste nichts weiter tun, als zu glauben, dass Jesus Christus für meine Sünden am Kreuz gestorben ist.

*Beim Lesen der Bibel* habe ich dann entdeckt, dass Gott mich als sein Kind angenommen hat. Er blickt gütig auf mich und ist immer bei mir. Das macht mich glücklich! Wenn ich nicht mehr weiterweiß, hilft Er mir und zeigt mir den richtigen Weg. Und wenn ich traurig bin, tröstet Er mich wie ein liebevoller Vater.

*Beim Lesen der Bibel* habe ich erfahren, dass Gott mir ein neues Leben geschenkt hat – das „ewige Leben". Ich weiß nun, dass ich eine herrliche Zukunft bei Ihm im Himmel haben werde.

Es hat sich für mich definitiv gelohnt, die Bibel zu lesen! Und es lohnt sich, sie weiterhin täglich zu lesen. Sie bewahrt mich vor Fehltritten und motiviert mich zu einem Leben mit Gott.

**Tägliche Bibellese** 2. Mose 39,32-43 · Lukas 18,31-43

# 18 Mittwoch März

SA 06:30 · SU 18:30
MA 06:12 · MU 18:04

***Diese werden hingehen in die ewige Pein, die Gerechten aber in das ewige Leben.***

Matthäus 25,46

## Himmel – nein, danke?

Der Mann mir gegenüber war schon weit über die Lebensmitte hinaus. Er glaubte an nichts, weder an Gott noch an Himmel und Hölle. Und mit spöttischem Gesichtsausdruck fügte er hinzu: „Wenn es doch einen Himmel gibt, dann will ich nicht dahin, denn die meisten meiner Freunde würde ich dort nicht treffen."

Diese Antwort geht mir nicht aus dem Kopf. Was glaubt dieser Mann jetzt wirklich? Denn ganz so sicher, wie er sich gab, scheint er ja doch nicht zu sein. Vielleicht hält er es mit dem Dichterwort von Christian Morgenstern, dass „nicht sein kann, was nicht sein darf". So denken nämlich viele, selbst solche, denen es sonst keineswegs an Lebensweisheit fehlt.

In anderen Bereichen würde niemand ein so unsinnig hohes Risiko eingehen. Die meisten von uns sichern sich in wichtigen Fragen lieber sehr gut ab, als aufs Geratewohl loszurennen – ins mögliche Unglück. Wenn es aber um die ewige Zukunft geht, müsste man doch alles noch viel eingehender prüfen!

Wer Gott für den großen Spaßverderber hält und den Himmel für einen langweiligen Ort und meint, in der Hölle einfach weiter „fröhlich Party machen" zu können, unterliegt einem großen Irrtum. Alles Elend, das wir von dieser Welt schon gut kennen, wächst sich in der Hölle ins Unermessliche aus: Einsamkeit, Ohnmacht, Verzweiflung, Hoffnungslosigkeit.

Für diejenigen, die an Jesus Christus glauben, gehen alle Versprechen in Erfüllung, die Er ihnen gemacht hat: Sie erfreuen sich am ewigen Leben in ungetrübter Gemeinschaft mit Gott, dem Vater, mit Jesus Christus und mit allen Kindern Gottes. Und sie sind Empfänger der unendlichen Gnadenerweisungen Gottes (vgl. Epheser 2,7).

**Tägliche Bibellese** 2. Mose 40,1-16 · Lukas 19,1-10

# 19 Donnerstag März

SA 06:27 · SU 18:31
MA 06:25 · MU 19:27

***Wer das Geld liebt, wird des Geldes nicht satt, und wer den Reichtum liebt, nicht des Ertrags. Um sich zu belustigen, hält man Mahlzeiten, und Wein erheitert das Leben, und das Geld gewährt alles.***

Prediger 5,9; 10,19

## Macht Geld glücklich?

Mit genügend Geld kannst du dir jeden Wunsch erfüllen, die edelsten wie die übelsten. „Geld gewährt alles." – Tatsächlich alles?

Mit Geld kannst du dir ein Haus kaufen, aber kein glückliches Zuhause schaffen. Du kannst dich auf deinem Bankkonto ausruhen, findest aber keine Ruhe vor Inflationen und Rezessionen. Als Angeklagter kannst du dir einen teuren Anwalt leisten, aber keinen Befreier von gerechter Strafe. Du kannst dir einen schönen Platz auf dem Friedhof sichern, aber keinen Platz im

Himmel. Geld mag dir eine einflussreiche Position verschaffen – doch nicht vor Gott.

Geld ist ebenso vergänglich wie das, was du dir damit kaufen kannst. Die wahren und unvergänglichen Güter kannst du nicht kaufen. Sie sind unbezahlbar. Da du sie nicht kaufen kannst, will Gott sie dir schenken.

Was sind diese Geschenke im Einzelnen? Die Vergebung der Sünden. Die Rettung der Seele. Ungestörter Frieden mit Gott. Ewiges Leben und ewiges Glück. All das bietet Gott unterschiedslos jedem Menschen an. Kostenlos! Arme werden nicht benachteiligt und Reiche nicht bevorzugt. Es spielt keine Rolle, ob du viel Wissen hast oder eher ungebildet bist. Es kommt auch nicht darauf an, ob du mit deinem Geld viel Gutes getan hast oder nicht. Was vor Gott wirklich zählt, ist der Glaube – dein persönlicher Glaube an das Erlösungswerk von Jesus Christus, dem Sohn Gottes.

*„Denn es ist kein Unterschied, denn alle haben gesündigt und erreichen nicht die Herrlichkeit Gottes und werden umsonst gerechtfertigt durch seine Gnade, durch die Erlösung, die in Christus Jesus ist“* (Römer 3,22-24).

**Tägliche Bibellese** 2. Mose 40,17-38 · Lukas 19,11-27

# 20 Freitag März

SA 06:25 · SU 18:33
MA 06:38 · MU 20:52

***Jesus spricht zu ihnen: Was überlegt ihr dies in euren Herzen? Was ist leichter, zu dem Gelähmten zu sagen: Deine Sünden sind vergeben, oder zu sagen: Steh auf, nimm dein Bett auf und geh umher?*** Markus 2,8.9

## Jesus Christus kennenlernen – Er weiß alles

Sie sind durchschaut, die frommen Leute in Israel! Jesus kann hinter ihren glatten Stirnen in ihren oft krausen Gedanken lesen wie in einem Buch.

Was ist geschehen? Pharisäer und Schriftgelehrte aus der ganzen Umgebung von Kapernaum und sogar aus Jerusalem und Judäa sind gekommen, um den Rabbi Jesus, der viel von sich reden macht, zu „begutachten" (vgl. Lukas 5,17). Was sie hier erleben, ist eindrucksvoll: Menschen werden geheilt. Offensichtlich ist die Kraft Gottes am Werk, so dass es für die frommen Männer nichts „auszusetzen" gibt – bis es zu einem unvorhergesehenen Zwischenfall kommt. Vier Männer wollen ihren gelähmten Freund zu Jesus bringen, doch an der Haustür ist kein Durchkommen. Aber die Männer sind kreativ. Sie öffnen das Flachdach und lassen den Gelähmten vor Jesu Füße hinunter. Jesus sieht ihren Glauben und sagt zu dem Kranken: „Kind, deine Sünden sind vergeben."

Das ist überraschend. Für den Kranken und für die Begleiter. Für die Schriftgelehrten und Pharisäer ist es sogar höchst anstößig. Sie denken: Gotteslästerung! „Wer kann Sünden vergeben als nur einer, Gott?" (Vers 7). Jesus weiß genau, was sie denken, und reagiert unmittelbar darauf (s. Tagesvers).

Und dann heilt Jesus den Kranken. Damit beweist Er (wieder einmal!), dass Er Gottes Sohn ist und darum auch Sünden vergeben kann. Doch die meisten der frommen Männer wollen das einfach nicht glauben.

Uns, den Lesern von heute, macht Jesus fast beiläufig klar: Die Vergebung der Sünden ist noch wichtiger als die körperliche Heilung. Denn nur wenn unsere Sünden vergeben sind, werden wir die Ewigkeit bei Gott verbringen.

**Tägliche Bibellese** Jeremia 1,1-19 · Lukas 19,28-38

# 21 Samstag März

SA 06:23 · SU 18:35
MA 06:54 · MU 22:21

***Worte Jeremias, des Sohnes Hilkijas, von den Priestern, die in Anatot waren, im Land Benjamin, an den das Wort des HERRN erging in den Tagen Josias, des Sohnes Amons, des Königs von Juda, im dreizehnten Jahr seiner Regierung. Und es erging auch ... bis zur Wegführung Jerusalems im fünften Monat.***

Jeremia 1,1-3

## Das Buch des Propheten Jeremia ...

... ist ein langes und trauriges Dokument über die letzten Ereignisse im 2-Stämme-Reich Juda. Seit der Zeit Rehabeams, des Enkels Davids, war Israel in zwei Reiche zerfallen. Das Nordreich Israel ging schon im Jahr 721 v. Chr. unter und die Bewohner gerieten in assyrische Gefangenschaft. Doch nun sind auch die Tage des Südreichs Juda gezählt.

Jeremia predigt von 617 v. Chr. bis zur Zerstörung Jerusalems im Jahr 586 v. Chr. Nach der

Eroberung der Stadt wird er nicht nach Babylon deportiert, sondern darf im Land bleiben. Kurz darauf jedoch wird er von Juden, die auf der Flucht nach Ägypten sind, mitgenommen. Dort, so berichten die überlieferten Quellen, soll er von den eigenen Landsleuten gesteinigt worden sein.

Zu Recht wird Jeremia *der weinende Prophet* genannt. Kein anderer Prophet erfährt so viel Widerstand und Hass von seinem eigenen Volk wie er. Doch Jahrhunderte später wird er in Israel hoch geehrt (Matthäus 16,14).

Immer wieder fordert Jeremia sein Volk auf, zu Gott umzukehren. Er kündigt ihnen das Gericht an, verheißt ihnen aber auch, dass Gott einen Teil von ihnen nach 70 Jahren aus der Gefangenschaft zurückführen wird (Kap. 29,10). Die Erfüllung seiner Prophezeiung kann man im Buch Esra nachlesen.

Jeremia blickt jedoch auch in eine spätere Zeit, wo Gott einen neuen Bund mit seinem Volk schließen wird. Das wird die herrliche Zeit des 1000-jährigen Friedensreichs sein – eine Zukunft, die ganz sicher eintreten wird, denn Gott hält sein Wort.

**Tägliche Bibellese** Jeremia 2,1-37 · Lukas 19,39-48

# 22 Sonntag März

SA 06:21 · SU 18:36
MA 07:15 · MU 23:52

***Von dem Feigenbaum aber lernt das Gleichnis: Wenn sein Zweig schon weich wird und die Blätter hervortreibt, so erkennt ihr, dass der Sommer nahe ist. Ebenso auch ihr, wenn ihr dies geschehen seht, so erkennt, dass es nahe an der Tür ist.***

Markus 13,28.29

## Gedanken zum Markus-Evangelium

Jesus beendet seine Endzeitrede mit zwei Gleichnissen: Das erste handelt vom Feigenbaum und das zweite von einem Menschen, der außer Landes reist (vgl. V. 34). Damit bereitet Er seine Jünger auf die bevorstehenden Ereignisse vor. Die Vergleiche aus der Natur bzw. dem täglichen Leben helfen, seine Botschaft gut zu verstehen.

Die Juden waren mit Feigenbäumen und deren Lebenszyklen bestens vertraut. Wer das Alte

Testament kannte, wusste zudem, dass das Volk Israel mehrfach mit einem Feigenbaum verglichen wird (vgl. Hosea 9,10; Joel 1,7). Was die Jünger jedoch nicht erkannten: Bestimmte Entwicklungen innerhalb des Volkes Israel lassen darauf schließen, dass die von den Propheten angekündigte Segenszeit bald anbricht. „Sommer" bedeutet für dieses Volk, dass Jesus Christus in Herrlichkeit erscheinen und als König regieren wird.

Fast 1900 Jahre lang besaßen die Juden kein eigenes Land. Erst 1948, mit der Gründung des Staates Israel, kehrten viele in ihr Heimatland zurück. Doch der Großteil von ihnen glaubt nicht an Jesus Christus: Sie lehnen ab, dass ihr Messias bereits gekommen ist und durch seinen Tod und seine Auferstehung eine ewige Erlösung bewirkt hat. So gesehen hat nach dem langen „Winter" zwar ein nationaler „Frühling" stattgefunden, doch ein geistliches Erwachen steht noch aus – am „Feigenbaum" sind noch keine „Blätter" sichtbar. Dies wird erst nach der Entrückung der Brautgemeinde geschehen, ebenso wie alle anderen Zeichen, die der Herr Jesus genannt hat: Kriege und Kriegsgerüchte, Erdbeben und die Verfolgung der Gläubigen.

**Tägliche Bibellese** Jeremia 3,1-25 · Lukas 20,1-8

# 23 Montag März

SA 06:18 · SU 18:38
MA 07:43 · MU –:–

***Bittet, und ihr werdet empfangen, damit eure Freude völlig sei.***

Johannes 16,24

## Gott existiert!

Wegen meines Glaubens an Jesus Christus wurde ich zu mehreren Jahren Haft verurteilt. Bei meiner Ankunft im Gefangenenlager begrüßte ich die anderen Sträflinge mit den Worten: „Friede sei mit euch!" Sofort rief jemand aus einer Ecke: „Bist du etwa Christ und glaubst an einen Gott?" Als ich bejahte, spottete ein anderer: „Dann beweise uns, dass es Gott gibt! Wir sind der Abschaum der Gesellschaft. Wir haben nicht einmal Zigaretten! Wenn dein Gott uns welche gibt, wollen wir an Ihn glauben."

Was sollte ich darauf antworten? Ich erklärte ihnen, dass unser Körper ein Geschenk Gottes sei und dass Rauchen ihm schade. Doch dann fasste ich plötzlich den Mut, hinzuzufügen: „Aber Gott will euch seine Liebe und Barmherzigkeit zeigen, indem Er euch Zigaretten gibt." Ich erschrak selbst über meine Worte, doch ich bat die Männer, sich zum gemeinsamen Gebet zu erheben. Erst lachten sie, doch als ich begann zu beten, wurde es still. Obwohl wir zu vielen zusammen waren, herrschte eine erstaunliche Ruhe.

Wir beteten etwa eine Viertelstunde. Dann erklärte ich: „Das Gebet ist beendet, ihr könnt euch wieder setzen." Genau in diesem Moment öffnete sich die Tür und ein Wärter warf ein Paket Zigaretten herein.

„Gott existiert!", riefen die Gefangenen. „Er hat unser Gebet erhört! Es gibt Ihn wirklich!"

Ich war überwältigt und tief bewegt, dass Gott in seiner großen Freundlichkeit auch einmal ein solches Gebet erhörte und so unmittelbar beantwortete. Diese Erfahrung zeigte mir, dass Er mich auch hier hinter den Gefängnismauern gebrauchen wollte, um sein Evangelium zu verbreiten. Viele meiner Mitgefangenen begannen daraufhin, ihr sündiges Leben zu verurteilen – und nahmen Jesus Christus als ihren Retter an.

Alexander Ogorodnikov

**Tägliche Bibellese** Jeremia 4,1-31 · Lukas 20,9-19

# 24 Dienstag März

SA 06:16 · SU 18:40
MA 08:23 · MU 01:18

***Die Eröffnung deiner Worte erleuchtet, gibt Einsicht den Einfältigen.***

Psalm 119,130

## Der wertvollste Brief

Haben Sie heute schon in Ihren Briefkasten geschaut? – Leer? Sind Sie enttäuscht? Viele hoffen vielleicht auf einen großartigen Gewinn im Lotto oder eine andere schöne Nachricht, eine ersehnte Jobzusage oder ein wichtiges Ergebnis. Stattdessen halten sie oft nur Unwichtiges in den Händen wie einen Werbeprospekt oder einen Katalog, oder sogar Unangenehmes wie eine Rechnung oder gar eine Mahnung. Vieles sortieren sie gleich aus und werfen es weg.

Ganz besonders freuen wir uns dagegen über einen Brief von lieben Menschen, vielleicht einen Liebesbrief. Briefe sind leider selten geworden.

Übrigens: Auch Gott hat uns einen „Brief" geschrieben, der sich an jeden Menschen richtet – egal, ob jung oder alt, gesund oder krank, fröhlich oder traurig, Atheist oder doch an Gott gläubig. Dieser „Brief" richtet sich an alle und spricht zugleich jeden persönlich an.

Vielleicht haben Sie diesen besonderen, ausführlichen und liebevollen „Brief" schon lange zu Hause liegen. Wenn ja, dann fangen Sie doch heute einmal an, darin zu lesen. Sie werden staunen, wie aktuell, ansprechend und lebendig die Worte dieses „Briefes" sind. Es ist die Bibel, das Wort Gottes.

Sollten Sie noch keine Bibel besitzen, senden wir Ihnen gern eine zu – natürlich kostenlos. Sie können die Bibel auch online lesen, z. B. unter **www.csv-bibel.de**.

„Forscht nach im Buch des HERRN und lest!" (Jesaja 34,16).

Wir wünschen Ihnen viel Segen beim Lesen der Botschaft Gottes, in dem wertvollsten „Brief" der Welt!

**Tägliche Bibellese** Jeremia 5,1-31 · Lukas 20,20-40

# 25 Mittwoch März

SA 06:14 · SU 18:41
MA 09:20 · MU 02:31

*Unser Bürgertum ist in den Himmeln.*

Philipper 3,20

## Wer kommt in den Himmel?

Zu Beginn des Zweiten Weltkriegs verbietet der italienische Staatschef Mussolini seinen Bürgern die Ausreise nach Amerika. Zwei gebürtige Italiener, die seit langem in den USA leben, befinden sich zu dieser Zeit in Italien. Der eine ist ein bekannter Bankier, der andere ein Landwirt. Beide beantragen die Erlaubnis, nach Amerika zurückkehren zu dürfen – doch nur einer bekommt sie: der Landwirt. Er besitzt die US-amerikanische Staatsbürgerschaft und ist daher von dieser Regelung ausgenommen. Der Bankier dagegen hat seine italienische Staatsbürgerschaft behalten. Seine Proteste bleiben erfolglos.

Irgendwann muss jeder von uns die Erde verlassen. Viele Menschen hoffen, dann „in den Himmel" zu kommen (und wem es egal ist, der kommt garantiert nicht dorthin). Doch dazu benötigt man die richtige „Staatsbürgerschaft", denn sonst wird man „Strafe erleiden, ewiges Verderben" (2. Thessalonicher 1,9).

Um in den Himmel zu kommen, genügt es nicht, ein tadelloses Leben zu führen oder sich christlich-sozial zu engagieren. Auch der regelmäßige Besuch einer christlichen Gemeinde reicht nicht aus, ebenso wenig wie eine gewisse Bibelkenntnis. Wer sich nur auf diese Vorzüge stützt, gleicht diesem italienischen Bankier, der zwar in Amerika lebte, sich aber nie um die amerikanische Staatsbürgerschaft bemüht hatte. So jemand ist und bleibt ein „Erdenbürger".

Und wie werde ich ein „Himmelsbürger"? Jesus Christus sagt: „Ihr müsst von neuem geboren werden" (Johannes 3,7). Dieses neue Leben schenkt Gott jedem, der einsieht, dass er ein Sünder und deshalb verloren ist. Wer dann Gott aufrichtig um Gnade bittet und an Jesus Christus als seinen Retter glaubt, hat die richtige „Staatsbürgerschaft". Sein „Bürgertum ist in den Himmeln".

**Tägliche Bibellese** Jeremia 6,1-30 · Lukas 20,41-47

# 26 Donnerstag März

SA 06:12 · SU 18:43
MA 10:32 · MU 03:28

*Denn ein Volk wird in Zion wohnen, in Jerusalem. Du wirst nie mehr weinen; er wird dir gewiss Gnade erweisen auf die Stimme deines Schreiens: Sobald er hört, wird er dir antworten.*

Jesaja 30,19

## Jerusalem

Jerusalem blickt auf mehr als 4000 Jahre Geschichte zurück. Keine andere Stadt wurde so leidenschaftlich verehrt und zugleich so erbittert umkämpft wie dieses kleine Stück Erde im Nahen Osten, das im Schnittpunkt dreier Kontinente liegt – dort, wo Judentum, Christentum und Islam aufeinandertreffen.

Seit David sie vor über 3000 Jahren zur Hauptstadt Israels machte, steht Jerusalem im Mittelpunkt des Weltgeschehens. Zahlreiche Könige regierten von dort aus über Israel – teils in Glanzzeiten, teils in Phasen des Niedergangs. In Jerusalem stand auch der Tempel – das zentrale

Heiligtum des jüdischen Volkes. Im Lauf der Jahrhunderte wurde er mehrfach zerstört. Geblieben ist nur die westliche Stützmauer des Tempelplatzes, bekannt als Klagemauer. Doch Jerusalem ist auch die Stadt, vor deren Toren das Kreuz von Golgatha stand. Dort starb Jesus Christus, der Sohn Gottes, für schuldige Menschen.

In der Zukunft kommt Jerusalem erneut eine Schlüsselrolle zu: Die Stadt wird noch einmal kurzzeitig zum Schauplatz militärischer Auseinandersetzungen. Dann erscheint der verheißene Messias. Und was der Prophet Jesaja vor 2600 Jahren voraussagte, wird sich buchstäblich erfüllen: *„Du wirst nie mehr weinen."*



**Tägliche Bibellese** Jeremia 7,1-34 · Lukas 21,1-11

# 27 Freitag März

SA 06:10 · SU 18:44
MA 11:55 · MU 04:07

***Als Jesus es hörte, spricht er zu ihnen: Nicht die Starken brauchen einen Arzt, sondern die Kranken. Ich bin nicht gekommen, Gerechte zu rufen, sondern Sünder.*** Markus 2,17

## Jesus Christus kennenlernen – Jesus ist Arzt

Kapernaum am See Genezareth. Das Städtchen liegt zentral, so dass Händler von Norden und Osten sowie Geschäftsleute von der Küste die gut ausgebauten Straßen der Römer benutzen, die durch Kapernaum führen. Hier ist natürlich auch der römische Zoll vor Ort, verkörpert zum Beispiel durch den Zollner Levi. Levi ist Jude. Brisant. Die stolzen Juden hassen nämlich diejenigen Leute aus ihrem eigenen Volk, die mit der römischen Besatzungsmacht kollaborieren. Zöllner, die für die Römer die Gebühren auf Güter und Waren eintreiben und sich dabei oft unrechtmäßig bereichern, sind geradezu zum Synonym für „Halunken" und „Gesindel" geworden. Und ausgerechnet einen Zöllner ruft Jesus in seine Nachfolge und hat mit ihm und dessen Kollegen Tischgemeinschaft.

Die religiöse Oberschicht ist alarmiert und empört. Sie verhören Jesu Jünger: „Warum isst euer Lehrer mit den Zöllnern und Sündern?" Jesus kommt seinen Jüngern sofort zur Hilfe (siehe Tagesvers). Was meint Er mit dieser Aussage?

Niemand ist von Geburt an Christ oder folgt von jetzt auf gleich Christus nach. Zunächst muss Licht von Gott in ein Herz fallen, so dass ein Mensch erkennt, dass er Hilfe braucht, und beginnt, sich nach Veränderung zu sehnen. Und hier greift das Bild vom „Arztbesuch", das Jesus benutzt.

Wer geht zum Arzt? Derjenige, der merkt, dass mit seinem Körper etwas nicht stimmt, der merkt, dass er Hilfe braucht. Und wer geht zu Gott und zu seinem Sohn Jesus Christus? Derjenige, dem klar wird, dass mit seinem Herz und seiner Seele, seiner moralischen Schaltzentrale etwas nicht stimmt. Und dass wirklich Gefahr droht und Rettung nötig ist. Nur wer einsieht, dass er es allein nicht schafft, wendet sich an den „Arzt" Jesus und erfährt alle Hilfe, die er braucht!

**Tägliche Bibellese** Jeremia 8,1-23 · Lukas 21,12-28

# 28 Samstag März

SA 06:07 · SU 18:46
MA 13:20 · MU 04:33

***Jesus nun kam sechs Tage vor dem Passah nach Bethanien, wo Lazarus, der Gestorbene, war, den Jesus aus den Toten auferweckt hatte.***

Johannes 12,1

## Ankunft in Bethanien

Frühling in Jerusalem: Das größte Jahresfest der Juden steht nahe bevor, und überall herrscht rege Betriebsamkeit. Täglich treffen neue Pilger in der Stadt ein, um dort das Passah zu feiern, das an die Rettung der erstgeborenen Söhne und den Auszug aus Ägypten erinnert.

Auch Jesus und seine Jünger sind gekommen, obwohl der Aufenthalt in Jerusalem für Jesus zunehmend gefährlich wird. Immer deutlicher zeigt sich, dass seine Feinde es ernst meinen. Und Jesus selbst hat mit seinen Jüngern mehrfach über seinen bevorstehenden Tod – und seine Auferstehung – gesprochen. Doch die Jünger verstehen das alles noch nicht, aber sie spüren natürlich die

Bedrohung. Jesus, ihr Herr und Meister, weiß hingegen genau, was Ihn bald erwartet.

Aber auch Freunde befinden sich in der Nähe von Jerusalem. Diese sucht Jesus in diesen letzten Tagen immer wieder auf. Es sind die Geschwister aus Bethanien: die tatkräftige Martha, die eher stille Maria, die dem Herrn Jesus so gerne zuhört, und ihr Bruder Lazarus, der nach schwerer Krankheit gestorben war und den Jesus wieder zum Leben erweckt hat. Diese drei Menschen lieben Jesus und stehen vorbehaltlos zu Ihm – eine Wohltat für Jesus, der so viel Anfeindung erlebt.

Bei diesen letzten Besuchen in Bethanien bereitet Maria ihrem Meister ein besonderes Geschenk. Vielleicht hat sie besser zugehört als die anderen und tiefer verstanden, was Jesus bevorsteht. In jedem Fall schenkt sie Ihm das Beste, was sie besitzt: eine Kostbarkeit, die vielleicht ursprünglich für ihre Altersvorsorge gedacht war – ein ganzes Pfund äußerst kostbaren Salböls, das Maria in „verschwenderischer" Liebe über Jesu Füße gießt. Jesus nimmt Maria gegen alle Kritik in Schutz und gibt ihrer Gabe einen tiefen Sinn: „Sie hat mich zu meinem Begräbnis gesalbt" (vgl. Johannes 12,7).

**Tägliche Bibellese** Jeremia 9,1-25 · Lukas 21,29-38

# 29 Sonntag März

SA 07:05 · SU 19:48
MA 15:43 · MU 05:53

***Wahrlich, ich sage euch: Dieses Geschlecht wird nicht vergehen, bis dies alles geschehen ist. Der Himmel und die Erde werden vergehen, meine Worte aber werden nicht vergehen. Von jenem Tag aber oder der Stunde weiß niemand, weder die Engel im Himmel noch der Sohn, sondern nur der Vater.***

Markus 13,30-32

## Gedanken zum Markus-Evangelium

Die Jünger haben vom Herrn Jesus erfahren, woran sie erkennen können, dass Er bald „in großer Macht und Herrlichkeit" erscheinen wird (V. 26).

Besonders folgende Ereignisse kündigen dies an:

- Kriege, Kriegsgerüchte, Erdbeben und Hungersnöte – der „Anfang der Wehen";
- die gläubigen Juden werden einer grausamen Verfolgung ausgesetzt sein und dazu aufgefordert, aus ihrem Land zu fliehen;

- der „Gräuel der Verwüstung" wird im Tempel aufgestellt;
- falsche Propheten werden mit Zeichen und Wundern versuchen, die Menschen zu verführen.

Es besteht kein Zweifel, dass diese Ereignisse genauso eintreten werden, wie sie in dieser Endzeitrede beschrieben sind. Denn Jesus ist der Sohn Gottes und seine Worte sind lebendig und wahr. Umso bemerkenswerter ist es, dass Er hier sagt, Er wisse nicht, wann sich all dies erfüllen wird.

Zweifellos bleibt der Mensch Jesus Christus für uns unergründlich. Doch wir erkennen, dass der Evangelist Markus Ihn als den vollkommenen Knecht Gottes darstellt – als den, der gekommen war, um zu dienen (vgl. Kap. 10,45). Bereits im ersten Kapitel fällt auf, dass weder sein Stammbaum noch seine Kindheit erwähnt werden; beides ist für einen Knecht nicht von Bedeutung. Der Sohn Gottes erniedrigte sich selbst, „indem er gehorsam wurde" und darauf verzichtete, ohne die Weisung Gottes von seinen göttlichen Eigenschaften Gebrauch zu machen (Philipper 2,8). Darüber staunen wir – und beten Ihn an!

**Tägliche Bibellese** Jeremia 10,1-25 · Lukas 22,1-13

# 30 Montag März

SA 07:03 · SU 19:49
MA 17:02 · MU 06:08

*„Sagt der Tochter Zion: Siehe, dein König kommt zu dir, sanftmütig und auf einer Eselin reitend, und zwar auf einem Fohlen, einem Jungen des Lasttiers."*

Matthäus 21,5

## Der Einzug in Jerusalem

Festtrubel und erwartungsvolle Vorbereitungen herrschen in diesen Tagen in Jerusalem, als sich Jesus und seine Jünger der Stadt vom Ölberg aus nähern.

Und Jesus – wie wird Er sich verhalten? Wird Er vorsichtig jede Konfrontation mit den religiösen Führern seines Volkes vermeiden?

Zwei seiner Jünger erhalten einen interessanten Auftrag: Sie sollen im Nachbarort eine Eselin mit ihrem Fohlen ausleihen. Gewiss sind sie verwundert, die beiden Männer – aber das Großartige an ihnen ist, dass sie ihrem Herrn einfach gehorchen, auch wenn sie den Sinn seiner Anweisung noch nicht verstehen. Dafür werden sie Zeugen, wie Jesus auf dem Esel in Jerusalem einzieht.

Diejenigen in Jerusalem, die auf den Messias warten, erinnern sich vielleicht daran, dass einer ihrer Propheten vor langer Zeit Folgendes vorausgesagt hatte: „Frohlocke laut, Tochter Zion; jauchze, Tochter Jerusalem! Siehe, dein König wird zu dir kommen: Gerecht und ein Retter ist er, demütig und auf einem Esel reitend, und zwar auf einem Fohlen, einem Jungen der Eselin" (Sacharja 9,9). Jedenfalls begleiten sie Jesus jubelnd bei seinem Einzug und breiten Kleider und abgerissene Palmzweige auf dem Weg aus. „Hosanna dem Sohn Davids! Gelobt sei, der da kommt im Namen des Herrn!", schallt es durch die Straßen. Hosanna – das heißt: „Hilf doch!" So wird der Messias begrüßt, der „Gesalbte", der Retter, den Gott seinem leidenden Volk schon so lange verheißen hatte.

Jesus lässt sich diese schlichte Huldigung der einfachen Menschen freundlich gefallen. Gewiss sind viele darunter, die von Ihm schon Worte des Lebens gehört und Hilfe erfahren haben.

**Tägliche Bibellese** Jeremia 11,1-23 · Lukas 22,14-30

# 31 Dienstag März

SA 07:01 · SU 19:51
MA 18:18 · MU 06:20

*Als die Hohenpriester und die Schriftgelehrten die Wunder sahen, die er tat, und die Kinder, die im Tempel schrien und sagten: Hosanna dem Sohn Davids!, wurden sie unwillig und sprachen zu Jesus: Hörst du, was diese sagen? Jesus aber spricht zu ihnen: Ja, habt ihr nie gelesen: „Aus dem Mund der Unmündigen und Säuglinge hast du dir Lob bereitet"?*

Matthäus 21,15.16

*Und Jesus antwortete und sprach: Ich sage euch, wenn diese schweigen, so werden die Steine schreien.*

Lukas 19,40

## Wem gehört der Tempel?

Es ist eine seltsame, berührende Prozession, die nun den Tempel erreicht: Im Zentrum Jesus Christus auf dem Esel, dem Reittier eines Friedenskönigs. Nachdem Jesus den Tempel zunächst „aufgeräumt" und die Händler vertrieben hat, die ungeniert ihre Waren dort verkauften und die Andacht und das Gebet der Gläubigen störten, wird Er wieder von Kranken, Blinden und anderen gehandicapten Menschen umringt. Jesus wendet sich ihnen freundlich zu, Er hilft und heilt, wie Er es schon so oft getan hat – und wie es seit alters als Kennzeichen des Messias galt. Unterdessen wiederholen die Kinder im Tempel freudig, was sie von den Erwachsenen gehört haben: „Hosanna dem Sohn Davids!" Die Hohenpriester und Schriftgelehrten werden – wieder einmal – ungehalten und meinen, Jesus zur Ordnung rufen zu müssen. Zum einen ärgern sie sich darüber, dass Er Wunder wirkt. Zum anderen gehört sich dieses Kindergeschrei im Tempel doch nicht. Und dass Jesus als Sohn Davids, als Messias bejubelt wird, geht ihrer Ansicht nach überhaupt nicht. Das Treiben der Händler dagegen hatte sie nicht gestört – Geschäfte machen ist schließlich immer gut. Jesus begegnet ihnen mit wunderbarer Souveränität. Der Tempel ist immer noch das Haus seines Vaters. Die Händler müssen gehen, die Taubenverkäufer auch, aber die Kinder dürfen bleiben und schreien! Wenn sonst niemand den Sohn Gottes ehrt – die Kinder tun es, und das zu Recht.

**Tägliche Bibellese** Jeremia 12,1-17 · Lukas 22,31-38

# 1 Mittwoch April

SA 06:58 · SU 19:53
MA 19:34 · MU 06:32

***Als die Stunde gekommen war, legte er sich zu Tisch, und die Apostel mit ihm. Und Jesus sprach zu ihnen: Mit Sehnsucht habe ich mich gesehnt, dieses Passah mit euch zu essen, ehe ich leide.***

Lukas 22,14.15

## Der letzte gemeinsame Abend

Das letzte Passafest für Jesus und seine Jünger steht vor der Tür. Nun verdichten sich die Ereignisse wie in einem Brennglas.

Der Abend des Passahs ist gekommen. Nach jüdischer Zeitrechnung beginnt der Tag ja mit dem Sonnenuntergang des Vortags. Eingeladen von ihrem Meister essen sie gemeinsam das Passahmahl. Und hier entlarvt Jesus den Jünger, der Ihn verraten wird: Judas Iskariot. Nachdem Judas den Obersaal verlassen hat, wird es still – und noch einmal entsteht eine Oase der Ruhe für die verängstigten Jünger. Jesus setzt für sie und alle folgenden Generationen von Gläubigen das „Brotbrechen" ein, das Abendmahl zur Erinnerung an seinen Tod (vgl. 1. Korinther 11,26). Ihr Meister hat ihnen noch so viel zu sagen bei diesem letzten, ungestörten Zusammensein.

Dann sind auch diese kostbaren Stunden vorbei. Der Herr geht mit seinen Jüngern hinaus zum Ölberg, einem Ort, der auch dem Verräter gut bekannt ist, weil sie gemeinsam schon oft dort gewesen sind. Hier, im Garten Gethsemane, führt Jesus einen einsamen Kampf, während sogar seine engsten Freunde einschlafen. Unendlich schwer steht sein Weg vor Ihm. Der Hass der Menschen, Verhöhnung, unerträgliche körperliche Qualen – das ist es nicht, was Ihn derart bestürzt und beängstigt. Nein, Er hat viel Schlimmeres vor sich. Wenn Er sündige Menschen zu Gott bringen will, muss Er selbst die Strafe tragen, die sie verdient haben. Das heißt: Jesus wird das Opfer für die Sünde, verlassen von Gott – von seinem Gott, den Er so sehr liebt und dessen Gemeinschaft Ihm alles bedeutet! Wie schwer ist dieser Weg – furchtbar schwer! Doch Jesus sagt zu seinem himmlischen Vater: „Nicht mein Wille, sondern der deine geschehe!" (Lukas 22,42).

**Tägliche Bibellese** Jeremia 13,1-27 · Lukas 22,39-46

# 2 Donnerstag April

SA 06:56 · SU 19:54
MA 20:48 · MU 06:44

***Die Hohenpriester aber und das ganze Synedrium suchten falsches Zeugnis gegen Jesus, um ihn zu Tode zu bringen.***

Matthäus 26,59

## Verhaftet und verurteilt

Unmittelbar nachdem Jesus sein Gebet beendet hat – das sicher weit länger als eine Stunde dauerte! –, erhellt plötzlich Fackelschein den nächtlichen Garten. Eine bewaffnete Truppe nähert sich – angeführt von Judas Iskariot, dem ehemaligen Jünger von Jesus Christus.

Souverän und machtvoll tritt der Sohn Gottes seinen Verfolgern entgegen, lässt sich ohne jede Gegenwehr verhaften und in das Haus des Hohenpriesters Kajaphas führen. In einem nächtlichen Schnellverfahren werden nun vermeintliche Zeugen vernommen, die eine Anklage gegen Jesus untermauern sollen. Doch das Lügengespinst ist ebenso löchrig wie durchsichtig. Hier zeigt sich die ganze Bosheit und Erbärmlichkeit seiner Feinde. Jesus schweigt. Erst als der Hohepriester Ihn ausdrücklich auffordert: „Ich beschwöre dich bei dem lebendigen Gott, dass du uns sagst, ob du der Christus bist, der Sohn Gottes!", antwortet Jesus ihm: „Du hast es gesagt. Doch ich sage euch: Von jetzt an werdet ihr den Sohn des Menschen zur Rechten der Macht sitzen und auf den Wolken des Himmels kommen sehen" (Matthäus 26,63.64).

Das hält der Hohepriester für Gotteslästerung und zerreißt voller Empörung seine Kleider. Auch die anderen frommen Männer geraten außer sich, und so wird beschlossen dass Jesus sterben muss. Sie schrecken nicht einmal davor zurück, den „Herrn der Herrlichkeit" anzuspucken, zu schlagen und zu verhöhnen. Auch das oberste jüdische Gericht, der Hohe Rat, ist an diesem Prozess beteiligt, während draußen der Morgen des Freitags anbricht.

Nun wird Jesus zum Palast des römischen Statthalters Pilatus gebracht und des Aufruhrs gegen die römische Besatzungsmacht angeklagt. Pilatus durchschaut die Motive der frommen Ankläger und will Jesus freisprechen. Doch er wird derart bedrängt, dass er einknickt und Jesus zur Geißelung und Kreuzigung freigibt.

**Tägliche Bibellese** Jeremia 14,1-22 · Lukas 22,47-65

# 3 Freitag April

*Karfreitag*

SA 06:54 · SU 19:56
MA 22:02 · MU 06:57

***Sie flochten eine Krone aus Dornen und setzten sie ihm auf das Haupt und gaben ihm einen Rohrstab in die Rechte; und sie fielen vor ihm auf die Knie und verspotteten ihn und sagten: Sei gegrüßt, König der Juden!***

Matthäus 27,29

## Verspottet und gekreuzigt

Nach der brutalen, blutigen Geißelung wird Jesus Christus den römischen Soldaten überlassen, die Ihn als „König der Juden" verspotten: Sie hängen Ihm einen roten Soldatenmantel um und setzen Ihm eine Krone aus langen, spitzen Dornen auf. Dann schlagen sie Ihm auf den Kopf und verhöhnen Ihn. Abgründe der Gemeinheit und Brutalität, die Jesus schweigend erduldet.

So furchtbar misshandelt wird Er schließlich zum Richtplatz vor der Stadt geführt, nach Golgatha. Das schwere Kreuz, an dem Er dort angenagelt werden soll, muss der Herr selbst tragen – eine Qual auf dem von der Geißelung zerpflügten Rücken. Die

Soldaten zwingen schließlich einen vorbeigehenden Fremden, das Kreuz für Jesus zu tragen.

Nun wird der Sohn Gottes zwischen zwei Verbrechern gekreuzigt. Frei von jeglichem Zorn betet Er: „Vater, vergib ihnen, denn sie wissen nicht, was sie tun." Die Soldaten verteilen seine Kleidung unter sich und losen um sein Untergewand, das in einem Stück gewebt ist. Spott und Hohn für Jesus nehmen kein Ende – bis sich plötzlich eine Stimme für Jesus erhebt. Einer der verurteilten Verbrecher am Kreuz stellt dem Mann in der Mitte das Zeugnis aus, dass Er nie etwas Ungeziemendes getan hat, und ruft seine Barmherzigkeit an. Jesus verspricht ihm: „Heute wirst du mit mir im Paradies sein!"

Und dann verstummt alles menschliche Geschrei. Etwas Erschreckendes geschieht: Am helllichten Tag wird es dunkel – nicht dämmrig, nein, stockfinster. Denn was nun geschieht, wird vor allen Menschenaugen verborgen: Gott richtet die Schuld sündiger Menschen an seinem eigenen, geliebten Sohn, der in höchster Not aufschreit: „Mein Gott, mein Gott, warum hast du mich verlassen?" (vgl. Matthäus 27,46). – Es war meinetwegen!

Dann endlich – nach drei endlosen Stunden! – wird es wieder hell.

**Tägliche Bibellese** Jeremia 15,1-21 · Lukas 22,66-71

# 4 Samstag April

SA 06:52 · SU 19:57
MA 23:17 · MU 07:12

***Jesus aber schrie wieder mit lauter Stimme und gab den Geist auf. Und siehe, der Vorhang des Tempels zerriss von oben bis unten in zwei Stücke; und die Erde erbebte, und die Felsen rissen, und die Grüfte taten sich auf, und viele Leiber der entschlafenen Heiligen wurden auferweckt.***

Matthäus 27,50-52

## Ein Grab bei einem Reichen

„Es ist vollbracht!", sagt Jesus (Johannes 19,30). Er übergibt seinen Geist in Gottes Hand und stirbt.

Während die meisten seiner Jünger geflohen sind und nur einige seiner Bekannten aus der Ferne zusehen, zeigt Gott durch ein spektakuläres Eingreifen, dass hier, auf dem scheußlichen Hinrichtungshügel Golgatha, etwas von einzigartiger Bedeutung geschehen ist: Die Erde bebt, Felsen zerreißen, Gräber öffnen sich, und Verstorbene werden lebendig. Der Hauptmann, der das Hinrichtungskommando befehligt, hat noch nie jemanden so sterben sehen wie Jesus. Überwältigt bekennt er: „Wahrhaftig, dieser Mensch war Gottes Sohn!" Er hat begriffen, was bis heute vielfach geleugnet wird!

Der Sabbat naht. Jetzt werden zwei bisher eher verborgene Anhänger von Jesus aktiv: Joseph von Arimathia, ein angesehener Ratsherr, bittet Pilatus, Jesus vom Kreuz abnehmen und bestatten zu dürfen. Pilatus erlaubt es. Auch der Pharisäer Nikodemus, der einst eine nächtliche Unterredung mit Jesus hatte (vgl. Johannes 3,1-21) und sich ebenso wie Joseph den hasserfüllten Mordplänen des Rats widersetzt hatte, ist nun zur Stelle und bringt kostbare Spezereien und Salben für das Begräbnis.

Die beiden frommen Männer bestatten Jesus in dem neuen, noch unbenutzten Felsengrab Josephs. Damit erfüllt sich eine Prophezeiung über den Messias Israels aus dem Alten Testament: „Man hat sein Grab bei Gottlosen bestimmt; aber bei einem Reichen ist er gewesen in seinem Tod, weil er kein Unrecht begangen hat und kein Trug in seinem Mund gewesen ist" (Jesaja 53,9). – Gott hat seine Hand im Spiel und sorgt dafür, dass seinem Sohn die Ehre erwiesen wird, die Ihm gebührt.

**Tägliche Bibellese** Jeremia 16,1-21 · Lukas 23,1-12

5 **Sonntag**
**April**
*Ostersonntag*

SA 06:50 · SU 19:59
MA –:– · MU 07:31

*Siehe, da geschah ein großes Erdbeben; denn ein Engel des Herrn kam aus dem Himmel herab und trat hinzu, wälzte den Stein weg und setzte sich darauf. Sein Aussehen aber war wie der Blitz und sein Gewand weiß wie Schnee. Aber aus Furcht vor ihm erbebten die Wächter und wurden wie tot.* Matthäus 28,2,3

*Am ersten Tag der Woche aber kommt Maria Magdalene früh, als es noch dunkel war, zur Gruft und sieht den Stein von der Gruft weggenommen.* Johannes 20,1

**Er ist wahrhaftig auferstanden!**

Der stille Sabbat tiefer Trauer und Mutlosigkeit ist vorüber. Am Sonntagmorgen meldet sich das Leben mächtig zurück! Denn in der Morgendämmerung des Sonntags nach dem Passah geschieht erneut ein gewaltiges Erdbeben. Ein Engel wälzt den schweren Stein vom Eingang des Grabes Jesu und setzt sich darauf. Jetzt ist es für alle sichtbar: Das Grab ist leer! Die Wachleute, die die Juden mit Erlaubnis von Pilatus ans Grab gestellt haben, geraten in panische Angst und fliehen.

Szenenwechsel. Maria Magdalene, die Jüngerin Jesu, die ihren Meister liebt, weil Er sie von sieben Dämonen befreit hat, kommt als Erste in aller Frühe zum Grab und findet es ebenfalls geöffnet und leer vor. Sie erschrickt. Eilends läuft sie zu den Jüngern und erzählt ihnen aufgeregt: „Sie haben den Herrn aus der Gruft weggenommen, und wir wissen nicht, wo sie ihn hingelegt haben" (Johannes 20,2). Daraufhin machen sich Petrus und Johannes sofort auf den Weg. Der junge Johannes ist schneller als Petrus, der vermutlich nachdenklich zum Grab läuft. Ihn quält, dass er seinen Herrn dreimal verleugnet hat. Doch dann ist er es, der als Erster in die Felsengruft geht. Johannes folgt ihm und beide bestätigen: Das Grab ist leer! Und der auffällig geordnete Zustand beweist, dass der tote Körper des Herrn nicht irgendwie hastig beiseitegeschafft wurde. Nein, Jesus selbst ist „in aller Ruhe" aus dem Tod auferstanden! – Welche Konsequenzen hat diese Wahrheit für Sie?

**Tägliche Bibellese** Jeremia 17,1-11 · Lukas 23,13-25

# 6 Montag
April
*Ostermontag*

SA 06:47 · SU 20:01
MA 00:29 · MU 07:57

***Maria aber stand bei der Gruft draußen und weinte.***
Johannes 20,11

## Der Tod ist besiegt

Maria Magdalene bleibt allein am Grab zurück. Tränen verschleiern ihren Blick, als sie sich vorbeugt und im verlassenen Felsengrab zwei Engel in weißen Kleidern bemerkt. Sie sitzen dort, wo Jesus gelegen hat – einer am Kopfende, der andere zu seinen Füßen. Sie fragen Maria teilnahmsvoll: „Warum weinst du?"

Im Gegensatz zu den Soldaten erschrickt Maria nicht vor den Engeln. Sie denkt nur an eins: Wo ist Jesus, ihr Herr und Meister?

Maria dreht sich um. Da steht Jesus hinter ihr. Sie erkennt Ihn nicht, und hält Ihn für den Gärtner. Höflich bittet sie: „Wenn du Ihn weggetragen hast, dann sage mir, wo du Ihn hingelegt hast, und ich werde Ihn wegholen." Sie ist von „ihrem Herrn" so erfüllt, dass sie meint, jeder müsse wissen, von wem sie spricht. Jesus antwortet ihr nur mit einem Wort: „Maria." Jetzt erkennt sie Ihn und sagt zu Ihm auf Hebräisch „Rabbuni!" Das bedeutet „mein Gebieter".

Was für ein Augenblick für Maria – ihr Herr ist lebendig! Und Er hat sich nicht verändert: Er ist immer für die da, die verzweifelt weinen und Sehnsucht nach Ihm haben.

Jesus schickt Maria mit seiner Siegesbotschaft zu den Jüngern. Und am Abend tritt Er selbst in den Raum, wo die Jünger ängstlich hinter verschlossenen Türen ausharren, und begrüßt sie mit den Worten „Friede euch!"

Doch einer fehlt an diesem Abend: Thomas. Warum, wird uns nicht berichtet. Er kann nicht glauben, was ihm seine Freunde strahlend erzählen. Armer Thomas! Er kann sich gar nicht mitfreuen. Doch Jesus kennt seine Zweifel und kümmert sich um ihn: Als die Apostel eine Woche später vollzählig versammelt sind, erscheint der Herr Jesus erneut. Thomas darf Ihn anschauen und sogar berühren – und Thomas glaubt an die leibliche Auferstehung seines Meisters (Johannes 20,24-29). Es gibt keinen Zweifel mehr: Jesus ist wirklich auferstanden und lebt! Er hat den Tod besiegt!

**Tägliche Bibellese** Jeremia 17,12-27 · Lukas 23,26-38

# 7 Dienstag April

SA 06:45 · SU 20:02
MA 01:38 · MU 08:31

***Ja, mit ewiger Liebe habe ich dich geliebt; darum habe ich dir fortdauern lassen meine Güte.***

Jeremia 31,3

## Ein einmaliges Gemälde

Der französische Maler Georges Rouault (1871–1958) war schon zu Lebzeiten ein berühmter Künstler, dessen Gemälde auf dem Kunstmarkt teuer verkauft wurden. Sein ganzes Leben lang war es sein Ziel, etwas Einmaliges zu erschaffen. Um sicherzustellen, dass nach seinem Tod keine mittelmäßigen Arbeiten zurückbleiben, zerstörte er 1948, im Alter von fast 77 Jahren, mehr als 300 seiner wertvollen Gemälde.

Etwas Besonderes zu sein, etwas Außergewöhnliches zu schaffen, Ruhm zu erlangen, wirklich gut zu sein – danach streben viele Menschen.

Und dann ist es schwer zu ertragen, wenn man doch nur durchschnittlich ist und die Ziele nicht erreicht.

Wie gut, dass Gott so ganz andere Maßstäbe anlegt. Darum scharten sich um Jesus gerade die Leute, die sich ihrer Defizite bewusst waren, dazu ganz normale Leute. Gott liebt jeden Menschen – aber nicht, weil sie alle gut oder liebenswert wären. Seine Diagnose fällt im Gegenteil ganz klar aus: Alle sind abgewichen, da ist nicht einer, der Gutes tut.

Gott liebt jeden Menschen, weil Er Liebe ist. Und jeder ist wertvoll, weil Gott ihn liebt. Nicht umgekehrt. Dieser Wert beruht ausschließlich auf der göttlichen Liebe, die ihm Einzigartigkeit und Unverwechselbarkeit verleiht. Und doch brauchen alle Erlösung, sonst kann Gott sie nicht annehmen. Wer die Erlösung, die Gott anbietet, ergreift und Jesus Christus als seinen Retter annimmt, wird sich keine Sorgen mehr um seine Anerkennung bei den Menschen machen. Ihm genügt es zu wissen, dass Gott ihn liebt.

*„Du bist teuer, wertvoll in meinen Augen, und ich habe dich lieb"* (Jesaja 43,4).

**Tägliche Bibellese** Jeremia 18,1-23 · Lukas 23,39-46

# 8 Mittwoch
## April

SA 06:43 · SU 20:04
MA 02:37 · MU 09:19

***In jener Stunde heilte Jesus viele von Krankheiten und Plagen und bösen Geistern, und vielen Blinden schenkte er das Augenlicht.***

Lukas 7,21

### Heilung in der Nachbarstadt

Stellen Sie sich vor, Sie hätten gerade eben die Info bekommen, Jesus, Gottes Sohn, wäre in der Nachbarstadt zu Besuch. So wie damals vor ca 2000 Jahren würde Er auch heute Menschen von ihren Krankheiten, Süchten und Nöten heilen und ihnen den Weg zur ewigen Rettung zeigen.

Viele würden sich gewiss sofort auf den Weg zu Jesus machen, um aus ihrem Elend befreit zu werden, vielleicht auch Sie. Wahrscheinlich würden Busse und Züge voller Menschen anreisen …

Doch Jesus lebt nicht mehr auf der Erde. Nachdem Er seine Aufgaben hier beendet und vielen Menschen Gutes getan hatte, musste Er qualvoll an einem Kreuz sterben. Er, der so vielen geholfen hatte, wurde schmachvoll hingerichtet. Warum?

Durch den Sündenfall, die Auflehnung der Menschen gegen ihren guten Schöpfer, kam das Elend in diese Welt, auch der Tod. Deshalb nahm Jesus, der nicht hätte sterben müssen, den Fluch auf sich. Weil Er starb, können wir gerettet werden, d. h. ewiges Leben bekommen.

Jesus ist auferstanden und zu Gott in den Himmel zurückgekehrt. Er lebt und ist uns jetzt noch viel näher als damals den Menschen in Israel. Jesus ist jederzeit zu erreichen, ja, Er steht schon vor der Herzenstür und klopft an: „Wenn jemand meine Stimme hört und die Tür öffnet, zu dem werde ich hineingehen und das Abendbrot mit ihm essen, und er mit mir“ (Offenbarung 3,20).

Wer den Herrn Jesus in sein Leben lässt, wird nie mehr einsam und allein sein; er wird eine wunderbare Gemeinschaft erleben. Und das Schönste ist, dass Er selbst unser Gastgeber sein will und uns mit dem Segen des Himmels versorgt. Wer seine Liebe hat, kann von einer „vollkommenen Freude“ berichten (1. Johannes 1,4).

**Tägliche Bibellese** Jeremia 19,1-15 · Lukas 23,47-56

# 9 Donnerstag April

SA 06:41 · SU 20:06
MA 03:25 · MU 10:17

***Wahrlich, wahrlich, ich sage euch: Wer mein Wort hört und dem glaubt, der mich gesandt hat, hat ewiges Leben und kommt nicht ins Gericht, sondern ist aus dem Tod in das Leben übergegangen.***

Johannes 5,24

## Was kommt nach dem Tod?

Am 19. Februar 1997 starb Deng Xiaoping im Alter von 92 Jahren. Er hatte China 18 Jahre lang autoritär regiert. Viele nahmen an seiner Gedenkfeier teil. Nach der Zeremonie wurde sein Leichnam eingeäschert und die Asche ins Meer gestreut. So hatte er es festgelegt. Was könnte der Grund für diese Entscheidung gewesen sein? Wollte er keinerlei Spuren hinterlassen, um nicht mehr für sein Leben zur Verantwortung gezogen werden zu können?

Wie viele Menschen, ob Einflussreiche oder einfache Bürger, denken ebenso! Das ändert aber nichts an dem, was Gott in seinem Wort, der Bibel, zu diesem Thema sagt. Dem Apostel Johannes wurde gezeigt, was in Zukunft geschehen wird. Jeder kann es im Buch der Offenbarung nachlesen: „Ich sah einen großen weißen Thron, und der darauf saß (Gott) ... Und ich sah die Toten, die Großen und die Kleinen, vor dem Thron stehen, und Bücher wurden geöffnet; und ein anderes Buch wurde geöffnet, welches das des Lebens ist. Und die Toten wurden gerichtet nach dem, was in den Büchern geschrieben war, nach ihren Werken. Und das Meer gab die Toten, die in ihm waren ..., und sie wurden gerichtet, jeder nach seinen Werken ... Und wenn jemand nicht geschrieben gefunden wurde in dem Buch des Lebens, so wurde er in den Feuersee geworfen" (Offenbarung 20,11-15).

Was können wir zu diesen feierlichen Worten noch hinzufügen? Nur eine erneute Einladung, sich auf das Leben nach dem Tod vorzubereiten – mit anderen Worten: die Gewissheit zu haben, im „Buch des Lebens" eingeschrieben zu sein. In diesem göttlichen Verzeichnis stehen nur die Namen derjenigen, die zu Lebzeiten das Gnadengeschenk Gottes durch den Glauben an Jesus Christus angenommen haben. „Wer an den Sohn glaubt, hat ewiges Leben" (Johannes 3,36).

**Tägliche Bibellese** Jeremia 20,1-18 · Lukas 24,1-12

# 10 Freitag April

SA 06:39 · SU 20:07
MA 04:01 · MU 11:26

*Nikodemus kam zu Jesus bei Nacht und sprach zu ihm: Rabbi, wir wissen, dass du ein Lehrer bist, von Gott gekommen, denn niemand kann diese Zeichen tun, die du tust, wenn Gott nicht mit ihm ist. Jesus antwortete und sprach zu ihm: Wahrlich, wahrlich, ich sage dir: Wenn jemand nicht von neuem geboren wird, so kann er das Reich Gottes nicht sehen.*

Johannes 3,2.3

## Jesus Christus kennenlernen – Unkonventionell

Was hat der fromme Pharisäer und Gelehrte Nikodemus im Sinn, als er eines Nachts zu Jesus kommt? Jesus ist unter den Religionsgelehrten in Israel umstritten. Sie spüren, dass dieser einfache Zimmermann aus Nazareth etwas Besonderes ist. Seine Weisheit und seine Wunder sind unbestritten, doch die Schwerpunkte seiner Predigt bereiten ihnen Schwierigkeiten. Was Jesus lehrt, ist unkonventionell und verstört die Frommen. Mehr und mehr ärgern sie sich über Jesus. Auf welcher Seite steht Nikodemus? Er begrüßt Jesus mit anscheinend großem Respekt und spricht Ihn als „Rabbi" an, obwohl Jesus keine theologische Ausbildung genossen hat.

Die religiöse Debatte ist eröffnet. Üblich und höflich wäre nun, dass Jesus Nikodemus ebenfalls mit Ehrerbietung und Lob empfängt. Doch Jesus ist mehr als ein Lehrer, Er ist der Sohn Gottes. Weil Nikodemus diese Einsicht fehlt, lässt der Herr sich nicht auf eine „schriftgelehrte" Diskussion und den Austausch von Höflichkeiten ein. Stattdessen kommt Er sofort zum Kern der Sache: Nikodemus verpasst das Entscheidende, wenn er ausschließlich von den Lehren Jesu profitieren will. Um wirklich zu Gott zu kommen, muss er von neuem geboren werden, das heißt, er muss ein neues Leben von Gott bekommen, ein Leben, das grundlegend anders ist als das natürliche, von Geburt an sündige Leben. Dieses Leben kann sich niemand erarbeiten oder verdienen. Diese Erkenntnis muss der fromme Mann zunächst einmal verdauen. Aber Nikodemus hat sie verinnerlicht und schließlich die Konsequenz gezogen, sich eindeutig auf die Seite Jesu zu stellen! (vgl. Johannes 19,39.40).

**Tägliche Bibellese** Jeremia 21,1-14 · Lukas 24,13-27

# 11 Samstag April

SA 06:37 · SU 20:09
MA 04:27 · MU 12:40

***Ich werde Zuflucht nehmen zum Schutz deiner Flügel.***

Psalm 61,5

***Ich legte mich nieder und schlief. Ich erwachte, denn der HERR stützt mich. Nicht fürchte ich mich vor Zehntausenden des Volkes, die sich ringsum gegen mich gesetzt haben.***

Psalm 3,6.7

## Geborgen

Gott wirkt, wenn Er will, auf ganz erstaunliche Weise. Das war nicht nur in biblischer Zeit so. Auch heute erleben das immer noch Menschen, die Ihm völlig vertrauen. Wenn wir etwas hören, was wir nicht erklären können, sollten wir deshalb nicht immer sofort aus der Sicht unserer Alltagserfahrung darüber urteilen.

Hier der Bericht eines Dieners Gottes aus der Christenverfolgung in Rumänien in den 1980er-Jahren:

„Weil ich das Wort Gottes verkündete, wurde ich ununterbrochen überwacht. Wieder einmal musste ich mit einer Verhaftung rechnen und war gezwungen, mich eine Zeit lang in den Bergen vor der Polizei zu verstecken. Es war Winter. Manchmal zeigten sich Wölfe; aber die fürchtete ich weniger als die Menschen, die hinter mir her waren. Eines Nachts war es besonders kalt. Ich war völlig erschöpft und betete: ‚Herr, schick mir eine Decke, sonst erfriere ich!' Darüber schlief ich ein. Von Kälte merkte ich nichts mehr. Wissen Sie, warum? – Als ich morgens aufwachte, war es noch dunkel. Ich bewegte mich und wollte mich aufrichten. Da erhob sich dicht neben mir ein Tier. Es verschwand zwischen den Bäumen. War es ein Hund? Oder ein junger Wolf? Ich weiß es nicht. Das Tier hatte jedenfalls die Nacht dicht an mich geschmiegt verbracht.

Gott ist unvergleichlich in seiner Größe und Güte! Er hätte mir keine wärmere ‚Decke' schicken können."

# 12 Sonntag April

SA 06:34 · SU 20:10
MA 04:47 · MU 13:58

***Gebt acht, wacht und betet; denn ihr wisst nicht, wann die Zeit ist. Wie ein Mensch, der außer Landes reiste, sein Haus verließ und seinen Knechten die Gewalt gab, einem jeden sein Werk, und dem Türhüter einschärfte zu wachen. Wacht also, denn ihr wisst nicht, wann der Herr des Hauses kommt, abends oder um Mitternacht oder um den Hahnenschrei oder frühmorgens; damit er nicht, wenn er plötzlich kommt, euch schlafend finde. Was ich aber euch sage, sage ich allen: Wacht!***

Markus 13,33-37

## Gedanken zum Markus-Evangelium

In seiner Endzeitrede fordert der Herr Jesus seine Jünger viermal auf: „Gebt acht!" Besonders warnt Er vor Verführern, die im Volk der Juden großen Schaden anrichten werden. Im letzten Abschnitt hören wir den dreifachen Appell: „Wacht!" Die bevorstehende Lage ist offensichtlich ernst. Bis zu dem Augenblick, wo der Herr auf die Erde zurückkehrt, um Gericht zu halten und anschließend sein Friedensreich aufzurichten, sollen seine Jünger Ihm treu dienen. Dazu gebraucht Er ein Gleichnis.

Zur Zeit Jesu unternahmen Großgrundbesitzer oft Reisen ins Ausland und übertrugen während ihrer Abwesenheit ihren Knechten die Verwaltung von Haus und Hof. Genauso wird Jesus selbst in den Himmel zurückkehren und dort eine Zeit lang bleiben. Während seiner Abwesenheit hat jeder Gläubige seine Aufgabe zu erfüllen.

Doch wer ist der „Türhüter"? Er steht für die Gläubigen, denen der Herr eine besondere Verantwortung anvertraut hat: die Bewahrung des Glaubens. Wer geistlich „schläft", hat die Ankunft des Herrn aus den Augen verloren und unterscheidet sich äußerlich nicht von denen, die ihr Glück im Hier und Jetzt suchen und keine Hoffnung im Blick auf das Jenseits haben.

Noch ist der „Herr des Hauses" nicht gekommen. Ob es die Brautgemeinde Jesu ist, die ihre Entrückung zu Christus in den Himmel vor der Zeit der Drangsal erwartet, oder ob es die gläubigen Juden sind, die durch diese Zeit hindurchgehen – für alle gilt: Wacht!

**Tägliche Bibellese** Jeremia 22,13-30 · Lukas 24,44-53

# 13 Montag April

SA 06:32 · SU 20:12
MA 05:03 · MU 15:16

***Denn es ist kein Unterschied, denn alle haben gesündigt und erreichen nicht die Herrlichkeit Gottes und werden umsonst gerechtfertigt durch seine Gnade, durch die Erlösung, die in Christus Jesus ist.*** Römer 3,22-24

## Der Römerbrief …

… entstand auf der dritten Missionsreise von Paulus, kurz vor seiner Abreise nach Jerusalem, also um das Jahr 58 n. Chr.

Nach einer kurzen Einleitung kommt Paulus sofort zu einer grundlegenden Feststellung: Jeder Mensch hat gesündigt und nichts anderes zu erwarten als das gerechte, ewige Gericht Gottes, die Verdammnis. Dann aber stellt er die Erlösung vor, „die in Christus Jesus ist" (Kap. 1,18-5,11).

Anschließend macht Paulus deutlich, dass der Mensch nicht nur gesündigt hat, sondern von Natur aus ein Sünder ist. Doch durch den Tod

Jesu ist der Glaubende befreit von der Macht der Sünde und dem Gesetz vom Sinai – auch wenn er weiterhin spürt, dass in ihm noch die Sünde wohnt (Kap. 5,12–7,25). Kapitel 8 sagt, dass der Gläubige ein Kind, Sohn und Erbe Gottes ist, eine wunderbare Hoffnung hat und schon jetzt die Liebe Gottes in jeder Lebenslage erfahren kann.

Die Kapitel 9-11 bilden eine Einschaltung, in der Paulus beschreibt, dass Israel, das Volk Gottes, eine Zeit lang beiseitegestellt ist, aber in Zukunft vollständig wiederhergestellt und Gottes Volk sein wird. Ab Kapitel 12 folgen zahlreiche praktische Hinweise für das Leben als Christ.

Der Römerbrief beantwortet die große Frage des Patriarchen Hiob: „Wie könnte ein Mensch gerecht sein vor Gott?“ (Hiob 9,2). Die systematische und klar gegliederte Darstellung der christlichen Lehre erinnert dabei mehr an eine Abhandlung als an einen persönlichen Brief.

Männer wie der Kirchenvater Augustinus (354–430) und der Reformator Martin Luther (1483–1546) erkannten durch das Lesen dieses Briefes, dass der Mensch allein durch den Glauben – nicht durch Werke – vor Gott gerechtfertigt wird.

**Tägliche Bibellese** Jeremia 23,1-15 · Römer 1,1-7

# 14 Dienstag April

SA 06:30 · SU 20:14
MA 05:17 · MU 16:35

***Sein Kreuz tragend, ging Jesus hinaus zu der Stätte, genannt Schädelstätte, die auf Hebräisch Golgatha heißt.***

Johannes 19,17

## Die Bedeutung des Kreuzes

In einer hessischen Kleinstadt wurden zu Ostern an verschiedenen Standorten Kreuze in der Innenstadt aufgestellt. „Viele Menschen in unserem Land wissen nicht mehr, warum wir Karfreitag und Ostern feiern. Deshalb wollen wir mit dieser Aktion auf das Geschehen von damals aufmerksam machen", erklärten die Initiatoren. Jedes Kreuz trug ein Motto, das die Menschen dazu anregen sollte, sich mit dem eigenen Leben und mit dem Glauben an Jesus Christus auseinanderzusetzen. An jedem Kreuz fanden sich zudem Anleitungen zum Gebet, weiterführende Broschüren und ein QR-Code, über den man ein passendes Lied anhören konnte.

Es ist sehr wichtig, sich mit der Bedeutung des Kreuzes Jesu zu beschäftigen. Die Kreuzigung war eine verbreitete Hinrichtungsart im Alten Orient und in der römischen Antike, bei der Verurteilte an einen aufrechten Pfahl mit einem Querbalken gefesselt oder genagelt wurden. Im Römischen Reich traf es vor allem Nichtrömer, Aufrührer und entlaufene Sklaven.

*Eine* Kreuzigung sticht jedoch besonders hervor: die von Jesus Christus, dem Sohn Gottes. Er wurde Mensch, lebte in Israel und tat den Menschen nur Gutes. Dennoch wurde Er von der breiten Masse abgelehnt, da Er das Licht Gottes in ihr Leben scheinen ließ und jede Arte von Bösem verurteilte. So riefen die damaligen religiösen Führer und die politisch Verantwortlichen schließlich: „Hinweg, hinweg mit diesem, kreuzige, kreuzige ihn!"

Jesus hätte sich seinen Peinigern entziehen können, doch Er wusste, dass Er auf das Kreuz „erhöht" werden musste, „damit jeder, der an ihn glaubt, nicht verloren gehe, sondern ewiges Leben habe" (Johannes 3,14.15). So ist das Kreuz Christi das Sinnbild für Erlösung geworden.

**Tägliche Bibellese** Jeremia 23,16-40 · Römer 1,8-17

# 15 Mittwoch April

SA 06:28 · SU 20:15
MA 05:30 · MU 17:58

***Heute, wenn ihr seine Stimme hört, verhärtet eure Herzen nicht.***

Hebräer 3,7.8

## Mark Twain und die Bibel

Der berühmte amerikanische Schriftsteller, Journalist und Humorist Mark Twain (1835–1910), der besonders durch seine Jugendromane Tom Sawyer und Huckleberry Finn bekannt geworden ist, unterhielt sich einmal mit einem seiner Freunde über die Bibel. Sein Freund erzählte ihm: „Was mich am meisten an der Bibel stört und mir Probleme bereitet, sind die vielen Dinge, die ich nicht verstehe." Mark Twain antwortete ihm in seiner gewohnt ironischen Art: „Weißt du, bei mir ist es genau andersherum: Was mir beim Bibellesen Probleme macht, das sind die Dinge, die ich sehr gut verstehe."

Was Mark Twain so scherzhaft ausdrückt, enthält eine wichtige Warnung: Die Bibelstellen, die wir gut verstehen, treffen häufig unser Gewissen, aber oft wollen wir nicht darauf hören und vor allem keine Konsequenzen daraus ziehen. Das ist sehr gefährlich. Gott, der Schöpfer des Himmels und der Erde, ohne den wir keinen einzigen Atemzug tun könnten, redet mit uns. Wer könnte da wagen, nicht genau hinzuhören? Vor allem: Gott ruft uns zu unserem Besten, weil Er uns so sehr liebt. Er kennt uns, wie kein Mensch uns kennen kann, Er weiß, dass wir ohne Ihn verloren sind, und hat durch seinen Sohn Jesus Christus alles getan, was zu unserer Rettung nötig ist. Aber Gott zwingt niemanden. Es ist nun an uns,

- zu hören, was Gottes Wort uns sagt;
- daran zu glauben;
- unsere Schuld einzusehen und zu bekennen;
- die Errettung anzunehmen.

Es ist so einfach. Wir können sofort damit beginnen: hören – glauben – einsehen – tun. Nicht weghören, wenn Gott redet – damit fängt alles an!

**Tägliche Bibellese** Jeremia 24,1-10 · Römer 1,18-32

# 16 Donnerstag April

SA 06:26 · SU 20:17
MA 05:44 · MU 19:23

*Hütet euch vor den Götzen!*

1. Johannes 5,21

## Ein ertrinkender Gott

Toukaram ist ein junger Hindu, der von klein auf dazu erzogen worden ist, die Götter seiner Religion zu achten und zu verehren. Im Nachbarort gibt es eine christliche Schule mit gutem Ruf, und so melden seine Eltern ihn dort an.

Am ersten Schultag macht er sich auf den Weg dorthin. Er kommt an einem Fluss vorbei, wo zahlreiche Menschen bemüht sind, etwas aus dem Wasser zu ziehen. Ist dort etwa jemand ertrunken? Neugierig bleibt er stehen.

Doch es ist kein Mensch, sondern ein Götze aus Holz, der ins Wasser gefallen ist! Einige Männer stehen im Fluss und versuchen, ihm ein Seil um den Hals zu legen, damit er nicht von der Strömung weggetrieben wird. Was für eine Mühe, um einen ertrinkenden Gott zu retten!

In der Schule erzählt Toukaram seinen neuen christlichen Kameraden von seinem Erlebnis. „Was für ein komischer Gott!", sagen sie. „Kann er sich nicht selbst retten?" Toukaram schüttelt den Kopf. „Kann er sich denn wenigstens bedanken, wenn man ihn aus dem Wasser zieht?" „Nein." „Was kann er denn?" „Eigentlich nichts", muss Toukaram kleinlaut zugeben.

„Dann habt ihr ja einen toten Gott! Unser Gott aber lebt." Toukaram staunt. „Woher wisst ihr das?" „Er hat alles erschaffen: Himmel, Erde, Tiere und Pflanzen – und natürlich auch uns Menschen. Er liebt uns und hat seinen Sohn auf die Erde gesandt, um uns zu seinen Kindern zu machen."

Mit der Zeit erfährt Toukaram immer mehr über diesen lebendigen Gott. Eines Tages erklärt er vor der ganzen Schule, dass er Christ geworden ist.

Tote Götter – kann es die auch in unserem Leben geben? Leider ja. Das Geld, die Medien, die Karriere, das Hobby oder was immer uns von morgens bis abends beschäftigt, kann für uns zum Götzen werden. Es muss gar nicht mal böse sein. Im Prinzip kann es alles sein, was uns wichtiger ist als (unsere Beziehung zu) Gott.

**Tägliche Bibellese** Jeremia 25,1-14 · Römer 2,1-7

# 17 Freitag April

SA 06:24 · SU 20:18
MA 05:58 · MU 20:52

***Jesus verließ Judäa und zog wieder nach Galiläa. Er musste aber durch Samaria ziehen.***

Johannes 4,3.4

**Jesus Christus kennenlernen – Umweg mit Folgen**

Zur Zeit Jesu herrschte eine starke Abneigung der Juden gegenüber den Bewohnern Samarias. Wenn irgend möglich mieden jüdische Reisende Samaria, das heute etwa der nordwestlichen Seite des Jordanflusses in Israel entspricht. Doch entgegen den Gewohnheiten seiner Zeit durchquert Jesus mit seinen Jüngern genau dieses Gebiet auf dem Weg nach Galiläa. Die Bibel betont ausdrücklich, dass Er dort hindurchziehen *musste*.

Der Grund für dieses „Muss" ist eine Frau aus Sichar, einer Stadt in Samaria. Als Sohn Gottes kennt Jesus jeden Menschen und jede Lebensgeschichte in allen Einzelheiten. Er weiß, dass diese Frau auf der Suche nach Sinn und Erfüllung ist. Für sie ganz persönlich nimmt Er diesen Umweg auf sich und begegnet ihr am Brunnen vor der Stadt Sichar. In göttlicher Allwissenheit weiß Jesus genau, wann und wo sie erscheinen wird. Und tatsächlich: Die Frau kommt, um Wasser zu schöpfen.

In dem anschließenden Gespräch wird deutlich, wie leer ihr Leben ist. Fünfmal war sie bereits verheiratet, jetzt lebt sie ohne Trauschein mit einem Mann zusammen. Doch keine ihrer Beziehungen konnte ihr das ersehnte Glück bringen, noch den „Durst" ihrer Seele stillen. Bei Jesus Christus findet sie jedoch beides. Er knüpft an das täglich benötigte Brunnenwasser an und verheißt denen, die an Ihn glauben: „Wer irgend aber von dem Wasser trinkt, das ich ihm geben werde, den wird nicht dürsten in Ewigkeit" (Johannes 4,14).

So ist es bis heute: Jeder Mensch wird – auf die eine oder andere Weise – Jesus Christus „begegnen". Jedem bietet Er das „Wasser des Lebens" an, das nur Er schenken kann, denn jeder soll wissen, dass Er der „Heiland der Welt" ist (Offenbarung 22,17; Johannes 4,42).

# 18 Samstag April

SA 06:22 · SU 20:20
MA 06:17 · MU 22:24

***Gedenke nicht der Sünden meiner Jugend noch meiner Übertretungen; gedenke du meiner nach deiner Huld [Gunst], um deiner Güte willen, HERR!***

Psalm 25,7

## Ein Mörder kapituliert vor Gott

Harlem in den 1950er Jahren – ein Slum-Viertel in New York: Auf den Straßen herrscht das Recht des Stärkeren. Jugendbanden bekämpfen sich bis aufs Blut, bis Menschen sterben. Eins der Bandenmitglieder: Tom Skinner. Er ist noch ein Teenager, aber schon Anführer einer gefürchteten Gang und – der Sohn eines Pastors. Gott? Mit dem will er nichts zu tun haben. Jeden Tag heckt er neue, teuflische Pläne aus.

Eines Abends ist ein Großangriff auf eine gegnerische Bande geplant. Bis es soweit ist, stellt Tom das Radio an und sucht nach Rockmusik – stößt aber auf die Botschaft von Jesus Christus.

Verärgert will er weiterschalten, doch der Drehknopf klemmt! Und dann trifft ihn ein Bibelvers wie ein Schlag: „*Wenn jemand in Christus ist, da ist eine neue Schöpfung; das Alte ist vergangen, siehe, Neues ist geworden*" (2. Korinther 5,17).

An diesem Abend zieht Tom nicht in den Bandenkrieg, sondern kapituliert vor Jesus Christus! Er erkennt, dass er ein Sünder ist, schuldig vor Gott und dem gerechten Gericht ausgeliefert, was die ewige Trennung von dem heiligen Gott bedeutet. Doch das Licht des Evangeliums zeigt ihm mehr – zeigt, wie sein Herz völlig verändert, wie er eine neue Schöpfung werden kann.

Noch am gleichen Abend tritt er mutig vor seine Leute: Er verkündet seinen Ausstieg aus der Gang und seinen „Einstieg" als Jünger Jesu Christi. Später wird er viele verlorene Menschen zu Jesus führen.

Gott kann wirklich alles neu machen. Auch bei Ihnen.



**Tägliche Bibellese** Jeremia 26,1-24 · Römer 2,17-29

19 **Sonntag**
**April**

SA 06:20 · SU 20:22
MA 06:42 · MU 23:56

***Es war aber nach zwei Tagen das Passah und das Fest der ungesäuerten Brote. Und die Hohenpriester und die Schriftgelehrten suchten, wie sie ihn mit List greifen und töten könnten; denn sie sagten: Nicht an dem Fest, damit nicht etwa ein Aufruhr des Volkes entsteht.***

Markus 14,1.2

## Gedanken zum Markus-Evangelium

Mit dem 14. Kapitel beginnt der letzte Teil des Evangeliums, in dem Markus die Ereignisse rund um die Kreuzigung, Auferstehung und Himmelfahrt Jesu beschreibt.

Die religiösen Führer Israels stehen im Begriff, Jesus, den treuen Knecht Gottes, zu töten. Obwohl sie Ihm nichts, wirklich gar nichts Böses nachweisen können, hassen sie Ihn und wollen Ihn um jeden Preis beseitigen.

In zwei Tagen findet ein großes Fest der Juden statt: das Passah. Jerusalem ist voller Menschen, die zum Fest angereist sind. Für die Hohenpriester und Schriftgelehrten ist das ein denkbar ungünstiger Zeitpunkt, um Jesus festzunehmen – zu groß ist die Gefahr eines Aufruhrs. Schließlich haben viele Ihn noch vor wenigen Tagen jubelnd in der Stadt begrüßt (Kap. 11,7-10).

Doch genau das, was die führenden Männer verhindern wollen, geschieht, weil Gott es so will: Jesus Christus stirbt am Passahfest. Denn Er selbst ist „unser Passah", das geschlachtet wurde (1. Korinther 5,7).

Dieses Fest erinnert an den Tag, als das Volk Israel aus Ägypten zog – als Zeichen der Erlösung. Weil der Pharao sich weigerte, Israel ziehen zu lassen, sandte Gott das letzte Gericht: den Tod aller Erstgeburt in Ägypten. Doch den Israeliten zeigte Gott einen Ausweg: ein Lamm zu schlachten und dessen Blut an die Türpfosten zu streichen. Wo der Gerichtsengel das Blut sah, ging er vorüber (Passah bedeutet „vorübergehen") – und die Familie blieb verschont (vgl. 2. Mose 12).

Heute haben wir eine noch viel größere, ewige Erlösung – durch unseren Herrn Jesus Christus. Ihm sei Dank!

**Tägliche Bibellese** Jeremia 27,1-11 · Römer 3,1-8

# 20 Montag April

SA 06:18 · SU 20:23
MA 07:19 · MU –:–

***Mit Gehör werdet ihr hören und doch nicht verstehen, und sehend werdet ihr sehen und doch nicht wahrnehmen.*** Matthäus 13,14

## Ist es nicht ein Widerspruch?

Ein Interview mit einem Hundertjährigen. Als junger Leutnant kam er Mitte 1942 nach Stalingrad. Wenige Monate später startete die Rote Armee dort einen Gegenschlag und schloss die deutschen Truppen ein. Im Kessel von Stalingrad begann ein erbitterter Überlebenskampf.

Der Veteran berichtet, dass er im Januar 1943 durch eine Verletzung der Wirbelsäule erblindete. Er bekam hohes Fieber und war nicht mehr transportfähig. Auf die Frage im Interview: „War das ihr dunkelster Moment?“, antwortet er: „Ja, als ich dalag und wusste, es geht zu Ende. Da war der liebe Gott ganz weit weg.“ Als man ihn fragt, wie er überlebt hat, erzählt er, dass er – wider Erwarten – durch einen Kameraden zu einem Flugzeug getragen und ausgeflogen wurde. Er fügt hinzu: „Ich hatte einen Schutzengel. Warum ich dieses Glück hatte, weiß ich nicht. Noch heute sage ich immer wieder Dankeschön.“

Einerseits war Gott für ihn ganz weit weg, andererseits erlebte er Glück und die Hilfe eines Schutzengels, die ihn retteten. Was für ein Widerspruch! Warum erkennt er nicht an, dass es Gott war, der ihn gerettet hat? Und wem sagt er überhaupt immer wieder Dankeschön?

Viele Menschen können davon berichten, wie sie – oft mehrfach – dem sicheren Tod entkommen sind. Sie hätten Glück gehabt, sagen sie. Gleichzeitig verneinen manche von ihnen die Existenz Gottes. Ist das nicht ebenfalls ein Widerspruch? Wie gut wäre es, wenn sie erkennen würden, dass es Gott war, der über ihr Leben gewacht hat und sie aus der Todesgefahr gerettet hat! Dann würden sie „hören“ und „verstehen“, würden „sehen“ und „wahrnehmen“. Sie würden erkennen, wie wertvoll ihr Leben für Gott ist, und ihm für seine Rettungen „Danke“ sagen.

**Tägliche Bibellese** Jeremia 27,12-22 · Römer 3,9-20

# 21 Dienstag April

SA 06:16 · SU 20:25
MA 08:11 · MU 01:18

***Der Gott allen Trostes tröstet uns in all unserer Bedrängnis, damit wir die trösten können, die in allerlei Bedrängnis sind, durch den Trost, mit dem wir selbst von Gott getröstet werden.***

2. Korinther 1,3.4

## Das darf ich dir jetzt sagen

*Wie Jesus mich gerettet*
*aus Sündennot und Nacht,*
*wie Er mich reingewaschen*
*und an Sein Herz gebracht –*
*das darf ich jetzt schon sagen*
*den Menschen um mich her*
*die sich alleine plagen*
*mit ihrer Schuld so schwer.*

*Wie Jesus mir geholfen*
*in Angst und Einsamkeit,*
*wie Er mich dann getragen*
*voller Barmherzigkeit –*

*das darf ich denen sagen,
die müde sind im Lauf
und die sich manchmal fragen:
„Wann hört die Prüfung auf?"*

*Wie Jesus mich getröstet,
als tief im dunklen Tal
kein Ausweg war zu sehen
nur Schluchten überall –
das darf ich weitersagen,
dem, der am Boden liegt:
„Dein Jesus hört dich klagen,
Sein Lieben nie versiegt."*

*Wie Jesus mich erinnert,
weil ich leicht mutlos bin,
an Sein Wort, das mich stärkte,
mich neu zog zu Ihm hin –
das darf ich dir jetzt sagen,
der du trägst schwer und viel:
„Bald hören auf die Fragen,
bald bist Du schon am Ziel!"*

*G. W.*

**Tägliche Bibellese** Jeremia 28,1-17 · Römer 3,21-31

# 22 Mittwoch April

SA 06:14 · SU 20:27
MA 09:21 · MU 02:22

***Wir werden alle vor den Richterstuhl Gottes gestellt werden. So wird jeder von uns für sich selbst Gott Rechenschaft geben.***

Römer 14,10.12

## Rechenschaft ablegen

Viele Sünden unterliegen nicht der menschlichen Gerichtsbarkeit, z. B. Hochmut, Egoismus, Habgier und viele Formen der Unmoral. Strafbare Vergehen wie Lügen, zu schnelles Fahren oder Ladendiebstahl werden zwar häufig begangen, bleiben jedoch oft der Justiz verborgen.

In einem amerikanischen Supermarkt wurde ein Schild mit der Aufschrift: „Pass auf, Gott sieht dich!" aufgehängt. Interessanterweise sank die Zahl der Diebstähle daraufhin deutlich.

Menschlichen Gesetzen kann man entwischen, der Gerechtigkeit Gottes jedoch nicht. „Kein Geschöpf ist vor ihm unsichtbar, sondern alles ist bloß und aufgedeckt vor den Augen dessen, mit dem wir es zu tun haben“ (Hebräer 4,13). Ja, Gott nimmt all unsere Verfehlungen zur Kenntnis und „notiert“ sie. Wenn wir seine Aufzeichnungen einsehen könnten, wären wir sicherlich erschrocken! David wusste darum und schrieb: „HERR, du hast mich erforscht und erkannt! ... Du verstehst meine Gedanken von fern. ... Du bist vertraut mit allen meinen Wegen. Denn das Wort ist noch nicht auf meiner Zunge, siehe, HERR, du weißt es ganz“ (Psalm 139,1-4).

Kann die göttliche Liste meiner bösen Gedanken, Worte und Taten irgendwie gelöscht werden? Ja, das ist möglich! Die Lösung kommt von Gott: „Ich, ich bin es, der deine Übertretungen tilgt ...; und deiner Sünden will ich nicht mehr gedenken.“ Doch auf welcher Grundlage kann Er das tun? Er ist doch heilig und vollkommen gerecht! Richtig, aber „Er hat uns geliebt und seinen Sohn gesandt als Sühnung für unsere Sünden.“ Von seiner Seite ist alles getan! (Jesaja 43,25; 1. Johannes 4,10).

Und was muss ich tun? David wusste es: „Ich tat dir meine Sünde kund und habe meine Ungerechtigkeit nicht zugedeckt ... und du hast die Ungerechtigkeit meiner Sünde vergeben“ (Psalm 32,5). So kann ich getrost vor Gottes Richterstuhl treten.

**Tägliche Bibellese** Jeremia 29,1-14 · Römer 4,1-8

# 23 Donnerstag April

SA 06:12 · SU 20:28
MA 10:43 · MU 03:07

***Es steht geschrieben: „Ich will die Weisheit der Weisen vernichten, und den Verstand der Verständigen will ich wegtun.“***

1. Korinther 1,19

## Was wissen wir wirklich?

Kürzlich meldete eine wissenschaftliche Zeitschrift, dass ein seltsames „Schwarzes Loch" in der Milchstraße entdeckt worden ist. Es sei zu groß, um mit den derzeit gültigen Theorien übereinzustimmen. Eigentlich dürfe es gar nicht existieren. Sein Ursprung könne nicht erklärt werden und müsse in einem Phänomen zu finden sein, das den Wissenschaftlern bislang unbekannt ist. Der Artikel schließt mit den Worten: „Je mehr wir über Schwarze Löcher lernen, desto geringer ist unser gesichertes Wissen darüber."

Ja, das Wissen des Menschen ist begrenzt. Immer wieder muss er gestehen, dass er quasi nichts weiß – jedenfalls verglichen mit Gottes Weisheit.

Die Bibel berichtet von einem Mann namens Hiob. Er war „rechtschaffen, gottesfürchtig und mied das Böse.“ Aber als ihn schwere Schicksalsschläge trafen und seine Freunde ihm unterstellten, er müsse sich irgendwie schuldig gemacht haben, reagierte er selbstgerecht und nahm den Mund zu voll. Um ihn davon abzubringen, stellte Gott ihm einige Fragen: „Kannst du das Gebinde des Siebengestirns knüpfen? … Kannst du die Bilder des Tierkreises hervortreten lassen? … Kennst du die Gesetze des Himmels?“ Und Hiob musste zugeben: „Ich habe beurteilt, was ich nicht verstand, Dinge, zu wunderbar für mich, die ich nicht kannte“ (Hiob 1,1; 38,31-33; 42,3).

So will Gott auch jedem von uns zeigen, dass wir bescheiden bleiben müssen. Was wissen wir wirklich? Fundiertes und gesichertes Wissen finden wir bei Gott, also in der Bibel. Dort erfahren wir alles, was wir unbedingt wissen müssen: Wir lernen, wer Gott ist und in welcher Beziehung der Mensch zu Ihm steht. Wir lernen Gottes Heiligkeit und Gerechtigkeit kennen, aber auch seine Liebe und Gnade. Wer sich in Gottes Wort vertieft, eignet sich fundiertes Wissen an!



**Tägliche Bibellese** Jeremia 29,15-32 · Römer 4,9-15

# 24 Freitag April

SA 06:10 · SU 20:30
MA 12:08 · MU 03:38

***Als Jesus den Kranken daliegen sah und wusste, dass es schon lange Zeit so mit ihm war, spricht er zu ihm: Willst du gesund werden? Der Kranke antwortete ihm: Herr, ich habe keinen Menschen.***

Johannes 5,6.7

## Jesus Christus kennenlernen – Jesus fragt

Bethesda bedeutet „Haus der Gnade" – ein verheißungsvoller Name für einen trostlosen Ort. Dort, in Jerusalem, liegt ein Teich, dessen Wasser als heilkräftig gilt, wenn ein Engel von Zeit zu Zeit dort hineinsteigt und es bewegt. Fünf offene Säulenhallen, gefüllt mit Kranken, die verzweifelt auf Heilung hoffen. Elend, Schmerzen, Einsamkeit, Angst, Rivalität – wohl jede Art von Gebrechen ist hier zu finden. Und doch gibt es nur die minimale Hoffnung, einmal, nur ein einziges Mal als Erster ins Wasser zu gelangen, sobald es sich bewegt – denn nur dann erfolgt die Heilung.

Ein Mann, den Jesus hier aufmerksam ansieht und den Er von Grund auf kennt, ist seit 38 Jahren krank – ein halbes Menschenleben. Und Jesus fragt ihn: „Willst du gesund werden?"

Jesus selbst wird oft befragt, mal aus ehrlichem Interesse, mal aus ganz anderen Motiven. Wo Er auf echte Fragen trifft, antwortet Er geduldig, weise, umfassend, hilfreich. Doch wenn Er selbst eine Frage stellt, wird es spannend – dann lohnt es sich, genau hinzuhören.

Will Jesus den Kranken mit seiner Frage provozieren? Es ist doch klar, dass ein Kranker gesund werden will, oder? Eine merkwürdige Frage. Fest steht, dass Jesus alles über den Kranken weiß. Warum fragt Er dann überhaupt?

Jesu Fragen sind nie Ausdruck von Unwissenheit, sondern immer eine Einladung. Sie helfen dem Befragten, sich seiner eigenen Lage, Not und Wünsche bewusst zu werden. Von Jesus gefragt, vielleicht auch in Frage gestellt zu werden, ist ein Geschenk. Denn Er fragt nie ziellos, sondern weil Er helfen, heilen und Neuanfänge schenken will. Bei Ihm gibt es niemals Fangfragen, sondern nur Fragen, die auf den richtigen Weg führen.

**Tägliche Bibellese** Jeremia 30,1-24 · Römer 4,16-25

# 25 Samstag April

SA 06:08 · SU 20:31
MA 13:32 · MU 03:59

***Wundert euch nicht, denn es kommt die Stunde, in der alle, die in den Gräbern sind, seine Stimme hören und hervorkommen werden: die das Gute getan haben, zur Auferstehung des Lebens, die aber das Böse verübt haben, zur Auferstehung des Gerichts.***

Johannes 5,28.29

## Auf dem Friedhof „Père Lachaise"

Der „Père-Lachaise" in Paris ist der meistbesuchte Friedhof der Welt und beeindruckt mit nahezu 70.000 Grabstätten. Er ist nicht nur ein Ort der Besinnung, sondern auch ein Zentrum für Kultur und Geschichte. Hier sind zahlreiche Berühmtheiten begraben: Schriftsteller, Künstler, Staatsmänner, Wissenschaftler. Prachtvolle Denkmäler, Statuen und ehrwürdige Grabinschriften erinnern an ihre einstige Größe. Viele der über zweihundert Jahre alten Gräber sind mit frischen Blumen geschmückt, was die anhaltende Bewunderung für diese Persönlichkeiten widerspiegelt. Gleichzeitig finden sich auch schlichte Grabsteine von Menschen, die längst in Vergessenheit geraten sind.

Die Bibel lehrt uns, dass es auf den Friedhöfen nur zwei Kategorien von Verstorbenen gibt:

Die eine Gruppe besteht aus Menschen, die zu Lebzeiten ihre Schuld vor Gott bekannt und Jesus Christus als ihren Erretter angenommen haben. Damit haben sie „das Gute" getan. Ihre Sünden sind vergeben und sie werden einmal die „Auferstehung des Lebens" erfahren (siehe Tagesvers).

Die übrigen, die sich für gerecht hielten, die Botschaft der Gnade Gottes ablehnten, oder die gleichgültig waren, werden später auferstehen – dann aber zur „Auferstehung des Gerichts". Das wird ein schreckliches Erwachen sein! Es macht dann keinen Unterschied, ob sie in ihrem Leben zu den Großen oder zu den Kleinen gehörten, ob sie reich oder arm, berühmt oder unbekannt waren. Für Gott zählt einzig und allein ihre Beziehung zu Jesus Christus. Die entscheidende Frage wird lauten: „Hast du an meinen Sohn Jesus Christus geglaubt und sein Opfer für dich persönlich angenommen?" – Es gibt nur ein Ja oder ein Nein!

**Tägliche Bibellese** Jeremia 31,1-14 · Römer 5,1-10

# 26 Sonntag April

SA 06:06 · SU 20:33
MA 14:51 · MU 04:15

*Als Jesus in Bethanien war, im Haus Simons, des Aussätzigen, kam, während er zu Tisch lag, eine Frau, die ein Alabasterfläschchen mit Salböl von echter, sehr kostbarer Narde hatte. Sie zerbrach das Alabasterfläschchen und goss es aus auf sein Haupt. Einige aber waren unwillig bei sich selbst und sprachen: Wozu ist diese Vergeudung des Salböls geschehen? Denn dieses Salböl hätte für mehr als dreihundert Denare verkauft und den Armen gegeben werden können. Und sie fuhren sie an.*

Markus 14,3-5

## Gedanken zum Markus-Evangelium

Die Hohenpriester und Schriftgelehrten suchen nach einer Gelegenheit, Jesus zu töten. Ihr Hass auf Ihn ist grenzenlos. Doch es gibt auch Menschen, die Ihn von Herzen lieben – so wie in Bethanien, wo Jesus sich oft und gern aufhielt. Der Gastgeber Simon hat Jesus mit seinen Jüngern in sein Haus eingeladen. Offenbar hatte er vorher eine besondere Begegnung mit Ihm und war von Ihm geheilt worden, denn als Aussätziger hätte er sonst niemanden empfangen können. Seine Einladung zeigt seine tiefe Dankbarkeit gegenüber seinem Heiland.

Doch nicht der Gastgeber steht hier im Mittelpunkt, sondern Jesus, der Sohn Gottes – und eine Frau, die im Bericht von Markus ungenannt bleibt. Aus dem Evangelium des Johannes wissen wir, dass es Maria ist, die Schwester von Martha und Lazarus. Und was tut sie? Sie gießt kostbares Nardenöl auf das Haupt Jesu – ein Parfüm im Wert von 300 Denaren, dem Jahreslohn eines Arbeiters!

Diese Tat offenbart Marias Herz: Für sie ist Jesus der Allergrößte. Nichts ist ihr zu wertvoll, um Ihm die höchste Ehre zu erweisen. Sie nutzt die Gelegenheit, die sich ihr jetzt bietet, denn sie scheint zu ahnen, dass der Herr bald sterben wird.

Doch ihr Handeln stößt auf Kritik. Ist das nicht typisch? Soziales Engagement wird gefeiert, doch Gottesdienste, in denen die Gläubigen mit Liedern und Gebeten zum Gedächtnis des Herrn zusammenkommen, sind selten geworden.

**Tägliche Bibellese** Jeremia 31,15-26 · Römer 5,11-16

# 27 Montag April

SA 06:04 · SU 20:35
MA 16:07 · MU 04:28

***Durch einen Menschen ist die Sünde in die Welt gekommen und durch die Sünde der Tod, und so ist der Tod zu allen Menschen durchgedrungen, weil sie alle gesündigt haben.***

Römer 5,12

## Albtraumstadt

Einladend sahen sie aus, die blau-gelben Autoscooter, die auf ihren ersten Einsatz warteten. Doch sie wurden nie – und werden auch niemals – gefahren.

Für den 1. Mai 1986 war ein Volksfest geplant. Anlass war die Eröffnung eines Freizeitparks in Prypjat, einer sowjetischen Mustersiedlung in der Ukraine. Die Autoscooter sollten für Unterhaltung sorgen. Doch am frühen Morgen des 26. April explodiert Reaktor 4 des Atomkraftwerks in Tschernobyl – und 36 Stunden später wird Prypjat, das in der Nähe liegt, evakuiert. Von da an steht hier die Zeit still. Die Autoscooter fahren nie; sie verfallen, rosten, fallen auseinander.

Als Gott das erste Menschenpaar schuf, segnete Er es. Er „sah alles, was Er gemacht hatte, und siehe, es war sehr gut" (1. Mose 1,31). Doch schon bald verführte der Teufel die Menschen. Sie taten, was Gott ihnen verboten hatte – sie sündigten. Von da an war nichts mehr so, wie es von Anfang an war, denn der Tod zog ein: Das Leben wurde mühsam, Schwangerschaften schmerzhaft, Krankheit und Leid allgegenwärtig. Alles geriet in den Sog von Verfall und Tod.

Doch im Gegensatz zu Tschernobyl blieb die Lage nicht hoffnungslos. Gott selbst kam in seinem Sohn zu uns und schuf durch Ihn einen Weg aus dem Dilemma. Als Jesus Christus, der Erretter, erschien, „machte Er den Tod zunichte und brachte Leben und Unverweslichkeit ans Licht" (2. Timotheus 1,10).

Jeder Einzelne kann nun dem Albtraum von Verfall, Tod und Gericht entrinnen und Vergebung, Freiheit und Gottes Liebe erfahren.

**Tägliche Bibellese** Jeremia 31,27-40 · Römer 5,17-21

# 28 Dienstag April

SA 06:02 · SU 20:36
MA 17:21 · MU 04:40

***Im Stillsein und im Vertrauen würde eure Stärke sein.*** Jesaja 30,15

***Sieht er nicht meine Wege und zählt alle meine Schritte?*** Hiob 31,4

## Das Glück der absoluten Gewissheit

Dass Gott mich liebt, macht mich glücklich und dankbar, denn ich weiß:

- Er hat mich so angenommen, wie ich bin, als ich Ihm meine Sünden bekannt und an seinen Sohn Jesus Christus geglaubt habe.
- Er hat mir alle meine Sünden vergeben und nun habe ich neues Leben.
- Gott ist mein Vater und ich bin sein Kind, und deshalb kann ich frei mit Ihm reden und Er hört mir jederzeit zu.

- Ich darf alle meine Pläne, Ziele und verborgenen Wünsche einfach seiner Weisheit und seinem Willen übergeben.
- Mein ganzes Leben liegt wie ein offenes Buch vor Ihm.
- Er schenkt Freude, lässt aber auch Trauer zu, wobei ich weiß, dass alles von seiner Liebe geleitet wird und gut für mich ist.
- Jedes meiner Haare ist gezählt und Gott weiß ganz genau, was ich brauche, und gibt es mir gern.
- Mein Erlöser Jesus Christus ist immer bei mir. Er versteht meine Tränen, denn Er selbst hat auf der Erde gelebt und kennt Trauer und Schmerz.
- Er wird bald wiederkommen, um mich zu sich zu nehmen, und dann werde ich Ihn mit meinen eigenen Augen sehen!

Ja, was für ein unermessliches Glück, dass ich mein Vertrauen auf Jesus Christus gesetzt habe und deshalb all das wissen darf!

**Tägliche Bibellese** Jeremia 32,1-25 · Römer 6,1-11

# 29 Mittwoch April

SA 06:00 · SU 20:38
MA 18:34 · MU 04:52

***Da ist kein Gerechter, auch nicht einer; da ist keiner, der verständig ist; da ist keiner, der Gott sucht.*** Römer 3,10.11

## Examen nicht bestanden

Gott hat den Menschen seit seiner Erschaffung immer wieder und auf verschiedene Weise auf die Probe gestellt. Das abschließende Urteil Gottes teilt uns der Apostel Paulus in diesen Versen mit.

„Da ist kein Gerechter, auch nicht einer." – Personen, die sich politisch und sozial engagieren, könnten sich hier besonders getroffen fühlen. Ihr Ziel ist Gerechtigkeit und jedem das Seine zu geben. Doch was geben sie Gott? „Du sollst den HERRN, deinen Gott, lieben mit deinem ganzen Herzen und mit deiner ganzen Seele und mit deiner ganzen Kraft" (5. Mose 6,5). Wer Gott nicht den gebührenden ersten Platz gibt, begeht die größte aller denkbaren Ungerechtigkeiten!

„Da ist keiner, der verständig ist." – An diesem Urteil stoßen sich besonders diejenigen mit einer rationalen Denkweise. Der gesunde Menschenverstand ist zweifellos ein wertvolles Geschenk Gottes. Aber gerade deshalb darf er nicht unabhängig von Gott benutzt werden noch gegen seine Prinzipien und sein Wort gerichtet werden, da dies sonst zu Verwirrung statt Klarheit führt.

„Da ist keiner, der Gott sucht." – Diese Aussage wird vor allem den religiösen Menschen zu denken geben. Gott in der Natur suchen? Bußübungen? Wallfahrten? Sein Bestes tun? Das „Göttliche im Menschen" fördern? – Aussichtslos! Auf diesem Weg ist Gott nicht zu finden.

„Was sollen wir tun?", wurde Jesus Christus einmal gefragt. Er antwortete: „Dies ist das Werk Gottes, dass ihr an den glaubt, den er gesandt hat" – an Ihn selbst, den Heiland der Welt (Johannes 6,28.29). So wertvoll soziales Engagement und Intelligenz sind und so sehr Gott wahre Frömmigkeit schätzt, das ewige Leben empfangen wir nur durch den Glauben an Christus und sein Erlösungswerk.

**Tägliche Bibellese** Jeremia 32,26-44 · Römer 6,12-16

# 30 Donnerstag April

SA 05:58 · SU 20:39
MA 19:48 · MU 05:04

***Der HERR sprach, und es war; er gebot, und es stand da.*** Psalm 33,9

## Lob des Schöpfers

Meine Frau und ich wandern über eine Anhöhe. Unter uns glitzert ein See in der Sonne. Föhnstimmung: Die Alpenkette bis zur Zugspitze ist zum Greifen nah.

Auf einer Bank sitzt ein älterer Herr. „Was für eine Aussicht auf diese herrliche Landschaft! Wie schön hat Gott alles gemacht! Was für ein Zeugnis von seiner Schöpferherrlichkeit!" – „Da haben Sie recht", bestätigt der Mann auf der Bank meinen spontanen Ausruf. – Wir kommen näher. Der ältere Herr bietet uns einen Platz an.

Gemeinsam denken wir über die Größe des Schöpfers nach. Zur Erschaffung von Himmel und Erde genügte sein Wort: „Er sprach, und es war; er gebot und es stand da." Für die kompliziertesten Baupläne in der Schöpfung, die Menschen noch nicht annähernd erforscht haben, für komplexe Lebensräume mit einer Vielzahl von Lebensformen – für all das brauchte Gott „nur" zu sprechen.

Doch um ein ganz anderes Problem zu lösen, brauchte es mehr als das göttliche Wort. Um Gottes geliebte Geschöpfe, die Menschen, aus ihrer hoffnungslosen Lage zu retten, nahm Gottes Sohn die größte Mühe auf sich. Er wurde Mensch, um die Rettungstat vollbringen zu können.

Dazu genügte kein Wort, auch kein Allmachts-Wort. Er musste sein Leben für uns hingeben. Nur durch Jesu Tod am Kreuz konnte Satan besiegt und die Macht des Todes und der Sünde gebrochen werden. Das kommt nun allen zugute, die Ihn als Retter und Herrn in ihr Leben aufnehmen.

*Du großer Gott, wenn ich die Welt betrachte,*
*die du geschaffen durch dein Allmachtswort,*
*wenn ich auf alle jene Wesen achte,*
*die du regierst und nährest fort und fort,*
*dann jauchzt mein Herz dir, großer Herrscher zu:*
*Wie groß bist du! Wie groß bist du!*
*Dann jauchzt mein Herz dir, großer Herrscher zu:*
*Wie groß bist du! Wie groß bist du!*

*Carl Boberg (1859–1940), übersetzt Manfred von Glehn (1867–1924)*

**Tägliche Bibellese** Jeremia 33,1-26 · Römer 6,17-23

# 1 Freitag Mai

*Tag der Arbeit*

SA 05:57 · SU 20:41
MA 21:02 · MU 05:19

***Da antwortete Jesus und sprach zu ihnen: Wahrlich, wahrlich, ich sage euch: Der Sohn kann nichts von sich selbst aus tun, außer was er den Vater tun sieht; denn was irgend er tut, das tut auch in gleicher Weise der Sohn. ... Ich suche nicht meinen Willen, sondern den Willen dessen, der mich gesandt hat.*** Johannes 5,19.30

## Jesus Christus kennenlernen – Von Gott abhängig

Der Streit mit den religiösen „Fachleuten" in Israel zieht sich wie ein roter Faden durch den Dienst Jesu. Worum geht es dieses Mal?

„Tatort" Jerusalem, es herrscht Festzeit, viele Besucher sind da. Doch etwas außerhalb der feiernden Menge tut sich eine andere Szene auf, das „Sanatorium" von Jerusalem. Hier liegen in mehreren Hallen Kranke, Gehandicapte, Elende und Schmerzgeplagte. Denn dem Wasser des Teichs Bethesda, der inmitten der Säulenhallen liegt, wird heilende Wirkung zugeschrieben (vgl. Johannes 5,1-4).

Jesus wendet sich einem gelähmten oder zumindest stark gehbehinderten Kranken zu, der schon 38 Jahre dort liegt, und macht ihn gesund.

Der Mann steht auf, nimmt seine Liegematte und verlässt das „Sanatorium“. Doch dann wird er von der „Religionspolizei“ gestoppt. Anstatt sich zu freuen, dass jemand gesund geworden ist und diesen Ort der Schmerzen verlassen kann, tadeln sie den Geheilten: „Es ist Sabbat, du darfst dein Bett nicht tragen!“ „Der Mann, der mich gesund gemacht hat, sagte aber, dass ich meine Matte nehmen und die Hallen verlassen soll.“ „Wer war das?“, fragen sie erzürnt.

Ah, ja, Jesus. Die frommen Leute stellen Ihn zur Rede. Jesus stellt klar, dass Er einzig seinem himmlischen Vater, Gott, verantwortlich ist und nur das tut, was Ihm sein Vater aufträgt. Sein Vater und Er selbst agieren bis heute, erklärt Er. Der Sohn macht sich völlig abhängig von dem Willen des Vaters; und dieser Wille ist immer gut. Ständig steht Er in engster Beziehung zu seinem Vater. Und diese Abhängigkeit macht Jesus völlig unabhängig von der Meinung der Menschen, selbst wenn Ihn das in Todesgefahr bringt.

**Tägliche Bibellese** Jeremia 34,1-22 · Römer 7,1-6

# 2 Samstag Mai

SA 05:55 · SU 20:42
MA 22:15 · MU 05:37

***Ich schäme mich des Evangeliums nicht, denn es ist Gottes Kraft zum Heil jedem Glaubenden.***

Römer 1,16

## Christen in aller Welt – Jonas aus Marokko

Jonas lebt in einem streng muslimischen Umfeld. Über eine Internetanzeige kommt er erstmals mit dem christlichen Glauben in Berührung und beginnt, online die Bibel zu lesen. Schon bald ist Jonas überzeugt, dass die Bibel wahr und Jesus Gottes Sohn ist. Doch wie soll er seiner Familie beibringen, dass er Christ geworden ist?

Er richtet sich eine neue E-Mail-Adresse ein und beginnt, seinem Bruder und Freunden christliche Nachrichten zu schicken. Sein Bruder, der nicht ahnt, dass er mit seinem eigenen Bruder kommuniziert, reagiert empört und debattiert hitzig mit dem „unbekannten Christen". Jonas empfiehlt ihm, selbst in der Bibel nachzulesen, um sich ein Bild zu machen. Doch zu Jonas' Enttäuschung geht sein Bruder nicht darauf ein.

Eines Tages passiert es: Jonas vergisst, sich auf seinem Handy auszuloggen, so dass sein Bruder ihm auf die Schliche kommt und den Vater informiert. Dieser stellt Jonas am nächsten Tag zur Rede und gibt ihm die Möglichkeit, zum muslimischen Glauben der Familie zurückzukehren. Als Jonas ablehnt, wird sein Vater zornig, schlägt ihn und wirft ihn aus dem Haus.

„Ich hatte nun kein Zuhause und keine Familie mehr", berichtet Jonas, „und damit auch nichts mehr zu verlieren." Von da an tritt er offen für seinen Glauben ein: Unter seinem vollständigen Namen und mit Foto verschickt er christliche Botschaften und Bibelworte. Zu seiner großen Freude finden dadurch zahlreiche Muslime zum Glauben an Jesus Christus.

Inzwischen hat sich das Blatt gewendet: Jonas kümmert sich liebevoll um seine Eltern und unterstützt sie. Von diesem Verhalten sind seine Eltern tief berührt. Die Beziehung wird geheilt, so dass Jonas in aller Ruhe mit ihnen über die gute Botschaft der Bibel sprechen kann.

**Tägliche Bibellese** Jeremia 35,1-11 · Römer 7,7-13

# 3 Sonntag Mai

SA 05:53 · SU 20:44
MA 23:25 · MU 06:00

*Jesus aber sprach: Lasst sie; was macht ihr ihr Schwierigkeiten? Sie hat ein gutes Werk an mir getan; denn die Armen habt ihr allezeit bei euch, und wenn ihr wollt, könnt ihr ihnen wohltun; mich aber habt ihr nicht allezeit. Sie hat getan, was sie vermochte; sie hat im Voraus meinen Leib zum Begräbnis gesalbt. Aber wahrlich, ich sage euch: Wo irgend das Evangelium gepredigt werden wird in der ganzen Welt, wird auch davon geredet werden, was diese getan hat, zu ihrem Gedächtnis.*

Markus 14,6-9

## Gedanken zum Markus-Evangelium

Während Maria von Bethanien den Herrn Jesus Christus mit ihrem kostbaren Öl salbt, regt sich Unmut. Einige von Simons Gästen fahren sie scharf an. Sie sprechen von Verschwendung: „Dieses Salböl hätte für mehr als dreihundert Denare verkauft und den Armen gegeben werden können." Maria schweigt. Sie muss sich nicht verteidigen, denn Jesus ergreift das Wort und stellt sich schützend vor sie. Den Anklägern scheinen die Armen wichtiger zu sein als der Sohn Gottes. Hier erfüllt sich die Prophezeiung Jesajas: „Er war verachtet, und wir haben ihn für nichts geachtet" (Jesaja 53,3).

„Hätte ... den Armen gegeben werden können", meinen sie. Jesus greift die Möglichkeitsform auf und entlarvt ihre wahren Motive: „Wenn ihr wollt ..." Er sieht in ihre Herzen. Weder geht es ihnen um die Ehre Gottes noch um wahre Fürsorge für die Armen. Judas, der hier der Wortführer ist, liebte das Geld – und war ein Dieb (vgl. Johannes 12,6).

„Sie hat getan, was sie vermochte." Ein größeres Lob kann ein Mensch kaum von dem Sohn Gottes erhalten. Ein gutes Werk an Ihm zu tun, steht im krassen Gegensatz zu der Habsucht, die sich hinter dem scheinheiligen „hätte ... können" verbirgt.

So wie der Verrat des Judas zum Inbegriff des Bösen wurde, bleibt auch Marias Tat unvergessen. Sie zeigt, was das Evangelium im Herzen eines Menschen bewirken kann: völlige Hingabe an Jesus Christus.

**Tägliche Bibellese** Jeremia 35,12-19 · Römer 7,14-25

# 4 Montag Mai

SA 05:51 · SU 20:46
MA –:– · MU 06:31

***Er frohlockte, an Gott gläubig geworden, mit seinem ganzen Haus.***

Apostelgeschichte 16,34

## Es gibt einen Gott

Eines Tages traf ich Jérôme, einen Bekannten, der mir seine Geschichte erzählte:

„Ich hatte meine eigene Firma. Dank meines großen Einsatzes lief alles gut. Doch dann zwangen mich unerwartete Umstände, Konkurs anzumelden – und die Früchte all meiner Mühen verwandelten sich in Schulden ...

In meiner Not nahm ich Zuflucht zum Alkohol und rutschte immer tiefer ab. Schließlich reichte meine Frau die Scheidung ein. Verzweiflung und Depression hatten mich fest im Griff. Zum Schlimmsten entschlossen trat ich auf den Balkon. Von der achten Etage – würde ein weiterer Schritt alle meine Probleme lösen? Dann kam mir plötzlich ein Gedanke in den Sinn: Gott! Es gibt einen Gott! In meinem ganzen Leben hatte ich nie an Gott gedacht und nie mit Ihm gerechnet. Der Gedanke an Gott überwältigte mich in diesem Moment und ließ mich nicht mehr los.

Heute weiß ich: Es war Gottes Gnade, die mich davon abhielt, ins Leere zu springen. Ich machte mich auf die Suche – und ein Christ, den ich „zufällig", wie man so sagt, traf, zeigte mir den einzigen Weg zu Gott. Jesus Christus, sein Kreuz, seine Auferstehung und seine Liebe ließen mich erkennen, wer ich wirklich war: ein schuldiger Mensch vor Gott – doch geliebt und durch Glauben angenommen. Ja, ich kann sagen, dass Jesus Christus mein Erretter und Herr ist.

Zwei Jahre lang hatte ich nichts von meiner Frau gehört. Schließlich machte ich mich auf die Suche nach ihr – und fand sie. Ein zweites Wunder war inzwischen geschehen. Auch sie glaubte seit einiger Zeit an Jesus Christus. Wir sind beide von der Liebe und Gnade Gottes überwältigt."

Zwei Monate später treffe ich Jérôme erneut: Sein Gesicht strahlt und an seiner Hand glänzt der alte Ehering!



**Tägliche Bibellese** Jeremia 36,1-15 · Römer 8,1-11

# 5 Dienstag Mai

SA 05:49 · SU 20:47
MA 00:27 · MU 07:14

***Johannes zeugt von ihm und rief und sprach: Dieser war es, von dem ich sagte: Der nach mir Kommende hat den Vorrang vor mir.***

Johannes 1,15

## Johannes der Täufer – treuer Vorbote

Bevor Jesus, der Sohn Gottes, vor 2000 Jahren als Mensch auf die Erde kommt, schickt Gott einen Vorboten. Johannes der Täufer hat die Aufgabe, das Kommen des Herrn Jesus, des Königs Israels, anzukündigen.

Und Johannes erfüllt diesen Auftrag mit großer Treue. Die Menschen haben eine hohe Meinung von ihm. Manche denken sogar, dass er der Christus sei oder ein großer Prophet. Aber Johannes weist das alles weit von sich. Er möchte überhaupt nicht im Rampenlicht stehen.

Unermüdlich spricht er von der großen Person, die kommen wird. Der Herr Jesus, der Kommende, wird so herrlich und einzigartig sein, dass

Johannes sich nicht würdig fühlt, ihm gebückt die Riemen seiner Sandalen zu öffnen. Immer wieder lenkt er die Aufmerksamkeit der Leute von sich weg auf den, der kommen wird.

Gott hat sich den Vorboten für seinen Sohn gut ausgewählt. Er hat einen Mann gewählt, der nicht hoch von sich denkt, aber eine hohe Meinung von Jesus Christus hat. Bei einer Gelegenheit kommen Johannes' engste Nachfolger zu ihm und beschweren sich bei ihm. Dieser Jesus, den Johannes immer wieder angekündigt hat, sammelt mehr Nachfolger um sich als Johannes. Sie sind eifersüchtig. Aber wie reagiert Johannes? Er ist richtig froh, als er das hört. Genau das will er doch, dass alle dem Herrn Jesus nachfolgen!

Wie werden sich die Johannes-Jünger geschämt haben, als sie merkten, wie wenig der Täufer an sich und seine eigene Ehre denkt.

Was für ein Vorbild ist Johannes bis heute! Nicht hoch von sich denken, nicht selbst im Rampenlicht stehen wollen, nicht den eigenen Vorteil suchen, sondern treu und unermüdlich andere auf Jesus Christus hinweisen – das ist die beste und schönste Lebensaufgabe, die es gibt!

# 6 Mittwoch Mai

SA 05:48 · SU 20:49
MA 01:20 · MU 08:08

***Ich will euch aber zeigen, wen ihr fürchten sollt: Fürchtet den, der nach dem Töten Gewalt hat, in die Hölle zu werfen; ja, sage ich euch, diesen fürchtet.*** Lukas 12,5

## Eine schreckliche Wahl

Dass die Bibel über die Hölle spricht, empfinden viele Menschen – selbst Christen – als schrecklich. Denn wie kann ein Gott der Liebe Menschen in die Hölle schicken, an einen Ort absoluter Gottesferne, in eine endgültige, ewige Verlorenheit?

Doch bedenken wir: Jeder, der sich eines Tages in der Hölle wiederfindet, hat sie letztlich selbst gewählt. Wer ohne Gott leben und sterben will, lehnt sich gegen Gott auf und ist Ihm ungehorsam. Gott zwingt niemanden. Der Mensch ist keine Marionette des Allmächtigen, nein, Gott respektiert die Antwort jedes Einzelnen.

Deshalb wird es nach dem Tod nur zwei Menschengruppen geben: Die einen sagen: „Gott, dein Wille geschehe. Wir brauchen den Tod deines Sohnes Jesus Christus, um gerettet zu werden. Wir überlassen dir unser Leben und unsere Zukunft." Zu den anderen sagt Gott gleichsam (denn Er ist gerecht): „Euer Wille geschehe! Ihr wolltet ohne mich auf der Erde leben. Nun besteht das Gericht darin, dass ihr auch die Ewigkeit ohne mich verbringen müsst, denn eure bösen Taten trennen euch für immer von mir (vgl. Jesaja 59,2). Eine trostlose Ewigkeit ohne Licht und ohne Liebe liegt vor euch. Ihr erntet das, was ihr gesät habt."

Wenn Gott in der Bibel über die Hölle spricht, dann will Er aufrütteln, die Konsequenzen deutlich machen. Er will zeigen, was geschieht, wenn Menschen seine Gnade und Liebe ablehnen, wenn sie „Nein!" zu Ihm sagen. Dabei spricht Er das Gewissen an – nicht bloß die intellektuelle Neugier. Denn Er will retten, will Menschen für sich gewinnen und ewig bei sich haben. Er will nicht, dass sie verloren gehen, sondern sie zurückreißen von ihrem Weg ins Verderben. – Wie gut, dass sich manche von Ihm noch retten lassen!

**Tägliche Bibellese** Jeremia 37,1-21 · Römer 8,18-25

# 7 Donnerstag
Mai

SA 05:46 · SU 20:50
MA 01:59 · MU 09:13

***Wir wollen uns früh aufmachen zu den Weinbergen, wollen sehen, ob der Weinstock gesprosst, die Weinblüte sich geöffnet hat, ob die Granatbäume blühen.***

Lied der Lieder 7,13

## Hummeln wissen sich zu helfen

Blühen braucht seine Zeit – und bei vielen Pflanzen hängt der Zeitpunkt der Blüte von der Tageslänge ab. Die Aktivität der Hummeln hingegen, die auf Blütenpollen als Nahrung angewiesen sind, richtet sich nach der Lufttemperatur. Diese beiden Faktoren stimmen nicht immer überein – und durch den Klimawandel geraten sie noch häufiger aus dem Gleichgewicht. Das kann dazu führen, dass die Hummeln im zeitigen Frühjahr zu wenig blühende Pflanzen vorfinden.

Doch Hummeln wissen sich zu helfen, wenn das Nahrungsangebot knapp ist. Mit ihren Mandibeln, den kräftigen Mundwerkzeugen, stechen sie kleine Löcher in die Blätter der noch blütenlosen Pflanzen. Damit regen sie die Pflanzen zur Blütenbildung an. Forscher konnten nachweisen, dass Tomatenpflanzen, die von Hummeln auf diese Weise traktiert wurden, bis zu dreißig Tage früher blühten als unberührte Vergleichspflanzen. Allerdings greifen die Hummeln nur bei Pollenmangel zu diesem Mittel.

Sowohl Tier als auch Pflanze reagieren also auf Umweltreize: Die Hummeln erkennen den Mangel und lösen mit einem Blattbiss eine Reaktion aus – die Pflanze antwortet mit früherer Blüte.

Doch wie kommt es, dass Pflanzen auf einen Biss so reagieren? Und woher wissen die Hummeln, dass sie mit ihrem Biss Erfolg haben? Sie können es nicht gelernt haben, denn die Belohnung (Pollen) folgt erst etwa einen Monat nach der Handlung (Biss). Und Hummeln leben in freier Natur selten länger als einen Monat ...

Es ist Gott, der die Vögel ernährt (Matthäus 6,26) – und die Hummeln!

**Tägliche Bibellese** Jeremia 38,1-13 · Römer 8,26-30

# 8 Freitag Mai

SA 05:44 · SU 20:52
MA 02:28 · MU 10:24

***Seht hin auf die Vögel des Himmels ... Betrachtet die Lilien des Feldes, wie sie wachsen: Ich sage euch aber, dass selbst nicht Salomo in all seiner Herrlichkeit bekleidet war wie eine von diesen.*** Matthäus 6,26.28.29

***Augen habt ihr und seht nicht ...?*** Markus 8,18

## Jesus Christus kennenlernen – Unterricht im Sehen

Jesus gibt seinen Zuhörern anschaulichen Praxisunterricht: „Schaut euch die Vögel an, betrachtet die Gräser, die Lilien und andere Blumen des Feldes. Schaut euch die Getreidefelder an, seht die reife Ernte." Die Vogelwelt oder der wunderschöne Mini-Kosmos einer wilden Blumenwiese – diese Vielfalt und Schönheit im Kleinen lädt zum Staunen ein!

Jesus weist seine Zuhörer darauf hin, dass selbst die vergängliche Feldlilie, die von der ärmeren Bevölkerung als Brennmaterial verwendet wurde, von Gott so wunderschön bekleidet ist, dass kein von Menschen geschneidertes Gewand damit konkurrieren kann. „Darum, schaut hin!“, fordert uns Jesus auf.

Denn um zu lernen und zu verstehen, braucht es zunächst aufmerksames Sehen und Erkunden. Gott, der Schöpfer, hat in seiner Schöpfung zahlreiche Hinweise hinterlassen, die eine lebendige Sprache sprechen und auf Ihn hindeuten. Wir sollen aus dem Gesehenen auch die richtigen Schlüsse für das eigene Leben ziehen.

Wie oft sorgen wir uns unnötig um alltägliche Bedürfnisse und rechnen nicht damit, dass Gott für uns sorgt! Die Vögel leben unbekümmert und die Lilien sind herrlich gekleidet – wie viel mehr sollten wir uns Gottes liebender Fürsorge anvertrauen! Erst wenn wir erfassen, wie Gott sich offenbart hat – in der Schöpfung und in seinem Sohn –, beginnen wir wirklich klarzusehen. Wer Jesus Christus näher betrachtet und in Ihm den Retter erkennt, dem werden die Augen geöffnet: „von der Finsternis zum Licht und von der Gewalt des Satans zu Gott“ (Apostelgeschichte 26,18). Wer Ihn hingegen ausblendet, lebt an der Realität von Leben und Tod, Himmel und Hölle vorbei.

**Tägliche Bibellese** Jeremia 38,14-28 · Römer 8,31-39

# 9 Samstag Mai

SA 05:43 · SU 20:53
MA 02:50 · MU 11:39

***Jesus spricht: Wenn jemand mich liebt, wird er mein Wort halten, und mein Vater wird ihn lieben, und wir werden zu ihm kommen und Wohnung bei ihm machen.***

Johannes 14,23

## Von einsam und leer zu beschäftigt und erfüllt

*Einsam und leer*: Viele Menschen in unserer Gesellschaft fühlen sich einsam. Sie haben nur wenige soziale Kontakte und sehen oft keinen Sinn in ihrem Leben. Besonders im Alter kann sich die Situation noch verschlimmern.

*Beschäftigt und leer*: Es gibt jedoch auch Menschen, die ständig von anderen umgeben sind, im Rampenlicht stehen und von vielen bewundert werden, aber dennoch eine tiefe innere Leere empfinden.

*Einsam und erfüllt*: Hin und wieder trifft man alleinstehende Menschen, die trotz ihrer Einsamkeit eine tiefe innere Freude und Zuversicht ausstrahlen. Diese Menschen erfahren die Nähe von Jesus Christus und Gott, dem Vater, die in ihrem Leben gegenwärtig sind. Sie spüren zwar die Einsamkeit, finden jedoch Trost und Freude im himmlischen Besuch, wenn sie sich in das Wort Gottes, die Bibel, vertiefen (vgl. Tagesvers).

*Beschäftigt und erfüllt*: Viele von uns gehen einer Beschäftigung nach, sind vielleicht in herausfordernde Tätigkeiten eingebunden und haben zudem Ehepartner, Familie und Freunde, was schnell zu Stress führen kann. Wer sich jedoch der Liebe und Gnade seines Herrn und seines himmlischen Vaters bewusst ist, schöpft aus dieser Beziehung Freude und Kraft.

Voraussetzung für ein wirklich glückliches Leben ist, dass wir den Herrn Jesus Christus lieben und dies beweisen, indem wir sein Wort beherzigen. Vertrauen wir Ihm unser Leben an! Er hat gesagt: „Ich bin gekommen, damit sie Leben haben und es in Überfluss haben“ (Johannes 10,10). Dies ist der Schlüssel zu einem erfüllten Leben!

**Tägliche Bibellese** Jeremia 39,1-18 · Römer 9,1-13

# 10 Sonntag Mai

SA 05:41 · SU 20:55
MA 03:08 · MU 12:55

***Und Judas Iskariot, einer von den Zwölfen, ging hin zu den Hohenpriestern, um Jesus an sie zu überliefern. Sie aber freuten sich, als sie es hörten, und versprachen, ihm Geld zu geben. Und er suchte, wie er ihn zu gelegener Zeit überliefern könnte.***

Markus 14,10.11

## Gedanken zum Markus-Evangelium

Wer von den zwölf Jüngern Jesu hätte je gedacht, dass einer von ihnen ihren Meister an die Hohenpriester ausliefern würde? Niemand! Doch genau das geschah! Wie erschreckend, dass man sich einerseits zu Jesus Christus bekennen kann, aber andererseits innerlich unberührt von seiner Liebe bleibt und für ewig verloren geht.

In allen vier Evangelien wird Judas Iskariot immer als derjenige genannt, der Jesus verriet. Diese schändliche Tat kennzeichnete ihn. Sein

Verrat an die Feinde Jesu war kein spontaner Fehltritt, sondern entsprang einem Herzen, das längst vom Bösen erfüllt war.

Wie tief es den Herrn schmerzte, von einem seiner Vertrauten hintergangen zu werden, zeigt Psalm 55: „Denn nicht ein Feind ist es, der mich höhnt, sonst würde ich es ertragen; nicht mein Hasser ist es, der gegen mich großgetan hat, sonst würde ich mich vor ihm verbergen; sondern du, ein Mensch wie ich, mein Freund und mein Vertrauter; die wir vertrauten Umgang miteinander pflegten, ins Haus Gottes gingen mit der Menge" (V. 13-15).

Judas ist uns eine ernste Warnung vor der Geldliebe. Das ist eine Gefahr für alle Menschen. Paulus schreibt an Timotheus: „Die Geldliebe ist eine Wurzel alles Bösen, der nachstrebend einige von dem Glauben abgeirrt sind." Bei Judas nutzte der Teufel seine Gier, um böse Absichten in sein Herz zu säen (1. Timotheus 6,10; vgl. Johannes 13,2).

Für dreißig Silberstücke – den Preis eines Sklaven (2. Mose 21,32) – „verkaufte" Judas seinen Herrn. Mehr war ihm Jesus nicht wert.

**Tägliche Bibellese** Jeremia 40,1-12 · Römer 9,14-29

# 11 Montag Mai

SA 05:40 · SU 20:56
MA 03:22 · MU 14:12

***HERR, du hast mich erforscht und erkannt! Du kennst mein Sitzen und mein Aufstehen, du verstehst meine Gedanken von fern. Du sichtest mein Wandeln und mein Liegen und bist vertraut mit allen meinen Wegen.***

Psalm 139,1-3

## Unter dem Bett versteckt

Der Vorfall ereignete sich in Brasilien. Eines Abends steigt ein Einbrecher in ein Haus ein. Da betritt plötzlich die ganze Familie das Zimmer, in dem er sich gerade aufhält. Schnell krabbelt er unter das Bett. Der Vater setzt sich, nimmt eine Bibel zur Hand und liest – wie jeden Abend – daraus vor. Alle hören aufmerksam zu und die Kinder stellen Fragen, so dass auch der Dieb alles mitbekommt. Er ist höchst erstaunt über den Frieden und die gute Atmosphäre, die in dieser Familie herrschen. Dann knien alle nieder zum Gebet. Der Vater spricht so vertrauensvoll mit

Gott, als wende er sich an einen anwesenden Freund. Er bittet auch dafür, dass jeder vor Bösem bewahrt bleibt und in der Liebe zu Jesus und zum Nächsten wächst.

Schließlich ziehen sich alle zurück und im Haus kehrt Ruhe ein. Der Eindringling kriecht leise aus seinem Versteck und verlässt zitternd und eilig das Haus. Er nimmt nur eins mit: das geheimnisvolle schwarze Buch, das noch auf dem Tisch liegt – eine Bibel, die er neugierig zu lesen beginnt. Er ist bald überzeugt, dass Gott selbst durch dieses Buch zu ihm spricht. Monate vergehen, und schließlich wendet er sich an Gott und bekennt Ihm seine Sünden. Nun hat er die Gewissheit, dass ihm durch das Opfer Jesu am Kreuz vergeben wurde.

Auch wenn ihm diese Bibel zu einem kostbaren Schatz geworden ist, weiß er, dass sie ihm nicht gehört. Und so steht er eines Tages vor dem Hausbesitzer und erzählt ihm seine Geschichte … Dann, im selben Zimmer, knien der Familienvater und der frühere Dieb nieder und danken dem Herrn Jesus, dass Er sie zu Brüdern in Christus gemacht hat.

**Tägliche Bibellese** Jeremia 40,13–41,10 · Römer 9,30-33

# 12 Dienstag Mai

SA 05:38 · SU 20:58
MA 03:35 · MU 15:30

***Der Gerechte aber wird aus Glauben leben.***

Römer 1,17

## Was ist Glaube?

Die Bibel macht unmissverständlich klar: Menschen können nur durch Glauben errettet werden. Und nur durch Glauben sind Erlöste in der Lage, ein Leben zu führen, das Gott gefällt. Doch was meint Gottes Wort eigentlich mit „Glauben"?

Drei Vergleiche helfen, das zu verstehen:

a) Der Glaube steht dem *Sichtbaren* gegenüber, denn was man sieht, muss man nicht glauben. Christen leben nicht „durch Schauen", sondern „durch Glauben" (2. Korinther 5,7). Der Glaube gleicht einer Hand, die die Tatsachen der unsichtbaren Welt ergreift und sie zu erfahrener Realität macht.

b) Der Glaube steht den menschlichen *Werken* gegenüber. Obwohl die Bibel mehrfach betont, dass gute Werke im Leben eines Gläubigen eine wichtige Rolle spielen, können sie nie das Fundament sein, auf dem ein Mensch vor Gott besteht. Gott nimmt Sünder einzig auf Grundlage des persönlichen Glaubens an den Erlöser an (Epheser 2,8.9). Gute Werke folgen als Frucht des Glaubens – nicht umgekehrt.

c) Der Glaube steht dem menschlichen *Verstand* gegenüber. Wenn es zum Beispiel um die Erlösung geht, reichen intellektuelle Fähigkeiten nicht aus. Gott spricht nicht in erster Linie den Verstand an, sondern fordert den Menschen auf, seinen Worten zu glauben. Das heißt nicht, dass glaubende Menschen keine denkenden Menschen sind – im Gegenteil. Doch die Erkenntnis der Wahrheit ist eine Folge des Glaubens, nicht dessen Voraussetzung.

*„Der Glaube aber ist eine Verwirklichung dessen, was man hofft, eine Überzeugung von Dingen, die man nicht sieht“* (Hebräer 11,1).

# 13 Mittwoch Mai

SA 05:36 · SU 20:59
MA 03:48 · MU 16:52

***Was wird das Ende derer sein, die dem Evangelium Gottes nicht gehorchen!***

1. Petrus 4,17

## Gehorsam

Gehorsam ist in unserer Gesellschaft nicht mehr beliebt. Zu häufig ist im Verlauf der Geschichte Missbrauch damit getrieben worden. Politische und weltanschauliche Kräfte haben Gehorsam beansprucht und in einer Weise für ihre Ziele eingesetzt, dass sich die Menschen am Ende betrogen sahen. Insofern ist die heutige Autoritätskrise verständlich.

Gehorsam zu leisten ist uns oft unbequem. Niemand stellt gern seinen eigenen Willen zurück und tut, was ein anderer sagt. Deshalb nehmen wir die Gefahr des Missbrauchs auch manchmal ganz gern zum Vorwand für die fehlende Bereitschaft, uns unterzuordnen. Doch ob in der Familie, an der Arbeitsstelle, in der Wirtschaft oder im öffentlichen Leben – ohne eine gewisse Ordnung von Befugnissen und Pflichten ist ein Zusammenleben nicht möglich. Deshalb muss heute die Forderung nach der nötigen Unterordnung häufig durch Begründungen und Diskussionen plausibel gemacht und gleichsam gut verpackt werden. Ob das immer gut ist, wird die Zukunft zeigen.

Doch da ist Einer, der absoluten Gehorsam verlangen muss und von seiner Autorität niemals etwas preisgeben kann: der allmächtige Gott. Mit Ihm lässt sich nicht verhandeln und diskutieren. Vor seinem Richterstuhl wird jeder Mund verstummen. Aber Er ist ein gnädiger Gott und voller Liebe. Er „will nicht, dass irgendwelche verloren gehen", und deshalb „gebietet er jetzt den Menschen, dass sie alle überall Buße tun sollen" (2. Petrus 3,9; Apostelgeschichte 17,30).

Wer dem Evangelium Gottes gehorcht und an den Erlöser Jesus Christus glaubt, erhält die himmlische Herrlichkeit als Geschenk; wer dem Evangelium nicht gehorcht, für den bleibt das ewige Gericht. Das sagt die Bibel, Gottes Wort, ganz klar. Gehorsam gegenüber Gott rettet Ihr Leben!

**Tägliche Bibellese** Jeremia 42,7-22 · Römer 10,14-21

## 14 Donnerstag Mai

SA 05:35 · SU 21:01
MA 04:02 · MU 18:17

*Christi Himmelfahrt*

***Es geschah, während er sie segnete, dass er von ihnen schied und hinaufgetragen wurde in den Himmel.***

Lukas 24,51

### Jesus Christus lebt im Himmel

Der Herr Jesus war in Bethanien ein letztes Mal mit seinen Jüngern zusammen. Nun stand Er im Begriff, in den Himmel zurückzukehren. Er erhob seine Hände und segnete sie – und schied so von ihnen. Dieses Bild ihres Herrn mit den segnenden Händen war das Letzte, was sie von ihrem Herrn und Meister sahen.

Und wie reagierten die Jünger? Brach ihnen der Abschiedsschmerz das Herz? Nein, sie kehrten mit großer Freude nach Jerusalem zurück. Warum? Weil sie wussten, dass ihr Erlöser nun lebendig im Himmel war. Und Er hatte ihnen versprochen, ihnen den Heiligen Geist zu senden –

den Tröster, der in ihnen wohnen und sie mit Kraft ausrüsten würde, damit sie den Menschen von Jesus erzählen und ihnen so den Grund ihrer Freude bezeugen könnten.

Die Botschaft des Evangeliums umfasst bis heute dieselben grundlegenden Tatsachen wie damals:

- Der Sohn Gottes ist Mensch geworden und hat hier ein vollkommenes Leben geführt – zur Freude Gottes.
- Die Menschen haben Jesus Christus ans Kreuz genagelt. Doch Er starb dort, um verlorene Sünder durch den Glauben an Ihn zu erretten.
- Am dritten Tag hat Gott Ihn aus den Toten auferweckt – als Bestätigung, dass das Erlösungswerk seines Sohnes vollgültig ist.
- Vierzig Tage später ist der Herr Jesus in den Himmel aufgefahren.

Darum glauben Christen an einen Erlöser, der einst am Kreuz starb, aber jetzt als der Auferstandene im Himmel lebt.

**Tägliche Bibellese** Jeremia 43,1-13 · Römer 11,1-10

# 15 Freitag Mai

SA 05:34 · SU 21:02
MA 04:18 · MU 19:49

*Viele, die zuhörten, erstaunten und sprachen: … solche Wunderwerke geschehen durch seine Hände?* Markus 6,2

## Jesus Christus kennenlernen – Seine Hände

*Jesu Hände wirken mächtig*
*voller Liebe, Kraft und Huld,*
*früh am Morgen, spät am Abend:*
*Immer zeigte Er Geduld.*
*Hoffnungslose Menschen kehrten*
*innerlich gestärkt zurück,*
*denn der Meister schenkte allen*
*tiefes, wahres Lebensglück.*

*Jesu Hände heilten alle,*
*die durch Satans Macht gebannt,*
*Blinden, Lahmen, Tauben, Schwachen*
*war Er helfend zugewandt.*
*Kindern legte Er in Liebe*
*schützend seine Hände auf,*
*nahm dafür von seinen Jüngern*
*sogar Widerstand in Kauf.*

*Jesu Hände zeigten Gnade –*
*doch wo nötig auch Gericht,*
*denn sein Handeln und sein Reden*
*stellte jeden in sein Licht.*
*Er befähigte zum Dienen,*
*schenkte Leben, Mut und Kraft,*
*denn nur Er, als Gott und Schöpfer,*
*in uns Menschen Neues schafft.*

*Jesu segensreiche Hände*
*wurden an dem Kreuz durchbohrt;*
*auf die Liebe unsers Retters*
*war die Antwort Hass und Mord.*
*Seither lenken Jesu Hände*
*unsern Blick nach Golgatha,*
*wo am Kreuz in tiefen Leiden*
*das Erlösungswerk geschah.*

*Jesu Hände offenbaren*
*Gottes Gnadenangebot,*
*niemand wird zurückgewiesen,*
*der bereut in Sündennot.*
*Jesu ausgestreckte Hände*
*rufen vielmehr allen zu:*
*„Kommt zu mir, die ihr beladen,*
*denn ich schenke wahre Ruh."*

*(M. Seibel)*

**Tägliche Bibellese** Jeremia 44,1-10 · Römer 11,11-21

# 16 Samstag Mai

SA 05:32 · SU 21:04
MA 04:40 · MU 21:22

***Als Jesus sich aber dem Tor der Stadt näherte, siehe, da wurde ein Toter herausgetragen, der einzige Sohn seiner Mutter, und sie war eine Witwe; und eine zahlreiche Volksmenge aus der Stadt ging mit ihr. Und als der Herr sie sah, wurde er innerlich bewegt über sie und sprach zu ihr: Weine nicht!***

Lukas 7,12.13

## Am Rand der Gesellschaft

Ob in der Schule, am Arbeitsplatz oder in der Nachbarschaft – überall gibt es Menschen, die einsam sind und am Rand der Gesellschaft stehen. Manche sind schüchtern, andere ziehen sich aus Angst oder aufgrund von negativen Erfahrungen zurück. Wieder andere werden einfach übersehen, weil sie krank oder älter geworden sind oder nicht dem „richtigen" sozialen Status entsprechen.

Unser Tagesvers berichtet von einer Witwe, die ihren einzigen Sohn zu Grabe trägt. Wie groß muss ihr Schmerz sein, denn nun ist sie ganz allein. Immerhin sind viele zur Beerdigung gekommen, doch inwieweit sie wirklich mitfühlen, bleibt offen. Aber da ist einer, der „innerlich bewegt“ ist – Jesus Christus. Keiner kann so mitempfinden wie Er. Die Not und Trauer der Witwe lassen Ihn keineswegs unberührt.

Voll Mitgefühl tritt Er zu ihr und spricht: „Weine nicht!“ Wäre es nicht angemessener gewesen, mit ihr zu weinen? Doch der Sohn Gottes weiß, was Er sagt, denn Er hat Macht über Leben und Tod. Und tatsächlich: Als die Träger stehen bleiben, spricht Er den Toten an: „Jüngling, ich sage dir, steh auf!“ Und sofort wird der Junge wieder lebendig!

„Jesus Christus ist derselbe gestern und heute und in Ewigkeit“ (Hebräer 13,8). Er sieht jeden Menschen – ob am Rand der Gesellschaft oder mittendrin – und Er begegnet ihm mit Liebe und Barmherzigkeit. Durch die Bibel spricht Er uns Trost und Mut zu. Unsere Situation bewegt sein Herz, und wenn wir Ihn darum bitten, wird Er uns helfen.

**Tägliche Bibellese** Jeremia 44,11-23 · Römer 11,22-36

# 17 Sonntag Mai

SA 05:31 · SU 21:05
MA 05:12 · MU 22:51

***Und an dem ersten Tag der ungesäuerten Brote, da man das Passah schlachtete, sagen seine Jünger zu ihm: Wo willst du, dass wir hingehen und bereiten, damit du das Passah essen kannst? Und er sendet zwei seiner Jünger und spricht zu ihnen: Geht hin in die Stadt, und es wird euch ein Mensch begegnen, der einen Krug Wasser trägt; folgt ihm …***

Markus 14,12.13

## Gedanken zum Markus-Evangelium

Schaut man in den Festkalender Israels, stößt man im ersten Monat Abib direkt auf zwei Feste, die unmittelbar zusammengehören: Am 14. Tag sollte das Passahfest gefeiert werden, gefolgt vom siebentägigen Fest der ungesäuerten Brote ab dem nächsten Tag.

Diese beiden Feste sowie zwei weitere Feste waren für jeden Israeliten verpflichtend – und durften nicht an einem beliebigen Ort im Land gefeiert werden. Gott hatte angeordnet, dass sie an dem Ort gefeiert werden sollten, wo Er „seinen Namen wohnen lassen wollte“ – in Jerusalem, wo jetzt der Tempel stand (vgl. 5. Mose 16,2).

Bei der Vorbereitung des Passahfests wollen sich die Jünger ganz nach den Anweisungen ihres Herrn richten – ein vorbildliches Verhalten. Als Christen feiern wir zwar nicht das Passahfest, aber in Bezug auf das Abendmahl gilt dasselbe Prinzip: Wir feiern es nicht nach eigenen Vorstellungen, sondern so, wie der Herr es eingesetzt und der Apostel Paulus später bestätigt hat (vgl. 1. Korinther 11,23-26).

Der Herr sendet zwei Jünger aus und beschreibt ihnen genau, was sie erwarten wird. Hier zeigt Er sich als der Prophet Gottes, der alles im Voraus weiß. In der Stadt würde ihnen ein Mensch mit einem Wasserkrug begegnen, der ihnen den Weg zum Ziel weisen würde.

Der Mensch mit dem Wasserkrug kann als Symbol für den Heiligen Geist verstanden werden. Heute offenbart Er den Gläubigen durch das Wort Gottes den Willen des Herrn – was für ein großartiges Vorrecht!

**Tägliche Bibellese** Jeremia 44,24–45,5 · Römer 12,1-8

# 18 Montag Mai

SA 05:29 · SU 21:07
MA 05:58 · MU –:–

***Ich weiß, wem ich geglaubt habe, und bin überzeugt, dass er mächtig ist, das ihm von mir anvertraute Gut auf jenen Tag zu bewahren.***

2. Timotheus 1,12

## Gut verwahrt

In einer Aprilnacht des Jahres 1945 vergrub ein Graf im Wald seines Familienguts ein 120-teiliges silbernes Tafelgeschirr und wertvolles Meißner Porzellan. Nur wenige Tage später musste er mit seiner Mutter vor der heranrückenden Roten Armee nach Westen fliehen.

Ein halbes Jahrhundert später konnte der Graf dank einer Lageskizze, die er damals angefertigt hatte, den Schatz einigermaßen unbeschädigt wiederfinden. Auf einer Versteigerung erzielte er dafür einen hohen Erlös.

Was für ein Glücksfall für die Eigentümerfamilie! Viele andere haben ihre Besitztümer und Schätze jedoch für immer verloren. Irdische Reichtümer sind ja ziemlich unsicher.

In unserem Tagesvers schreibt der Apostel Paulus von einem „Gut“ ganz anderer Art, das er seinem Gott übergeben hatte, damit Er es für Paulus absolut sicher aufbewahrte. Und Paulus ist auch ganz sicher, dass er es an „jenem Tag“ bei Gott wiederfinden wird und sich daran erfreuen kann.

Und was konnte Paulus Gott anvertrauen? Sein Leben, sein ganzes Lebenswerk! Diese Worte schrieb Paulus kurz vor seinem Märtyrertod nieder, weshalb sie umso bedeutungsvoller sind. – „Ich weiß ... und bin überzeugt“, sagt Paulus. Wie wertvoll ist eine solche Gewissheit! Wer sich und sein Leben Gott anvertraut, wird es in der Ewigkeit wiederfinden.

**Tägliche Bibellese** Jeremia 46,1-28 · Römer 12,9-15

DIE GUTE SAAT 2026 • CSV-Verlag • www.csv-verlag.de

# 19 Dienstag Mai

SA 05:28 · SU 21:08
MA 07:02 · MU 00:06

***Wer ist ein Gott wie du, der die Ungerechtigkeit vergibt und die Übertretung des Überrestes seines Erbteils übersieht? Er behält seinen Zorn nicht auf ewig, denn er hat Gefallen an Güte.*** Micha 7,18

## Wer ist ein Gott wie du?

Dieser Bibelvers ist erstaunlich tröstlich: Der Prophet Micha schrieb diese Worte um das Jahr 700 v. Chr. Damals stand das Volk Israel unter Gesetz und war verpflichtet, alle Gebote der Thora, der fünf Bücher Mose, einzuhalten. Doch es hatte gesündigt, das Gesetz übertreten und sich sogar gegen Gott aufgelehnt. Eigentlich konnte darauf nur Gericht folgen, denn das Gesetz galt ohne Einschränkung. Dennoch konnte Micha von Vergebung, Übersehen und Güte sprechen!

Offenbar kannte er die Worte, mit denen Gott sich selbst beschrieben hatte: „Gott, barmherzig und gnädig, langsam zum Zorn und groß an Güte und Wahrheit, ... der Ungerechtigkeit, Übertretung und Sünde vergibt – aber keineswegs hält er für schuldlos den Schuldigen“ (2. Mose 34,6.7).

Gott hatte seinem Volk schon damals durch Tieropfer eine Möglichkeit gegeben, Vergebung zu empfangen, wenn Sünden vor Ihm bereut und bekannt wurden. Diese Opfer weisen voraus auf das Kreuz, wo Christus das einzige Opfer bringen würde, das eine gerechte Grundlage für Gottes Vergebung sein konnte. Micha verstand das noch nicht im Einzelnen, aber er war überzeugt, dass Gott „reich an Vergebung“ ist. Schon in den Psalmen ist davon die Rede: „Unsere Übertretungen, *du* wirst sie vergeben“, denn „bei dir ist Vergebung“ (Jesaja 55,7; Psalm 65,4; 130,4).

Etwa 700 Jahre später gab Gott seinen eigenen Sohn, damit an Ihm das Urteil vollstreckt würde, das sündige Menschen verdient hatten. Denn Gott will nicht den Tod des Sünders, sondern dass er von seinem Weg umkehrt und lebt (Hesekiel 33,11). Weil Jesus, der Sohn Gottes, die Strafe für die Sünde getragen hat, kann Gott jedem vergeben, der Ihm seine Sünden bekennt. Darum ist Michas Ausruf auch heute noch berechtigt: „Wer ist ein Gott wie du!“

**Tägliche Bibellese** Jeremia 47,1–48,25 · Römer 12,16-21

# 20 Mittwoch Mai

SA 05:27 · SU 21:09
MA 08:23 · MU 01:01

***Ohne Glauben aber ist es unmöglich, Gott wohlzugefallen; denn wer Gott naht, muss glauben, dass er ist und denen, die ihn suchen, ein Belohner ist.*** Hebräer 11,6

## Zu kurz gedacht

Viele Menschen haben eine hohe Meinung von Gott. Sie respektieren, ja, bewundern Ihn. Und sie meinen es ehrlich. – Aber sie glauben Ihm nicht!

Nehmen wir einmal an, jemand sagt zu Ihnen: „Herr/Frau X, ich habe große Hochachtung vor Ihnen. Ich bewundere Sie – aber ich glaube Ihnen kein Wort." Würde Sie das freuen, oder wären Sie enttäuscht und verärgert? Wenn Ihr Chef Ihnen so etwas sagen würde – würden Sie dann nicht Ihre berufliche Zukunft woanders suchen? Wenn ein Freund oder eine Freundin das zu Ihnen sagen würde – wäre das gut für Ihre

Beziehung? Wie verletzt wäre eine Mutter, wenn sie ihr Kind sagen hörte: „Ich habe meine Mama sehr lieb – aber ich glaube ihr kein Wort!"

Doch so oder ähnlich reden manche Christen von Gott. Sie sprechen gut über Ihn, sie verteidigen oder predigen Ihn sogar – und meinen, dass müsse Er ihnen hoch anrechnen. Aber sie glauben Ihm nicht! Und sie merken nicht, wie widersprüchlich das ist. Sie nehmen Gott, seine Botschaft und die Gabe seines Sohnes Jesus Christus nicht ernst und begreifen nicht, wie sehr sie Gott damit beleidigen und entehren. Sie treten seine Liebe mit Füßen und disqualifizieren sich dadurch selbst für den Himmel. Denn „ohne Glauben ist es unmöglich, Gott wohlzugefallen".

Alles, was in der Bibel steht, ist geschrieben, „damit ihr glaubt, dass Jesus der Christus ist, der Sohn Gottes, und damit ihr glaubend Leben habt in seinem Namen". Denn nur denen, die Jesus aufnehmen, die also an Ihn glauben, gibt Er das Recht, Kinder Gottes zu werden (Johannes 20,31; 1,12).

**Tägliche Bibellese** Jeremia 48,26-47 · Römer 13,1-10

# 21 Donnerstag Mai

SA 05:26 · SU 21:11
MA 09:51 · MU 01:38

*Jesus spricht: Werden nicht zwei Sperlinge für einen Cent verkauft? Und doch fällt nicht einer von ihnen auf die Erde ohne euren Vater; an euch aber sind selbst die Haare des Hauptes alle gezählt. Fürchtet euch nun nicht; ihr seid vorzüglicher als viele Sperlinge.*

Matthäus 10,29-31

## Der verramschte Spatz

Als Jesus diesen Vergleich zog, wusste seine Zuhörer genau, wovon Er sprach. Auf den Märkten riefen die Händler: „Zwei Spatzen – ein Cent! Fünf Spatzen – zwei Cent!" (vgl. Lukas 12,6.7). Diese kleinen Vögel waren so wertlos, dass beim Kauf von fünf einfach einer gratis dazugegeben wurde.

Doch auch wenn sich kaum jemand für diese Spatzen interessierte, tat Gott genau das. Die Botschaft Jesu ist klar: Wenn Gott selbst auf jeden Spatzen achtet, dann erst recht auf jeden Menschen. Er sieht jedes Detail deines Lebens:

- Er zählt deine Haare – zwischen 100.000 und 150.000 (Matthäus 10,30).
- Er zählt deine Tränen – laut Wissenschaftlern im Durchschnitt fünf Millionen im Laufe deines Lebens (Psalm 56,9).
- Er zählt deine Schritte – bei durchschnittlich 5.000 Schritten pro Tag sind das in 80 Jahren rund 145 Millionen (Hiob 31,4).

Fühlst du dich manchmal unbeachtet wie ein Spatz? – Gott sieht dich! Fühlst du dich so wertlos wie dieser „Gratis-Vogel"? – Für Gott bist du unendlich wertvoll! Das größte Zeichen dafür ist, dass Er seinen einzigen Sohn auf die Erde sandte, damit du ewiges Leben haben kannst. Deshalb nimm das heutige Bibelwort als Ermutigung: „Hab keine Angst! Gott interessiert sich für dich. Du bist beachtet. Du bist wertvoll. Er nimmt Notiz von deinem ganzen Leben!"

**Tägliche Bibellese** Jeremia 49,1-22 · Römer 13,11-14

# 22 Freitag Mai

SA 05:24 · SU 21:12
MA 11:18 · MU 02:03

***Jesus blickte auf sie umher mit Zorn, betrübt über die Verstocktheit ihres Herzens, und spricht zu dem Menschen: Strecke deine Hand aus! Und er streckte sie aus, und seine Hand wurde wiederhergestellt.*** Markus 3,5

## Jesus Christus kennenlernen – Jesus ist zornig

Unsere Vorstellung von Jesus Christus ist manchmal verzerrt. Oft sehen wir Ihn als sanften Mann, der freundlich und mild zu allen ist, als stillen Dulder, der einsam und schweigend leidet. Das ist zwar wahr, Gott sei Dank! Aber Jesus kann auch zornig sein! Besonders wenn Gottes Ehre mit Füßen getreten wird – wie an diesem Sabbat, dem jüdischen Feiertag, im Gottesdienst in Kapernaum. Was ist geschehen? Die Auseinandersetzung um den Sabbat zwischen den frommen Führern der Juden und dem Herrn Jesus Christus ist von Anfang an ein wiederkehrendes Thema. Gott hat den Israeliten den Sabbat als Ruhetag gegeben, als ein

Geschenk an sie. „An diesem Tag sollt ihr nicht arbeiten", hatte Gott gesagt. Doch die Pharisäer und Schriftgelehrten haben zu diesem einfachen Gebot viele zusätzliche Bestimmungen und Regelungen aufgestellt, ursprünglich vielleicht in der Absicht, Gottes Gebot noch besser zu erfüllen. Inzwischen sind ihnen jedoch die menschlichen Regelungen wichtiger geworden als Gottes Gebot.

An diesem Sabbat nimmt jemand am Gottesdienst teil, der eine verkrüppelte Hand hat – ein schweres Handicap, weil man doch beide Hände braucht, um den Lebensunterhalt zu verdienen! Die frommen Führer haben den Mann vermutlich absichtlich in Jesu Blickfeld positioniert, weil sie beobachten wollen, ob Jesus den Mann heilen wird – in ihren Augen eine Übertretung des Sabbats! Jesus sieht ihnen ins Herz. Er bittet den kranken Mann in die Mitte und fragt: „Darf man am Sabbat Gutes oder Böses tun, Leben retten oder töten?" (vgl. Markus 3,4). Niemand antwortet. Jesus weiß, dass es den Führern nicht um Gottes Ehre und schon gar nicht um das Wohl des kranken Mannes geht, sondern nur um die Durchsetzung ihrer kleinkarierten Bestimmungen. Das macht Ihn traurig und zornig.

**Tägliche Bibellese** Jeremia 49,23-39 · Römer 14,1-12

**23** **Samstag**
**Mai**

SA 05:23 · SU 21:13
MA 12:40 · MU 02:21

***Was du aber bereitet hast, für wen wird es sein?***

Lukas 12,20

## Das letzte Hemd

Ich traf einen alten Freund, der im Rollstuhl saß und dessen Lebensabend schon weit vorgerückt war. Zu meiner Überraschung erzählte er mir, dass er sich einen Anwalt nehmen müsse, um ein ihm noch zustehendes Erbe einzufordern. Die ganze Angelegenheit belaste ihn so stark, dass seine Gesundheit darunter leide. Liebevoll und zugleich bestimmt erinnerte ich ihn daran, dass er doch nichts mitnehmen kann in die Ewigkeit. Warum also diese Unruhe?

Ein Sprichwort besagt, dass das letzte Hemd keine Taschen hat. So nackt, wie wir in diese Welt gekommen sind, so nackt werden wir sie wieder verlassen; wir können nichts mitnehmen. Diese ernüchternde Erkenntnis wurde bereits von Männern der Antike beschrieben, wie zum Beispiel von dem weisen König Salomo: „Ich hasste all meine Mühe, womit ich mich abmühte unter der Sonne, weil ich sie dem Menschen hinterlassen muss, der nach mir sein wird“ (Prediger 2,18).

Ein Psalmendichter formuliert es so: „Fürchte dich nicht, wenn ein Mann sich bereichert, wenn sich die Herrlichkeit seines Hauses vergrößert. Denn wenn er stirbt, nimmt er das alles nicht mit; nicht folgt ihm hinab seine Herrlichkeit“ (Psalm 49,17.18). Wir müssen lernen, das Materielle loszulassen! Noch wichtiger ist es, rechtzeitig das „ewige Leben zu ergreifen“ (1. Timotheus 6,12). Das ewige Leben ist viel mehr als eine bloße Existenz; es ist eine ewige Zukunft im Himmel bei Gott (vgl. 1. Thessalonicher 4,17). Das ewige Leben hat eine Person zum Inhalt, nämlich Jesus Christus, und eine Beziehung zu Ihm, die unendlich glücklich macht (Johannes 17,3; 1. Johannes 5,20).

Ewiges Leben ist Leben in bester Qualität. Wer es besitzt, erlebt echte, dauerhafte Freude sowie Frieden und Ruhe. Ewiges Leben ist ein Stück Himmel auf der Erde.

Habe ich die richtigen Prioritäten im Leben gesetzt? „Das letzte Hemd“ ist Warnung und Ansporn zugleich!

**Tägliche Bibellese** Jeremia 50,1-28 · Römer 14,13-23

# 24 Sonntag Mai

*Pfingstsonntag*

SA 05:22 · SU 21:15
MA 13:58 · MU 02:36

***Als der Tag der Pfingsten erfüllt wurde, waren sie alle an einem Ort beisammen. Und plötzlich kam aus dem Himmel ein Brausen, wie von einem daherfahrenden, gewaltigen Wind, und erfüllte das ganze Haus, wo sie saßen. Und es erschienen ihnen zerteilte Zungen wie von Feuer, und sie setzten sich auf jeden Einzelnen von ihnen.***

Apostelgeschichte 2,1-3

## Das Fest der Pfingsten (1)

Sieben Wochen sind vergangen seit jenen dramatischen Ereignissen, die ganz Jerusalem und Umgebung in Atem gehalten haben. Jesus Christus, der wundermächtige Lehrer und Prediger, wurde von den Führern des Volkes wegen Aufruhrs angeklagt, in einem rechtswidrigen Prozess unschuldig zum Tod verurteilt und grausam hingerichtet. Seine Anhänger hatten sich voller Angst zurückgezogen, wagten kaum, sich zu zeigen. Die Ankläger Jesu wähnten sich am Ziel: Endlich ist

Ruhe eingekehrt. Doch ist das wirklich so? Für die leider so blinden Führer des Volkes fängt der „Ärger“ erst richtig an.

In Jerusalem wird das „Fest der Wochen“ gefeiert, eins der drei großen jüdischen Feste. Es ist ein Erntedankfest und findet 50 Tage nach dem Passahfest bzw. dem Fest der Erstlingsgarbe statt. Jerusalem ist in diesen Tagen wieder voller Pilger, voller Menschen, die mit religiösem Eifer das Fest begehen wollen. Doch Gott hat etwas Neues im Sinn. Einen neuen Anfang, dessen Grundstein sein Sohn Jesus Christus gelegt hat. Die ersten Christen sind alle an einem Ort zusammen, als etwas Überwältigendes geschieht. Lukas, der Chronist, beschreibt es bildhaft: ein gewaltiges Brausen, wie von einem Sturmwind, und zerteilte Zungen wie von Feuer. Alle dort Versammelten haben soeben den Heiligen Geist empfangen!

Eins wird deutlich: Es ist ein mächtiges Ereignis, ein Eingreifen vom Himmel, das hier stattfindet. Ein Eingreifen, das sich nicht verdrängen oder leugnen lässt. Aufgeregt und neugierig strömen die Menschen aus allen Himmelsrichtungen zusammen, denn jeder hört die Nachfolger Christi in seiner Sprache reden.

**Tägliche Bibellese** Jeremia 50,29-46 · Römer 15,1-13

DIE GUTE SAAT 2026 • CSV-Verlag • www.csv-verlag.de

# 25 Montag Mai

Pfingstmontag

SA 05:21 · SU 21:16
MA 15:12 · MU 02:48

***Petrus aber stand auf mit den Elfen, erhob seine Stimme und redete zu ihnen: Männer von Judäa und ihr alle, die ihr in Jerusalem wohnt … dies ist es, was durch den Propheten Joel gesagt ist: „Und es wird geschehen in den letzten Tagen, spricht Gott, dass ich von meinem Geist ausgießen werde auf alles Fleisch; und eure Söhne und eure Töchter werden weissagen, und eure Jünglinge werden Gesichte sehen, und eure alten Männer werden Träume haben. … Und es wird geschehen: Jeder, der irgend den Namen des Herrn anruft, wird errettet werden."***

Apostelgeschichte 2,14.16.17.21

## Das Fest der Pfingsten (2)

Jesus Christus hatte seinen Jüngern beim letzten Zusammensein vor seinem Sterben am Kreuz angekündigt, dass Er bald zu seinem Vater im Himmel zurückkehren würde. Er versprach ihnen: „Ich werde den Vater bitten, und er wird euch einen anderen Sachwalter geben, dass er bei euch sei in Ewigkeit, den Geist der Wahrheit, den die Welt nicht empfangen kann, weil sie ihn nicht sieht noch ihn kennt. Ihr kennt ihn, denn er bleibt bei euch und wird in euch sein. Ich werde euch nicht verwaist zurücklassen, ich komme zu euch" (Johannes 14,16-18).

Dieses Versprechen löste Jesus Christus jetzt ein – begleitet von spektakulären äußeren Zeichen. So konnten die ersten Christen plötzlich in Fremdsprachen sprechen, die sie nie gelernt hatten, und richteten sich damit direkt an die ausländischen Pilger, die sich zu diesem Zeitpunkt in Jerusalem aufhielten.

Doch vor allem die innere Verwandlung der Nachfolger Jesu macht sprachlos. Furcht, Verzagtheit und Scheu sind wie weggeblasen. Die Jünger, die sich nach dem Tod Jesu noch hinter verschlossenen Türen versteckt hielten, treten nun mutig an die Öffentlichkeit. Petrus nutzt die Gelegenheit und hält seine erste flammende Predigt – vor einer staunenden Menge in Jerusalem. Mit klaren Worten ruft er alle Zuhörer zum Glauben an den Herrn Jesus Christus auf.

**Tägliche Bibellese** Jeremia 51,1-33 · Römer 15,14-22

# 26 Dienstag Mai

SA 05:20 · SU 21:17
MA 16:25 · MU 03:00

***Denn wir müssen alle vor dem Richterstuhl des Christus offenbar werden, damit jeder empfange, was er in dem Leib getan hat, nach dem er gehandelt hat, es sei Gutes oder Böses.***

2. Korinther 5,10

## Trifft auf jeden zu

Die Bibel, das Wort Gottes, spricht von Ereignissen oder Tatsachen, die jeder Mensch erleben wird. Die jeden Menschen treffen werden. Jeden, ohne Ausnahme!

- Alle Toten werden die Stimme des Sohnes Gottes hören und einmal aus den Gräbern hervorkommen (müssen) – Johannes 5,28.29.
- Jedes Knie wird sich vor Jesus beugen (müssen) – Philipper 2,10.
- Jede Zunge wird bekennen (müssen), dass Jesus Christus Herr und Gebieter ist – Philipper 2,11.

- Alle Menschen müssen vor dem Richterstuhl des Christus offenbar werden – 2. Korinther 5,10.
- Jeder wird Gott Rechenschaft über sein Leben geben müssen – Römer 14,12.

Die Bibel stellt aber auch fest, dass für alle Menschen zutrifft:

- Kein Mensch sucht Gott von sich aus – Römer 3,11.
- Kein Mensch tut Gutes – Römer 3,12.

Doch wie gut, dass die Bibel auch eine Botschaft hat, die für jeden Menschen gilt:

- Jeder, der den Namen des Herrn [Jesus] anruft, wird errettet werden – Römer 10,13.

Das alles sind Tatsachen – keine Spekulationen! –, die auf jeden Menschen zutreffen. Die für jeden Menschen gleicherweise gelten.



DIE GUTE SAAT 2026 • CSV-Verlag • www.csv-verlag.de

# 27 Mittwoch Mai

SA 05:19 · SU 21:18
MA 17:38 · MU 03:12

***Gott, mein Schöpfer, gibt Gesänge in der Nacht.***

Hiob 35,10

## Paul Gerhardt – Sänger im Dreißigjährigen Krieg

Am 27. Mai 1676, also vor 350 Jahren, starb der bekannte Liederdichter Paul Gerhardt. Seine Lieder sind bis heute aktuell und haben unzählige Menschen durch frohe und auch schwierige Lebensphasen begleitet: Das im besten Sinn zum Volkslied gewordene „Geh aus, mein Herz, und suche Freud", das triumphierende „Ist Gott für mich" oder das tröstende „Befiehl du deine Wege" – sie und viele mehr gehören fest zum Liedschatz der Christenheit. Mit fröhlichem Staunen über Gottes Größe und tiefem Gottvertrauen, gerade in Zeiten des Kummers, sprechen sie unmittelbar zu Herz und Seele der Leser und Hörer.

Sein Leben war keineswegs frei von Not, Tragik und Katastrophen – im Gegenteil: Schweres Leid begleitete ihn von früh an. Paul Gerhardt wurde 1607 im sächsischen Gräfenhainichen geboren, studierte Theologie in Wittenberg und arbeitete zunächst als Hauslehrer, später als Pfarrer. Seine Eltern starben früh. Der Dreißigjährige Krieg, der 1618 ausbrach, überschattete fast die Hälfte seines Lebens. Immer wieder zogen Soldaten plündernd durchs Land, hinterließen Zerstörung, Tod und Seuchen. 1637 wurde seine Heimatstadt weitgehend zerstört, im selben Jahr starb sein Bruder an der Pest.

Tiefe Tragik prägte auch das Familienleben Paul Gerhardts: Innerhalb von 8 Jahren verlor er seine Frau und vier seiner fünf Kinder. Und doch atmen viele seiner Lieder Trost und Hoffnung – Ausdruck eines tiefen Glaubens, der ihm auch in schwersten Zeiten Halt gab.

Genau das macht seine Lieder bis heute so kraftvoll und aktuell: Sie sind nicht nur schöne Poesie, sondern vermitteln erlebten Glauben. Viele davon wurden in den letzten Jahren neu eingespielt – zum Teil in modernem musikalischem Gewand – und erreichen damit auch Menschen, die keinen Zugang zum Kirchenchoral finden.

**Tägliche Bibellese** Jeremia 52,1-16 · Römer 16,1-16

# 28 Donnerstag Mai

SA 05:18 · SU 21:20
MA 18:50 · MU 03:26

***Befiehl dem HERRN deinen Weg und vertraue auf ihn, und er wird handeln!***

Psalm 37,5

## Liedergeschichten – Befiehl du deine Wege

Das Lied „Befiehl du deine Wege" von Paul Gerhardt gehört zu seinen bekanntesten Kirchenliedern und wurde erstmals 1653 in der fünften Auflage von Johann Crügers Gesangbuch *Praxis Pietatis Melica* veröffentlicht.

Das Lied umfasst zwölf Strophen, deren Anfangswörter den BIbelvers Psalm 37,5 bilden: „Befiehl dem Herren dein' Weg und hoff auf ihn, er wird's wohl machen" (nach Luther). Die Strophen des bekannten Liedes bieten keine oberflächlichen Trostworte, sondern sprechen in eindrucksvoller Tiefe von festem Gottvertrauen und spenden Trost in Zeiten von Schmerz, Angst und Kummer.

*BEFIEHL du deine Wege und was dein Herze kränkt*
*der allertreusten Pflege dess', der den Himmel lenkt.*
*Der Wolken, Luft und Winden*
*gibt Wege, Lauf und Bahn,*
*der wird auch Wege finden, da dein Fuß gehen kann.*

*DEM HERREN musst du trauen,*
*wenn dir's soll wohlergehn;*
*auf sein Werk musst du schauen,*
*wenn dein Werk soll bestehn.*
*Mit Sorgen und mit Grämen und mit selbsteigner Pein*
*lässt Gott sich gar nichts nehmen: Es muss erbeten sein.*

*DEIN' ew'ge Treu und Gnade, o Vater, weiß und sieht,*
*was gut sei oder schade dem sterblichen Geblüt;*
*und was du dann erlesen, das treibst du, starker Held,*
*und bringst zum Stand und Wesen,*
*was deinem Rat gefällt.*

*WEG hast du allerwegen, an Mitteln fehlt dir's nicht;*
*dein Tun ist lauter Segen, dein Gang ist lauter Licht.*
*Dein Werk kann niemand hindern,*
*dein Arbeit darf nicht ruhn,*
*wenn du, was deinen Kindern*
*ersprießlich ist, willst tun.*

**Tägliche Bibellese** Jeremia 52,17-34 · Römer 16,17-27

# 29 Freitag
## Mai

SA 05:17 · SU 21:21
MA 20:04 · MU 03:43

***Siehe, es kam ein Mann, mit Namen Jairus … und fiel Jesus zu Füßen und bat ihn, in sein Haus zu kommen; denn er hatte eine einzige Tochter von etwa zwölf Jahren, und diese lag im Sterben.***

Lukas 8,41.42

### Jesus Christus kennenlernen – Herr des Lebens

Kaum jemand kann den Schmerz und die Sorgen wirklich nachfühlen, die Eltern empfinden, wenn ihr Kind in Todesgefahr ist. Diese Not erlebt vor fast 2000 Jahren ein Mann namens Jairus. Seine einzige Tochter ist todkrank, niemand kann ihr helfen. Zwölf Jahre ist sie gerade einmal alt: so jung, das ganze Leben noch vor sich!

Jairus weiß keinen Ausweg mehr. Sicher hat er alles versucht, um seiner geliebten Tochter zu helfen – vergeblich.

Doch dann hört er von einem Mann namens Jesus Christus. In Ihm sieht Jairus die letzte Hoffnung auf Heilung, denn er hat gehört, dass dieser Jesus Wunder tut. Jairus sucht Jesus auf und bittet ihn inständig, seiner Tochter zu helfen.

Aber auf dem Weg zu seinem Haus werden sie durch die Volksmenge aufgehalten, die mit Jesus zieht – viele Menschen wollen Jesus sehen und erwarten Hilfe von Ihm.

Und dann kommt die schreckliche Nachricht: „Deine Tochter ist gestorben." Für Jairus und seine Frau ist das der Moment tiefster Verzweiflung.

Doch Jesus begleitet Jairus nach Hause, spricht ihm und seiner Frau Trost zu und sagt voller Mitgefühl: „Weint nicht" (Lukas 8,52).

Jesus Christus ist Herr über Leben und Tod, und Er erweckt das tote Mädchen zum Leben. Solche Wunder kann Jesus tun, weil Er Gottes Sohn ist.

Keine Not ist Ihm zu groß oder zu klein. Besonders Kinder liegen Ihm am Herzen. Und auch heute stehen seine Macht und sein Mitgefühl allen zur Verfügung, die an Ihn glauben.



DIE GUTE SAAT 2026 • CSV-Verlag • www.csv-verlag.de

# 30 Samstag Mai

SA 05:16 · SU 21:22
MA 21:15 · MU 04:04

***Ehe sie rufen, werde ich antworten; während sie noch reden, werde ich hören.***

Jesaja 65,24

## Gott hört, bevor wir rufen!

Was für ein Geschenk Gottes, dass wir zu Ihm beten können! Oft wenden sich Menschen erst im Notfall an Ihn. Doch Gott, der alles weiß, hat längst vorgesorgt. Ihm ist nichts unmöglich, und alles, was Er tut, geschieht aus Liebe – besonders für seine Kinder, aber auch für Menschen, die Ihn (noch) nicht als ihren persönlichen Vater kennen. Vorausgesetzt, wir meinen es aufrichtig.

Die Verheißung im heutigen Bibelwort lässt uns ans Mobiltelefon denken, das kein Kabel benötigt: Obwohl wir auf der Erde leben und Gott im Himmel ist, erreichen Ihn unsere Gebete sofort.

Doch was keine Technik der Welt leisten kann, ist möglich bei Gott: Noch bevor wir rufen, hat Er schon geantwortet. Er hat die Hilfe schon in die Wege geleitet, bevor wir unser Problem überhaupt erkennen und es Ihm sagen.

Das ist keine Theorie, ich habe es selbst erlebt. Genau an dem Tag, als ich meine Krebs-Diagnose erhielt, rief mich meine ehemalige Kollegin an. Sie wollte wieder ins Berufsleben einsteigen und fragte mich, ob ich eine Möglichkeit für sie sähe.

Ich war derart überrascht, dass mir die Stimme versagte und ich nach Worten ringen musste. Erst in diesem Moment wurde mir bewusst, dass ich wegen meiner Krankheit nie mehr ins gewohnte Berufsleben zurückkehren würde. Nach 40 Jahren Arbeit würde ich meine Aufgaben übergeben müssen.

Doch der Herr hatte bereits vorgesorgt – genau zur rechten Zeit stand jemand bereit, der übernehmen konnte.

Wir dürfen uns in jeder Not an Gott wenden. Und wenn wir Gottes Hilfe erfahren haben, dürfen wir nicht vergessen, Ihm zu danken! Gott freut sich über unser Vertrauen und über unsere Dankbarkeit.

**Tägliche Bibellese** Klagelieder 1,12-22 · Psalm 42,7-12

# 31 Sonntag Mai

SA 05:15 · SU 21:23
MA 22:19 · MU 04:32

*Geht hin in die Stadt, und es wird euch ein Mensch begegnen, der einen Krug Wasser trägt; folgt ihm, und wo irgend er hineingeht, sprecht zu dem Hausherrn: Der Lehrer sagt: Wo ist mein Gastzimmer, wo ich mit meinen Jüngern das Passah essen kann? Und dieser wird euch ein großes Obergemach zeigen, mit Polstern belegt und fertig; und dort bereitet es für uns. Und die Jünger gingen weg und kamen in die Stadt und fanden es, wie er ihnen gesagt hatte; und sie bereiteten das Passah.*

Markus 14,13-16

## Gedanken zum Markus-Evangelium

Die Jünger haben den Herrn Jesus gefragt, wo Er das Passah essen möchte. Die Antwort Jesu mag uns überraschen: Anstatt eine konkrete Adresse zu nennen, weist Er sie an, einem Menschen mit einem Wasserkrug zu folgen, der ihnen den Weg zeigen wird. Offensichtlich sollen sie Schritt für Schritt erleben, wie seine Worte sich erfüllen.

Auch heute gebraucht der Herr oft Menschen, um uns den Platz zu zeigen, wo Er in der Mitte seiner Jünger ist (vgl. Matthäus 18,20). Es sind Gläubige, die mit dem „Wasser“ – einem Bild für das reinigende Wort Gottes – vertraut sind.

Der Herr Jesus besaß kein eigenes Haus, in das Er seine Jünger hätte einladen können. Von Geburt an lebte Er in Armut und blieb ein Fremder in der Welt. Doch den Raum, wo das Passah gefeiert werden soll, nennt Er „mein Gastzimmer“. Als Sohn Gottes hat Er Anspruch darauf – und zugleich ist Er der Gastgeber.

Kannte der Eigentümer des Gastzimmers den Herrn und gehörte er vielleicht sogar zu seinen Jüngern? Vermutlich, denn sonst hätte Jesus nicht als „Lehrer“ zu ihm gesprochen. Der Hausbesitzer war jedenfalls nicht überrascht – er hatte den „Festsaal“ bereits bequem eingerichtet.

Wie fürsorglich und gütig zeigt sich der Herr hier gegenüber seinen Jüngern! Sie vertrauen Ihm und gehorchen seinem Wort – und werden nicht enttäuscht.

**Tägliche Bibellese** Klagelieder 2,1-10 · Psalm 43,1-5

# 1 Montag Juni

SA 05:15 · SU 21:24
MA 23:15 · MU 05:12

***Im Übrigen, Brüder, alles, was wahr, alles, was würdig, alles, was gerecht, alles, was rein, alles, was lieblich ist, alles, was wohllautet, wenn es irgendeine Tugend und wenn es irgendein Lob gibt, dies erwägt.***

Philipper 4,8

## Wohlklang

Carl Bechstein wurde heute vor 200 Jahren in Gotha geboren. Seine Karriere als Klavierbauer begann er in Frankreich und England, bevor er nach Berlin zurückkehrte und dort 1853 seine eigene Klavierfabrik gründete.

Bechstein stellte höchste Ansprüche an sich selbst: Er wollte Instrumente entwickeln, die den extremen Anforderungen der Virtuosen seiner Zeit, wie Franz Liszt, standhalten konnten.

Sein Streben nach Qualität zahlte sich aus: Schon bald fanden sich Bechstein-Klaviere in zahlreichen Konzertsälen wieder. Besonders bekannt wurde die Marke durch ihre Beliebtheit bei Königshäusern, darunter auch bei Königin Victoria von Großbritannien.

Die *C. Bechstein Pianofortefabrik* expandierte schnell. Bis heute zählen Bechstein-Flügel und Klaviere zu den besten weltweit.

Doch was ist das Geheimnis dieser Erfolgsgeschichte? Viele Faktoren greifen hier ineinander – von der sorgfältigen Auswahl und teils eigenen Entwicklung der Materialien über die genaue Prüfung aller Komponenten bis hin zur kontinuierlichen Forschung an Spielbarkeit und Klangqualität. Viele qualifizierte und motivierte Mitarbeiter arbeiten daran, einen charakteristischen Wohlklang zu schaffen, der Spieler und Hörer gleichermaßen begeistert.

Ein wenig ähnlich hat sich Jesus Christus das „Zusammenspiel" und den „Zusammenklang" seiner Nachfolger vorgestellt: keine Kakophonie von Stimmen, weil jeder seine eigenen Interessen verfolgt, sondern – wie Paulus schreibt – ein gemeinsames Streben nach dem, was „wohllautet". Christen sind berufen zu Liebe und Frieden – und genau so kann ein „Wohlklang" für Gott und Menschen entstehen.

**Tägliche Bibellese** Klagelieder 2,11-22 · Psalm 44,1-8

# 2 Dienstag Juni

SA 05:14 · SU 21:25
MA 23:58 · MU 06:02

***Wenn jemand in Christus ist, da ist eine neue Schöpfung; das Alte ist vergangen, siehe, Neues ist geworden.***

2. Korinther 5,17

## Hungrig nach Liebe?

Denise hatte viel Schweres erlebt, so dass sie sogar schon einmal versuchte, sich das Leben zu nehmen. Dann lernte sie in einem christlichen Hauskreis den Erlöser Jesus Christus kennen und öffnete Ihm ihr Herz. Staunend entdeckte sie die vielen Bibelworte über Gottes Liebe und Vergebung. Schon bald verstand sie, dass sie ein Kind Gottes war – und ein neuer Mensch in Christus.

Sie erzählt: „Ich war jahrelang unglücklich. Doch nun habe ich Gottes Liebe kennengelernt und erfahre sie jeden Tag neu. Mein ganzes Leben lang war ich hungrig nach Liebe. Als Kind sehnte ich mich nach der Zuneigung meiner

Eltern, später nach der Liebe meines Mannes und meiner Kinder. Ich tat alles, um von meinem Freundeskreis gemocht zu werden. Und ich versuchte sogar, mir die Anerkennung Gottes zu verdienen.

Doch wie soll man glauben, dass man geliebt wird, wenn man sich selbst nicht für liebenswert hält?

Heute weiß ich: Ich bin geliebt. Gott hat mich so angenommen, wie ich bin, weil sein Sohn an meiner Stelle gestorben ist. Er hat mich freigesprochen, und mein Gewissen ist endlich entlastet. Und auf seine Liebe kann ich mich jederzeit verlassen, denn Er liebt seine Kinder. Zugleich erfahre ich die herzliche Liebe meiner Glaubensgeschwister. In der Familie Gottes finde ich die zwischenmenschliche Wärme, nach der ich mich so lange gesehnt habe."

*Gott spricht:*
*Ja, mit ewiger Liebe habe ich dich geliebt;*
*darum habe ich dir fortdauern*
*lassen meine Güte.*

*Jeremia 31,3*



DIE GUTE SAAT 2026 • CSV-Verlag • www.csv-verlag.de

# 3 Mittwoch Juni

SA 05:13 · SU 21:26
MA –:– · MU 07:04

***Es ist in keinem anderen das Heil, denn es ist auch kein anderer Name unter dem Himmel, der unter den Menschen gegeben ist, in dem wir errettet werden müssen.***

Apostelgeschichte 4,12

## Nur eine einzige Option

Gott hat uns nur einen einzigen Weg gegeben, auf dem wir gerettet werden können, und das ist durch seinen Sohn Jesus Christus. Wenn wir Ihn nicht als unseren Retter annehmen, gibt es keine andere Rettung! Niemals und nirgends!

Heute wollen viele Leute auf die Weise gerettet werden, die ihnen gefällt oder ihnen einleuchtet. Sie beharren auf der Meinung, es gebe viele Wege, um selig zu werden, und es sei gleichgültig, welchen Weg der Mensch nimmt, wenn er es nur aufrichtig meint.

Aber das ergibt keinen Sinn, nicht einmal bei alltäglichen Dingen. Ich erinnere mich gut an eine Reise nach Chicago. Leider war ich auf die falsche Autobahn aufgefahren. Zuerst war ich *aufrichtig* davon überzeugt, auf dem richtigen Weg zu sein. Erst nach rund 30 Kilometern bemerkte ich, dass ich mich vertan hatte. Ich musste umkehren und die ganze Strecke zurückfahren. *Aufrichtigkeit* half mir an dieser Stelle nicht weiter und hätte mich auf dieser Straße nicht nach Chicago gebracht.

Wenn wir gerettet werden wollen, müssen wir den Weg einschlagen, den Gott uns gewiesen hat. Und der führt zum Kreuz des Herrn Jesus Christus, „der unserer Übertretungen wegen hingegeben und unserer Rechtfertigung wegen auferweckt worden ist" (Römer 4,25). Unsere eigenen, selbst gewählten Wege führen in die Irre! Es gibt nur eine einzige Option zum Heil, weil es nur einen einzigen Namen gibt, in dem das Heil zu finden ist.

Beachten wir außerdem den letzten Teilsatz in unserem Tagesvers: „in dem wir errettet werden *müssen.*" Gottes Heil abzulehnen ist keine Option für uns.

# 4 Donnerstag Juni

SA 05:12 · SU 21:27
MA 00:30 · MU 08:14

***Siehe, ich sage euch ein Geheimnis: Wir werden zwar nicht alle entschlafen, wir werden aber alle verwandelt werden.***

1\. Korinther 15,51

## Schön im Wandel

Sie erinnern an saftige Blätter und ahmen sogar deren Aderung nach. Oder an vertrocknete Blätter oder abgeknickte Zweige. Manche schimmern golden, andere tragen eine Tarnfarbe. Einige sehen aus, als würden sie verwesen, oder ähneln vertrockneten Blättern der Bananenstaude, auf der sie sich verwandeln.

Schmetterlingspuppen gleichen kleinen Skulpturen. In ihrem Innern aber vollzieht sich ein präzises Zusammenspiel von Zersetzung, Erhaltung und Neugestaltung: Ein Teil der Zellen zerfällt zu einem nahrhaften Brei. Gleichzeitig entstehen neue Strukturen: ein Atmungssystem, ein Verdauungstrakt, Nervenbahnen – und ganz neue

Körperteile wie Flügel, Beine, Antennen, Facettenaugen, Geschlechtsorgane. Der Schmetterling, der schließlich zum Vorschein kommt, hat mit der Raupe nichts mehr gemeinsam.

Diese Umwandlung (Metamorphose) ist ein einziges Wunder: Ein Teil der Raupe löst sich vollständig auf – und gleichzeitig entsteht daraus etwas völlig Neues. In dieser Zeit ist die Puppe völlig bewegungsunfähig. Zur Tarnung vor Fressfeinden ist ihr Äußeres daher kunstvoll und perfekt an die Umgebung angepasst.

Kann sich das alles zufällig und ohne Plan entwickelt haben? Muss nicht schon in der Raupe der komplette Bauplan eines Schmetterlings angelegt sein? Wie sollte der Brei im Leib der Puppe sonst „wissen", wie er sich entwickeln muss, damit aus einer unscheinbaren Raupe ein faszinierender Schmetterling wird?

Gott kann auch Menschen verwandeln: Aus Sündern macht Er durch die Wiedergeburt Kinder Gottes (Johannes 3,3). Und Er wird sie eines Tages erneut verwandeln – für den Himmel, für das ewige Zusammensein mit Ihm. Werden Sie dabei sein?

**Tägliche Bibellese** Klagelieder 3,52–4,6 · Psalm 45,1-10

# 5 Freitag Juni

SA 05:12 · SU 21:28
MA 00:54 · MU 09:27

***Er aber sprach zu ihr: Tochter, dein Glaube hat dich geheilt; geh hin in Frieden.*** Lukas 8,48

## Jesus Christus kennenlernen – Er schenkt Frieden

Wieder einmal ist Jesus von einer Menschenmenge umringt. Die Erwartungen an Ihn sind groß – alle wollen Ihn hören und Ihm möglichst nahe sein. Inmitten dieser Menge gibt es viele Menschen mit schweren Schicksalen.

Unter ihnen ist eine „namenlose" Frau. Sie ist krank – vielleicht nicht todkrank, aber ihre Erkrankung hat sie aus der Gemeinschaft der Israeliten ausgeschlossen. Seit zwölf Jahren leidet sie an Blutfluss und gilt daher als kultisch unrein. Einsamkeit, Isolierung, Scham und Verzweiflung begleiten sie täglich. Wie sehr sehnt sie sich nach Heilung, nach Frieden und danach, wieder dazuzugehören.

Voller Glauben nähert sie sich Jesus von hinten. Sie ist überzeugt: Es wird schon genügen, sein Gewand zu berühren, um gesund zu werden. Und tatsächlich – sie wird geheilt!

Doch Jesus lässt sie nicht unerkannt in der Menge verschwinden. Er will ihr mehr schenken als nur körperliche Heilung – Er will ihr tiefen Frieden und Gewissheit geben. Also fragt Er: „Wer hat mich angerührt?" Zitternd tritt die Frau hervor. Doch Jesus begegnet ihr voller Liebe, nennt sie „Tochter" und lobt ihren Glauben. Von nun an darf sie in Frieden weitergehen, geheilt an Körper und Seele.

Jesus sagt an anderer Stelle seinen Jüngern: „Frieden lasse ich euch, meinen Frieden gebe ich euch; nicht wie die Welt gibt, gebe ich euch. Euer Herz werde nicht bestürzt, sei auch nicht furchtsam" (Johannes 14,27).

Was auch immer dich aufwühlt oder belastet – Jesus will dir seinen Frieden schenken.

*Wenn Friede mit Gott meine Seele durchdringt,*
*ob Stürme auch drohen von fern,*
*mein Herze im Glauben doch allezeit singt:*
*„Mir ist wohl, mir ist wohl in dem Herrn."*

(Horatio Gates Spafford 1828-1888)

**Tägliche Bibellese** Klagelieder 4,7-22 · Psalm 45,11-18

# 6 Samstag Juni

SA 05:11 · SU 21:29
MA 01:13 · MU 10:41

***So weit der Osten ist vom Westen, hat Gott von uns entfernt unsere Übertretungen.***

Psalm 103,12

## Was Gott mit Sünden macht

Wer einmal unter der Last seiner Sünden gelitten hat und keinen Ausweg wusste, wird – wie einst König David – von Glück oder Glückseligkeit sprechen, wenn er erfährt, dass Gott ihm vergeben hat: „Glückselig die, deren Gesetzlosigkeiten vergeben und deren Sünden bedeckt sind! Glückselig der Mann, dem der Herr Sünde nicht zurechnet!" (Römer 4,7.8). Dieses Glück kann sich niemand verdienen – es ist ein Gnadengeschenk Gottes für jeden, der Ihm seine Sünden bekennt.

Und was geschieht mit den Sünden? Die Bibel gibt Antwort:

- Meine Sünden sind nicht mehr erreichbar. „So weit der Osten ist vom Westen, hat er von uns entfernt unsere Übertretungen" (Psalm 103,12).

- Meine Sünden sind nicht mehr zu sehen. „Ich habe deine Übertretungen getilgt wie einen Nebel, und wie eine Wolke deine Sünden. Kehre um zu mir, denn ich habe dich erlöst!" (Jesaja 44,22).
- Meine Sünden sind vernichtet. „Er wird sich unser wieder erbarmen, wird unsere Ungerechtigkeiten niedertreten" (Micha 7,19).
- Meine Sünden sind nicht mehr zu finden. „Du wirst alle ihre Sünden in die Tiefen des Meeres werfen" (Micha 7,19).
- Meine Sünden werden von Gott nicht mehr beachtet. „Siehe, zum Heil wurde mir bitteres Leid: Du zogst liebevoll meine Seele aus der Grube der Vernichtung; denn alle meine Sünden hast du hinter deinen Rücken geworfen" (Jesaja 38,17).
- An meine Sünden wird von Gott nicht mehr gedacht. „Ihrer Sünden und ihrer Gesetzlosigkeiten werde ich nie mehr gedenken" (Hebräer 10,17).

Das ist die unermessliche Gnade Gottes: Er vergibt völlig und für immer.



DIE GUTE SAAT 2026 • CSV-Verlag • www.csv-verlag.de

# 7 Sonntag Juni

SA 05:11 · SU 21:30
MA 01:28 · MU 11:56

*Und als es Abend geworden war, kommt er mit den Zwölfen. Und während sie zu Tisch lagen und aßen, sprach Jesus: Wahrlich, ich sage euch: Einer von euch wird mich überliefern, der, der mit mir isst. Sie fingen an, betrübt zu werden und einer nach dem anderen zu ihm zu sagen: Doch nicht ich? Er aber sprach zu ihnen: Einer der Zwölf, der mit mir die Hand in die Schüssel eintaucht.*

Markus 14,17-20

## Gedanken zum Markus-Evangelium

Jesus Christus feiert mit seinen Jüngern das Passah. Zwei von ihnen haben das Lamm zubereitet. Das geschieht nicht nach eigenem Ermessen, sondern nach den Anweisungen Gottes, die das Volk Israel beim ersten Passahfest erhalten hat. Das Fleisch beispielsweise muss am Feuer gebraten werden – kochen ist nicht erlaubt. Zudem muss die Mahlzeit „zwischen den zwei Abenden“ stattfinden, also wohl zwischen dem Sonnenuntergang und dem Einbruch der Nacht (2. Mose 12,6.9).

Das Passah ist eine Gedenkfeier. Die Jünger erinnern sich an die große Erlösung, die Gott ihrem Volk damals in Ägypten geschenkt hat. Doch der Herr Jesus selbst denkt an etwas viel Größeres: In wenigen Stunden würde Er selbst das wahre Passahlamm sein.

Wie ein Blitz durchfährt es die Jünger, als Er ihnen ankündigt, dass einer von ihnen sich an Ihm schuldig machen wird. Sie wissen, dass ihr Meister schon oft bedroht worden ist. Doch dass nun einer von ihnen dabei behilflich sein wird – das hätten sie nie erwartet.

Die Jünger sind erschrocken und traurig zugleich. In diesem Moment verliert sich jede Spur von Selbstsicherheit und Selbstgerechtigkeit. Sie zweifeln an sich selbst und fragen den Herrn: „Doch nicht ich?“

Wie hätte ich in dieser Situation reagiert? Bin ich mir bewusst, dass ich zu jeder Tat fähig bin, selbst zur schlimmsten? – Nur wer sich immer wieder am Wort Gottes ausrichtet, bleibt bewahrt.

**Tägliche Bibellese** 3. Mose 1,1-17 · Psalm 47,1-10

# 8 Montag Juni

SA 05:10 · SU 21:30
MA 01:41 · MU 13:11

***Petrus sagte zu dem Gelähmten: In dem Namen Jesu Christi, des Nazaräers, steh auf und geh umher! Und er ergriff ihn bei der rechten Hand und richtete ihn auf.***

Apostelgeschichte 3,6.7

## Jesus lebt!

Mitten in Jerusalem, am Eingang des Tempels, sitzt ein gelähmter Mann und bettelt um Almosen. Da kommen die beiden Apostel Petrus und Johannes vorbei. Geld, mit dem sie ihm helfen könnten, haben sie nicht. Doch sie können dem armen Gelähmten sehr viel mehr geben: Sie machen ihn gesund – auf übernatürliche Weise! Seine Füße und Knöchel werden plötzlich stark, er springt auf, läuft im Tempel umher und lobt Gott.

Die vielen Menschen, die dieses Wunder miterleben, kommen aus dem Staunen nicht heraus. Bewundernd blicken sie auf die beiden Apostel.

Doch Petrus erklärt, dass sie dieses Wunder nicht aus eigener Kraft vollbracht haben. Sie haben in der Kraft und im Namen Jesu Christi gehandelt.

Auch Jesus hatte Wunder getan, doch die Obersten der Juden töteten Ihn aus Neid. Er starb und wurde begraben. War damit alles aus? Nein, die Heilung des Gelähmten ist ein mächtiges Zeugnis dafür, dass Jesus wieder auferstanden ist. Wie sonst hätte dieses Wunder in *seiner* Kraft geschehen können? Ein Toter hat keine Kraft! Also: Jesus Christus lebt! Das können auch mehr als 500 Menschen bezeugen, die Ihn nach seiner Kreuzigung 40 Tage lang lebend sahen. Danach fuhr Er vor den Augen der Apostel in den Himmel auf. Von dort aus beauftragte Er Petrus und Johannes und befähigte sie, dieses Wunder zu tun.

In der Anfangszeit des Christentums wirkte Jesus vom Himmel aus viele solcher Wunder. Dadurch hat Er bewiesen, dass Er lebt und dass eine neue Zeitepoche begonnen hat. Wer jetzt an diesen gestorbenen und auferstandenen Jesus glaubt, empfängt die Vergebung seiner Sünden und ist für immer gerettet.

**Tägliche Bibellese** 3. Mose 2,1-16 · Psalm 48,1-15

# 9 Dienstag Juni

SA 05:10 · SU 21:31
MA 01:53 · MU 14:28

***Und Esra las [in dem Buch des Gesetzes] vom lichten Morgen bis zum Mittag, in Gegenwart der Männer und der Frauen und derer, die Verständnis hatten … Und man las im Buch des Gesetzes Gottes Tag für Tag, vom ersten Tag bis zum letzten Tag.***

Nehemia 8,3.18

## Eine besondere Bibelstunde

Sensationell! Da treffen sich Menschen, um die Bibel zu lesen. Und das von Sonnenaufgang bis zum Mittag, sieben Tage lang. Keiner fehlt, alle sind hellwach und voll bei der Sache. Was für eine Begeisterung für die Bibel!

Wer einmal länger in der Bibel liest – nicht nur die obligatorischen fünf Minuten, um das Gewissen zu beruhigen –, macht ganz neue Erfahrungen. Denn eine intensive Beschäftigung mit der Bibel hat konkrete Auswirkungen. Warum? Weil die Bibel kein Buch wie jedes andere ist. Sie ist das Wort Gottes. Und wenn Gott spricht, regen sich Herz und Gewissen.

Die Bibel ist wie ein Spiegel. Wenn wir morgens nur flüchtig hineinsehen, nehmen wir kaum etwas wahr. Aber wenn wir uns Zeit nehmen, entdecken wir manches in unserem Gesicht. Nur mal schnell die Bibel aufzuschlagen, bringt uns kaum weiter. Doch wer gründlich und regelmäßig liest, betritt neue Dimensionen. Denn je mehr wir darin lesen, desto besser erkennen wir uns selbst – und entdecken Dinge in unserem Leben, die wir vorher glatt übersehen haben.

Das Beste daran: Sie deckt unsere Verfehlungen nicht auf, um uns zu verurteilen, sondern um uns zur Umkehr zu bewegen. Sie zeigt uns die offenen Arme Gottes und den Ausweg aus Schuld und Versagen. Der Ausweg aus der Sackgasse der Sünde ist also der Rückweg – die Umkehr, die Bekehrung zu Jesus Christus.

Die Gebrauchsanweisung zur Bibel lautet also: Lesen, viel lesen → Missstände im eigenen Leben erkennen → Schuld bekennen → Neuanfang wagen. Warum nicht gleich damit beginnen?

**Tägliche Bibellese** 3. Mose 3,1-17 · Psalm 49,1-11

# 10 Mittwoch Juni

SA 05:10 · SU 21:32
MA 02:06 · MU 15:50

***Der Sohn des Menschen muss erhöht werden, damit jeder, der an ihn glaubt, nicht verloren gehe, sondern ewiges Leben habe.***

Johannes 3,14.15

## Ein göttliches „Muss"

Jesus Christus starb am Kreuz. Das war notwendig, weil ich ein Sünder war. Denn meine Sünden disqualifizierten mich, in die Gegenwart des heiligen und gerechten Gottes zu treten. Es gab keinen anderen Weg, keine Alternative, um das Problem der Sünde ein für alle Mal vor Gott zu lösen: Jesus Christus musste sterben, und zwar am Kreuz. Deshalb sagte Er: „Der Sohn des Menschen muss erhöht werden." Was für eine Gnade und Liebe, was für eine Überzeugung und Hingabe, so zu reden! Jesus wusste, dass sein Weg ans Kreuz führen würde – und Er war bereit, ihn zu gehen. Er war bereit, nach Jerusalem zu ziehen, sich in die Hände der Menschen zu begeben, sich ihrem Hass und ihrer Brutalität auszuliefern. Er war bereit, gehorsam zu sein und Gottes Willen zu erfüllen. Und genau das bedeutete meine Rettung! Denn meine Sünden trennten mich auf ewig von Gott, sie waren es, die mein Gewissen belasteten. Und um dieses Problem zu beseitigen, starb Jesus am Kreuz.

Das ist das Evangelium, die gute Botschaft: Dass Jesus Christus sich an meiner Stelle von dem gerechten Gott verurteilen ließ. – Wenn ich Jesus am Kreuz sehe, wie Er dort hängt und mein Gericht auf sich nimmt, dann wird mir klar: Er hat das alles für mich getan. Und dann erkenne ich auch, dass nun für mich nichts mehr zu tun bleibt – aber ebenso, dass mir nichts mehr den Zugang zu Gott versperren kann. Ich darf einfach so, wie ich bin, zu Gott kommen. Es ist unbegreiflich!

*„Und Jesus sprach zu ihnen:*
*Musste nicht der Christus dies leiden und in*
*seine Herrlichkeit eingehen?"* (Lukas 24,26).

**Tägliche Bibellese** 3. Mose 4,1-12 · Psalm 49,12-21

DIE GUTE SAAT 2026 • CSV-Verlag • www.csv-verlag.de

# 11 Donnerstag Juni

SA 05:09 · SU 21:33
MA 02:20 · MU 17:16

***Gott hat uns befohlen, dem Volk zu predigen und ernstlich zu bezeugen, dass Jesus der von Gott bestimmte Richter der Lebenden und der Toten ist.*** Apostelgeschichte 10,42

## Anpfiff, Schlusspfiff und ein Nachspiel

Wenn im Fußballstadion der *Anpfiff* ertönt, dann zählt nur noch eins: „Das Runde muss in das Eckige" (Sepp Herberger). Und das 90 Minuten lang. Doch wenn es „unserer" Mannschaft nicht gelingen will, obwohl sich auf dem Platz eine Chance an die nächste reiht, dann hofft man ... bangt man ... zittert man. Plötzlich ertönt der *Schlusspfiff* und das Spiel ist aus. Und während die Siegermannschaft ausgelassen feiert, schleichen die Verlierer mit gesenktem Kopf vom Platz.

Unser Leben ähnelt einem Fußballspiel: Unsere Geburt ist der *Anpfiff* und unser Tod der *Schlusspfiff* – dazwischen findet unser Leben statt, für das Gott gute Regeln gegeben hat. Die

„90 Minuten" Spielzeit sind nicht in jedem Leben gleich lang. Und anders als beim Fußball ist dann auch noch nicht Schluss: Denn unser Leben hat in jedem Fall ein *Nachspiel*!

Nach dem *Schlusspfiff* unseres Lebens kommt Gott zu Wort. Er hat unser Leben gesehen und jedes Foul, das die Bibel Sünde nennt, in unserem Leben registriert: z. B. Lüge, Hass, Diebstahl, Stolz, Neid oder Streit. Dafür müssen wir uns nach dem Ende unseres Lebens vor Ihm verantworten. Denn Gott ist heilig und gerecht und hasst Sünde. Er müsste deshalb jeden, der gegen seine Regeln verstoßen hat, verurteilen und bestrafen. Die Regeln finden sich in der Bibel, dem Wort Gottes.

Doch wenn Gott sein abschließendes Urteil spricht, berücksichtigt Er, wie wir mit seinem Sohn Jesus Christus umgegangen sind. Ob wir Ihn abgelehnt oder gleichgültig behandelt – oder ob wir Ihn als Retter angenommen haben. Denn Jesus Christus hat vor 2000 Jahren am Kreuz gelitten, um unser Erlöser zu werden. Gott hat seinen Sohn wegen unserer „Fouls" gestraft. Denn Er will uns nicht bestrafen, sondern bei sich haben. Dafür hat Er alles getan – nun liegt es an uns. „Wer an den Sohn Gottes glaubt, wird nicht gerichtet" (Johannes 3,18)!

**Tägliche Bibellese** 3. Mose 4,13-26 · Psalm 50,1-15

# 12 Freitag Juni

SA 05:09 · SU 21:33
MA 02:39 · MU 18:46

***Jesus sprach zu ihnen: Lasst die Kinder zu mir kommen, wehrt ihnen nicht, denn solcher ist das Reich Gottes. … Und er nahm sie in die Arme, legte die Hände auf sie und segnete sie.***

Markus 10,14.16

## Jesus Christus kennenlernen – Er liebt Kinder

Jesus ist mit seiner Jüngerschar wieder einmal in Judäa unterwegs. Wie so oft hat sich eine Menschenmenge um Ihn versammelt, und Er spricht zu den Leuten. Und wieder einmal versuchen die Pharisäer, Jesus in ein Streitgespräch zu verwickeln: Thema Ehe. Obwohl Er Ihre unlauteren Absichten durchschaut, geht Er auf ihre Fragen ein. Das Thema beschäftigt auch die Jünger, die sich später noch in Ruhe mit Jesus darüber unterhalten (vgl. Markus 10,1-12).

Die einschüchternde Präsenz der Pharisäer und die Auseinandersetzungen mit ihnen – kann es sein, dass die Jünger Jesu gerade ein bisschen gestresst sind? Als nämlich nun auch noch Kinder zu Jesus gebracht werden, damit Er sie segnet, reagieren sie völlig überzogen. „Nein, das passt jetzt wirklich nicht!" Barsch schicken sie die Menschen mit ihren Kinder fort.

Als Jesus das bemerkt, weist Er die Jünger zurecht und macht ihnen eine klare Ansage. Kinder dürfen jederzeit zu Ihm kommen! Sie sind willkommen, denn das Reich Gottes ist ja gerade für solche bestimmt. Ja, das sagt Jesus, und sein Wort gilt in Ewigkeit! Das kann sogar ein tiefer Trost sein für die Eltern von „Sternenkindern", die tot geboren werden oder kurz nach der Geburt sterben.

Solcher ist das Reich Gottes, denn – so fügt Jesus hinzu –: „Wer irgend das Reich Gottes nicht aufnimmt wie ein Kind, wird nicht dort hineinkommen" (Markus 10,15).

Dann wendet sich Jesus voller Liebe und Wärme den Kindern zu. Er umarmt sie und legt ihnen segnend die Hände auf. Ich bin mir sicher, dass keins der Kinder und keiner der Erwachsenen, die diesen besonderen Moment miterlebt haben, ihn je vergessen hat. Jesus schenkt seine Liebe den Großen und ganz besonders den Kleinen!

**Tägliche Bibellese** 3. Mose 4,27-35 · Psalm 50,16-23

# 13 Samstag Juni

SA 05:09 · SU 21:34
MA 03:05 · MU 20:18

***Wenn der Sohn [Gottes] euch frei macht, werdet ihr wirklich frei sein.***

Johannes 8,36

## Der verhinderte Selbstmord

Mel Trotter war Alkoholiker. Obwohl er es seiner Frau immer wieder versprochen hatte, gelang es ihm nicht, mit dem Trinken aufzuhören.

Am Tag der Beerdigung seines zweijährigen Sohnes kommt er sturzbetrunken nach Hause. Als ihm das bewusst wird, ist er so verzweifelt, dass er plant, sich im nahe gelegenen Michigansee zu ertränken. Er wählt den 19. Januar 1897 für seinen Selbstmord. Auf dem Weg zum See hört er Gesang aus einem Saal und schaut neugierig durch die Tür. Dort steht ein Prediger, der sich gerade vorstellt: „Liebe Zuhörer, ich bin ein ehemaliger Alkoholiker. Jesus Christus hat mich befreit. Nicht mehr der Alkohol, sondern Jesus, der Sohn Gottes, bestimmt nun mein Leben.

Heute Abend möchte ich gern erzählen, wie es dazu kam."

Mel Trotter hört gebannt zu. Die Predigt berührt ihn so sehr, dass er sich noch am selben Abend zu Jesus Christus bekehrt und sich sogar die Uhrzeit merkt: 21:10 Uhr. Der Tag seines geplanten Selbstmords wird zum Tag seiner Erlösung!

Drei Jahre später gründet er ein Hilfswerk für Alkoholiker und deren Familien. In den folgenden vier Jahren eröffnen Mel und seine beiden Brüder sechzig ähnliche Zentren in den gesamten USA. Während des Ersten Weltkriegs entsteht zusätzlich ein Missionswerk unter den amerikanischen Soldaten, die nach Europa geschickt werden, und diese Arbeit wird im Zweiten Weltkrieg fortgesetzt.

Heute kümmert sich die von Mel Trotter gegründete Organisation um Kinder und Jugendliche, insbesondere aus sozial schwachen Familien. Jedes Jahr werden Millionen von Mahlzeiten ausgegeben, und Hunderten von Menschen wird Unterkunft und Beschäftigung geboten. Ihr Leitspruch lautet: „ONLY JESUS SAVES" (Nur Jesus rettet).

**Tägliche Bibellese** 3. Mose 5,1-13 · Psalm 51,1-11

# 14 Sonntag Juni

SA 05:09 · SU 21:34
MA 03:43 · MU 21:42

***Denn der Sohn des Menschen geht zwar dahin, wie über ihn geschrieben steht; wehe aber jenem Menschen, durch den der Sohn des Menschen überliefert wird! Es wäre besser für jenen Menschen, wenn er nicht geboren wäre.***

Markus 14,21

## Gedanken zum Markus-Evangelium

Die Passahfeier im Obersaal wurde durch einen Schreckensmoment unterbrochen: Jesus machte bekannt, was Er schon längst wusste: dass Judas, einer der Zwölf, im Begriff stand, Ihn an die Feinde zu überliefern, damit Er getötet würde.

Der Herr leitete seine Worte mit dem feierlichen „Wahrlich" oder „Amen" ein. Nicht nur die Jünger damals sollten aufmerksam sein, auch wir sind aufgefordert, genau hinzuhören und seine Worte zu verstehen.

Wie immer, wenn der Herr über sein Leiden und Sterben sprach, bezeichnete Er sich als der „Sohn des Menschen". Dieser Titel umfasst sowohl seine Verwerfung als auch seine universale Herrschaft im 1000-jährigen Reich.

Hier verweist Jesus auf das Alte Testament. Die Psalmendichter und Propheten hatten längst angekündigt, dass Er misshandelt, gekreuzigt und getötet werden würde (vgl. Psalm 22; Jesaja 53). Doch unerschütterlich ging Er seinen Weg als der treue Knecht Gottes. Seine Liebe konnte durch nichts ausgelöscht werden.

Gottes Plan steht fest und ist unveränderlich. Alles geschieht nach seinem Willen. Doch das entbindet den Menschen nicht von seiner Verantwortung. Judas allein trägt die Schuld für seine abscheuliche Tat. Über ihn sagt der Herr, es wäre besser für ihn, „wenn er nicht geboren wäre". Diese Worte lassen keinen Zweifel daran, dass Judas ein schreckliches Gericht erwartet.

Bei Gott zählt, wie wir zu seinem Sohn Jesus Christus stehen. Je mehr wir über Ihn wissen, umso größer ist unsere Schuld, wenn wir Ihn als Retter und Herrn ablehnen.

**Tägliche Bibellese** 3. Mose 5,14-26 · Psalm 51,12-21

# 15 Montag Juni

SA 05:09 · SU 21:35
MA 04:39 · MU 22:47

***Alle sind abgewichen, sie sind allesamt verdorben; da ist keiner, der Gutes tut, auch nicht einer.***

Psalm 53,4

***Wahrhaftig, dieser Mensch war gerecht.***

Lukas 23,47

## Jesus Christus, der Gerechte

Gottes Urteil über jeden Menschen ist erschreckend unmissverständlich: abgewichen und verdorben. Davon kann sich niemand freisprechen, gleich welcher Herkunft, Hautfarbe oder Religion. Ausnahmslos!?

Allein Jesus Christus, der als Mensch auf diese Erde kam, fand jederzeit Gottes Wohlgefallen. Und dieser einzige gerechte und absolut sündlose Mensch wurde zum Tod verurteilt. Mindestens acht Aussagen bewiesen seinerzeit, dass dieses Urteil völlig zu Unrecht erfolgte:

- Judas bekannte nach seinem Verrat den Hohenpriestern gegenüber: „Ich habe schuldloses Blut überliefert“ (Matthäus 27,4).
- Pilatus' Frau empfahl Pilatus: „Habe du nichts zu schaffen mit jenem Gerechten“ (Matthäus 27,19).
- Pilatus betonte dreimal, dass er keine Schuld an Ihm finde, dass Jesus gerecht sei, und dass kein Grund für ein Todesurteil bestehe (Matthäus 27,24; Lukas 23,14.22).
- Herodes bezeugte, dass „nichts Todeswürdiges von Jesus getan wurde“ (Lukas 23,15).
- Der mit Jesus gehenkte Räuber stellte fest: „Dieser hat nichts Ungeziemendes getan“ (Lukas 23,41).
- Und nach dem Tod Jesu bekannte der römische Hauptmann: „Wahrhaftig, dieser Mensch war gerecht“ (Lukas 23,47).

Was damals geschah, war kein Justizirrtum, sondern der größte und bedeutsamste Justizmord aller Zeiten. Unfassbar, dass Jesus sich verurteilen und kreuzigen ließ – ohne sich irgendwie zu verteidigen! Er ging diesen Weg bewusst und freiwillig. Am Kreuz trug Er dann das Gericht Gottes für Sünden, „der Gerechte für die Ungerechten“ (1. Petrus 3,18). Daher wird heute jeder, der an Jesus glaubt, von Gottes Gerichtsurteil freigesprochen.

**Tägliche Bibellese** 3. Mose 6,1-23 · Psalm 52,1-11

# 16 Dienstag Juni

SA 05:08 · SU 21:35
MA 05:54 · MU 23:33

***Der die Erde anschaut, und sie bebt; er rührt die Berge an, und sie rauchen.***

Psalm 104,32

## Mount Pelée – ein vermeidbarer Verlust (1)

Der knapp 1.400 Meter hohe Vulkan liegt auf der Karibik-Insel Martinique, die zu den Kleinen Antillen gehört. Als er in den Jahren 1792 und 1851 ausbrach, richtete er zwar nicht viel Schaden an, zerstörte jedoch die gesamte Vegetation rund um den Gipfel. Daher sein französischer Name: Pelée – „kahl" oder „abgeschält".

Im Jahr 1902 war Martinique eine französische Kolonie, die Hauptstadt St. Pierre zählte ungefähr 26.000 Einwohner, und für den 11. Mai waren Wahlen angesetzt. Hier ein Auszug aus dem „Tagebuch" des Vulkans:

- 23. April 1902: Ein leichtes Erdbeben lässt Teller aus den Regalen fallen.

- 24. April: Ein kleiner Ausbruch mit Ascheregen und leichtem Schwefelgeruch. (Der Bürgermeister erklärt, Schwefel sei gesund!)
- 30. April: Drei schwere Erdbeben erschüttern die Region.
- 2. Mai: Vulkanasche legt sich wie ein Schneesturm über das Land.
- 4. Mai: Aus einer Erdspalte steigen heiße Dämpfe auf, die erste Todesopfer fordern.
- 5. Mai: Ameisen, Tausendfüßler und giftige Schlangen verlassen den Berg und überschwemmen die Stadt; Vögel verenden in der Luft durch vulkanische Gase und fallen wie Steine vom Himmel; es gibt bereits 600 Todesopfer, aber eine Untersuchungskommission stellt fest: „Der Pelée zeigt bislang kein Verhalten, das eine Evakuierung von St. Pierre rechtfertigen würde".

Der Vulkan warnte, doch die Bevölkerung reagierte nicht. Ihr fehlte das Wissen darüber, wie sich ein Vulkan verhalten kann. Und die Behörden? Sie hatten einzig und allein die Wahl am 11. Mai im Kopf. Das Leben warnt auch mich: Es kann schnell zu Ende sein. Bereite ich mich vor und suche Rettung? Oder lebe ich weiter, als ob nichts wäre?

**Tägliche Bibellese** 3. Mose 7,1-21 · Psalm 53,1-7

# 17 Mittwoch Juni

SA 05:08 · SU 21:36
MA 07:23 · MU –:–

***Die Berge zerschmelzen unter ihm, und die Täler spalten sich wie das Wachs vor dem Feuer, wie Wasser, ausgegossen am Abhang.***

Micha 1,4

## Mount Pelée – ein vermeidbarer Verlust (2)

- 5. Mai 1902: Der Vulkan bebt und warnt, aber niemand reagiert. Eine Untersuchungskommission beschwichtigt.
- 6. Mai: Etwa 2.000 Menschen verlassen die Stadt. Viele jedoch können sich eine Schiffspassage nicht leisten, und der Landweg aus der Stadt ist nur ein Trampelpfad. Gleichzeitig strömen Menschen aus dem Umland in die Stadt, die auf 30.000 Bewohner anwächst.
- 7. Mai: Detonationen erschüttern St. Pierre.
- 8. Mai, Christi Himmelfahrt: Viele Menschen sind in der Kathedrale, als um 08.02 Uhr der Vulkan ausbricht.

Ein pyroklastischer Strom – eine Glutwolke aus weit über 700 °C heißen Gasen, glühenden Magmatropfen und Felsbrocken – setzt die Wälder und Zuckerrohrfelder in Brand. Mit rund 500 km/h rast die tödliche Lawine über die Stadt.

Im Hafen geraten Schiffe in Brand oder kentern, und viele Matrosen ersticken oder verbrennen. Nur ein Schiff – schwer beschädigt, fast die ganze Besatzung tot oder dem Sterben nah, der Kapitän fast erblindet – schafft es zur Nachbarinsel St. Lucia. Auf die Frage, woher sie kommen, antwortet der Kapitän: „Von den Pforten der Hölle!"

Der Ausbruch vernichtet sämtliche Häuser, Felder und Plantagen in der Umgebung, und zerstört die wirtschaftliche Grundlage der Insel. Mehr als 30.000 Menschen verlieren ihr Leben. Es ist der verlustreichste Vulkanausbruch des 20. Jahrhunderts – und ein tragischer, vermeidbarer Verlust unzähliger Menschenleben!

Gott will und kann retten: „Siehe, die Hand des HERRN ist nicht zu kurz, um zu retten" (Jesaja 59,1). Doch wer lässt sich heute noch warnen und retten? Wer Gottes Warnungen ignoriert, dessen Leben endet ebenfalls in einer Katastrophe, einem Verlust, der hätte vermieden werden können.

**Tägliche Bibellese** 3. Mose 7,22-38 · Psalm 54,1-9

# 18 Donnerstag Juni

SA 05:09 · SU 21:36
MA 08:53 · MU 00:04

***Wer seine Übertretungen verbirgt, wird kein Gelingen haben; wer sie aber bekennt und lässt, wird Barmherzigkeit erlangen.***

Sprüche 28,13

## Unkraut jäten

Seit Wochen verfolge ich mit Interesse, wie sich der Garten meines betagten Nachbarn entwickelt. Im Frühling haben seine Verwandten die Gemüsebeete ordentlich angelegt. Seither wachsen und gedeihen Kartoffeln, Gurken und Tomaten prächtig. Doch was mich besonders fasziniert: Weit und breit ist kein Unkraut zu sehen.

Wie schafft es der Rentner bloß, seinen Garten so sauber zu halten? Ich kann mir nicht vorstellen, dass seine Kräfte noch ausreichen, stundenlang auf den Knien zu jäten.

Gestern wurde das Geheimnis gelüftet: Ich beobachtete, wie der alte Herr mit einem Sack

Rindenmulch durch den Garten ging und jedes unerwünschte Pflänzchen unter einer dicken Schicht verschwinden ließ. Wirklich unkrautfrei ist der Garten also nicht!

Verhalten wir Menschen uns nicht ähnlich, wenn es um unsere Sünden geht? So wie in jedem Garten Unkraut wächst, gibt es auch in jedem Leben Sünde. Doch statt sie auszureißen, decken wir sie lieber zu – möglichst so, dass niemand etwas bemerkt. Nach außen hin geben wir uns freundlich, fröhlich und hilfsbereit. Keiner soll uns etwas nachsagen können.

Trotzdem sind wir belastet, unruhig und unglücklich. Wäre es da nicht besser, wenn wir uns – bildlich gesprochen – hinknien würden, um das „Unkraut" samt Wurzeln zu entfernen?

Wie das geschieht? Durch echte Reue und ein aufrichtiges Bekenntnis vor Gott und wenn nötig auch vor den Menschen, denen wir unrecht getan haben. Gott will uns vergeben, wenn wir Ihn darum bitten. Er kann es auch, denn Er hat seinen geliebten Sohn gegeben, der an unserer Stelle bestraft wurde.

So dürfen wir frei ausgehen – jeder, der Gottes Zusage glaubt.

**Tägliche Bibellese** 3. Mose 8,1-21 · Psalm 55,1-8

# 19 Freitag Juni

SA 05:09 · SU 21:36
MA 10:20 · MU 00:25

***Lernt von mir, denn ich bin sanftmütig und von Herzen demütig, und ihr werdet Ruhe finden für eure Seelen.***

Matthäus 11,29

## Jesus Christus kennenlernen – Er ist demütig

Die religiösen Ordnungshüter treten einmal mehr auf den Plan. Diesmal sind es die Männer, die die Abgabe der Tempelsteuer kontrollieren, der „Doppeldrachme", einer pro Kopf erhobenen Abgabe für den Tempel in Jerusalem. Auffällig ist, dass sie sich mit ihrer Anfrage nicht an den Herrn Jesus selbst wenden, sondern an Petrus. „Zahlt euer Lehrer nicht die Doppeldrachmen?" (Matthäus 17,24). – Man meint, schon wieder einen leicht drohenden, lauernden Unterton zu hören.

Wie so oft, reagiert Petrus spontan. Ohne genau Bescheid zu wissen, sagt er: „Doch, gewiss!" Ist er vielleicht etwas eingeschüchtert?

Jesus weiß um das Gespräch und spricht Petrus darauf an. Freundlich erinnert Er ihn daran, dass eigentlich nur Fremde Steuern und Zölle zahlen müssen. Dass Er, der Sohn Gottes, für den Tempel seines Vaters zahlen soll, ist eigentlich absurd. Doch dann fährt Jesus fort: „Damit wir ihnen aber keinen Anstoß geben ..." Was dann geschieht, ist so einzigartig, dass kein Mensch es sich hätte ausdenken können: Jesus schickt den Fischer Petrus zum Angeln! Und tatsächlich – der erste Fisch, den er fängt, trägt die gewünschte Münze im Maul, so dass Petrus die Tempelsteuer für sich und seinen Meister begleichen kann. Dieser kleine Bericht wirft wieder ein helles Licht auf Jesus Christus:

- Er ist so mächtig, dass jedes seiner Geschöpfe Ihm gehorcht. Einen Fisch an die richtige Stelle zu schicken, der zuvor ein Geldstück verschluckt hat, ist für Ihn kein Problem.
- Gleichzeitig ist Er so demütig, dass Er auf sein Recht verzichtet, um niemanden zu irritieren.

Demut wird oft mit Charakterschwäche verwechselt. Doch das ist ein Irrtum. Wahre Demut bedeutet, die innere Stärke zu besitzen, sich selbst nicht wichtig zu nehmen – selbst dann, wenn man im Recht ist und in Wirklichkeit über anderen steht.

**Tägliche Bibellese** 3. Mose 8,22-36 · Psalm 55,9-16

# 20 Samstag Juni

SA 05:09 · SU 21:37
MA 11:42 · MU 00:41

***Unser Heiland Jesus Christus hat den Tod zunichtegemacht, aber Leben und Unverweslichkeit ans Licht gebracht durch das Evangelium.***

2. Timotheus 1,10

## Der Umgang mit dem Tod

Bruno Ganz (1941-2019) war ein großer Schauspieler im deutschen Kulturraum. Er erforschte seine Rollen, bevor er sie mit Herz und Schmerz und bisweilen auch mit Komik, mit Hand, Fuß und Verstand spielte. Die Erblindung seines Sohnes im Alter von sechs Jahren machte ihn nachdenklich und sensibel im Umgang mit kranken jungen Menschen. Über seine Arbeit sagte Bruno Ganz einmal: „Sterberollen helfen einem nicht beim Umgang mit dem Tod."

Wie wahr! Sterberollen im Film oder auf der Bühne helfen nicht, das Thema wirklich zu bewältigen – das Verdrängen ebenso wenig. Und einfach abzuwarten, was kommt, ist der sicherste Weg in die Hoffnungslosigkeit. Tatsächlich wird das Lebensende heute oft und gerne ausgeblendet. Der Physiker und Philosoph Carl Friedrich von Weizsäcker (1912-2007) stellte einmal fest: „Wahrscheinlich ist keine Menschheit je dem Tode gegenüber so ratlos gewesen wie die heutige." Doch das muss nicht so bleiben.

Jesus Christus hat „den Tod zunichtegemacht", ihn entmachtet, und stattdessen „Leben und Unverweslichkeit ans Licht gebracht durch das Evangelium". Er hat gesagt: „Ich bin die Auferstehung und das Leben; wer an mich glaubt, wird leben, auch wenn er stirbt" (Johannes 11,25). Wer glaubt und stirbt, braucht keine Angst mehr zu haben, muss sich in kein unabwendbares Schicksal fügen. Nein, er weiß, dass ihn auf der anderen Seite des Todes sein Herr und Heiland erwartet. Eine vertraute Person, die ihn errettet hat, die ihm hier im Leben zur Seite stand und die auch im Sterben bei ihm ist. Der Tod hat für ihn seinen Schrecken verloren.

**Tägliche Bibellese** 3. Mose 9,1-24 · Psalm 55,17-24

# 21 Sonntag Juni

SA 05:09 · SU 21:37
MA 13:00 · MU 00:55

***Und während sie aßen, nahm er Brot, segnete, brach und gab es ihnen und sprach: Nehmt; dies ist mein Leib.***

Markus 14,22

## Gedanken zum Markus-Evangelium

Donnerstagabend, in einem gepolsterten Obersaal: Jesus Christus feiert mit seinen Jüngern das Passah – ein Fest, das an die Erlösung des Volkes Israel aus der ägyptischen Knechtschaft erinnert. Doch plötzlich nimmt Er Brot, spricht ein Dankgebet und verteilt es an sie. Damit unterbricht Er den gewohnten Ablauf der Feier. Diese Handlung markiert den Beginn von etwas Neuem: das „Mahl des Herrn", auch „Abendmahl" genannt – eine schlichte Mahlzeit, die jedoch von tiefer und weitreichender Bedeutung ist, wie wir noch sehen werden.

Es ist nicht das erste Mal, dass Jesus Brot nimmt und es segnet oder dafür dankt. Beim

Speisungswunder zum Beispiel begegnen uns dieselben Worte (Kap. 6,41). Auch die Tatsache, dass Brot gebrochen und ausgeteilt wird, ist nichts Ungewöhnliches. Der Prophet Jeremia sagt: „Man wird ihnen kein Brot brechen bei der Trauer, um jemand zu trösten über den Toten, noch ihnen zu trinken geben aus dem Becher des Trostes über jemandes Vater und über jemandes Mutter" (Kap. 16,7). Ebenso berichtet die Apostelgeschichte von Paulus: „Als er ... Brot genommen hatte, dankte er Gott vor allen, und als er es gebrochen hatte, begann er zu essen" (Kap. 27,35). „Brot brechen" steht also für eine gemeinsame Mahlzeit.

Doch was nun folgt, ist außergewöhnlich: Das Brot des Abendmahls symbolisiert den Leib Jesu. Der Evangelist Lukas ergänzt die Worte des Herrn: „... der für euch gegeben wird; dies tut zu meinem Gedächtnis!" (Kap. 22,19). Es geht also nicht um eine gewöhnliche Mahlzeit zur Sättigung, sondern um ein Gedächtnismahl. Das Brot bleibt Brot – doch in den Herzen und Gedanken der Gläubigen richtet sich alles auf den Herrn und seinen Tod, den Er für sie erlitten hat.



DIE GUTE SAAT 2026 • CSV-Verlag • www.csv-verlag.de

# 22 Montag Juni

SA 05:09 · SU 21:37
MA 14:14 · MU 01:07

***Denn das Gebot ist eine Leuchte, und die Belehrung ein Licht; und die Zurechtweisungen der Zucht sind der Weg des Lebens.***

Sprüche 6,23

## Die Spielregeln sind einzuhalten

Wer gemeinsam spielen will, braucht Regeln. Auf dem Kinderspielplatz und da, wo die Großen spielen. Erst recht natürlich beim Fußball, der „wichtigsten Nebensache der Welt".

Damit ein Spiel fair abläuft, braucht es klare Regeln – und eine neutrale Instanz, die auf deren Einhaltung achtet: den Schiedsrichter. Heute unterstützen ihn dabei nicht nur Linienrichter, sondern auch der VAR (Video Assistent Referee), der Spielszenen in Sekundenschnelle in Zeitlupe überprüfen kann. Und doch gibt es weiterhin Diskussionen über angebliche oder tatsächliche Fehlentscheidungen. Kein Wunder – oft hängt das Ergebnis davon ab.

Wie kommt es, dass wir in dem „Spiel des Lebens" oft meinen, ohne Regeln auszukommen oder uns einfach unsere eigenen Regeln aufstellen zu können? Gott zeigt uns in seinem Wort, wie wir zum Ziel kommen, und gebietet, dem Evangelium des Herrn Jesus Christus zu gehorchen – und wir sagen: *Nein, danke! Wir haben unseren eigenen Weg in den Himmel.* Gott sagt uns, wie unser Leben gelingen kann – aber *wir meinen, wir könnten selbst bestimmen, was Sünde ist und was nicht!* Seltsam – fast so, als würde die deutsche Mannschaft bei der Fußball-Weltmeisterschaft das Spiel mit zwei Torhütern auflaufen (weil der Trainer sich das so ausgedacht hat) und sich dann wundert, wenn sie disqualifiziert wird!

Gott sagt in der Bibel: „Geht ein durch die enge Pforte; denn weit ist die Pforte und breit der Weg, der zum Verderben führt, und viele sind, die durch sie eingehen. Denn eng ist die Pforte und schmal der Weg, der zum Leben führt, und wenige sind, die ihn finden" (Matthäus 7,13.14). Jesus Christus ist „der Weg", auf dem wir ans Ziel kommen (Johannes 14,6).



DIE GUTE SAAT 2026 • CSV-Verlag • www.csv-verlag.de

# 23 Dienstag Juni

SA 05:09 · SU 21:37
MA 15:28 · MU 01:19

***Der Sohn des Menschen ist nicht gekommen, um bedient zu werden, sondern um zu dienen und sein Leben zu geben als Lösegeld für viele.***

Markus 10,45

## Gestorben für andere

Am 23. Juni 2018 sitzen in Thailand 12 Kinder und ihr Betreuer in einer unterirdischen Höhle fest, eingeschlossen von steigendem Wasser. Schnell wird eine umfangreiche Rettungsaktion organisiert, da die Luft in der Höhle von Tag zu Tag knapper wird.

Endlich – nach neun Tagen gelingt es den Tauchern, die Gruppe zu finden und die Rettung durch das Einbringen von Sauerstoffflaschen vorzubereiten. Bei dieser Aktion stirbt auf tragische Weise der Taucher Saman Kunan – an Sauerstoffmangel! Nach ihrer erfolgreichen Befreiung erfahren die Kinder, dass ihre Rettung das

Leben von Saman gekostet hat. Ihm zu Ehren wurde inzwischen ein Denkmal errichtet.

Obwohl diese aufopferungsvolle Tat nicht mit dem Opfer Jesu am Kreuz vergleichbar ist, gibt es Parallelen: Saman hat zur Rettung der Kinder beigetragen, indem er ihnen unter Lebensgefahr das brachte, was sie zum Überleben benötigten: Sauerstoff. Dies kostete ihn sein eigenes Leben.

Was Saman widerfuhr, war ein tragischer Unfall. Jesus Christus hingegen ließ sich *freiwillig und bewusst* an das Kreuz von Golgatha nageln. Er starb *bewusst,* um Menschen zu retten. Er trug *bewusst* die Sünden derer, die Ihn als ihren Retter annehmen würden. Er tat es aus Liebe!

Die in der Höhle eingeschlossene Gruppe war ohne Hilfe vom Tod bedroht. Das steigende Wasser trennte sie vom lebensnotwendigen Sauerstoff. Ebenso ist jeder Mensch vom ewigen Tod bedroht, weil seine Sünden ihn von Gott trennen. Aber Jesus Christus schenkt jedem, der an Ihn glaubt, das ewige Leben und die Vergebung aller Sünden. Dafür hat Er sein eigenes Leben geopfert!

**Tägliche Bibellese** 3. Mose 11,29-47 · Psalm 57,1-12

# 24 Mittwoch Juni

SA 05:10 · SU 21:37
MA 16:40 · MU 01:33

***Ein gewisser Samariter, der auf der Reise war, kam zu ihm hin; und als er ihn sah, wurde er innerlich bewegt; und er trat hinzu und verband seine Wunden und goss Öl und Wein darauf; und er setzte ihn auf sein eigenes Tier und führte ihn in eine Herberge und trug Sorge für ihn.*** Lukas 10,33.34

## Ein Blick in den Spiegel

*Der Mann, von dem hier die Rede ist, wurde überfallen, ausgeraubt und halbtot liegengelassen.* Er ist ein Bild von uns Menschen: Das Leben hat uns zugerichtet ... es steht schlimmer um uns, als wir es wahrhaben wollen ... und wir können uns selbst nicht helfen.

*Zuerst nähert sich ein Priester, dann ein Levit, ein Tempeldiener. Beide sehen den Verletzten, doch beide gehen an der entgegengesetzten Seite vorbei.* Hätte der Mensch von den frommen Männern nicht Hilfe erwarten können? Wenn sie nicht helfen, wer dann? – Religion kann uns nicht retten. Nun scheint alle Hoffnung verloren – oder?

*Da kommt der Samariter – ein Mann aus einer Volksgruppe, die von den Juden verachtet wurde. Er sieht den Verwundeten ... wird innerlich bewegt ... tritt zu ihm ... und verbindet seine Wunden.* So hat sich auch Jesus Christus, der von seinen Zeitgenossen verachtet wurde, voller Liebe der Probleme angenommen, die durch die Sünde entstanden waren. Er hat sogar „für uns sein Leben hingegeben" (1. Johannes 3,16).

*Schließlich setzt der Samariter den Verletzten auf sein eigenes Tier und bringt ihn in die Herberge, wo sich der Wirt bis zu seiner Rückkehr um ihn kümmern soll.* Die Herberge, in die Jesus Christus die Geretteten gebracht hat, steht sinnbildlich für die Versammlung (Gemeinde), die Wohnung Gottes auf der Erde. Und der „Herbergsvater" erinnert uns an den Heiligen Geist, der sich für die, die Christus angehören, „Gott gemäß verwendet", bis Christus wiederkommt, um sie zu sich in den Himmel zu holen (Römer 8,27).



**Tägliche Bibellese** 3. Mose 12,1–13,8 · Psalm 58,1-12

# 25 Donnerstag Juni

SA 05:10 · SU 21:37
MA 17:54 · MU 01:48

*Ich jedoch würde Gott suchen und Gott meine Sache vorlegen, der Großes und Unerforschliches tut, Wunder ohne Zahl.*

Hiob 5,8.9

## Rekordverdächtig – Big and old

Welches ist das größte Lebewesen der Welt?

Der Elefant? – Aber nein! – Der Blauwal? – Etwas näher dran. – Wie bitte? Noch größer als ein Blauwal? Ja, viel, viel größer.

Das größte Lebewesen der Welt ist nach heutigem Wissen ein Pilz, ein riesiger dunkler Hallimasch. Die Fruchtkörper des Hallimaschs zählen zu den schmackhaften Speisepilzen, die man im Wald ernten kann. Er muss allerdings sorgfältig zubereitet und gut durchgegart werden, um bekömmlich zu sein.

Der eigentliche Pilz, das geheimnisvolle Netzwerk des Myzels, lebt verborgen unter der Erde. Und es kann gewaltige Ausmaße annehmen und sehr alt werden. Der bislang größte Pilz der Erde „wohnt“ im *Malheur National Forest* in Oregon. Er erstreckt sich über unfassbare 9 Quadratkilometer und bildet unterirdisch ein genetisch einheitliches, uraltes Pilzgeflecht.

Gott hat eine unbeschreibliche Vielfalt geschaffen, darunter eine Unmenge an Dingen, die für uns noch buchstäblich „im Dunkeln“ liegen. Es gibt eine Vielzahl „weißer Flecken“, bei deren Erforschung wir erst am Anfang stehen. Dazu gehören zum Beispiel die weiten Ozeane, aber auch die geheimnisvolle Welt unter dem Waldboden, das Erdinnere oder die Seen- und Flusslandschaften unter dem Eis der Antarktis.

Angesichts dessen, wie wenig wir bisher von unserer Erde wissen und verstehen, können wir umso mehr staunen über den Reichtum, die Schönheit und Fülle, die Gott in seine Schöpfung gelegt hat – und ein wenig demütiger sein angesichts der überwältigenden Weisheit Gottes!

**Tägliche Bibellese** 3. Mose 13,9-28 · Psalm 59,1-9

DIE GUTE SAAT 2026 • CSV-Verlag • www.csv-verlag.de

# 26 Freitag Juni

SA 05:11 · SU 21:37
MA 19:05 · MU 02:08

***Ein Schriftgelehrter kam herzu und sprach zu ihm: Lehrer, ich will dir nachfolgen, wohin irgend du gehst. Und Jesus spricht zu ihm: Die Füchse haben Höhlen und die Vögel des Himmels Nester, aber der Sohn des Menschen hat nicht, wo er das Haupt hinlege.***

Matthäus 8,19.20

## Jesus Christus kennenlernen – (Kein) Hausherr

Wieder einmal ist Jesus Christus von so vielen Menschen umgeben, dass Er in ein Schiff steigt, um über den See zu fahren und dem Rummel zu entgehen. Da kommt ein Schriftgelehrter zu Ihm – einer von den frommen Männern in Israel, die das Alte Testament bestens kennen und Jesus gleichzeitig so viele Schwierigkeiten bereiten. Doch dieser sucht keinen Streit, im Gegenteil: Er bittet Jesus, ihn mitzunehmen! Er, der Schriftgelehrte, will Jesus nachfolgen! Klingt großartig, oder?

Doch Jesus warnt den eifrigen Mann. Als Schriftgelehrter genießt er Ansehen und ein sicheres Leben. Ist er wirklich bereit, das aufzugeben? Jesus stellt ihm klar vor Augen, wie Er und seine Jünger leben: ohne feste Bleibe, ohne sicheren Rückzugsort. Heute hier, morgen dort – wie ein Nichtsesshafter zieht Er durchs Land.

Die Bibel berichtet nicht darüber, ob der Schriftgelehrte Jesus dann tatsächlich folgte. Doch bleiben wir bei dem, was Jesus hier sagt: Er hat den Himmel verlassen und fand auf der Erde nie ein dauerhaftes Zuhause. Schon bei seiner Geburt war kein Platz für Ihn und seine Eltern. Und als Er starb, hing Er heimatlos zwischen Himmel und Erde – am Kreuz.

Doch inzwischen ist Jesus längst Hausbesitzer und Hausherr in seinem eigenen Haus. Die Bibel spricht im Brief an die Hebräer von diesem Haus des Sohnes Gottes – einem geistlichen Haus, das aus allen besteht, die an Ihn glauben und durch seinen Sühnetod erlöst wurden. Und in diesem Haus hat nur Er das Sagen – uneingeschränkt!

*„Christus ist Sohn über sein Haus,*
*dessen Haus wir sind"* (Hebräer 3,6).

**Tägliche Bibellese** 3. Mose 13,29-44 · Psalm 59,10-18

**27** **Samstag**
**Juni**

SA 05:11 · SU 21:37
MA 20:12 · MU 02:34

***Der Himmel und die Erde werden vergehen, meine Worte aber werden nicht vergehen.***

Lukas 21,33

## Finale – auf das Ende kommt es an

Qualifikation – Rundenturnier – K.-o.-System mit Achtelfinale – Viertelfinale – Halbfinale – Finale. Dann ein Sieg, und ein Traum wird wahr: Weltmeister! Gesehen und gefeiert von allen. Das ist Wunsch und Ziel jeder Mannschaft. Doch nur eine Mannschaft wird Weltmeister. Und die anderen? Verlassen den Fußballplatz als Verlierer, scheiden aus und reisen ab. Aus und vorbei – der Traum.

Wie gut, dass es für den Himmel keine Qualifikation und kein Finale gibt. Was gäbe das für ein Laufen, Rennen und Kämpfen, ein Ellenbogen-Einsetzen, Aus-dem-Weg-Räumen, Beziehungen-Spielen-Lassen, ein „Ich bin der Stärkste,

Schönste oder der Wichtigste"! In den Himmel, in die Gegenwart und Gemeinschaft Gottes, kann jeder kommen. Jeder, ohne Ausnahme – wenn er denn will. Und wenn er den Weg wählt, den Gott vorbereitet hat.

Jesus sagt: „Himmel und Erde werden vergehen". Das ist wahr, denn alles auf dieser Erde hat einmal ein Ende. Das Universum – aber auch unser kurzes Erdenleben. Für jeden von uns.

Jesus sagt aber auch weiter: „Meine Worte aber werden nicht vergehen". Darin liegt die entscheidende Wahrheit – und zugleich die Lösung: Seine Worte haben Ewigkeitswert und Ewigkeitsfolgen! Wer sie ernst nimmt und befolgt, wer Ihn, den Sohn Gottes, in sein Leben lässt, der wird mit einem Leben belohnt werden, das niemals enden wird. Wer an Jesus glaubt, der „hat ewiges Leben", der „wird nicht sterben in Ewigkeit", der „wird leben, auch wenn er stirbt" (Johannes 6,47; 11,25.26). Unvorstellbar, aber wahr! – Doch wer die Worte von Jesus Christus nicht ernst nimmt und sie nicht befolgt, wird die Konsequenzen tragen müssen: ewiger Tod – ewige Trennung von Gott. Denn auch für ihn gilt: „Meine Worte aber werden nicht vergehen".

**Tägliche Bibellese** 3. Mose 13,45-59 · Psalm 60,1-5

# 28 Sonntag Juni

SA 05:12 · SU 21:37
MA 21:11 · MU 03:10

*Und er nahm einen Kelch, dankte und gab ihnen diesen; und sie tranken alle daraus. Und er sprach zu ihnen: Dies ist mein Blut, das des neuen Bundes, das für viele vergossen wird. Wahrlich, ich sage euch, dass ich nicht mehr von dem Gewächs des Weinstocks trinken werde bis zu jenem Tag, wenn ich es neu trinke in dem Reich Gottes. Und als sie ein Loblied gesungen hatten, gingen sie hinaus an den Ölberg.* Markus 14,23-26

## Gedanken zum Markus-Evangelium

Der Herr Jesus hat das Passahfest unterbrochen und sein Gedächtnismahl eingeführt. Wie gern hätten wir gehört, wie Er für Brot und Kelch dankte oder zumindest den Inhalt dieser Dankgebete erfahren. Doch Gott schweigt darüber – gewiss mit gutem Grund. Es bestünde sonst die Gefahr, das Abendmahl zu einer reinen Form werden zu lassen. Gott will, dass seine Erlösten bei dieser Gelegenheit mit ganzem Herzen dabei sind. Dank und Lobpreis können durch spontane Gebete oder gemeinsame Loblieder ausgedrückt werden – so wie es hier bei der Einsetzung des Mahls geschah.

Wie der Herr dem Brot seine Bedeutung gibt, so tut Er es auch mit dem Kelch, der offensichtlich mit Wein gefüllt war. Dieser Kelch symbolisiert sein Blut, das für viele vergossen wurde. Dabei denken wir nicht zuerst an das Blut, das durch Körperverletzung austrat, sondern an seine freiwillige Hingabe bis in den Tod: „... wie auch der Christus uns geliebt und sich selbst für uns hingegeben hat." Wie glücklich sind alle, die durch das Blut Jesu von ihren Sünden gewaschen sind (Epheser 5,2; Offenbarung 1,5).

Das Blut Jesu ist die Grundlage jeglichen Segens – im Himmel und auf der Erde. Dazu gehört auch der neue Bund, den Gott in Zukunft mit Israel schließen wird. Gläubige Christen besitzen bereits heute die Segnungen dieses Gnadenbunds: Wiedergeburt, Erkenntnis und Sündenvergebung (vgl. Hebräer 8,10-12). Da bleibt nur eins: von Herzen danken.

**Tägliche Bibellese** 3. Mose 14,1-13 · Psalm 60,6-14

# 29 Montag Juni

SA 05:12 · SU 21:37
MA 21:58 · MU 03:57

***Gott sagt: Wenn er zu mir schreit, so werde ich ihn erhören, denn ich bin gnädig.***

2. Mose 22,26

## Christen in aller Welt – Chi aus Nordkorea (1)

Chi wohnt mit seiner Familie in Nordkorea. Er ist ein glühender Anhänger der Kim-Dynastie, so wie er es von klein auf gelernt hat. Fest überzeugt glaubt er an die Chuch'e-Ideologie, nach der Nordkorea allein und im Widerstand gegen den Rest der Welt den Kommunismus aufbaut. Für ihn Ist sein Land das beneidenswerteste der Welt.

Dann bricht Hungersnot aus. Drei Jahre lang erhält er weder Lohn noch Essenszuteilung für seine Familie. Der Hunger ist allgegenwärtig. Die Menschen ernähren sich von Maiswurzeln, Baumrinde und Gräsern. Am Ende, als es gar nichts mehr gibt, greifen sie zu einem giftigen Gras, das schwere Durchfälle verursacht. Chis Familie stirbt – seine

Eltern, seine Frau, seine Tochter. In seiner Verzweiflung fasst Chi den Entschluss, nach China zu fliehen. Mit dem Zug reist er ins Grenzgebiet und schleppt sich zu Fuß weiter. Schließlich erreicht er den Fluss Tumen, der im Sommer nur wenig Wasser führt.

„Ich rechnete jeden Augenblick mit meinem Tod – und wollte doch unbedingt leben", erzählt Chi später. „Damals hätte ich jeden getötet, der sich mir in den Weg stellte. Und doch schrie mein Herz nach Gott, nur wusste ich es noch nicht." Erst später erkennt er aus der Bibel: Gott hat das Wissen um die Ewigkeit in jedes Menschenherz gelegt (vgl. Prediger 3,11). Alles geht gut – Chi wird von den Grenztruppen nicht entdeckt.

In China sieht Chi, wie Hunde mit Fleisch gefüttert werden. Diese Erkenntnis bringt ihn fast um den Verstand. Er ist erfüllt von Wut und Hass. In Nordkorea hat man ihn gelehrt, es sei das beste Land der Welt – doch nun muss er erkennen: In China leben selbst die Hunde besser als die Menschen in seiner Heimat. Für ihn steht fest: Niemals wird er nach Nordkorea zurückkehren.

(Schluss morgen)

**Tägliche Bibellese** 3. Mose 14,14-32 · Psalm 61,1-9

# 30 Dienstag Juni

SA 05:13 · SU 21:37
MA 22:33 · MU 04:56

***Wie lieblich sind auf den Bergen die Füße dessen, der frohe Botschaft bringt, der Frieden verkündigt, der frohe Botschaft des Guten bringt, der Rettung verkündigt.*** Jesaja 52,7

***Wie werden sie nun den anrufen, an den sie nicht geglaubt haben? Wie aber werden sie an den glauben, von dem sie nicht gehört haben? Wie aber werden sie hören ohne einen Prediger?*** Römer 10,14

## Christen in aller Welt – Chi aus Nordkorea (2)

Chi ist der Einzige von seiner Familie, der die schwere Hungersnot in seiner Heimat überlebt hat. Er flieht über den Fluss Tumen von Nordkorea nach China. Dort lernt er einen Missionar kennen, der ihn einlädt, eine Bibelschule zu besuchen. Zwar interessiert sich Chi nicht für die Bibel, doch die Schule scheint ein sicherer Ort zu sein, und der Missionar verspricht ihm Unterkunft und Verpflegung.

Das Bibelstudium fällt Chi anfangs schwer, doch je mehr er liest und betet, desto klarer wird ihm die gute Botschaft von Jesus Christus. Er findet Vergebung für seine Schuld – und tiefen inneren Frieden. „Nun habe ich auch Nordkorea nicht mehr gehasst", erzählt Chi. „Im Gegenteil, der Gedanke, dass meine Landsleute ohne Jesus dem ewigen Tod entgegengehen, bedrückte und quälte mich. Sie mussten die gute Botschaft hören – selbst wenn es mich das Leben kostete!"

Gemeinsam mit anderen Bibelschülern sucht Chi nach Nordkoreanern, die über die Grenze nach China kommen. Sie kümmern sich um sie und machen sie mit dem Evangelium vertraut. Das ist höchstgefährlich. Eines Tages werden sie von chinesischen Grenztruppen gefasst, verhaftet und nach Nordkorea zurückgeschickt. Chi landet in einem Arbeitslager, wird gefoltert und misshandelt. Überraschend kommt er nach einem halben Jahr frei, während andere Christen aus seinem Umfeld getötet werden.

Erneut gelingt Chi die Flucht – diesmal über China nach Südkorea. Seitdem setzt er sich unermüdlich dafür ein, die Christen im Untergrund in Nordkorea zu unterstützen.

**Tägliche Bibellese** 3. Mose 14,33-57 · Psalm 62,1-13

# 1 Mittwoch Juli

SA 05:13 · SU 21:36
MA 22:59 · MU 06:04

***Wer den Sohn hat, hat das Leben; wer den Sohn Gottes nicht hat, hat das Leben nicht.***

1. Johannes 5,12

## Dafür oder dagegen?

Auf diesen einfachen Nenner bringt Gott in seinem Wort die Antwort auf die wichtigste Frage des Menschen: Besitze ich Christus im Glauben, dann habe ich sein Leben, ewiges Leben. Habe ich den Sohn Gottes nicht, dann bin ich noch „tot in meinen Vergehungen und Sünden" (Epheser 2,1). Ob ich mich offen gegen Ihn stelle oder mich nur rein äußerlich – zum Beispiel durch die Taufe – zu Ihm bekenne, aber keine lebendige Beziehung zu Ihm habe, ist insofern kein Unterschied. Tot ist tot.

Ich sitze in der U-Bahn. Der Frau mir gegenüber reiche ich eine christliche Schrift. Ich erkläre ihr kurz, worum es geht. Sie lehnt entrüstet ab, empfindet es fast als Belästigung, auf Glaubensfragen angesprochen zu werden. Davon will sie nichts wissen. Da schaltet sich die Frau, die neben mir sitzt, ein: „Der Herr missioniert, das finde ich gut, das ist kein böser Mensch." – „Nein, nein, das habe ich auch nicht gesagt, dass er böse ist." Freudig überrascht biete ich meiner Fürsprecherin ebenfalls eine Schrift an: „Sie glauben an Jesus Christus als Ihren Erretter?" Zu meinem Erstaunen reagiert sie zurückhaltend und nimmt das Heft nur zögernd an. Die U-Bahn hält, sie steigt aus.

Jesus Christus sagt: „Wer nicht gegen euch ist, ist für euch." Aber Er sagt auch: „Wer nicht mit mir ist, ist gegen mich" (Lukas 9,50; 11,23). Es kommt auf eine echte, lebendige Beziehung zu Ihm an: „Wer den Sohn hat, hat das Leben."

Manche fühlen sich schon dann als gute Christen, wenn sie Missionare in Schutz nehmen. So anerkennenswert das auch ist, es bringt einen nicht näher zu Jesus. Nur wer Ihn als seinen Erlöser und Herrn annimmt, ist „für Jesus" und bekommt ewiges Leben. Dieses ewige Leben garantiert eine unauflösliche Beziehung zum Sohn Gottes und umfasst völlige Freude und tiefen Frieden.

**Tägliche Bibellese** 3. Mose 15,1-33 · Psalm 63,1-12

**2** **Donnerstag**
**Juli**

SA 05:14 · SU 21:36
MA 23:19 · MU 07:17

***Gott tut große Dinge, die wir nicht begreifen.***

Hiob 37,5

## Träumende Fliegen

Sie scheinen so überflüssig zu sein wie ein zweiter Kropf! Sobald etwas schimmelt, gammelt oder gärt, sind sie zur Stelle, die winzigen Taufliegen, auch Frucht- oder Gärfliegen genannt. Sie sind aufdringlich und scheinen sich wirklich exponentiell zu vermehren. Wohl keiner hat sie gern in der Küche.

Doch selbst diese kleinen, unscheinbaren und lästigen Lebewesen sind wunderbar ausgestattet. Sie können sogar helfen, Probleme von Menschen zu erforschen und zu lindern. Wie das?

Schlafforscher in Kalifornien arbeiten schon länger mit diesen Tierchen, deren Schlafgewohnheiten den unseren gar nicht unähnlich sind. Sie haben einen erkennbaren Schlaf-Wach-Rhythmus, wobei ihr Schlafverhalten von äußeren und inneren Einflüssen bestimmt wird. Und sie träumen sogar, zucken mit ihren Beinen, als würden sie im Schlaf allerlei erleben. Aus ihrem Schlafverhalten erhoffen sich die Forscher Hinweise darauf, was Schlafprobleme verursachen kann und wo es Lösungsansätze oder Linderung geben könnte.

Träumende Fliegen? Ja, und das, obwohl ihr Gehirn winzig klein ist. Aber dieses winzige Hirn bringt noch mehr fertig. Es kann bis zu 250 Bilder in der Sekunde verarbeiten und sehr schnell darauf reagieren.

Gott muss das Leben lieben, denn Er hat eine außerordentlich abwechslungsreiche und ausgefeilte Fülle davon geschaffen! Das motiviert auch uns, achtsam mit der Schöpfung umzugehen, vor allem natürlich mit unseren Mitmenschen, unseren Nächsten. Und wir wollen Gott, den Schöpfer, von Herzen loben!

**Tägliche Bibellese** 3. Mose 16,1-22 · Psalm 64,1-11

# 3 Freitag Juli

SA 05:15 · SU 21:36
MA 23:35 · MU 08:31

***Simon Petrus aber antwortete und sprach: Du bist der Christus, der Sohn des lebendigen Gottes.*** Matthäus 16,16

## Jesus Christus kennenlernen – Er ist der Christus

Cäsarea Philippi liegt am nördlichen Ende der Golan-Höhen, am Fuß des Hermon. Hier entspringt einer der drei Quellflüsse des Jordan. Die Stadt ist nach Philippus, einem Sohn Herodes' des Großen, benannt, der in Galiläa von Roms Gnaden regierte. Er hat diese eher unbedeutende Stadt zu seiner Residenz ausgebaut und prächtig gestaltet. Es ist eine heidnisch geprägte Region im Grenzgebiet von Israel.

In der Nähe dieser Stadt fragt Jesus seine Jünger, was die Leute über Ihn sagen. „Sie denken, dass du Johannes der Täufer oder einer der alten Propheten bist – vielleicht Elia oder Jeremia", antworten sie. „Und ihr, für wen haltet ihr mich?", fragt Jesus weiter. Petrus antwortet sofort und ohne Zögern: „Du bist der Christus, der Sohn des lebendigen Gottes!"

„Der Christus" ist kein Name, sondern ein Titel. Er bedeutet „der Gesalbte", hebräisch „Messias". „Gesalbte" waren im Alten Testament Personen, die im Auftrag Gottes regieren sollten: Priester und Könige. Diese wurden in einer symbolischen Handlung mit Öl gesalbt. Der Titel „der Gesalbte" oder „Messias" bezieht sich jedoch explizit auf den Retter, den Gott versprochen hatte und auf den die Israeliten seit Jahrhunderten warteten.

„Du bist der Christus, der Messias, unser Retter, und der Sohn Gottes", sagt Petrus also mit anderen Worten. Diese Erkenntnis hat er nicht aus eigener Klugheit. Gott selbst hat ihm diese Einsicht geschenkt – gerade in dieser heidnischen Region und zu dieser Zeit, die einen gewissen Wendepunkt im Wirken Jesu darstellt. In Israel erfährt Jesus zunehmend Ablehnung und Feindschaft. Darum richtet Er, der Messias Israels, sich nun auch an nichtjüdische Völker.

Bis heute kann jeder Mensch, der ehrlich sucht, den Sohn Gottes, den Retter, in Jesus erkennen und bei Ihm Rettung und Frieden finden.

**Tägliche Bibellese** 3. Mose 16,23-34 · Psalm 65,1-14

# 4 Samstag Juli

SA 05:15 · SU 21:35
MA 23:48 · MU 09:46

***Der König sprach zu mir: Um was bittest du denn? Da betete ich zu dem Gott des Himmels.***

Nehemia 2,4

## Risiko „Leben"

Bergmann zu sein war schon immer gefährlich. Früher erreichten die Bergleute oft nicht einmal das 40. Lebensjahr. Da gab es gefährliche Unfälle durch Überflutungen oder herabstürzendes Gestein. Immer wieder wurden Bergleute verschüttet. Die Staublungenkrankheit forderte Opfer, und auch die extremen Temperaturen und die hohe Luftfeuchtigkeit machten den Männern zu schaffen.

Viele Bergleute wussten, dass ihr Leben und ihre Gesundheit nicht von ihnen selbst abhingen. In dem alten Bergwerk, das ich kürzlich besichtigte, hatten sie unter Tage eine Kapelle eingerichtet. Vor der Arbeit gingen sie dorthin, um zu beten.

Sie wussten, warum. Der junge Führer aber, der uns das alles erklärte, konnte nicht mehr viel damit anfangen, und auch das Publikum fasste es nur als interessante Besonderheit aus fernen Zeiten auf. Ein bisschen rückständig und naiv eben. Oder?

Eine andere Arbeitsszenerie: Der aus Juda stammende Minister Nehemia steht vor dem mächtigen Perserkönig Artaxerxes. Es geht um wichtige Fragen. Ein einziges falsches Wort kann unabsehbaren Schaden anrichten. Was tut Nehemia, dieser hohe Beamte? Er betet! Er denkt an den großen Gott, der unendlich weit über dem mächtigen Herrscher steht, und bittet Ihn um Hilfe bei diesem Gespräch. Und Gott erhört sein Stoßgebet.

Wie gut, dass auch wir in unserem Arbeitsleben beten dürfen: am Ausbildungsplatz, an der Maschine, am Lenkrad, im Büro, im Pflegeheim, überall! Wir brauchen Schutz vor Gefahren, Hilfe bei schwierigen Arbeiten und Weisheit bei Entscheidungen. Der große Gott hört unsere Gebete. Christen, die diese Erfahrung kennen, haben einen riesigen Vorteil im Leben.

**Tägliche Bibellese** 3. Mose 17,1-16 · Psalm 66,1-7

# 5 Sonntag Juli

SA 05:16 · SU 21:35
MA 00:00 · MU 11:00

***Und Jesus spricht zu ihnen: Ihr werdet alle Anstoß nehmen, denn es steht geschrieben: „Ich werde den Hirten schlagen, und die Schafe werden zerstreut werden.“ Aber nach meiner Auferweckung werde ich euch vorausgehen nach Galiläa.*** Markus 14,27.28

## Gedanken zum Markus-Evangelium

Jesus ist mit seinen Jüngern auf dem Weg zum Ölberg. Er weiß genau, was Ihn in wenigen Stunden erwartet: Er wird gefangen genommen, verhört und gekreuzigt werden. Er weiß auch, dass die Jünger darauf mit Flucht reagieren werden (vgl. V. 50). Allein der Gedanke daran muss den Herrn tief getroffen haben.

Offenbar will der Herr seine Jünger vor den bevorstehenden Ereignissen warnen. Bisher haben sie sich in der Nähe des Herrn sicher gefühlt, weil Er sich um alles gekümmert hat. Doch nun wird sich vieles für sie ändern. Noch immer erwarten sie, dass Er sie von der römischen Besatzungsmacht befreit und sein Reich errichtet. Deshalb regt sich bei den Jüngern im ersten Moment Unverständnis, ja, sogar Unmut gegenüber ihrem Meister, als Er ihnen von seiner bevorstehenden Gefangennahme erzählt.

Dabei hätten sie wissen können, dass ihr Messias leiden und sterben musste. Nicht nur hatte Jesus selbst mehrfach davon gesprochen, auch zahlreiche Stellen im Alten Testament weisen darauf hin. So etwa im Prophetenbuch Sacharja, aus dem Jesus hier zitiert. „Ich" – das ist Gott selbst; Er wird „den Hirten" schlagen: Jesus, der Messias, wird weggetan werden (vgl. Daniel 9,26). Gott hatte seinen Sohn „emporgehoben" – dieser war als König der Juden geboren worden – und Ihn „hingeworfen" (Psalm 102,11). Die Folge: Die Schafe zerstreuen sich. Bis heute verstehen viele Menschen nicht, warum Gott seinen Sohn kreuzigen und sterben ließ …

Doch die Geschichte des geschlagenen Hirten endet nicht mit den zerstreuten Schafen. Gott hat „den großen Hirten der Schafe" aus den Toten auferweckt (Hebräer 13,20). Und als der Auferstandene begegnet der Sohn Gottes seinen Jüngern dort, wo alles begonnen hatte – in Galiläa.

**Tägliche Bibellese** 3. Mose 18,1-30 · Psalm 66,8-20

# 6 Montag
## Juli

SA 05:17 · SU 21:34
MA –:– · MU 12:15

***Sucht mich und lebt!*** Amos 5,4

***Bittet, und es wird euch gegeben werden; sucht, und ihr werdet finden; klopft an, und es wird euch aufgetan werden.*** Matthäus 7,7

### Suchen und Finden

Meine Eltern gingen mehr oder weniger regelmäßig in die Kirche. Als Kind nahmen sie mich mit. Später konnte ich mit Kirche und Glauben nichts anfangen. Während meines Studiums nahm ich mir nicht die Zeit, über Glaubensfragen nachzudenken. Im Grunde genommen lebte ich wie ein Atheist.

Aber irgendwie ließ mich die Frage nach Gott nicht los. Am Ende meines Studiums sagte ich mir: Ich muss doch wissen, ob es Gott wirklich gibt. So betete ich: „Gott, wenn es Dich wirklich gibt, dann zeige Dich mir!“

Nur wenige Tage danach sprach mich ein Kommilitone an. Er war in einer christlichen Organisation engagiert, die sich ursprünglich an Seeleute richtete, seit vielen Jahren aber auch an Schüler und Studenten, um ihnen das Evangelium zu bringen. Daher lud er mich zu einem Gottesdienst ein – als ob er gewusst hätte, dass ich gerade damals auf der Suche nach Gott war! Heute weiß ich, dass Gott ihn geschickt hatte. Gott sei Dank tat mein Kommilitone, was Gott ihm aufgetragen hatte.

Der Gottesdienst, den ich dann erlebte, überwältigte mich so sehr, dass mir im Anschluss daran klar war: „Gott hat meine Frage eindeutig beantwortet. Ja, es gibt Ihn!“ So habe ich mich bekehrt, ich habe Gott meine Sünden bekannt, und Er hat mir ein neues Leben geschenkt. Das ist in vieler Hinsicht nicht einfacher als vorher, aber ich bin so glücklich, Jesus Christus in meinem Herzen zu haben.

**Tägliche Bibellese** 3. Mose 19,1-37 · Psalm 67,1-8

# 7 Dienstag Juli

SA 05:18 · SU 21:34
MA 00:12 · MU 13:32

***Jesus sprach: Fürchte dich nicht! Ich bin der Erste und der Letzte und der Lebendige, und ich war tot, und siehe, ich bin lebendig von Ewigkeit zu Ewigkeit und habe die Schlüssel des Todes und des Hades.*** Offenbarung 1,17.18

## Was sagt die Bibel über den Tod?

- Bevor das erste Menschenpaar, Adam und Eva, vom Teufel zur Sünde verführt wurde, gab es keinen Tod: „Gott der HERR gebot dem Menschen: Vom Baum der Erkenntnis des Guten und Bösen sollst du nicht essen; denn an dem Tag, da du davon isst, musst du sterben" (1. Mose 2,16.17).
- Der Tod ist die Folge der Sünde: „Der Lohn der Sünde ist der Tod" (Römer 6,23).
- Der Tod trifft jeden Menschen: „Der Tod ist zu allen Menschen durchgedrungen, weil sie alle gesündigt haben" (Römer 5,12).

- Nach dem Tod ist nicht alles aus: „Es ist den Menschen gesetzt, einmal zu sterben, danach aber das Gericht“ (Hebräer 9,27).
- Wer das Evangelium ablehnt, wird den ewigen Tod erleiden: „Die dem Evangelium unseres Herrn Jesus Christus nicht gehorchen, werden Strafe erleiden, ewiges Verderben ... Dies ist der zweite Tod, der Feuersee“ (2. Thessalonicher 1,8.9; Offenbarung 20,12-15).
- Für alle, die an Ihn glauben, hat Jesus den Tod besiegt. Er schenkt ihnen das ewige Leben: „Unser Heiland Jesus Christus hat den Tod zunichtegemacht, aber Leben und Unverweslichkeit ans Licht gebracht durch das Evangelium“ (2. Timotheus 1,10).
- Wer an Jesus Christus glaubt, braucht den Tod nicht mehr zu fürchten: „Christus befreite alle die, die durch Todesfurcht das ganze Leben hindurch der Knechtschaft unterworfen waren“ (Hebräer 2,15).
- Jesus Christus sagt: „Ich bin die Auferstehung und das Leben; wer an mich glaubt, wird leben, auch wenn er stirbt“ (Johannes 11,25).



**Tägliche Bibellese** 3. Mose 20,1-27 · Psalm 68,1-9

# 8 Mittwoch Juli

SA 05:19 · SU 21:33
MA 00:25 · MU 14:53

***Ihr müsst von neuem geboren werden.***

Johannes 3,7

## Ethik ohne neues Leben?

„Wie soll der Mensch handeln?“ In dieser Frage muss Klarheit herrschen. Das gilt für die Gesetzgebung, für den Ethikunterricht an Schulen und nicht zuletzt für die persönliche Lebensführung.

Die „freiheitliche Ethik der Moderne“ geht auf den Philosophen Immanuel Kant (1724–1804) zurück. In seinem sogenannten kategorischen Imperativ hat Kant formuliert: „Handle so, dass die Maxime deines Willens jederzeit zugleich als Prinzip einer allgemeinen Gesetzgebung gelten könne.“

Schon Jesus Christus hatte in der Bergpredigt gesagt: „Alles nun, was irgend ihr wollt, dass euch die Menschen tun, das tut auch ihr ihnen ebenso!“ (Matthäus 7,12).

Auf den ersten Blick scheint das kein großer Unterschied zu sein. Doch Kant geht davon aus, dass Verstand und Wille des Menschen autonom sind – dass der Mensch also fähig ist, sein Handeln unabhängig zu bestimmen.

Bei Christus hingegen sind die sittlichen Forderungen nicht auf die Beziehungen der Menschen untereinander beschränkt. Die Beziehung zu Gott steht in seiner Verkündigung an erster Stelle. Und auch dieses Wort aus der Bergpredigt ist an Menschen gerichtet, die bereits zu seinen Jüngern zählen, die also seinem Ruf zur Umkehr schon Folge geleistet haben. Bevor sie in der Lage sind, sich ihren Mitmenschen gegenüber richtig zu verhalten, haben sie ihre Sache mit Gott in Ordnung gebracht.

Verstand und Wille des Menschen sind durch die Sünde beeinträchtigt und nicht frei. Deshalb betont der Herr Jesus, dass der Mensch ein ganz neues Wesen braucht: „Ihr müsst von neuem geboren werden." Nur so kann der Mensch in das Reich Gottes eingehen und nur so ist er in der Lage, ein Leben zu führen, das Gottes Zustimmung hat und zum Wohl seiner Mitmenschen dient. Und wie kommt die Neugeburt zustande? Durch den Glauben an den Namen des Sohnes Gottes (vgl. Johannes 1,12.13).

**Tägliche Bibellese** 3. Mose 21,1-24 · Psalm 68,10-19

# 9 Donnerstag Juli

SA 05:20 · SU 21:32
MA 00:42 · MU 16:19

***Du sollst den Herrn, deinen Gott, lieben mit deinem ganzen Herzen und mit deiner ganzen Seele und mit deinem ganzen Verstand. Dieses ist das große und erste Gebot.***

Matthäus 22,37.38

## Das Gebot

Der amerikanische Evangelist Torrey (1856–1928) war gebeten worden, sich mit einem liebenswürdigen und klugen jungen Mann zu unterhalten, der Prediger werden wollte. Bald stellte sich heraus, dass dieser sich für einen guten Menschen hielt und angeblich keine Erlösung brauchte. Auf die Frage, ob er Christ sei, kam die prompte Antwort: „Das war ich doch schon immer!"

Torrey erwiderte, dass jeder Mensch „von neuem geboren" werden muss (Johannes 3,3), um gerettet zu werden; aber damit konnte der junge Mann nichts anfangen. Torrey versuchte es dann mit der Frage, ob er denn nicht die größte Sünde begangen habe, die ein Mensch auf sich laden könne. „Nein, ganz und gar nicht“, entgegnete der Gefragte sogleich. „Ich habe ein vorbildliches Leben geführt.“

Da nahm der Evangelist seine Bibel heraus und bat den jungen Mann, Matthäus 22,37 und 38 zu lesen. Dann fragte er ihn: „Wenn dieses Gebot, Gott zu lieben mit ganzem Herzen, mit ganzer Seele und mit ganzem Verstand, das erste und größte ist, was muss dann die größte Sünde sein?“ „Natürlich die Übertretung dieses Gebots!“, war die Antwort.

„Haben Sie das Gebot gehalten? Haben Sie Gott immer mit ganzem Herzen, ganzer Seele und ganzem Verstand geliebt? Haben Sie Ihm in allem den ersten Platz in Ihrem Leben gegeben?“ – Als der junge Mann verneinte, stellte Torrey eine letzte Frage: „Was haben Sie also getan?“

Das Gewissen des jungen Mannes war erwacht, und nachdenklich sagte er: „Ich habe die größte Sünde begangen, die ein Mensch begehen kann! Und es ist heute das erste Mal, dass mir das bewusst wird.“



DIE GUTE SAAT 2026 • CSV-Verlag • www.csv-verlag.de

# 10 Freitag Juli

SA 05:21 · SU 21:32
MA 01:04 · MU 17:49

***Jesus wurde vor ihnen verwandelt; und sein Angesicht leuchtete wie die Sonne, seine Kleider aber wurden weiß wie das Licht.***

Matthäus 17,2

## Jesus Christus kennenlernen – Er wird verwandelt

Die Menschen in Jesu Heimatstadt kennen Ihn zum Teil von Kind an. Für sie ist Er lediglich der Sohn des Zimmermanns. Sie sind nicht bereit, in Jesus etwas anderes zu sehen, und feinden Ihn wegen seiner Predigten an (vgl. Lukas 4,16-30). Jesu Auftreten ist bescheiden. Zusammen mit den zwölf Aposteln zieht Er durch das Land, predigt, heilt, hilft und vollbringt Wunder. Gleichzeitig lehnt Er jedes Populärsein ab, zieht sich zurück, wenn die Begeisterung für Ihn zu groß wird oder in die falsche Richtung geht. Demütig und immer in der Nähe zu Gott lebt Er unter seinen Zeitgenossen. Nur selten wird seine andere Seite, seine

Herrlichkeit als Sohn Gottes, sichtbar. Doch jetzt kommt solch ein Moment.

Jesus steigt mit seinen Jüngern Petrus, Jakobus und Johannes auf einen hohen Berg. Matthäus, der dieses Ereignis beschreibt, kann nur in Bildern ausdrücken, was mit Jesus geschieht: Sein Gesicht leuchtet wie die Sonne und seine Kleider strahlen in reinem Weiß. Ein überwältigender Anblick! Plötzlich erscheinen Elia und Mose aus der jenseitigen Welt und sprechen mit Jesus. Diesen Moment möchte Petrus unbedingt festhalten und schlägt vor, drei Hütten zu bauen – eine für Jesus, eine für Mose und eine für Elia. Hat er denn immer noch nicht begriffen, wer Jesus wirklich ist, dass er Ihn auf eine Stufe mit Mose und Elia stellt? Sieht er nicht seine strahlende Verwandlung? Deshalb greift Gott persönlich ein. Die Schechina, eine leuchtende Wolke, die bereits im Alten Testament Gottes Gegenwart anzeigte, erscheint – und aus der Wolke ertönen die Worte: „Dieser ist mein geliebter Sohn, an dem ich Wohlgefallen gefunden habe; ihn hört“ (Matthäus 17,5). Die Jünger sind erschrocken und überwältigt. Als das Erlebnis vorüber ist, sehen sie „nur“ noch Jesus. Und das ist auch richtig so! Jesus allein.

**Tägliche Bibellese** 3. Mose 23,1-22 · Psalm 68,28-36

# 11 Samstag Juli

SA 05:22 · SU 21:31
MA 01:35 · MU 19:15

***Jesus Christus spricht: Siehe, ich komme bald.***

Offenbarung 22,12

**Bis bald!**

Da steht sie, die älter gewordene Gastgeberin, und sagt uns zum Abschied an der Tür: „Auf Wiedersehen. Bis bald!“ – Ich bin zuerst ein wenig verwundert, dass sie sich so verabschiedet. Was meint sie damit? Es ist doch überhaupt nicht damit zu rechnen, dass wir uns bald wieder treffen! „Auf Wiedersehen“? Da wird es mir auf einmal klar.

1. Sie sagt „Auf Wiedersehen“. – Klar, Christen sehen sich ja nie zum letzten Mal. Wenn Jesus ihr Retter geworden ist, sehen sie sich spätestens im Himmel wieder.
2. Sie sagt: „Bis bald.“ – Jesus Christus, Gottes Sohn, hat versprochen, dass Er bald wiederkommt, so wie es der Tagesvers sagt. Sie erwartet Jesu Wiederkommen wirklich bald, das heißt jederzeit. Sie ist bereit, wenn Jesus kommt, und freut sich auf diesen Augenblick.

Was für eine wunderbare Hoffnung haben Christen: zukünftig dort bei Jesus Christus zu sein, im Himmel, wo es keine Träne, kein Leid und keinen Tod mehr gibt! Ein Ort der Geborgenheit, des Friedens und ewiger Freude.

Wären Sie auch dabei, wenn Jesus Christus heute wiederkäme, um die Erlösten zu sich in die Ewigkeit zu holen? Der Weg zur ewigen Rettung ist leicht zu finden, denn er ist klar in der Bibel aufgezeigt. Jeder, der seine Schuld vor Gott einsieht und bekennt und an Jesus Christus glaubt, erhält Vergebung der Sünden und ewiges Leben! Dann gilt auch für Sie: „Auf Wiedersehen. Bis bald!"

*Wir haben hier keine bleibende Stadt.*
*Wir müssen fortgehn und keiner bleibt hier.*
*Wir haben hier keine bleibende Stadt,*
*doch die zukünftige suchen wir.*
*Die Heimat für uns Christen ist Gottes Himmelsstadt,*
*wo jeder Jesusjünger auf ewig Wohnrecht hat.*
*Wir werden Jesus sehen, der alles neu erschafft.*
*Die Hoffnung hält lebendig und gibt für Heute Kraft.*

*Theo Lehmann, Jörg Swoboda*

**Tägliche Bibellese** 3. Mose 23,23-44 · Psalm 69,1-12

# 12 Sonntag Juli

SA 05:23 · SU 21:30
MA 02:20 · MU 20:28

***Petrus aber sprach zu ihm: Wenn auch alle Anstoß nehmen werden, ich aber nicht. Und Jesus spricht zu ihm: Wahrlich, ich sage dir, dass du heute, in dieser Nacht, ehe der Hahn zweimal kräht, mich dreimal verleugnen wirst. Er aber beteuerte über die Maßen: Wenn ich mit dir sterben müsste, werde ich dich nicht verleugnen. Ebenso aber sprachen auch alle.***

Markus 14,29-31

## Gedanken zum Markus-Evangelium

Gerade hat Jesus seinen Jüngern angekündigt, dass sie alle Anstoß an Ihm nehmen werden, wenn man Ihn gefangen nimmt, verurteilt und kreuzigt. Das ist beschämend für die Jünger. Doch wer von ihnen nimmt das Wort des Herrn an?

Drei Jahre lang haben die Jünger ihren Herrn auf Schritt und Tritt begleitet. Immer war Er der Dienende unter ihnen. Wenn je jemand von Herzen demütig und sanftmütig war, dann Er.

Und noch etwas haben die Jünger beobachten können: Nie musste der Herr ein einziges Wort zurücknehmen. Was Er sagte, war immer wahr – ob mitfühlend oder in göttlicher Vollmacht gesprochen.

Die Jünger zeigen eine völlig andere Haltung: Sie sehnen sich danach, mit Christus zu regieren und dabei selbst groß herauszukommen. Vor diesem Hintergrund verstehen wir, warum sie unterwegs einmal darüber gesprochen haben, wer von ihnen der Größte sei (Kap. 9,34).

Petrus sieht jetzt den Augenblick gekommen, in dem er ein für alle Mal beweisen will, dass er weit über den anderen Jüngern steht. Er zweifelt offensichtlich nicht daran, der Größte unter ihnen zu sein. Dass andere versagen könnten, hält er für möglich, doch für sich selbst schließt er es aus. Gleich zweimal widerspricht Er dem Herrn mit vollmundigen Worten und beteuert schließlich seine große Liebe zu Ihm.

Wie wenig kannte Petrus sich selbst! Nicht einmal, nicht zweimal, sondern dreimal verleugnete er den Herrn. – Nur wer ganz dem Herrn und seiner Kraft vertraut, wird nicht straucheln.



**Tägliche Bibellese** 3. Mose 24,1-23 · Psalm 69,13-28

# 13 Montag Juli

SA 05:24 · SU 21:29
MA 03:25 · MU 21:23

***Gepriesen sei der HERR! Denn wunderbar hat er seine Güte an mir erwiesen.***

Psalm 31,22

## Rodneys Lebenswende

Ich bin zwar in einer katholischen Familie aufgewachsen, doch von Jesus Christus erfuhr ich damals nichts. Als Jugendlicher begann ich, Fragen über Gott zu stellen, und kam für mich dann zu dem Schluss, dass Gott nicht existiert. So wurde ich Atheist.

In den nächsten Jahren ging es mir jedoch nicht gut: Ständig quälten mich dunkle Gedanken und ich überlegte ernsthaft, mein Leben zu beenden.

Ich hatte dann Menschen, die sich um mich kümmerten, insbesondere Aline, eine gläubige Frau, die verschiedene Male mit mir über Gott sprach. Doch meine Situation verbesserte sich dadurch leider nicht. In der Folge kam es mehrmals zu Selbstmordversuchen. Doch nie gelang es mir. Vielmehr empfand ich, dass ich irgendwie beschützt wurde; es war wie eine Kraft, die mich über Wasser hielt. Heute weiß ich, dass Gott selbst seine Hand im Spiel hatte.

Eines Tages wurde meine Schwester gläubige Christin. Sie nahm mich mit in eine Kirche, wo man für mich betete. Auch Aline unterstützte mich weiterhin. Trotzdem beunruhigten mich immer noch schlimme Gedanken – es ging mir sogar immer schlechter. Wieder plante ich, mir das Leben zu nehmen. Doch genau an diesem Tag lud eine Freundin meiner Schwester mich zum Beten ein.

Am folgenden Morgen übergab ich mein Leben dem Herrn Jesus, Gottes Sohn. Ich bat um Vergebung für meine Sünden und um Befreiung. Seitdem hat sich mein Leben grundlegend verändert. Ich erlebte eine Neugeburt. Je mehr ich Gott und sein Wort kennenlernte, umso mehr fand ich neuen Lebenssinn. Jesus hat mir die Liebe geschenkt, nach der ich mich sehnte. Die große Leere ist einem erfüllten Leben gewichen.

**Tägliche Bibellese** 3. Mose 25,1-19 · Psalm 69,29-37

# 14 Dienstag Juli

SA 05:25 · SU 21:28
MA 04:48 · MU 22:01

***Rette mich, o Gott, denn die Wasser sind bis an die Seele gekommen!*** Psalm 69,2

## Im letzten Moment gerettet

In der Nacht vom 14. auf den 15. Juli 2021 sammeln sich enorme Wassermassen im Ahrtal. Mit unvorstellbarer Macht bahnt sich das Wasser seinen Weg durch das Tal. Es reißt alles mit, was ihm im Weg steht: Autos, Brücken, Häuser, Bäume.

In einem der unteren Dörfer wohnt ein älteres Ehepaar in der Nähe des Flusses. Sie erhalten die Warnung, dass die Ahr „etwas" über die Ufer treten würde. Mit einigen Helfern legen sie Sandsäcke vor die Türen. Sie fühlen sich sicher. Doch wenig später erleben sie, wie zügig das Wasser steigt. Und plötzlich geht alles sehr schnell: Das Wasser zerdrückt die Fensterscheiben im Erdgeschoss und strömt ins Haus. Jetzt geht es um Sekunden. Der Hausherr steht im Wohnzimmer.

Er will gerade noch wichtige Unterlagen aus dem Schrank holen, als ihm das Wasser plötzlich schon bis zum Hals steht. Er stützt sich auf die Couch, die durchs Zimmer schwimmt. Jetzt sind es nur noch 10 Zentimeter Luft bis zur oberen Türkante. Im letzten Moment kann er durch die Tür schwimmen und gelangt zur Treppe. Er und seine Frau retten sich auf den Dachboden, da auch die zweite Etage schon bald überflutet ist …

Was für eine furchtbare Katastrophe! Jedem Betroffenen gilt unser tiefes Mitgefühl.

Während ich dies schreibe, denke ich an eine Flut, die Jesus Christus erlebte. Diese Flut wurde nicht durch übermäßigen Regen ausgelöst, sondern durch die Sünde und das gerechte Strafgericht Gottes über die Sünde. Die Psalmworte beschreiben seine Not: „Flut ruft der Flut zu beim Brausen deiner Wassergüsse; alle deine Wogen und deine Wellen sind über mich hingegangen. … In Wassertiefen bin ich gekommen, und die Flut überströmt mich" (Psalm 42,8; 69,3).

Jesus Christus, der Gerechte, litt für uns, die Ungerechten. Und wozu? Damit Er uns zu Gott führe (1. Petrus 3,18)! Da bleibt mir nur, von Herzen Danke zu sagen.

**Tägliche Bibellese** 3. Mose 25,20-38 · Psalm 70,1-6

# 15 Mittwoch Juli

SA 05:26 · SU 21:27
MA 06:19 · MU 22:26

***Tu mir kund, HERR, mein Ende und das Maß meiner Tage, welches es ist, damit ich weiß, wie vergänglich ich bin!*** Psalm 39,5

## Leben nach dem Tod?

Am 6. Juni 1944 landeten die Soldaten der alliierten Armeen an der französischen Küste und wendeten damit den Verlauf des Zweiten Weltkriegs – unter großen Opfern! Oberhalb des Strandabschnitts Omaha Beach befindet sich der beeindruckende amerikanische Friedhof, wo in feierlicher Stille 9000 GIs ruhen, amerikanische Soldaten, von denen viele noch nicht einmal 20 Jahre alt waren.

Auch die Poilus, die einfachen französischen Soldaten, die im Ersten Weltkrieg bei Verdun fielen, werden in Frankreich geehrt. Ihre Namen sind in ein Denkmal eingraviert. So gedenken die Franzosen derer, die ihr Blut vergossen und ihr Leben gegeben haben, um Frankreich zu befreien.

Jedes Mal, wenn ich an einem Kriegerdenkmal stehe, beschäftigt mich die Frage: Wie viele der Soldaten, die ihr Leben verloren haben, mögen ihr Herz an Jesus Christus übergeben haben und damit das ewige Leben besitzen? Wie viele genießen heute ewiges Glück und Frieden bei ihrem Erretter, nachdem sie in grausamen Kriegen gelitten haben?

Unser aller Leben kann von einem Moment zum anderen sein Ende finden; dafür muss man nicht alt geworden sein. Wer hat beim Tod eines lieben Menschen nicht schon empfunden, wie zerbrechlich das menschliche Dasein ist? Und wohin gehen wir? Das Gedenken an die Toten ist auch jedes Mal ein Appell, uns an den Gott des Lebens zu wenden.

Als Jesus Christus auf dem Weg zum Grab seines Freundes Lazarus war, sagte Er zu dessen Schwester Martha: „Ich bin die Auferstehung und das Leben; wer an mich glaubt, wird leben, auch wenn er stirbt; und jeder, der lebt und an mich glaubt, wird nicht sterben in Ewigkeit. Glaubst du dies?" (Johannes 11,25.26).

**Tägliche Bibellese** 3. Mose 25,39-55 · Psalm 71,1-8

# 16 Donnerstag Juli

SA 05:27 · SU 21:26
MA 07:51 · MU 22:45

***So sehr hat Gott die Welt geliebt, dass er … gab …*** Johannes 3,16

## Gott gab

Vor rund 500 Jahren, als der Buchdruck mit auswechselbaren Lettern erst vor kurzer Zeit erfunden worden war, lebte ein Mann, der seinen Lebensunterhalt als selbstständiger Buchdrucker verdiente. Unter anderem druckte er für seine Kunden Verse aus der Bibel.

Eines Tages war seine kleine Tochter bei ihm in der Werkstatt. Sie bemerkte ein zerrissenes Stück Papier auf dem Boden und hob es auf. Es enthielt genau die Worte aus Johannes 3,16, die oben zitiert sind. Der Rest des Verses war abgerissen. Das Mädchen las die Worte immer wieder und wurde sehr froh. Zwar wusste sie nicht, was es war, das Gott gegeben hatte, denn die frohe Botschaft von Jesus Christus hatte sie noch nicht gehört. Aber allein die Tatsache, dass Gott in seiner Liebe etwas gegeben hatte, machte sie froh. Sie fing an zu singen, während sie im Haus herumlief, und ihr Verhalten veränderte sich.

Ihr Vater, dem diese Veränderung natürlich nicht entgangen war, fragte sie eines Tages: „Du bist seit einiger Zeit so fröhlich. Wie kommt das? Was ist passiert?" Das Mädchen druckste zuerst ein wenig herum, weil sie nicht wusste, wie ihr Vater über das Stück Papier dachte, das sie sich eingesteckt hatte. Doch dann erzählte sie von ihrem Fund: was auf dem Papier gestanden hatte und dass es sie so glücklich gemacht hatte, dass Gott gerne gibt.

Der Vater zeigte ihr nun den vollständigen Bibelvers. Wie staunte die Kleine, dass Gott seinen einzigartigen Sohn gab, „damit jeder, der an ihn glaubt, nicht verloren gehe, sondern ewiges Leben habe". Von Herzen glaubte sie an diese gute Botschaft und war nun noch glücklicher als vorher.

# 17 Freitag Juli

SA 05:29 · SU 21:25
MA 09:18 · MU 23:00

***Es überschattete sie eine lichte Wolke, und siehe, eine Stimme erging aus der Wolke, die sprach: Dieser ist mein geliebter Sohn, an dem ich Wohlgefallen gefunden habe; ihn hört. … Als sie aber ihre Augen erhoben, sahen sie niemand als Jesus allein.***

Matthäus 17,5.8

## Jesus Christus kennenlernen – Vom Vater geliebt

„Dieser ist mein geliebter Sohn!" Diese Worte Gottes hören die drei Jünger Petrus, Jakobus und Johannes, als sie mit Jesus auf dem Berg sind – fernab von allen Herausforderungen des Alltags, allein mit ihrem Meister. Sie werden Augenzeugen seiner herrlichen Größe: Er wird vor ihnen verwandelt, sein Gesicht leuchtet wie die Sonne, seine Kleider sind weißstrahlend. Und dann erscheinen zwei geehrte Männer aus der ewigen Welt bei Ihm: Mose und Elia. Damit Jesus nicht auf eine Stufe mit ihnen gestellt wird, betont Gott: „Dieser ist mein geliebter Sohn.“ Auf Ihn sollen die Jünger ihr Augenmerk richten.

Gott liebt seinen Sohn in einem Maß, das wir uns nicht vorstellen können – und das schon seit ewigen Zeiten! Und doch hat Er Ihn auf die Erde gesandt, um hier zu leiden und zu sterben. Das tat Er aus grenzenlosem Erbarmen, um Menschen zu retten.

Wer jetzt gleichgültig oder gar feindlich an Gottes geliebtem Sohn vorbeigeht, beleidigt Gott. „Gott akzeptiere ich, aber warum Jesus?“ ist keine Option. Denn jeder, der den Sohn leugnet, hat auch den Vater nicht (1. Johannes 2,23).

Doch wer Jesus liebt, hat Gott ganz auf seiner Seite: „Wer aber mich liebt, wird von meinem Vater geliebt werden“, sagt Jesus später zu seinen Jüngern (Johannes 14,21). Vielleicht mussten sie bei diesen Worten ihres Herrn an die Liebe des Vaters zu seinem Sohn denken, die Gott damals auf dem Berg verkündet hatte.

Wer nun an Jesus glaubt, wird in diese Liebe, die Gott, der Vater, zu seinem Sohn hat, miteinbezogen. Ist das nicht großartig?

**Tägliche Bibellese** 3. Mose 26,14-33 · Psalm 71,17-24

# 18 Samstag Juli

SA 05:30 · SU 21:24
MA 10:39 · MU 23:13

***Er hat Frieden gemacht durch das Blut seines Kreuzes.*** Kolosser 1,20

## Ein süßes Dankeschön

Er war Feuerwehrmann und sollte bei der Flut im Ahrtal im Juli 2021 ein Feuerwehrhaus sichern. Dabei riss die Flut ihn fort. Erst rettete er sich auf eine Friedhofsmauer, dann hielt er sich an einer treibenden Kiste fest. Schließlich kletterte er auf einen Baum und konnte über Funk um Hilfe rufen. Später stürzte er vom Baum ins Wasser, konnte sich aber an einem Grabkreuz auf dem Friedhof festhalten. Von dort wurde er sechs Stunden später durch ein Fahrzeug der Feuerwehr gerettet.

Seinen Rettern übergab er Monate später eine aufwändig gestaltete Torte. Sie zeigte – aus Marzipan und Schokolade – das Rettungsfahrzeug: originalgetreu nachgebildet mit Tank, Blaulicht und Martinshorn, und an den Reifen sogar noch die Abdrücke der braunen Flut. Ein süßes Dankeschön, eine beeindruckende Geste!

Er selbst konnte sich nicht retten – andere mussten es tun. Doch der zur Rettung anderer ausgebildete Feuerwehrmann musste sich auch retten lassen – falscher Stolz wäre hier sein Tod gewesen. Gleichzeitig war seine Rettung nur möglich, weil es da ein drei Meter hohes Grabkreuz gab, das den Wassermassen standhielt und ihn davor bewahrte, mitgerissen zu werden und in der braunen Flut unterzugehen.

Die Dankes-Torte unterstrich, wie glücklich er war, dass er diese furchtbare Gefahrensituation überlebt hatte. Und wem gebührt der größte Dank, wenn jemand aus Todesgefahr gerettet wird? Letztendlich ist es immer Gott, der alles so wunderbar lenkt!

Jeder Mensch ist hoffnungslos verloren, doch Gott ist bereit, ihn zu retten. Er bietet jedem die Rettung an – aber sie muss auch angenommen werden. Und es ist das Kreuz von Golgatha, das rettet, wenn ein Mensch sich daran klammert. Denn Jesus hat „Frieden gemacht durch das Blut seines Kreuzes".

**Tägliche Bibellese** 3. Mose 26,34-46 · Psalm 72,1-7

# 19 Sonntag Juli

SA 05:31 · SU 21:23
MA 11:57 · MU 23:26

*Und sie kommen an einen Ort, mit Namen Gethsemane, und er spricht zu seinen Jüngern: Setzt euch hier, bis ich gebetet habe. Und er nimmt Petrus und Jakobus und Johannes mit sich und fing an, sehr bestürzt und beängstigt zu werden. Und er spricht zu ihnen: Meine Seele ist sehr betrübt, bis zum Tod; bleibt hier und wacht. Und er ging ein wenig weiter, fiel auf die Erde und betete, dass, wenn es möglich wäre, die Stunde an ihm vorübergehe.*

Markus 14,32-35

## Gedanken zum Markus-Evangelium

Mehrmals hat Jesus seinen Jüngern angekündigt, dass Er viel leiden müsse. Doch sie haben Ihn nicht verstanden. Jetzt steht Er unmittelbar davor: Die Führer der Juden werden mit Hunderten von Soldaten kommen, um Ihn festzunehmen.

Warum geht der Herr jetzt nach Gethsemane? Er weiß doch, dass diese Schar, angeführt von

Judas, Ihn genau dort suchen wird. Trotzdem wählt Er diesen Ort, dessen Name „Ölpresse" bedeutet. Er ist bereit, die schwere Prüfung zu erdulden, die Ihn erwartet.

Wie gnädig ist es doch, dass Jesus seine Jünger zumindest teilweise an seinen Empfindungen teilhaben lässt, die Ihn in diesen Stunden überkommen. Werden sie dieses Mal mehr Mitempfinden zeigen?

Plötzlich beginnt der Herr, sehr bestürzt und beängstigt zu werden. Warum? Nie hat Er sich vor Menschen gefürchtet. Stets hat Er auf den Schutz und Beistand seines himmlischen Vaters vertraut. Es muss also etwas Außergewöhnliches sein ...

Schließlich lässt Jesus sogar seine drei vertrautesten Jünger zurück und geht das letzte Stück allein. Eine unsagbare Not liegt auf seiner Seele – Er ist ja vollkommen Mensch, jedoch heilig, ohne Sünde. Seine Empfindungen sind deshalb keineswegs abgestumpft. Er sieht etwas Schreckliches auf sich zukommen: den Augenblick, wo Gott Ihn wegen unserer Sünden strafen und zugleich verlassen muss. Deshalb betet, fleht, weint und schreit Er (vgl. Hebräer 5,7). – Das berührt uns zutiefst.

**Tägliche Bibellese** 3. Mose 27,1-15 · Psalm 72,8-14

# 20 Montag Juli

SA 05:32 · SU 21:22
MA 13:13 · MU 23:39

***Was soll ich tun, um ewiges Leben zu erben?***

Markus 10,17

## Wie gut muss mein Leben sein? (1)

Jahrelang dachte ich, dass ein Mensch gut sein müsse, um in den Himmel zu kommen. So hatte ich es als Kind gelernt: Tu alles Gute und lebe gut, dann kommst du in den Himmel. Wenn du aber Böses tust und ein schlechtes Leben führst, dann straft Gott dich und du gehst in die Hölle. – Vor diesem strafenden Gott und der Hölle fürchtete ich mich sehr; ich wollte doch gern in den Himmel kommen!

Später erzählten mir einige Leute, ich müsse alles aufgeben, was ich besitze, wenn ich in den Himmel kommen wolle. Das tat ich dann auch, so gut es ging; doch Frieden fand ich dadurch nicht. Ich verließ diese Gruppe und suchte weiter.

Durch allerlei Einflüsse von Menschen, die meinen Weg kreuzten, und durch die Bücher, die ich las, entfernte ich mich immer weiter von dem wahren Gott. Ich dachte nun, ich müsse mich selbst aufgeben, mein Ich verlieren. Ich müsse von der Bindung an diesen Körper befreit werden, dann würde ich wirklich frei sein. Und so versuchte ich alles, um mich von mir selbst zu befreien. Ich nahm Drogen, ich fastete und meditierte, ich gab vieles auf. – Doch auf diese Weise ging es nur noch weiter bergab mit mir. Schließlich bestand mein Leben nur noch aus nutzlosem Herumliegen und Unmoral.

Da rief ich eines Tages zu Gott: Lass mich bitte nicht in diesem Zustand sterben; so kann ich nicht vor Dir erscheinen! – Und an diesem Tag fand ich tatsächlich die Kraft, mit den Drogen Schluss zu machen. Langsam ging es mir dann etwas besser. Nun tue ich also das Gute, dachte ich: kein Alkohol, keine Drogen mehr. So wird Gott mich wohl haben wollen. Jetzt lebe ich endlich anständig. (Schluss folgt)

**Tägliche Bibellese** 3. Mose 27,16-34 · Psalm 72,15-20

# 21 Dienstag Juli

SA 05:33 · SU 21:21
MA 14:27 · MU 23:53

***Rufe mich an am Tag der Bedrängnis: Ich will dich erretten, und du wirst mich verherrlichen!***

Psalm 50,15

**Wie gut muss mein Leben sein? (2)**

Eines Tages schaute ich zurück auf das Leben, das ich bis dahin geführt hatte: ein einziger Scherbenhaufen; ein Leben voller Sünden, die ich nicht ungeschehen machen konnte. Da kniete ich nieder und sagte Gott, dass ich das aufrichtig bereute, und bekannte Ihm all die scheußlichen Sünden. – Würde es noch Gnade für mich geben? Diese Frage beschäftigte mich sehr.

Durch Gottes Führung gelangte ich dann beim Lesen der Bibel zu der Überzeugung, dass der Mensch in seinem tiefsten Wesen sündig ist und aus sich selbst gar nicht zu Gott kommen kann, auch nicht durch das anständigste Leben.

In seiner Liebe machte Gott mir klar, dass sein Sohn, Jesus Christus, Mensch geworden ist, um für meine Sünden am Kreuz zu sterben. Er nahm die Strafe für alle Sünden, die ich getan hatte, auf sich. Er hat mich erlöst, Er hat mir Vergebung geschenkt. Weil ich von mir aus nicht zu Gott kommen konnte, kam Gott durch Jesus Christus zu mir.

Was für eine Befreiung – nach so vielen Jahren! Nun bin ich tatsächlich auf dem Weg zum Himmel; ich werde für immer bei Gott sein. Nicht weil ich etwas dafür getan hätte, sondern weil Christus alles vollbracht hat. – Er ist jetzt Herr geworden in meinem Leben. Ich diene Ihm gern, denn Er hat mich von all meinen Sünden erlöst und mir ewiges Leben geschenkt.

Vielleicht hat jemand mit ähnlichen Problemen zu kämpfen. Dann bete zu Jesus Christus! Er ist für Sünder gestorben und Er ist auferstanden – Er lebt und Er hört dich, wenn du zu Ihm rufst.

*„Jeder, der irgend den Namen des Herrn anruft, wird errettet werden“* (Römer 10,13).

**Tägliche Bibellese** Josua 1,1-18 · 1. Korinther 1,1-9

# 22 Mittwoch Juli

SA 05:35 · SU 21:20
MA 15:42 · MU –:–

***Paulus, berufener Apostel Christi Jesu durch Gottes Willen, der Versammlung Gottes, die in Korinth ist, samt allen, die an jedem Ort den Namen unseres Herrn Jesus Christus anrufen, ihres und unseres Herrn.***

1. Korinther 1,1.2

**Die beiden Briefe an die Korinther …**

… entstanden während der dritten Missionsreise des Apostels Paulus, wahrscheinlich im Jahr 57 n. Chr. – und das innerhalb weniger Monate.

Korinth war eine bedeutende Hafen- und Handelsstadt auf der Landenge zwischen Nordgriechenland und dem Peloponnes. Ihre zentrale Lage machte die Stadt zu einem Knotenpunkt für Handel, Kultur und Philosophie, aber auch zu einem Zentrum von Sittenlosigkeit und Götzenverehrung. Die moralische Zügellosigkeit der Korinther war sprichwörtlich.

Auf seiner zweiten Missionsreise (51-54 n. Chr.) kam Paulus nach Europa und blieb 18 Monate in

Korinth (Apostelgeschichte 18,11). Während seiner dritten Missionsreise erreichten ihn dann beunruhigende Nachrichten aus der dortigen christlichen Gemeinde. Daraufhin verfasste er den ersten Brief an die Korinther.

Dieser erste Brief enthält ausführliche Anweisungen zur inneren Ordnung und zum gemeinsamen Leben der Gemeinde Gottes. Paulus spricht Themen wie Gemeindezucht, das Abendmahl und den verantwortungsvollen Umgang mit geistlichen Gaben an. Besonders beeindruckend ist Kapitel 13 – bekannt als das „Hohelied der Liebe".

Nach Abfassung des ersten Briefs plante Paulus, nach Korinth zu reisen. Doch davon nahm er Abstand und entschied sich, stattdessen seinen Mitarbeiter Titus dorthin zu senden. Als dieser zurückkam und ihm Gutes und weniger Gutes berichtete, schrieb er den zweiten Brief.

In diesem äußerst persönlichen Schreiben spricht Paulus über die Motive seines Handelns (Kap. 1–7), über eine geplante Spendensammlung für die verarmten Gläubigen in Judäa (Kap. 8; 9) und über seinen apostolischen Dienst und Auftrag (Kap. 10–13). Dieser zweite Brief zählt zu den offensten Briefen von Paulus.

**Tägliche Bibellese** Josua 2,1-13 · 1. Korinther 1,10-17

# 23 Donnerstag Juli

SA 05:36 · SU 21:18
MA 16:54 · MU 00:11

***Der Mensch (Adam) sagte: Die Frau, die du mir beigegeben hast, sie gab mir von dem Baum, und ich aß.***

1. Mose 3,12

## Der andere ist schuld

Adams Antwort auf Gottes Frage, ob er von dem verbotenen Baum gegessen habe, zeigt: Sünde macht feige. Adam hätte einfach zugeben können: „O Gott, das Schlimmste, was geschehen konnte, ist passiert: Ich habe von dem Baum gegessen, von dem ich nicht essen durfte. Gibt es eine Möglichkeit, das wieder in Ordnung zu bringen?"

Aber Adam reagiert leider ganz anders, und darin kommt eine hässliche Eigenschaft der Sünde zum Vorschein, der wir auf Schritt und Tritt begegnen: Man versucht, die Verantwortung für sein falsches Tun auf andere zu schieben. Adam erklärt, dass Eva ihm von der verbotenen Frucht gegeben habe. Und indirekt gibt er Gott die Schuld, indem er Eva als „die Frau, die du mir zur Seite gegeben hast", bezeichnet. Dreister geht es kaum.

Wie oft haben wir schon Schuld von uns weggeschoben! Wir sind in dieser Hinsicht sehr einfallsreich. Und wie viele Unverfrorenheiten dieser Art haben wir uns Gott gegenüber schon erlaubt! – Immer ist der andere schuld. Wie oft passiert das zwischen Ehepaaren, in der Familie oder unter Arbeitskollegen: Man sucht die Schuld nur oder vor allem bei den anderen. Merken wir nicht, dass das Problem oft bei uns selbst liegt?

Schuld zu leugnen, sie von sich zu schieben oder anderen zuzuweisen, gehört von Anfang an zum Wesen der Sünde. Das sehen wir an Adams Antwort. Und wie ernst ist es erst, wenn wir Gott die Schuld an allem zuschreiben! Das verbaut uns noch dazu den einzigen Ausweg, denn wir können nur dann von unserer Schuld frei werden, wenn wir unsere Verfehlungen offen vor Gott eingestehen. Er will jedem vergeben, der zu Ihm umkehrt. Die Voraussetzung dafür hat Er durch den Sühnungstod seines Sohnes geschaffen.

**Tägliche Bibellese** Josua 2,14-24 · 1. Korinther 1,18-31

# 24 Freitag Juli

SA 05:37 · SU 21:17
MA 18:03 · MU 00:35

***Jesus sprach zu ihm: Wenn du vollkommen sein willst, so geh hin, verkaufe deine Habe und gib sie den Armen, und du wirst einen Schatz in den Himmeln haben; und komm, folge mir nach! Als aber der Jüngling das Wort hörte, ging er betrübt weg, denn er hatte viele Besitztümer.***

Matthäus 19,21.22

## Jesus Christus kennenlernen – Er fordert heraus

Er ist ein feiner junger Mann. Höflich, vermutlich gebildet. Und er beschäftigt sich mit den richtigen Themen: Die Erlangung des ewigen Lebens. Gibt es etwas Wichtigeres? Außerdem wendet er sich mit seiner Frage an die richtige Adresse, an Jesus Christus: „Lehrer, was muss ich Gutes tun, um ewiges Leben zu haben?" (Kap. 19,16).

Jesus greift zwei zentrale Punkte auf: Gott allein ist gut. Der Mensch hingegen nicht, und deshalb kann er von sich aus auch nichts Gutes tun. Das beantwortet bereits einen Teil der Frage. Doch Jesus geht noch weiter: „Erfüll die Gebote!“ „Das habe ich alles getan“, erwidert der junge Mann.

Das ist beeindruckend – er hat von Jugend an die Gebote befolgt. Und er ist wirklich kein Heuchler wie die Pharisäer, die nur vor den Menschen gut dastehen wollen. Nein, er meint es ernst, er sucht aufrichtig nach dem ewigen Leben.

Doch dann fordert Jesus ihn heraus: „Wenn du vollkommen (gut) sein willst, verkauf deinen Besitz, gib das Geld den Armen und folge mir nach!“

Das ist für den jungen Mann zu viel. Seinen Reichtum aufgeben? Traurig geht er weg. Ob er verstanden hat, dass er die Gebote doch nicht wirklich gehalten hat? Besonders das erste: „Du sollst keine anderen Götter haben neben mir“ (2. Mose 20,3). Sein Besitz bedeutet ihm offensichtlich mehr als Gott.

Die Bibel sagt ganz klar: Kein Mensch kann wirklich gut sein oder die Gebote vollständig erfüllen. Gottes Maßstab ist absolut – so vollkommen wie Er selbst. Doch wer sein Vertrauen ganz auf Jesus setzt, Ihm glaubt und Ihm nachfolgt, der hat ewiges Leben (Johannes 3,36)!

**Tägliche Bibellese** Jousa 3,1-13 · 1. Korinther 2,1-5

# 25 Samstag Juli

SA 05:39 · SU 21:16
MA 19:05 · MU 01:08

***Der Sohn Gottes hat mich geliebt und sich selbst für mich hingegeben.***

Galater 2,20

## Der Retter

Isaak B. Singer (1902–1991) entstammt einer traditionellen polnischen Rabbinerfamilie. Im Jahr 1935 emigrierte er in die USA und erhielt 1978 als bislang einziger jiddischer Schriftsteller den Nobelpreis für Literatur. In einem Buch über seine Kindheit widmet er ein Kapitel dem Milchmann Reb Ascher, das wir hier auszugsweise wiedergeben:

„Die letzten Vorbereitungen für das jüdische Laubhüttenfest waren getroffen. Es war spät geworden, und wir gingen alle müde zu Bett. Niemand hatte daran gedacht, die Kerzen zu löschen.

Spät in der Nacht geht Reb Ascher zum Bahnhof, um die frische Milch zu holen. Dabei kommt er an unserem Haus vorbei. Zu seiner Überraschung sieht er drinnen ein ungewöhnliches Licht: Feuer! Es brennt! Sofort beginnt er laut zu rufen und gegen die Tür zu hämmern. Doch niemand hört ihn. Alle schlafen tief und fest. Verzweifelt wirft er sich mit aller Kraft gegen die Haustür. Sie zerbricht. Er stürmt ins Haus. Die Regale und Gebetbücher haben schon Feuer gefangen. Alles ist voller Rauch. Er hustet, sucht nach Decken und schafft es schließlich unter Lebensgefahr, das Feuer zu löschen.

Reb Ascher war der Einzige, der zu dieser Stunde auf den Beinen war. Er versuchte alles, um uns zu wecken und auf die Gefahr aufmerksam zu machen. Und als das nicht half, zögerte er nicht, sein Leben für uns zu riskieren.

Von Reb Ascher gehen meine Gedanken zu Jesus Christus, dem Sohn Gottes. Er hat sein Leben nicht nur aufs Spiel gesetzt, sondern es tatsächlich für mich gegeben. Er wusste, dass ich ohne seine Rettung ewig verloren sein würde. Und das war Ihm nicht egal! Er war aber auch der Einzige, der mich erretten konnte, der Einzige, der fähig war, stellvertretend für mich zu sterben. Daher gehöre ich Ihm nun mit Leib und Seele an und werde Ihm ewig dafür danken."

**Tägliche Bibellese** Josua 3,14–4,8 · 1. Korinther 2,6-16

# 26 Sonntag Juli

SA 05:40 · SU 21:14
MA 19:56 · MU 01:51

***Und Jesus sprach: Abba, Vater, alles ist dir möglich; nimm diesen Kelch von mir weg! Doch nicht, was ich will, sondern was du willst!***

Markus 14,36

## Gedanken zum Markus-Evangelium

Der Herr Jesus ist mit seinen Jüngern im Garten Gethsemane. Obwohl sie oft hier gewesen sind, ist diesmal alles anders. Zum einen fehlt Judas; er hat sich auf die Seite der Feinde Jesu geschlagen. Zum anderen betet Jesus heute allein. Selbst seine drei engsten Jünger Petrus, Jakobus und Johannes hat Er zurückgelassen. Tief bestürzt und beängstigt, von einer Traurigkeit bis zum Tod erfüllt, liegt Er auf seinem Angesicht und fleht:

„Abba, Vater" – So sprachen die Juden Gott niemals an. Doch der Sohn Gottes, der Mensch geworden war, stand in einer einzigartigen, vertrauten Beziehung zu seinem himmlischen Vater. Gerade jetzt ist Ihm diese Nähe besonders wertvoll.

„Alles ist dir möglich" – während sich das unausweichliche, entsetzliche Geschehen wie ein dunkler Schatten auf seine Seele legt, wendet Er sich als Mensch an den Allmächtigen.

„Nimm diesen Kelch von mir weg!" – Der „Kelch" steht für den Zorn und Grimm Gottes (vgl. Jesaja 51,17; Offenbarung 14,10; 16,19). Ihn, den Gerechten, soll das Strafgericht Gottes über die Sünde am Kreuz auf Golgatha treffen. Das veranlasst Ihn zu dieser Bitte.

„Doch nicht, was ich will, sondern was du willst!" Trotz der unsäglichen Leiden, die Ihn erwarten, unterwirft Er sich völlig dem Willen Gottes.

Zusammenfassend sehen wir: Als Sohn Gottes wusste und fühlte Jesus genau, was auf Ihn zukam. Als vollkommener Mensch fühlte Er das volle Gewicht des bevorstehenden Leidens im Voraus und konnte nicht anders, als darum zu bitten, verschont zu bleiben. Doch als vollkommener Knecht war Er „gehorsam bis zum Tod" (Philipper 2,8).

**Tägliche Bibellese** Josua 4,9-24 · 1. Korinther 3,1-10

# 27 Montag
Juli

SA 05:42 · SU 21:13
MA 20:35 · MU 02:47

***… dass eine Auferstehung sein wird, sowohl der Gerechten als auch der Ungerechten.***

Apostelgeschichte 24,15

## Kein Leben nach dem Tod?

Ist nach dem Tod alles aus? Eine Frage, die die Menschen seit Jahrtausenden bewegt – und spaltet. Der bekannte Extrembergsteiger Reinhold Messner glaubt: „Für mich gibt es kein Leben nach dem Tod. Wir verschwinden spätestens dann, wenn niemand mehr an einen denkt. Dann ist nichts mehr da." So äußerte er sich in einem Interview zu seinem 80. Geburtstag auf die Frage, was nach einem tödlichen Absturz am Berg käme.

Aber hat Messner recht? Ist nach dem Tod wirklich alles aus? Für die Bibel ist diese Frage ein zentrales Thema und der Tagesvers fasst ihre Aussagen dazu prägnant zusammen: Alle Toten – ob sie an den wahren Gott der Bibel geglaubt haben

(„Gerechte“) oder nicht („Ungerechte“) – werden einmal auferstehen. Das heißt: Kein Verschwinden im Nichts!

Wenn das so ist, stellt sich unweigerlich die nächste Frage: Was passiert nach der Auferstehung? Auch darauf gibt die Bibel eine klare Antwort: „Die in den Gräbern ... werden hervorkommen: die das Gute getan haben, zur Auferstehung des Lebens, die aber das Böse verübt haben, zur Auferstehung des Gerichts“ (Johannes 5,29). „Die das Gute getan haben“ – wohlgemerkt: nach Gottes Maßstab! – sind Menschen, die Gottes Aufforderung gefolgt sind. Sie glauben, dass Jesus Christus für ihre Sünden am Kreuz von Golgatha gestorben ist. Sie werden ewig mit Ihm im Himmel leben.

„Die das Böse verübt haben“ sind Menschen, die Gottes Botschaft abgelehnt haben; sie glauben der Bibel nicht. Auch sie werden auferstehen – aber zum Gericht. Das Urteil lautet: für immer verloren, ewig getrennt von Gott im Feuersee.

Fazit: Egal, was Prominente behaupten – nach dem Tod geht das Leben weiter! So, oder so. Wie, das entscheidet jeder selbst, hier und heute.

**Tägliche Bibellese** Josua 5,1-15 · 1. Korinther 3,11-23

# 28 Dienstag Juli

SA 05:43 · SU 21:11
MA 21:04 · MU 03:53

***Als einige von dem Tempel sagten, dass er mit schönen Steinen und Weihgeschenken geschmückt sei, sprach Jesus: Diese Dinge, die ihr anschaut – Tage werden kommen, an denen nicht ein Stein auf dem anderen gelassen wird, der nicht abgebrochen werden wird.*** Lukas 21,5.6

## Kein Stein auf dem anderen

Der Tempel, der von Herodes dem Großen erbaut wurde, war prächtig. Die Bauzeit des gesamten Tempelkomplexes betrug mehrere Jahrzehnte.

Jesus Christus ehrte den Tempel als das Haus Gottes. Aber Er sagte den Jüngern auch voraus, dass der Tempel bald völlig zerstört werden würde. Das geschah, als der römische Feldherr Titus 70 n. Chr. Jerusalem eroberte. Der jüdische Historiker Josephus berichtet, Titus habe Anweisung gegeben, den Tempel nicht zu zerstören.

Doch dann verschanzten sich die letzten jüdischen Verteidiger der Stadt im Tempel. Da warf ein römischer Soldat eine Brandfackel durch ein Fenster und das ganze Gebäude ging in Flammen auf. Später wurden sogar noch die Ruinen des Tempels abgetragen. Buchstäblich blieb „nicht ein Stein auf dem anderen“, so wie es Jesus Christus prophezeit hatte.

Warum erlaubte Gott, dass das passierte? Weil ein prächtiges Gebäude, in dem Gottesdienste abgehalten werden, nutzlos ist, wenn die Gottesdienstbesucher keinen Glauben haben. Leider hatten die Menschen in Israel den Herrn Jesus nicht als ihren Messias erkannt, sondern verlangt, dass Er gekreuzigt wurde. Sie nahmen das Evangelium auch dann nicht an, als es ihnen die Jünger Jesu nach dem Tod und der Auferstehung Christi verkündeten; im Gegenteil: Sie verfolgten die Boten Christi. Darum erlaubte Gott, dass ihr Tempel zerstört wurde. Wer den Sohn Gottes verwirft, braucht kein prächtiges Gotteshaus. Stattdessen fordert Gott auf, „dass ihr an den glaubt, den er gesandt hat“ (Johannes 6,29).

**Tägliche Bibellese** Josua 6,1-14 · 1. Korinther 4,1-10

# 29 Mittwoch Juli

SA 05:44 · SU 21:10
MA 21:26 · MU 05:05

***Jesus sprach zu ihr: Jeden, der von diesem Wasser trinkt, wird wieder dürsten; wer irgend aber von dem Wasser trinkt, das ich ihm geben werde, den wird nicht dürsten in Ewigkeit.*** Johannes 4,13.14

## Nie mehr Durst leiden

Ein gewöhnlicher Donnerstagmorgen gegen 7 Uhr: Eine Gruppe Jugendlicher steigt in den Zug. Schon nach wenigen Minuten zieht einer von ihnen eine Flasche Wodka aus dem Rucksack, ein anderer stellt Plastikbecher auf den Fußboden des Abteils: Hochprozentige Drinks werden gemischt.

Die innere Leere junger Menschen unserer Zeit ist oft erschreckend groß. Und es gibt kaum noch Orientierungspunkte für sie, um zu erkennen, was im Leben gut und richtig ist. Nur zu oft nehmen sie ihre Zuflucht zu trügerischen Ablenkungen und Glücksgefühlen, betäuben sich mit Partys und Alkohol.

Das ist nichts grundsätzlich Neues. Im alttestamentlichen Buch Prediger lesen wir von König Salomo, der vor ca. 3000 Jahren lebte. Er kostete alle Möglichkeiten voll aus, die sein großer Reichtum ihm bot. Doch am Ende musste er sich eingestehen, dass alles nur flüchtige, nichtige Freuden waren und dass das Ende solcher Freuden Traurigkeit ist. Sein Resümee, nachdem er Freuden und „das Gute" genossen hatte: „Auch das ist Eitelkeit." „Auch beim Lachen hat das Herz Kummer, und das Ende der Freude ist Traurigkeit" (Prediger 2,1; Sprüche 14,13).

Wir sehnen uns nach Freude, die andauert, die keinen bitteren Nachgeschmack oder eine große Leere hinterlässt. Dass feuchtfröhliches Vergnügen und schneller Spaß unser tiefes Sehnen nicht stillen können, ist unbestritten.

Jesus Christus bietet uns ein „Wasser" an, das eine dauerhafte Wirkung in unserer Seele entfaltet und echte Erfüllung garantiert. Es ist ein Leben, das seinen Ursprung in Gott hat und von Ihm unterhalten wird. Er selbst ist der Inhalt unseres Lebens, so dass wir kein Verlangen mehr nach den nichtigen Dingen des Lebens haben.

**Tägliche Bibellese** Josua 6,15-27 · 1. Korinther 4,11-21

# 30 Donnerstag Juli

SA 05:46 · SU 21:08
MA 21:42 · MU 06:20

***Danksagt in allem, denn dies ist der Wille Gottes in Christus Jesus für euch.***

1. Thessalonicher 5,18

***Und seid dankbar!***

Kolosser 3,15

## Eine junge Missionarin erzählt

Wir in Madagaskar haben oft Grund zur Freude. Aber es gibt auch schlimme Momente: wenn man Malaria hat oder Situationen eintreten, in denen nichts mehr geht. Neulich war ich richtig deprimiert. Deshalb ging ich in die Kirche und fing an zu beten:

„Gott, warum lässt du das zu? Warum habe ich diese gesundheitlichen Probleme? Ich habe doch alles gegeben, und nun ...?"

Plötzlich kam ein Lepra-Kranker herein. Er war blind, und um sich fortzubewegen, musste er auf den Knien kriechen. Neben mir angekommen, glaubte er sich allein und begann mit lauter Stimme zu beten. Es war ein Lob-Gebet, ein Gebet voller Danksagungen, ein wunderbares Gebet. Ich weiß nicht mehr, was er alles betete. Was ich jedoch behalten habe, ist dies:

„Ich danke Dir für alles, was Du in meinem Leben für mich getan hast. Ich danke Dir sogar für diese Krankheit. Wenn ich nicht Lepra bekommen hätte, wäre ich im Busch geblieben. Ich wäre vielleicht ein reicher Mann geworden, da ich Zebus und Reisfelder besitze. Aber ich würde Dich nicht kennen. Wegen dieser Krankheit bin ich hier in der Leprastation gelandet. Und da habe ich Dich kennengelernt. Und Dich zu kennen, bedeutet mir mehr als alles. Ich danke Dir für alles, selbst für diese Krankheit."

Mir stockte der Atem und ich fing an zu weinen. Mit leiser Stimme schloss ich mein Gebet: „Vergib mir, mein Gott, ich will mich nie mehr über Dich beklagen."

**Tägliche Bibellese** Josua 7,1-15 · 1. Korinther 5,1-13

# 31 Freitag Juli

SA 05:47 · SU 21:07
MA 21:56 · MU 07:35

***Da sprachen die Juden zu ihm: Du bist noch nicht fünfzig Jahre alt und hast Abraham gesehen?***

Johannes 8,57

## Jesus Christus kennenlernen – Jesus stirbt jung

Johannes, der Jünger Jesu, beschreibt im Johannes-Evangelium zahlreiche Begegnungen zwischen Jesus und den Pharisäern und Schriftgelehrten. Immer wieder kommt es zu teils heftigen Wortgefechten mit ihnen und anderen gebildeten Juden (vgl. Kap. 8).

Sie befragen Jesus über seine Person, tun dies aber aus einer überheblichen Perspektive: „Wir sind Abrahams Nachkommen und haben alle Versprechen geerbt, die Gott Abraham gegeben hat. Aber wer bist du?" Dabei ziehen sie in Zweifel, ob Jesus überhaupt zum Volk Israel gehört (V. 48), beleidigen Ihn, indem sie seine familiäre Herkunft in Zweifel ziehen (V. 41), und beschuldigen Ihn schließlich, mit teuflischen Mächten im Bunde zu stehen (V. 52).

Jesus entlarvt ihre falsche Sicherheit, denn wenn sie wirklich „Abrahams Kinder" wären, würden sie Ihn lieben. Als Jesus ihnen erklärt, dass Er – im Gegensatz zu ihnen! – Abraham persönlich kennt und sogar von ihm geehrt wurde (V. 56), erwidern sie zweifelnd: „Du willst Abraham gesehen haben? Du bist ja noch nicht einmal fünfzig Jahre alt!"

Ob dies rhetorisch gemeint war oder ob Jesus vielleicht durch seine Ausstrahlung und Weisheit älter wirkte, bleibt unklar. Oder haben Ihn die Leiden und die Verachtung, die Er bis dahin schon reichlich erdulden musste, älter aussehen lassen? (vgl. Jesaja 53,2.3). Fakt ist, dass Jesus zu diesem Zeitpunkt noch nicht einmal 35 Jahre alt war. Der Chronist Lukas stellt fest, dass Jesus zu Beginn seiner öffentlichen Tätigkeiten, die Er über einen Zeitraum von dreieinhalb Jahren ausübte, ungefähr dreißig Jahre alt war. Als Jesus schließlich vor Gericht stand, war Er etwa dreiunddreißig – Er starb als junger Mann. In den Psalmen, die in der Vorschau viel über seine Gefühle aussagen, klagt Jesus: „Mein Gott, nimm mich nicht weg in der Hälfte meiner Tage!" (Psalm 102,25).



**Tägliche Bibellese** Josua 7,16-26 · 1. Korinther 6,1-11

# 1 Samstag August

SA 05:49 · SU 21:05
MA 22:08 · MU 08:50

***Denn was wird es einem Menschen nützen, wenn er die ganze Welt gewinnt, aber seine Seele einbüßt?***

Matthäus 16,26

## Die Pokal-Gravur und der Bibelvers

Die Fußball-Welt schaute im Sommer 2024 gebannt nach Berlin, wo der neue Fußball-Europameister gekürt wurde. Spanien feierte seinen vierten Titelgewinn. Während die Spieler im Stadion mit ihren Fans jubelten, wurde im Hintergrund der Pokal schnell graviert – und zwar direkt vor der Stadionkapelle im historischen Berliner Olympiastadion. Während der Graveur mit Fingerspitzengefühl seiner Aufgabe nachging, konnten die Zuschauer im Fernsehen einen Bibelvers an der Wand der Kapelle sehen.

In dieser Kapelle, in der vor DFB-Pokal-Finalen regelmäßig eine Andacht stattfindet, steht der obige Text aus Matthäus 16,26. Ein solcher

Bibelvers wirkt in der Stunde des größten Triumphs einer Mannschaft schon besonders eindrucksvoll.

Den Spaniern war im Moment des Sieges vermutlich alles andere egal; sie wollten einfach ihren Erfolg genießen. Die tief enttäuschten Engländer hatten sicherlich andere Sorgen. Auch wenn in beiden Teams gläubige Spieler vertreten sind – wer den Pokal nicht gewinnen wollte, wäre fehl am Platz gewesen.

Dieser Bibeltext zur besten Sendezeit regt zum Nachdenken an. Denn selbst bei den größten Erfolgen, sei es im Sport oder im persönlichen Leben, gibt es immer auch eine andere Perspektive. Jesus erinnert an die unsterbliche Seele des Menschen, die durch Schuld und Sünde belastet ist. Alle Reichtümer und Erfolge dieser Erde können sie nicht retten – das kann nur Jesus Christus, der am Kreuz für fremde Schuld gestorben ist. Wer an Ihn glaubt, hat zwar nicht die Welt gewonnen, dafür aber seine Seele – und das ist das Wichtigste.

In Deutschland verfolgten übrigens mehr als 21 Millionen Zuschauer das Finale im Fernsehen. Der Bibeltext gilt jedoch für alle Menschen, unabhängig davon, ob sie das Endspiel gesehen haben oder nicht.

**Tägliche Bibellese** Josua 8,1-13 · 1. Korinther 6,12-20

# 3 Montag August

SA 05:52 · SU 21:02
MA 22:33 · MU 11:21

*Ist mein Wort nicht so – wie Feuer, spricht der HERR, und wie ein Hammer, der Felsen zerschmettert?* Jeremia 23,29

**Dieses Buch hat mein Leben verändert!**

Victor, der in einem Entwicklungsland lebt, erzählt, wie ein Buch sein Leben verändert hat:

„Früher lebte ich sehr unmoralisch. Aber dann passierte etwas Entscheidendes, und ich bin froh, dass ich heute davon erzählen kann. Ich hatte ein schweres Alkoholproblem. Sobald ich Geld in die Finger bekam, kaufte ich mir davon alkoholische Getränke und betrank mich. Eines Tages eröffnete mir meine Frau, dass sie jetzt an Jesus glaubte. Ich wurde wütend und schlug sie. Meinen Kindern drohte ich, sie zu verlassen, wenn sie von Jesus sprächen.

Etwas später erbte ich von einem Verwandten einige Kleinigkeiten und Gebrauchsgegenstände, die ich in einen Beutel steckte, um sie zu verkaufen.

Das war für mich wieder eine Gelegenheit, an Geld zu kommen und mich zu betrinken. Unterwegs wurde mir jedoch fast alles gestohlen. Mir blieben nur ein Kochtopf und ein schwarzes Buch.

Dieses Buch war eine Bibel. Das erste, was ich las, waren die Worte Jesu: ‚Wenn das Weizenkorn nicht in die Erde fällt und stirbt, bleibt es allein; wenn es aber stirbt, bringt es viel Frucht' (Johannes 12,24). Alle Bauern in meinem Land können diese Sprache von Saat und Ernte verstehen. So auch ich. Und bald begriff ich, dass Jesus hier von seinem Tod spricht, und dass ich Teil dieser Ernte sein könnte, von der in dem Buch die Rede ist. Ich bekannte Gott meine Sünden und nahm Jesus Christus als meinen Retter an. Jeglicher Alkohol war für mich nun tabu.

Dann beeilte ich mich, zu meiner Familie zu kommen und meine Frau und meine Kinder um Vergebung zu bitten. Sie weinten vor Freude. Mein Schwiegervater war derart überrascht von dem, was Jesus Christus in mir gewirkt hatte, dass er selbst anfing, die Bibel zu lesen, und sich ebenfalls zu Jesus Christus bekehrte. Heute gibt es in meinem Dorf viele Gläubige, zu denen auch mein blinder Vater gehört."

**Tägliche Bibellese** Josua 8,24-35 · 1. Korinther 7,12-24

# 4 Dienstag August

SA 05:53 · SU 21:00
MA 22:48 · MU 12:40

*Ich sende dich zu den Nationen, um ihre Augen aufzutun, damit sie sich bekehren von der Finsternis zum Licht und von der Gewalt des Satans zu Gott, damit sie Vergebung der Sünden empfangen und ein Erbe unter denen, die durch den Glauben an mich geheiligt sind.*

Apostelgeschichte 26,17.18

## Der Weg zu Gott

Der Apostel Paulus ist in Cäsarea inhaftiert, dem Stützpunkt des römischen Statthalters Festus (vgl. Apostelgeschichte 25,13–26,29). Festus ist erst kürzlich Statthalter geworden und erhält nun einen Antrittsbesuch von König Agrippa II. Dabei bekommt Paulus die Gelegenheit, sich vor dem König zu verantworten. Festus, der nicht recht weiß, was er von diesem seltsamen Gefangenen halten soll, erhofft sich dadurch einigen Aufschluss.

Paulus nutzt diesen Auftritt, um die gute Botschaft von Jesus Christus weiterzugeben. Das, was er vor den vornehmen Zuhörern verkündigt, ist auch heute noch absolut aktuell. Denn Paulus nennt darin eine Reihe von Punkten, die für jeden Menschen zu jeder Zeit entscheidend sind, damit er errettet wird: Zuerst will Gott dem Menschen „die Augen auftun" darüber, dass er ein Sünder ist. Ohne Gottes Eingreifen sieht sich niemand als Sünder an, selbst dann nicht, wenn er sich sogar vor Menschen etwas hat zuschulden kommen lassen.

Danach folgt der zweite Schritt: Der Mensch muss „sich bekehren", das heißt, er muss Gottes Urteil über sich anerkennen und eine klare Kehrtwendung vollziehen: von der moralischen Finsternis und von den Verstrickungen des Teufels hin zu Gott und zu seinem Licht. Wer das tut, empfängt die „Vergebung der Sünden", wenn er an den Herrn Jesus Christus glaubt. Und das Herrlichste: Als Kind Gottes besitzt er dann auch ein „Erbe" – er hat Anteil an dem reichen Segen, den Gott im Himmel für die Glaubenden vorbereitet hat.

**Tägliche Bibellese** Josua 9,1-16 · 1. Korinther 7,25-40

# 5 Mittwoch August

SA 05:55 · SU 20:59
MA 23:07 · MU 14:03

***Es ist den Menschen gesetzt, einmal zu sterben, danach aber das Gericht.***

Hebräer 9,27

## Wir wollen Sicherheit

Viele Menschen haben ein ausgesprochenes Sicherheitsbedürfnis. Besonders die Deutschen sind richtig gut darin, sich abzusichern, auch gegen kuriose Vorfälle. So zahlt zum Beispiel eine Versicherung, wenn man länger als 30 Minuten im Fahrstuhl stecken geblieben ist, eine andere, wenn man als Mann im Kreißsaal kollabiert, und wieder eine andere, wenn man im Standesamt ein unerwartetes „Nein" zu hören bekommt. Für reisende Vieltelefonierer gibt es sogar eine Versicherung gegen Funklöcher, die allerdings erst dann zahlt, wenn man mindestens 48 Stunden am Stück nicht erreichbar war. Daneben existieren natürlich auch sinnvollere Versicherungen wie eine Haftpflichtversicherung. Aber wer macht sich schon Gedanken, wie man vor einem göttlichen Gericht geschützt wird?

Manche betrachten die Kirchensteuer wie eine Art Versicherungsprämie. Wenn die Sache mit Gott und seinem Gericht doch wahr sein sollte, könnte das vielleicht helfen. Oder bringen gute Werke weiter? Oder eine gelungene Konfirmation? Fromme Lieder bei der Beerdigung?

Bedenken wir: Gottes Gericht ist keine Eventualität, sondern absolute Gewissheit: „Es ist den Menschen gesetzt, einmal zu sterben, danach aber das Gericht." Sich davor zu schützen, ist jedoch ganz einfach. Man darf zu Gott, dem Richter, fliehen und Ihn im Namen des Herrn Jesus um Gnade anrufen. Wer das ehrlich und aufrichtig tut, der wird nicht gerichtet werden. „Wer an den Sohn glaubt, wird nicht gerichtet" (Johannes 3,18).

**Tägliche Bibellese** Josua 9,17-27 · 1. Korinther 8,1-8

# 6 Donnerstag August

SA 05:56 · SU 20:57
MA 23:33 · MU 15:29

***Verstehst du dich auf die Wundertaten des an Wissen Vollkommenen?***

Hiob 37,16

## Der vorhergesagte Schmetterling

Auf der afrikanischen Insel Madagaskar wächst der Stern von Madagaskar, eine wunderschöne Orchideenart. Besonders auffällig ist sein fast 30 cm langer Blütensporn, an dessen Ende der süße Nektar sitzt – ein raffinierter Lockstoff für Tiere, die die Pflanze bestäuben sollen.

Als der britische Naturforscher Charles Darwin (1809-1882) im Jahr 1862 ein Exemplar der Pflanze sah, war er sofort fasziniert. Nicht nur von ihrer Schönheit, sondern vor allem von dem ungewöhnlich langen, peitschenförmigen Nektarium. Begeistert schrieb er einem Freund: „Gütiger Himmel, welches Insekt soll daran saugen?" Er vermutete die Existenz eines Falters mit einem entsprechend langen Saugrüssel und ging sogar so weit zu behaupten, dass das Überleben dieser Orchideenart von genau diesem Schmetterling abhinge.

Die Wissenschaft war zunächst skeptisch. Doch 1903 wurde das vermutete Insekt tatsächlich entdeckt. Es erhielt den Namen *Xanthopan morganii praedicta* – der „vorhergesagte Schmetterling". Hätte dieser einen kürzeren Rüssel, würde er woanders seinen Hunger stillen – und die Pflanze würde mangels Bestäubung aussterben.

Doch was war zuerst da? Wuchs der Blütensporn immer länger – und der Rüssel des Schmetterlings passte sich an? Oder entwickelte sich der Rüssel zuerst – und die Pflanze folgte? Oder sind vielleicht beide von Anfang an perfekt füreinander geschaffen worden?

Darwin sprach von einer evolutionären Liebesgeschichte zwischen Pflanze und Tier, die Bibel dagegen spricht von den „Wundertaten des an Wissen Vollkommenen". Hier passt alles wie ein Schlüssel zum Schloss. Und das musste von Beginn an so sein, sonst gäbe es heute weder diese Orchidee noch den Rüssel-ausrollenden Schmetterling.

**Tägliche Bibellese** Josua 10,1-11 · 1. Korinther 8,9-13

# 7 Freitag August

SA 05:58 · SU 20:55
MA –:– · MU 16:54

*Jesus spricht: Ich und der Vater sind eins. Da hoben die Juden wieder Steine auf, um ihn zu steinigen. Jesus antwortete ihnen: Viele gute Werke habe ich euch von meinem Vater gezeigt; für welches Werk unter diesen steinigt ihr mich? Die Juden antworteten ihm: Wegen eines guten Werkes steinigen wir dich nicht, sondern wegen Lästerung und weil du, der du ein Mensch bist, dich selbst zu Gott machst.*

Johannes 10,30-33

## Jesus Christus kennenlernen – Geduld mit Gegnern

Jesus führte immer wieder lange Gespräche mit den religiösen Juden. Besonders der Apostel Johannes hat viele dieser Diskurse notiert, die meist aus Angriffen der religiösen Führer auf den Sohn Gottes entstanden. Mit großer Geduld erklärte Jesus seine Mission, seine Botschaft, und sprach nicht zuletzt auch über sich selbst.

Etliche seiner Zuhörer lassen sich überzeugen, doch die religiösen Führer sind in den Überlieferungen ihres Volkes und ihren eigenen Vorstellungen über den Messias gefangen. Und sie sind nicht bereit, ihre Sichtweise zu überdenken. Dass der Zimmermann aus Nazareth der Sohn Gottes sein soll, wollen sie nicht begreifen. Im Gegenteil – es versetzt sie in bitteren Zorn, dass Jesus diesen Anspruch erhebt.

Immer wieder verweist Jesus auf die Schriften des Alten Testaments, mit denen sie vertraut sind. Es ist bewegend zu sehen, wie geduldig Jesus um seine Zuhörer wirbt. Er ist doch gekommen, um alle Menschen zu retten – und es ist Ihm nicht gleichgültig, wenn sie Ihn ablehnen und ins Verderben laufen.

Doch mit der Zeit verschließen sich seine Zuhörer immer mehr. Aus Ablehnung wird blinder Hass. Schließlich kommt der Zeitpunkt, wo Jesus sich von den jüdischen Führern abwendet und nicht mehr mit ihnen spricht, weil ihr Herz völlig verhärtet ist.

So ist es bis heute: Wer sich dauerhaft dem Werben Gottes verschließt, den überlässt Er irgendwann seinem eigenen Schicksal.

**Tägliche Bibellese** Josua 10,12-27 · 1. Korinther 9,1-15

DIE GUTE SAAT 2026 • CSV-Verlag • www.csv-verlag.de

# 8 Samstag August

SA 05:59 · SU 20:54
MA 00:10 · MU 18:11

***Bewahre mich, Gott, denn ich suche Zuflucht bei dir!***

Psalm 16,1

## Geborgen in Gott

Die ersten Feriengäste kamen um das Jahr 1830 nach Borkum. Bereits 1846 zählte man rund 300 Gäste pro Jahr – eine beachtliche Zahl angesichts der schwierigen Verkehrsanbindung: Nur alle 14 Tage legte ein Segelfährschiff Richtung Emden ab.

Um 1850 wurden erstmals Raddampfer im Inselverkehr eingesetzt. Aufgrund ihres Tiefgangs mussten sie bei Windstille am Südstrand ankern. Dort stiegen die Gäste zuerst in kleine Boote und später in Pferdefuhrwerke um. Dabei landete so mancher unfreiwillig im Wasser. Eine Zeitung beschrieb 1883 die Anreise nach Borkum als „gefahrvoll und schrecklich". Vielleicht etwas übertrieben, doch bequem war sie sicher nicht. Erst 1888 wurde die heutige Landungsbrücke fertiggestellt und die Gäste konnten direkt von der Fähre in die Kleinbahn umsteigen.

Der Dichter des heutigen Psalmwortes weiß sich auf seinem Lebensweg von Engeln – und damit von Gott selbst – bewahrt. Das schließt nicht alle Gefahren aus, denn ein Leben mit Gott ist kein Freifahrtschein gegen jedes Risiko. Aber Gott ist auf allen Wegen bei ihm! Und das verändert alles.

Woher nimmt der Psalmendichter seine Zuversicht? Weil Gott seine Zuflucht ist – ein Ort tiefer Geborgenheit! Gott ist für ihn kein Notstopfen, sondern eine lebendige Person, die er immer wieder erlebt hat. Gott ist sein Zuhause, sein sicherer Halt.

Eine solch vertraute Beziehung zu Gott wünsche ich jedem Leser und jeder Leserin von Herzen!

*„Sei mir ein Fels der Zuflucht,*
*ein befestigtes Haus,*
*um mich zu retten!"*

(Psalm 31,3).

**Tägliche Bibellese** Josua 10,28-43 · 1. Korinther 9,16-27

9 **Sonntag**
**August**

SA 06:01 · SU 20:52
MA 01:05 · MU 19:13

*Und sogleich, noch während Jesus redet, kommt Judas, einer der Zwölf, herzu, und mit ihm eine Volksmenge mit Schwertern und Stöcken, ausgesandt von den Hohenpriestern und den Schriftgelehrten und den Ältesten. Der ihn aber überlieferte, hatte ihnen ein Zeichen gegeben und gesagt: Wen irgend ich küssen werde, der ist es; ihn greift, und führt ihn sicher fort. Und als er kam, trat er sogleich zu ihm und spricht: Rabbi!, und küsste ihn sehr.* Markus 14,43-45

Gedanken zum Markus-Evangelium

Gerade hat Jesus seine Jünger aufgefordert, aus Gethsemane aufzubrechen, weil Judas schon im Begriff steht, Ihn an die Feinde zu überliefern. Noch während Er spricht, trifft Judas mit einer bewaffneten Volksmenge ein.

Wer steckt hinter dieser Menge? Die Hohenpriester, Schriftgelehrten und Ältesten – also die geistlichen Führer Israels. Eigentlich sollte man von ihnen eine Rechtsprechung im Sinne Gottes erwarten, doch stattdessen sind sie entschlossen, einen vermeintlich gefährlichen „Übeltäter" festzunehmen. Deshalb auch die Schwerter und Stöcke. Oder befürchten sie etwa, die Jünger könnten Widerstand leisten?

Die Festnahme ist bis ins Detail geplant, denn diesmal soll nichts schiefgehen. Da es bereits dunkel ist, will Judas vorausgehen und durch einen Kuss zeigen, wer ergriffen werden soll. Beachten wir, wie er hier beschrieben wird. Zunächst heißt es: „einer der Zwölf", was seine vertraute Beziehung zum Herrn betont. Doch unmittelbar danach wird nicht sein Name genannt, sondern die schreckliche Tat, die ihn kennzeichnet: „der ihn aber überlieferte".

Was für eine Heuchelei: Judas benutzt das Zeichen der Liebe, um den Sohn Gottes zu verraten. So zärtlich diese Geste wirkt, so verhärtet ist sein Herz. „Überreichlich sind des Hassers Küsse", sagt der weise Salomo (Sprüche 27,6). Wie tief den Herrn dieser Verrat getroffen hat, beschreibt Psalm 55,13-15 auf eindrückliche Weise.

**Tägliche Bibellese** Josua 11,1-11 · 1. Korinther 10,1-13

# 10 Montag August

SA 06:02 · SU 20:50
MA 02:19 · MU 19:57

***Gott errettete uns, nicht aus Werken, die, in Gerechtigkeit vollbracht, wir getan hatten, sondern nach seiner Barmherzigkeit.***

Titus 3,5

## Colbert

Jean-Baptiste Colbert (1619–1683) war ein bedeutender und erfolgreicher französischer Staatsmann, der maßgeblich zum Aufstieg Frankreichs unter Ludwig XIV. beitrug. Dennoch wurde er im Laufe der Zeit Opfer von Rivalitäten und Neid, und verlor gegen Ende seiner Amtszeit erheblich an Einfluss beim König.

Als er dem Tod nahe war, teilte man ihm mit, dass der König dennoch weitere seiner Neuerungen umgesetzt habe. Mit Bitterkeit soll er daraufhin in Bezug auf den König geantwortet haben: „Wenn ich für Gott so viel getan hätte wie für ihn, wäre ich zehnfach gerettet!"

Wie viele andere glaubte auch Colbert, dass gute Taten in direktem Zusammenhang mit der

Gewissheit der Errettung stünden. Auch Jesus wurde einmal gefragt: „Was sollen wir tun, um die Werke Gottes zu wirken?“ Seine Antwort lautete: „Dies ist das Werk Gottes, dass ihr an den glaubt, den *er* gesandt hat“ (Johannes 6,28.29).

Das Einzige, was Gott vom Menschen erwartet, ist, sich als Sünder zu erkennen, seine Schuld einzugestehen und an Jesus zu glauben – an das vollkommene Werk, das Er am Kreuz vollbracht hat.

Colberts Worte spiegeln auch sein Bedauern wider: Er hatte sein Leben einem Menschen gewidmet, anstatt sich mit dem zu beschäftigen, was Gott betrifft und ewig Bestand hat.

Warten wir nicht bis zum Ende unseres Lebens, um im Glauben auf das Kreuz Jesu zu blicken und mit Gott versöhnt zu werden. Setzen wir die richtigen Prioritäten von Anfang an!

**Tägliche Bibellese** Josua 11,12-23 · 1. Korinther 10,14-22

DIE GUTE SAAT 2026 • CSV-Verlag • www.csv-verlag.de

# 11 Dienstag August

SA 06:04 · SU 20:48
MA 03:46 · MU 20:26

***Und Schaphan, der Schreiber, berichtete dem König Josia und sprach: Der Priester Hilkija hat mir ein Buch gegeben. Und Schaphan las darin vor dem König. Und es geschah, als der König die Worte des Gesetzes hörte, da zerriss er seine Kleider.***

2. Chronika 34,18.19

## Wer beurteilt wen?

Bei Aufräumarbeiten im Tempel von Jerusalem findet der Priester Hilkija ein Buch – offensichtlich die Thora, die fünf Bücher Mose. Ein lange verschollener Schatz! Er übergibt die Schriftrolle dem Schreiber Schaphan, der sie König Josia zeigt und daraus vorliest.

Wie schätzt Josia dieses alte Dokument ein? Kein Wort davon, dass er fragt: „Woher soll ich denn wissen, dass dies wirklich das Wort Gottes ist?" Nein, er zittert vor den Worten und zerreißt seine Kleider (eine damals übliche Geste, um tiefe Erschütterung und Betroffenheit auszudrücken). Josia zweifelt keinen Moment an der Echtheit und Autorität der Worte, die ihm vorgelesen werden.

Eines sollte auch uns klar sein: Wenn wir meinen, über die Bibel zu Gericht sitzen zu können, erkennen wir sie nicht als das Wort Gottes an. Ist sie aber das Wort Gottes – dann ist sie es, die uns beurteilt, uns einen Spiegel vorhält und uns erkennen lässt, wer wir wirklich sind.

Gerade das ist der Grund, warum viele Menschen die Bibel nicht mögen. Sie ertragen es nicht, durchleuchtet und beurteilt zu werden. Stattdessen untersuchen sie ihrerseits dieses Buch, sezieren den Text, kritisieren und verwerfen Aussagen, die ihnen anstößig erscheinen. Bei anderen Werken würde man das kaum tun. Goethe oder Shakespeare zu kritisieren und dort Fehler und Unstimmigkeiten zu suchen, würde einen Skandal auslösen.

König Josia hingegen reagiert positiv anders: Er hört das Wort Gottes, stellt sich nicht darüber, sondern erkennt an, dass Gott selbst zu ihm spricht. Vorbildlich!

**Tägliche Bibellese** Josua 12,1-24 · 1. Korinther 10,23-33

# 12 Mittwoch August

SA 06:05 · SU 20:46
MA 05:18 · MU 20:48

***Das Unsichtbare von Gott wird geschaut, sowohl seine ewige Kraft als auch seine Göttlichkeit, die von Erschaffung der Welt an in dem Gemachten wahrgenommen werden – damit sie ohne Entschuldigung sind.***

Römer 1,20

## Unentschuldbar

„Es gibt nur zwei Möglichkeiten, wie Leben entstand. Die eine ist unwillkürliche Erschaffung durch Evolution, die andere die übernatürliche Erschaffung durch einen Akt Gottes. Es gibt keine dritte Möglichkeit. Unwillkürliche Erschaffung, durch die Leben aus unbelebter Materie entstand, wurde bereits vor 120 Jahren von Louis Pasteur und anderen wissenschaftlich widerlegt. Das lässt uns mit der einzig möglichen Alternative zurück, dass das Leben durch den übernatürlichen Schöpfungsakt Gottes entstand. Ich möchte dies philosophisch nicht akzeptieren, da ich nicht an Gott glauben möchte. Deshalb wähle ich an das zu glauben, wovon ich weiß, dass es wissenschaftlich unmöglich ist: eine unwillkürliche Erschaffung durch Evolution."

Dieses Zitat von George Wald, US-amerikanischer Physiologe und Nobelpreisträger, zeigt die „wissenschaftliche" Herangehensweise eines Menschen, der nicht an Gott glaubt: „Der Tor spricht in seinem Herzen: es gibt keinen Gott" (Psalm 14,1). Der Tagesvers besagt, dass der Mensch nicht zu entschuldigen ist, wenn er die Werke Gottes in der Schöpfung sieht und doch nicht glaubt. „Die Himmel erzählen die Herrlichkeit Gottes, und die Ausdehnung verkündet seiner Hände Werk" (Psalm 19,2).

Gott hat sich dem Menschen in seiner Schöpfung offenbart, ebenso in seinem Sohn Jesus Christus, der starb und auferstand – und auch in der Bibel, dem Wort Gottes. Wollen wir uns weigern, diesen eindeutigen Zeugnissen Gottes zu glauben? Oder ergreifen wir seine ausgestreckte Hand und vertrauen Ihm, wenn Er zu uns spricht? Er selbst lädt uns ein: „Neigt euer Ohr und kommt zu mir; hört, und eure Seele wird leben" (Jesaja 55,3).

**Tägliche Bibellese** Josua 13,1-14 · 1. Korinther 11,1-19

***Jeder aber wird versucht, wenn er von seiner eigenen Begierde fortgezogen und gelockt wird. Danach, wenn die Begierde empfangen hat, gebiert sie die Sünde; die Sünde aber, wenn sie vollendet ist, gebiert den Tod.***

Jakobus 1,14.15

## Sklaven der Sünde?

Die Sarracenia purpurea (Rote Schlauchpflanze) ist eine fleischfressende Pflanze mit Blättern, die wie Kannen geformt und mit abwärts gerichteten Härchen ausgestattet sind. Diese Härchen verhindern, dass gefangene Insekten entkommen.

Angezogen von dem süßen Duft, lässt sich eine Wespe auf den oberen Rand nieder und beginnt, sich an den Tropfen, die sie dort findet, gütlich zu tun. Nach und nach wagt sie sich immer weiter in die verlockende Kanne hinein.

Wenn die Wespe jedoch die Pflanze wieder verlassen will, stehen ihr die Härchen entgegen und halten sie gefangen. Sie kämpft vergeblich und fällt schließlich erschöpft in die Flüssigkeit am Boden der „Kanne", von der sie genüsslich getrunken hatte – und ertrinkt. Schließlich wird sie von den Enzymen und den Säuren in der Flüssigkeit „verdaut".

Ganz ähnlich verhält es sich mit sündigen Verlockungen. Auf den ersten Blick anziehend, bieten sie scheinbar harmlose Freuden. Man probiert, will mehr und mehr – im festen Glauben, jederzeit aufhören zu können. Doch unmerklich überschreitet man die Grenze. Das Gewissen verstummt gegenüber der Stimme Gottes. Aus dieser Falle gibt es kein Entkommen aus eigener Kraft.

Die Sünde ist eine beherrschende Macht, die die Menschen gefangen hält. „Jeder, der die Sünde tut, ist der Sünde Knecht", sagt die Bibel in Johannes 8,34. Doch wie kann man sich ihrem Machtbereich entziehen? Nur indem man stirbt – nicht köperlich, sondern geistlich. Darum starb Jesus Christus am Kreuz. Sein Tod wird jedem angerechnet, der an Ihn glaubt. So stirbt er der Sünde und ist frei.

*„Wenn nun der Sohn Gottes euch frei macht, werdet ihr wirklich frei sein"* (Johannes 8,36).

**Tägliche Bibellese** Josua 13,15-33 · 1. Korinther 11,20-34

# 14 Freitag August

SA 06:08 · SU 20:42
MA 08:12 · MU 21:19

***Und siehe, eine Frau, die in der Stadt war, eine Sünderin, brachte ein Alabasterfläschchen mit Salböl, und hinten zu seinen Füßen stehend und weinend, fing sie an, seine Füße mit Tränen zu benetzen; und sie trocknete sie mit den Haaren ihres Hauptes und küsste seine Füße und salbte sie mit dem Salböl.*** Lukas 7,37.38

## Jesus Christus kennenlernen – Er ist anziehend

Die Gegensätze bei dieser Begegnung könnten kaum größer sein. Jesus Ist bei einem angesehenen, frommen Mann eingeladen. Pharisäer Simon gibt ein Essen. Plötzlich – eine Unterbrechung. Eine Frau stört die Mahlzeit! Empörend, findet Simon. Die ungebetene Besucherin kommt dorthin, wo Jesus am Tisch liegt. (Damals pflegte man „zu Tisch zu liegen", aufgestützt auf einen Arm, der niedrigen Tafel zugewandt, den Körper nach hinten gestreckt). Die Frau hat ein wertvolles Fläschchen aus Alabaster mitgebracht. Alabaster ist ein Gipsstein, der wegen seiner Lichtdurchlässigkeit, Feinkörnigkeit und Wärme von Bildhauern und anderen Künstlern sehr geschätzt wird. Das schöne Behältnis enthält wertvolles Salböl.

Die Frau weint. Sie weint auf Jesu Füße. Sie weint so heftig, dass sie Jesu Füße anschließend abtrocknen muss. Dazu benutzt sie – ihre Haare! Dann salbt und küsst sie die Füße Jesu.

Eine ungewöhnliche Szene. Diese Frau möchte Jesus ihre tiefe Dankbarkeit und Liebe zeigen und überwindet ihre Scheu. Und sie hat sich in Jesus nicht getäuscht, denn Er lässt sie nicht nur gewähren, sondern verteidigt sie in der Folge gegen die abwertenden Gedanken und die Verurteilung durch den Pharisäer. In der Stadt hat sie einen schlechten Ruf, wohl nicht unberechtigt. Deshalb ist sie Ablehnung und Verachtung gewöhnt. Doch Jesus ist anders. Bei Ihm findet sie Zuwendung, Vergebung und Wertschätzung. Und nicht nur sie. Zöllner wie Zachäus und Matthäus, Bettler wie der blinde Bartimäus und andere Leute am Rand der Gesellschaft fühlen sich von Jesus angezogen, weil sie seine Liebe besonders spüren. Bei Ihm finden alle Ruhe, die mühselig und beladen sind (vgl. Matthäus 11,28).

**Tägliche Bibellese** Josua 14,1-15 · 1. Korinther 12,1-13

# 15 Samstag August

SA 06:10 · SU 20:41
MA 09:33 · MU 21:31

***Selbst die Haare eures Hauptes sind alle gezählt. So fürchtet euch nicht; ihr seid vorzüglicher als viele Sperlinge.*** Lukas 12,7

## Die Brieftasche

Theresa lebt mit ihren Eltern auf dem Land. Erst vor drei Monaten hat sie eine Arbeitsstelle in der Nachbarstadt angenommen, und ihr bescheidenes Gehalt ist ein wertvoller Beitrag für die Familie. Heute hat sie gerade ihren Lohn erhalten. Im Dorf angekommen, steigt sie vom Fahrrad – und erschrickt: Ihre Brieftasche mit dem gesamten Gehalt ist verschwunden! Sofort fährt sie den ganzen Weg zurück, sucht überall, doch vergeblich. Die Brieftasche bleibt unauffindbar.

Da kommt ihr der Gedanke: „Gott könnte mir helfen." Aber ist ihr Problem nicht zu klein für den, von dem es in der Bibel heißt, dass Er „die Zahl der Sterne zählt, sie alle mit Namen nennt" (Psalm 147,4)? Doch dann erinnert sie sich daran, dass selbst die Haare unseres Hauptes alle gezählt sind.

Fast zu Hause angekommen, sieht sie ihre Mutter ihr winkend entgegenlaufen. Was hält sie da in der Hand? Ein Wunder – die Brieftasche! Und das Geld ist noch vollständig darin.

Eine Frau aus dem Dorf hatte sie auf dem Bürgersteig vor einem großen Geschäft in der Stadt gefunden. Beim Öffnen entdeckte sie ein Foto und erkannte es sofort: „Das ist doch meine junge Nachbarin!" Ohne zu zögern, eilte sie ins Dorf zurück und übergab die Brieftasche.

„Danke, Herr, Du wachst über uns und unsere Sachen!", betet Theresa voller Freude. „Du willst, dass wir Dir in allem vertrauen. Ja, Du hältst dein Versprechen, das Du damals deinem Diener Josua gabst: ‚Ich werde mit dir sein; ich werde dich nicht versäumen und dich nicht verlassen' (Josua 1,5)."

# 16 Sonntag August

SA 06:11 · SU 20:39
MA 10:51 · MU 21:44

***Sie aber legten die Hände an Jesus und griffen ihn. Ein gewisser von den Dabeistehenden aber zog das Schwert, schlug den Knecht des Hohenpriesters und hieb ihm das Ohr ab.***

Markus 14,46.47

## Gedanken zum Markus-Evangelium

Was für ein überraschender und enttäuschender Moment – nicht für Jesus, wohl aber für die Jünger: Ihr Herr wird festgenommen. Damit haben sie nicht gerechnet. Denn bis zuletzt hofften sie, dass ihr Messias sein Reich aufrichten würde, obwohl Er ihnen mehrfach angekündigt hatte, dass Er leiden und sterben müsse.

Die Geschöpfe vergreifen sich an ihrem Schöpfer, ungerechte Menschen wollen „den Gerechten" für immer zum Schweigen bringen, die „Gewalt der Finsternis" tobt gegen das „Licht der Welt" ..., und Jesus lässt es geschehen.

Einer der Anwesenden leistet Widerstand und schlägt zu. Sein Name wird hier nicht genannt, doch aus den anderen Evangelien wissen wir, dass es Petrus ist. Wie so oft ist er schneller als die anderen Jünger, die erst fragen: „Herr, sollen wir mit dem Schwert dreinschlagen?“ (Lukas 22,49).

Was treibt Petrus zu diesem Schlag? Seine Liebe zum Herrn, weil er Ihn beschützen will? Oder doch die Angst, die ihn zur Gegenwehr drängt? – Wäre er der Anweisung des Herrn gefolgt: „Wacht und betet, damit ihr nicht in Versuchung kommt“ (V. 38), hätte ihn dieser unkontrollierte Eifer nicht übermannt.

Petrus befindet sich auf einem Abwärtsweg. Es begann mit der Diskussion, wer der Größte unter ihnen sei. Dann überschätzte er sich in seinem Selbstvertrauen und meinte, den Herrn mehr zu lieben, als die anderen Jünger es taten. Im Garten Gethsemane schlief er, während der Herr zutiefst betrübt war.

Täuschen wir uns nicht: Wir sind nicht stärker als Petrus! Nur wer dem Herrn Jesus im Herzen nahe ist, bleibt vor falschem Handeln bewahrt.

**Tägliche Bibellese** Josua 15,20–16,10 · 1. Korinther 13,1-13

# 17 Montag August

SA 06:13 · SU 20:37
MA 12:08 · MU 21:58

***Mein Becher fließt über. Nur Güte und Huld werden mir folgen alle Tage meines Lebens.***

Psalm 23,5.6

***Ich bin gekommen, damit sie Leben haben und es in Überfluss haben.***

Johannes 10,10

## Blütenreichtum

Beim Blumengießen kann ich eine Hummel in einer Hibiskusblüte beobachten. Die weiß-rote Blüte trägt in ihrer Mitte einen großen Stempel voll weißen Blütenstaubs. Da kommt die dunkle Hummel und krabbelt in die Blüte, um den Nektar aufzunehmen.

Je länger sie sich in der Blüte aufhält, umso mehr wird sie von Pollen bedeckt. Zunächst werden die Beine, dann auch die Flügel und der ganze Körper weiß von Blütenstaub. Nachdem sie zweimal um den Stempel herumgekrabbelt ist, fliegt die Hummel schwer beladen fort.

Was für ein Reichtum, welche Vielfalt und was für ein Überfluss in der Schöpfung!

Zu einem weit größeren Reichtum und einem Überfluss an Segen lädt Jesus Christus jeden Menschen ein. Er will alle, die Ihm angehören, an seinem Reichtum und seiner Fülle teilhaben lassen. Und ein Leben in seiner Nachfolge ist tatsächlich alles andere als eintönig. Wer sich von Christus geliebt und getragen weiß und diese Liebe an andere weitergibt, genießt eine geistliche Fülle und ein Glück, die nicht mit Worten beschrieben werden können.

*Ein Wohlstand ohnegleichen*
*ist eines Christen Stand,*
*wie er bei keinem Reichen*
*von dieser Welt bekannt.*
*Den kann auch niemand rauben,*
*wie feindlich er gesinnt.*
*Ein Christ ist durch den Glauben*
*des reichsten Vaters Kind.*

Carl Johann Philipp Spitta (1801–1859)



**Tägliche Bibellese** Josua 17,1-18 · 1. Korinther 14,1-12

# 18 Dienstag August

SA 06:14 · SU 20:35
MA 13:24 · MU 22:15

*Aber im fünfzehnten Jahr der Regierung des Kaisers Tiberius, als Pontius Pilatus Statthalter von Judäa war und Herodes Vierfürst von Galiläa, sein Bruder Philippus aber Vierfürst von Ituräa und der Landschaft Trachonitis, und Lysanias Vierfürst von Abilene, unter dem Hohenpriestertum von Annas und Kajaphas, erging das Wort Gottes an Johannes.*

Lukas 3,1.2

## Zuviel des Guten?

Übertreibt Lukas hier nicht mit seiner Berichterstattung und sind einige Details nicht überflüssig? Keineswegs! Jedes einzelne Wort ist von Gott inspiriert.

Lukas ist Historiker und will wahrheitsgemäß berichten. Er hat sorgfältig recherchiert (Kap. 1,1-4) und beschreibt nun, wer wann und wo herrschte – um dann, im „Schnittpunkt" dieser Personen, Johannes als Wegbereiter von Jesus Christus anzukündigen.

Doch diese Aufzählung ist nicht nur ein politisches, sondern zugleich ein sittlich-moralisches Bild. Denn wer wird hier genannt? Pontius Pilatus, der römische Statthalter, der sich als willensschwach und bestechlich erweist; Herodes, der Vierfürst, der Ehebruch begeht und seinem Bruder Philippus die Ehefrau ausspannt; die Hohenpriester Annas und Kajaphas, die das jüdische Volk machtbesessen und korrupt beherrschen. Sie alle sind wenige Jahre später am Komplott und Verbrechen gegen Jesus Christus beteiligt – und werden schuldig an Ihm.

Wusste Gott nicht, wie böse die Zeit war? Natürlich – aber gerade in diese Dunkelheit sandte Er seinen Sohn. Und genau dort erhält Johannes den Auftrag, die „Taufe der Buße zur Vergebung der Sünden" zu predigen und die Menschen auf den kommenden Messias vorzubereiten (Micha 2,3; Galater 4,4; Lukas 3,3).

Wie gut, dass Gott nicht auf bessere Zeiten gewartet hat! Auch heute ist Er bereit, gerade in „verkorkste" oder scheinbar hoffnungslose Lebensumstände hineinzukommen. Denn noch immer sucht Er, „was verloren ist" (Lukas 19,10).

**Tägliche Bibellese** Josua 18,1-28 · 1. Korinther 14,13-25

# 19 Mittwoch August

SA 06:16 · SU 20:33
MA 14:39 · MU 22:37

***Wer unter euch, der einen Turm bauen will, setzt sich nicht zuvor hin und berechnet die Kosten, ob er das Nötige zur Ausführung hat? – damit nicht etwa, wenn er den Grund gelegt hat und nicht zu vollenden vermag, alle, die es sehen, anfangen, ihn zu verspotten.***

Lukas 14,28.29

## Kluge Vorsorge

Was ist der Sinn des Lebens? – Vielleicht stellt jemand die Gegenfrage: Warum ist diese Frage überhaupt wichtig?

Lassen wir einmal einen Ingenieur darauf antworten: „Jeder sinnlose Einsatz von Energie ist Verschwendung. Von Verschwendung aber kann auf Dauer keiner leben. Jedes technische Produkt fängt mit einer Sinnfrage an, z. B.: Ist es sinnvoll, an dieser Stelle eine Brücke zu bauen? Von der

Antwort auf diese Frage hängt zuletzt sogar die äußere Gestalt der Brücke ab. Einfach draufloszubauen wäre heller Wahnsinn."

Wer nun dem Gedanken zustimmt, dass sein Leben einen Sinn haben muss, könnte dabei manche Aspekte hervorheben: Wohlstand, berufliches Fortkommen oder Gründung einer Familie. Auch Pflichten und soziale Aufgaben füllen das Leben vieler Menschen aus. Und noch viele andere Antworten könnte man geben.

Das alles gilt jedoch nur für das irdische Leben, eine Zeitspanne von sehr begrenzter Dauer, deren Schlusspunkt der Tod ist. – Was bleibt dann unter dem Strich übrig?

Denken wir noch einmal an das Bild von der Brücke: Bauen Sie vielleicht die Brücke Ihres Lebens in das große Unbekannte, in den dunklen Abgrund der Ewigkeit hinein und wissen gar nicht, worauf Sie dort stoßen werden? – Oder haben Sie schon in Jesus Christus den festen Halt und das sichere Fundament gefunden, für jetzt und für die Ewigkeit? Er ist die Brücke zu Gott, das sichere, ewige Ziel.

**Tägliche Bibellese** Josua 19,1-51 · 1. Korinther 14,26-40

# 20 Donnerstag August

SA 06:17 · SU 20:31
MA 15:51 · MU 23:06

***Stehe und betrachte die Wunder Gottes!***

Hiob 37,14

## Die Handschrift des Schöpfers

Die Entwicklung des Frosches ist ein faszinierender Prozess, der als Metamorphose bekannt ist. Sie beginnt, wenn ein Froschweibchen seine Eier in einem Gewässer ablegt. Nach einigen Tagen bis Wochen schlüpfen die dunklen Larven, die anfangs von dem Nahrungsangebot in der Eihülle leben. Nach etwa drei Wochen entwickeln sich äußere Kiemen und ein Ruderschwanz, bevor die Kiemen nach innen wandern.

In dieser Phase ernähren sich die Kaulquappen – so werden die Larven der Frösche genannt – von Fadenalgen und zerfallenen Pflanzenteilen. Nach sieben bis acht Wochen beginnt die Kaulquappe, sich allmählich zu verändern: Zuerst entwickeln sich die Hinterbeine, gefolgt von den Vorderbeinen. In einem komplexen Prozess bilden sich Lungen, die es der Kaulquappe ermöglichen, Luft zu atmen. Der Schwanz wird kürzer, und der Körper nimmt die charakteristische Froschform an. Die Ernährung wandelt sich von einer rein pflanzlichen zu einer gemischten, die neben Pflanzen auch kleine Tiere beinhaltet. Schließlich verlässt der junge Frosch das Wasser und beginnt ein Leben an Land, wo er ausschließlich tierische Nahrung zu sich nimmt.

Manche meinen, in diesem Prozess einen Hinweis auf die Evolution zu sehen – den Übergang vom Wassertier zum Landtier und von der Kiemen- zur Lungenatmung. Für mich als gläubigen Christen ist es jedoch ein Zeugnis der „Handschrift des Schöpfers", die in seiner Schöpfung sichtbar wird. Jeder Künstler hat seinen eigenen Stil, und an bestimmten wiederkehrenden Elementen wird er erkannt. So verhält es sich auch mit dem Schöpfer, dem ich dafür die Ehre gebe.

**Tägliche Bibellese** Josua 20,1–21,26 · 1. Korinther 15,1-11

# 21 Freitag August

SA 06:19 · SU 20:29
MA 16:56 · MU 23:45

***Denn ihr kennt die Gnade unseres Herrn Jesus Christus, dass er, da er reich war, um euretwillen arm wurde, damit ihr durch seine Armut reich würdet.***

2. Korinther 8,9

## Jesus Christus kennenlernen – Er wurde arm

Steuern und Abgaben sind von jeher ein wichtiges Thema für die Menschen. Es wundert nicht, dass Jesus als Lehrer dazu befragt wurde – allerdings oft auch mit bösen HIntergedanken. „Ist es erlaubt, dem Kaiser Steuern zu zahlen?", lassen Ihn die Pharisäer fragen. Mit dabei sind die Herodianer, Anhänger des wenig beliebten Vasallenkönigs Herodes, der dem römischen Kaiser unterstellt ist (Matthäus 22,15-22).

Antwortet Jesus mit Ja, werden die „frommen" Pharisäer empört sein. Denn diese halten es für eine Schande, dass das auserwählte Volk Gottes der römischen Besatzungsmacht Steuern zahlen muss. Antwortet Jesus mit Nein, stellt Er sich als Rebell gegen Herodes und die Römer dar. Doch Jesus durchschaut ihre Falle. Er lässt sich eine Steuermünze zeigen und verweist auf Bild und Aufschrift des amtierenden Kaisers. Seine Antwort ist klar: „Gebt dem Kaiser, was dem Kaiser gehört", nämlich das Geld – „und Gott, was Gott gehört", nämlich Ehre und Gehorsam. Diese Antwort ist sprichwörtlich geworden.

Noch ein Detail: Jesus lässt sich eine Steuermünze zeigen, weil Er selbst nicht einmal einen Denar besitzt – den Tageslohn eines Arbeiters. Er war arm! Den Himmel mit all seinem Reichtum und Frieden, mit all seiner Freude und Schönheit hat Er gegen ein Leben als Mensch eingetauscht. Und selbst für „menschliche" Verhältnisse war Er arm: Schon als Baby wurde Er notgedrungen in eine Futterkrippe gelegt, als Erwachsener besaß Er nichts Eigenes. Er lebte meist ohne festen Wohnsitz, ohne Rücklagen, ohne festes Einkommen. Schließlich ließ Er sich von Menschen anklagen, verurteilen und wie ein Verbrecher am Kreuz hinrichten. So arm wurde der Sohn Gottes – um alle zu retten und unfassbar reich zu machen, die an Ihn glauben!

**Tägliche Bibellese** Josua 21,27–22,10 · 1. Korinther 15,12-19

# 22 Samstag August

SA 06:20 · SU 20:27
MA 17:51 · MU –:–

***Das Verwundete will ich verbinden, und das Kranke will ich stärken.***

Hesekiel 34,16

***Der Herr trat zu ihm und sprach: Sei guten Mutes!***

Apostelgeschichte 23,11

## Jesus gibt mir Mut

Am 26. Januar 2018 ist Christine, 16 Jahre alt, mit Freundinnen im Stadtviertel Bab Touma in Damaskus unterwegs, als dort und in der Altstadt plötzlich Hunderte von Granaten einschlagen. Die Sirenen der Rettungswagen heulen durch die Straßen und immer mehr Verletzte werden in die Krankenhäuser gebracht. Unter ihnen ist auch die junge Gymnasiastin.

Nach fünf Monaten berichtet Christine – immer noch ans Bett gefesselt –, was sie erlebt hat:

„Die ersten Stunden waren schrecklich ... Doch im Krankenhaus wurde mir allmählich klar, wie viel Glück ich trotz allem gehabt hatte, dass ich den Anschlag, wenn auch schwer verletzt, überlebt hatte. Mein Bein konnten die Ärzte nicht retten. Doch trotz der Schmerzen freute ich mich, noch am Leben zu sein. Ich begann, Gott zu bitten, dass ich das letzte Opfer dieser Mörsergranaten wäre und dass Er denen vergeben möge, die sie abgefeuert haben.

Wenn man nicht vergebungsbereit ist, kann man nicht mit anderen zusammenleben – zu dieser Erkenntnis rang sich auch mein Vater durch.

Tief in meinem Inneren spüre ich eine Kraft, die mich dieses Unglück ertragen lässt. Es ist eine übernatürliche Kraft. Es ist die Gegenwart und die Liebe Christi. Ich denke, dass Gott mir mein Bein genommen hat, um mir etwas viel Wertvolleres zu geben. Ich erlebe viel bewusster als früher, dass Er an meiner Seite ist und mir Mut gibt."

**Tägliche Bibellese** Josua 22,11-34 · 1. Korinther 15,20-34

# 23 Sonntag August

SA 06:22 · SU 20:25
MA 18:34 · MU 00:36

*Und Jesus hob an und sprach zu ihnen: Seid ihr ausgezogen wie gegen einen Räuber, mit Schwertern und Stöcken, um mich zu fangen? Täglich war ich bei euch, im Tempel lehrend, und ihr habt mich nicht gegriffen – aber damit die Schriften erfüllt würden. Und es verließen ihn alle und flohen. Und ein gewisser Jüngling folgte ihm, der feines Leinentuch um den bloßen Leib geworfen hatte; und sie greifen ihn. Er aber ließ das feine Leinentuch fahren und floh nackt von ihnen.* Markus 14,48-52

## Gedanken zum Markus-Evangelium

Eine bewaffnete Volksmenge ist in den Garten Gethsemane eingedrungen, um Jesus gefangen zu nehmen. Wie demütigend für Ihn, der nie etwas Unrechtes, geschweige denn Böses getan hat – im Gegenteil: Er war stets ein Wohltäter. Wie kein anderer hat Er das Prinzip „Geben ist seliger als Nehmen" (Apostelgeschichte 20,35) vorgelebt. Und doch wird Er wie ein Räuber behandelt.

Dass Jesus nun ergriffen wird, ist nicht das Ergebnis eines geschickten Plans der religiösen Führer des Volkes. Nein, es geschieht, weil die Propheten des Alten Testaments es vorausgesagt haben. Denken wir nur an Jesaja 53,7: „Er tat seinen Mund nicht auf, wie ein Lamm, das zur Schlachtung geführt wird." Schließlich war Christus gekommen, um das Gesetz und die Propheten zu erfüllen (vgl. Matthäus 5,17).

Gleichzeitig erfüllen sich Jesu eigene Worte: „Ihr werdet alle Anstoß nehmen" (Markus 14,27). Er ist also nicht überrascht, doch es bleibt eine schmerzhafte Erfahrung. Die Jünger ziehen es vor, sich selbst in Sicherheit zu bringen, anstatt ihrem Herrn beizustehen. Hatten sie nicht geschworen, mit Ihm zu sterben?

Ähnlich verhält es sich mit dem jungen Mann, der Jesus nachfolgt. Auch bei ihm soll sich zeigen, wie sein Herz zu dem verworfenen Christus steht. Ist es bloße Neugier, die ihn antreibt, oder sucht er wirklich die Nähe des Herrn? Wir wissen es nicht. Doch eins ist sicher: Er ist nicht bereit, sich selbst zu verleugnen (Kap. 8,34).

**Tägliche Bibellese** Josua 23,1-13 · 1. Korinther 15,35-50

# 24 Montag August

SA 06:23 · SU 20:22
MA 19:07 · MU 01:39

***Denn wie sie in jenen Tagen vor der Flut waren: Sie aßen und tranken, sie heirateten und verheirateten – bis die Flut kam und alle wegraffte …*** Matthäus 24,38.39

## Warnungen ignoriert

Am 16. März 1980 beginnt es im Mount St. Helens heftig zu rumoren. Seit 123 Jahren gilt dieser Berg im Nordwesten der USA als „ruhender Vulkan". Schon bald warnen Vulkanologen vor einer bevorstehenden Eruption, woraufhin fast die gesamte Bevölkerung aus der Gefahrenzone evakuiert wird. Doch einige weigern sich, das gefährliche Gebiet zu verlassen.

Die einen vertrauen darauf, dass nach so vielen Jahrzehnten der Ruhe nun kein Ausbruch mehr zu erwarten ist. Andere glauben, dass es schon nicht so schlimm werden wird. Und eine dritte Gruppe ist fest davon überzeugt, notfalls Schutz im nahe gelegenen Bergwerksstollen zu finden.

Doch am 18. Mai werden sie alle von einer gigantischen Explosion des Vulkans überrascht und sterben in den heißen Lavaströmen oder unter der glühenden Asche. Sie haben sämtliche Warnungen in den Wind geschlagen.

Auch Gott warnt vor dem kommenden Gericht, das alle die treffen wird, die sich nicht „evakuieren" lassen und die Erlösung ablehnen, die Gott in Jesus Christus anbietet.

Die einen spotten und sagen: „Wo ist die Verheißung seiner Ankunft? Denn seitdem die Väter entschlafen sind, bleibt alles so von Anfang der Schöpfung an" (2. Petrus 3,4). Sie meinen, es ginge alles so schön weiter wie bisher.

Andere denken, Gott werde schon nicht so streng sein und über die „kleinen" Sünden, die sie begangen haben, hinwegsehen.

Die dritte Gruppe hofft, in dem „Stollen" ihrer eigenen Gerechtigkeit Schutz zu finden.

Aber wenn das göttliche Gericht kommt, werden sich alle diese Ansichten als Irrtum erweisen. Darum: „Heute, wenn ihr seine Stimme hört, verhärtet eure Herzen nicht!" „Siehe, jetzt ist die wohlangenehme Zeit, siehe, jetzt ist der Tag des Heils" (Hebräer 3,15; 2. Korinther 6,2).

**Tägliche Bibellese** Josua 23,14–24,5 · 1. Korinther 15,51-58

# 25 Dienstag August

SA 06:25 · SU 20:20
MA 19:31 · MU 02:49

*Ein gewisser Mensch machte ein großes Gastmahl und lud viele ein. ... Kommt, denn schon ist alles bereit. Und sie fingen alle ohne Ausnahme an, sich zu entschuldigen.*

Lukas 14,16-18

## Das große Gastmahl (1)

Dieses Gleichnis, diese Beispielgeschichte, die der Herr Jesus Christus den Juden damals erzählte, ist heute immer noch aktuell. Gott lädt die Menschen zu seinem Festmahl ein: Alle sind gemeint, keiner ist ausgenommen. Jeder soll zu dem großen Fest kommen, das Er zu Ehren seines Sohnes Jesus Christus ausrichten will. Gott freut sich über jeden, der Ja sagt.

„Alles ist bereit." – Das hat Christus durch sein Sühnopfer am Kreuz bewirkt. Deshalb bietet Gott nun verlorenen Menschen die Vergebung ihrer Schuld und das ewige Heil an und ruft sie in seine Gemeinschaft.

Der Bote des Hausherrn kam zu den eingeladenen Gästen, um ihnen mitzuteilen, dass das Gastmahl nun beginnt. Auch heute lädt Gott jeden durch seine Boten ein.

Doch wie reagieren die Menschen auf die Einladung Gottes? Im Gleichnis brachten sie viele Ausreden vor: Der eine hatte gerade einen Acker, der andere einige Ochsen gekauft; ein Dritter hatte geheiratet. Und heute ist es nicht anders. Für viele ist irdischer Besitz wichtiger als Gott. Andere wiederum lassen sich durch Beruf und Karriere oder auch durch familiäre Beziehungen abhalten, Gottes Einladung zu folgen.

Wie antworten *wir* auf Gottes Einladung? Gibt es vielleicht auch in unserem Leben etwas, was uns davon abhält, seine freundliche Einladung anzunehmen? Weisen auch wir seine gute Botschaft unter irgendeinem Vorwand ab?

(Schluss morgen)

**Tägliche Bibellese** Josua 24,6-15 · 1. Korinther 16,1-9

# 26 Mittwoch August

SA 06:27 · SU 20:18
MA 19:49 · MU 04:04

***Geh schnell hinaus auf die Straßen und Gassen der Stadt und bring die Armen und Krüppel und Blinden und Lahmen hier herein. Und nötige sie hereinzukommen, damit mein Haus voll werde.***

Lukas 14,21.23

## Das große Gastmahl (2)

Zuerst waren die ehrenwerten Bürger zum großen Festmahl eingeladen worden, doch sie hatten die Einladung ausgeschlagen. Da sandte der Hausherr in diesem Gleichnis seinen Diener erneut aus. Doch wen sollte er jetzt ansprechen? Arme und Krüppel, Lahme und Blinde! – Kann das denn wahr sein? Will dieser reiche Mann wirklich solche Leute bei sich haben? – Ja, der Hausherr wollte es so!

Diejenigen, die zuerst eingeladen worden waren, hatten sich als unwürdig erwiesen, am

Festmahl teilzunehmen: Unter einem Vorwand hatten sie es abgelehnt zu kommen, und zeigten damit, dass ihnen der Gastgeber nichts bedeutete. Der Hausherr sehnte sich jedoch nach Gästen, die seine Herzensgüte schätzen und seine Einladung gern annehmen würden. Sein Haus sollte voll werden. Daher sollte der Bote diese bedauernswerten Menschen sogar „nötigen", wenn sie sich vor ihm scheuen würden.

Auch heute haben manche Menschen kein Interesse an Gott und an der Gemeinschaft mit Ihm, und gehen an seiner Güte achtlos vorüber. Sie bringen zwar Entschuldigungen vor, aber die zählen vor Gott nicht.

Deshalb gilt die Einladung Gottes – wie in unserem Gleichnis – ausdrücklich den Armen und Bedürftigen, also den Menschen, die wissen, dass sie vor Gott gar nichts vorweisen können ... außer ihre Sünden! Sie fühlen, dass sie auf dem Weg ins Verderben sind und sich selbst nicht retten können. Sie alle sind eingeladen, mit ihrer Lebensschuld zu Gott zu kommen, sie Ihm zu bekennen und dann voll Freude an seinem „Festmahl" teilzunehmen.

**Tägliche Bibellese** Josua 24,16-33 · 1. Korinther 16,10-24

# 27 Donnerstag August

SA 06:28 · SU 20:16
MA 20:04 · MU 05:20

***Ihr habt euch von den Götzenbildern zu Gott bekehrt, um dem lebendigen und wahren Gott zu dienen.*** 1. Thessalonicher 1,9

## Christen in aller Welt – Manuel aus Kolumbien

Manuel lebt in den Bergen der Sierra Nevada. Er stammt aus einer angesehenen Familie der Arhuacos, einer der über 100 indigenen Bevölkerungsgruppen in Kolumbien. Die Arhuacos sind ein eigentlich friedlicher Stamm, der sich bemüht, im Einklang mit der Natur zu leben, sie zu schützen und zu bewahren. Manuels Angehörige und Freunde sind Mamus, spirituelle Oberhäupter des Stamms, die in Kontakt mit Geistern stehen.

Da es in der Nähe des Dorfs keine Schule gibt, bringen ihn die Eltern in einen anderen Ort, der etwa 12 Stunden Fußmarsch entfernt liegt. Zur Bestreitung seines Lebensunterhalts erhält Manuel einige Kühe und Kleinvieh, die er in den Wäldern versorgen muss.

Die Trennung von der Familie macht Manuel schwer zu schaffen. Durch einen Mitschüler hört er von dem Gott der Christen. Als er in den Wäldern mehrfach in gefährliche Situationen gerät, betet er zu Gott – und erfährt Hilfe. Dennoch ist er zunächst nicht bereit, mit dem animistischen Glauben zu brechen. Erst als es im Wald zu einem Unfall kommt, bei dem er an den Beinen schwer verletzt wird, entscheidet sich Manuel, Jesus als seinen Retter und Herrn anzunehmen.

Er beginnt, die Bibel zu studieren. Als er sich schließlich traut, mit seiner Familie über seinen neuen Glauben zu sprechen, versuchen seine Angehörigen, ihn davon abzubringen. Manuel spürt, dass er gehen muss. Obwohl in Kolumbien Religionsfreiheit herrscht, werden indigene Christen von ihren Leuten abgelehnt, eingesperrt und schikaniert.

Noch immer auf Gehhilfen angewiesen, wandert Manuel stundenlang durch die Wälder zu einer Missionsstation, wo er eine fundierte Anleitung zum Bibelstudium erhält. Nach vier Jahren kehrt er in seine Heimat zurück, um dort von seinem Herrn Jesus zu erzählen und andere indigene Christen zu begleiten.

**Tägliche Bibellese** Richter 1,1-15 · 2. Korinther 1,1-7

# 28 Freitag August

SA 06:30 · SU 20:14
MA 20:16 · MU 06:36

***Jesus blieb stehen und sprach: Ruft ihn! Und sie rufen den Blinden und sagen zu ihm: Sei guten Mutes; steh auf, er ruft dich!***

Markus 10,49

## Jesus Christus kennenlernen – Er heilt Blinde

Er gehört zur untersten sozialen Schublade – zumindest denken das seine Mitbürger. Bartimäus ist blind und deshalb bettelarm. Er sitzt am Wegrand und freut sich über Almosen. Wie an jedem Tag strömen auch heute die Menschen achtlos an ihm vorbei.

Doch der Blinde überrascht: Trotz seiner schwierigen Situation hat er sich nicht aufgegeben; er hat noch Hoffnung. Und diese Hoffnung erwacht so richtig zum Leben, als er an diesem Tag mitbekommt, dass Jesus vorbeigeht.

Blinde verlassen sich auf ihr Gehör, und anscheinend hat Bartimäus schon viel über Jesus gehört. Er hat eine feste Meinung – oder sagen wir lieber Erkenntnis – über Ihn. Er ruft: „Sohn Davids, Jesus, erbarme dich meiner!" (Kap. 10,47).

Die Menschen in der Menge fühlen sich genervt: „Ruhe!", verlangen sie barsch. Doch Bartimäus schreit umso lauter und – Jesus hört ihn und bleibt stehen!

Das Schreien dieses hilflosen Mannes nutzt der Sohn Gottes, um andere in seinen Plan einzubeziehen: „Ruft ihn!", beauftragt Er sie, und mit Mut machenden Worten führen sie den Blinden zu Jesus.

Bei Jesus angekommen, darf Bartimäus seinen Herzenswunsch äußern: „Ich möchte wieder sehend werden!" Jesus erfüllt ihn und sagt freundlich: „Geh hin, dein Glaube hat dich geheilt!" (Kap. 10,51.52).

Es ist interessant, dass diese Menschenmenge, die von ihrer eigenen Wichtigkeit überzeugt hinter Jesus herläuft, namenlos bleibt. Nur zwei Personen werden mit Namen genannt: Jesus und Bartimäus. Eine Begegnung für die Ewigkeit. Bartimäus glaubt an Jesus und folgt Ihm nach!

**Tägliche Bibellese** Richter 1,16-26 · 2. Korinther 1,8-14

# 29 Samstag August

SA 06:31 · SU 20:12
MA 20:29 · MU 07:52

*In jenen Tagen war kein König in Israel; jeder tat, was recht war in seinen Augen.*

Richter 21,25

## Das Buch der Richter ...

... ist ein überwiegend trauriges Bibelbuch. Es erzählt die Geschichte des Volkes Israel im Land Kanaan, beginnend mit dem Tod Josuas, unter dessen Führung Israel einige Jahre zuvor das Land erobert hatte. Von dort aus schlägt es den Bogen bis zur Zeit des Propheten Samuel und zum Beginn der Königszeit, wie sie im ersten Buch Samuel beschrieben wird. Das Richterbuch umfasst damit einen Zeitraum von ungefähr 320 Jahren.

Es schildert einen immer wiederkehrenden Kreislauf: Israel wendet sich von Gott ab und verehrt Götzen ... das Volk wird von Nachbarvölkern unterdrückt ... nach einiger Zeit schreit es zu Gott um Hilfe ... Gott erhört den Hilfeschrei und sendet Männer oder Frauen, die Israel von seinen Feinden befreien ... darauf folgt eine Zeit der Ruhe, bis der Zyklus von Neuem beginnt.

Erzählt werden sieben solcher Perioden der Unterdrückung und ebenso viele Phasen der Befreiung – durch insgesamt zwölf sogenannte *Richter.* Chronologisch endet das Buch mit Kapitel 16. Die folgenden Kapitel (17-21) schildern zwei Beispiele, die exemplarisch den moralischen und geistlichen Verfall des Volkes zeigen: zunächst hinsichtlich des Gottesdienstes (Kapitel 17-18), dann im Blick auf Moral und Zusammenhalt (Kapitel 19-21).

Der letzte Vers des Buches fasst die Lage zusammen: „In jenen Tagen war kein König in Israel" – ein Hinweis darauf, dass das Buch offensichtlich zu Beginn der Regierung des Königs Saul entstanden ist. Und weiter heißt es: „Jeder tat, was recht war in seinen Augen" – eine treffende Zusammenfassung und gleichzeitig eine Überschrift über das gesamte Buch.

Das Buch der Richter berichtet vom menschlichen Versagen – aber ebenso von der göttlichen Gnade und Rettung. Die von Gott berufenen Richter weisen hin auf den damals noch zukünftigen Retter Jesus Christus.

**Tägliche Bibellese** Richter 1,27-2,5 · 2. Korinther 1,15-24

# 30 Sonntag August

SA 06:33 · SU 20:10
MA 20:41 · MU 09:09

***Und sie führten Jesus weg zu dem Hohenpriester; und alle Hohenpriester und Ältesten und Schriftgelehrten versammeln sich um ihn. Und Petrus folgte ihm von weitem bis hinein in den Hof des Hohenpriesters; und er saß mit bei den Dienern und wärmte sich an dem Feuer.*** Markus 14,53.54

## Gedanken zum Markus-Evangelium

Jesus ist festgenommen worden, und die Jünger sind geflohen. Nun wird Er zu denen gebracht, die den Haftbefehl gegen Ihn erlassen haben, den religiösen Führern Israels. Sie wollen Ihn verhören, doch ihr Urteil steht längst fest: Jesus soll getötet werden (V. 1). Vergleicht man die vier Evangelien, lassen sich insgesamt sechs verschiedene Verhöre feststellen, die in folgender zeitlicher Reihenfolge abliefen:

- Das Verhör vor Annas, dem Schwiegervater des Hohenpriesters Kajaphas (Johannes 18,13-24)

- Das Verhör vor Kajaphas (Matthäus 26,57-68; Markus 14,53-65)
- Das Verhör vor dem Synedrium (Markus 15,1; Lukas 22,66-71)
- Das erste Verhör vor Pilatus (Matthäus 27,2.11-14; Markus 15,1-5; Lukas 23,1-6; Johannes 18,28-38)
- Das Verhör vor Herodes (Lukas 23,7-12)
- Das zweite Verhör vor Pilatus (Matthäus 27,15-26; Markus 15,6-1 ; Lukas 23,13-25; Johannes 18,39-19,16)

Der Evangelist Markus setzt mit dem Verhör vor dem Hohenpriester Kajaphas ein. Es ist Mitternacht, und eine „außerordentliche Sitzung" findet statt. Offenbar soll das Verhör vor dem Synedrium gut vorbereitet werden, damit das Todesurteil zügig vollstreckt werden kann.

Während die Versammelten Jesus von Nazareth voller Hass begegnen, fühlt Petrus sich von Ihm angezogen. Deshalb kehrt er von seiner Flucht zurück und setzt sich zu den Dienern des Hohenpriesters. Er will sehen, wie es mit seinem Herrn weitergeht (Matthäus 26,58).

Doch ist er in der richtigen Gesellschaft? Es dauert nur noch wenige Augenblicke, bis er kläglich scheitert und Jesus dreimal verleugnet.



**Tägliche Bibellese** Richter 2,6-23 · 2. Korinther 2,1-17

# 31 Montag August

SA 06:34 · SU 20:08
MA 20:56 · MU 10:28

***Werft all eure Sorge auf Gott; denn er ist besorgt für euch.***

1. Petrus 5,7

## Gebetserhörung

Mike und Reema sind ein Missionarsehepaar in einem Dorf am Persischen Golf. Dort lernen sie Shareen kennen, deren Ehemann schwer erkrankt ist und deren Familie in großer Armut lebt. Manchmal haben sie nicht einmal genug zu essen.

Mike und Reema erzählen ihr von Gott und versichern ihr, dass Er Gebete hört und erhört. „Du kannst Ihm alles sagen, was dich bedrückt: die Krankheit deines Mannes, die Sorge um das tägliche Brot und vieles mehr." Shareen ist zunächst skeptisch, verspricht jedoch, es zu versuchen.

Eines Abends wird Mike und Reema klar, dass sie Shareen aktiv unterstützen müssen. Sie beschließen, ihr unbemerkt einige Tüten mit Lebensmitteln vor die Tür zu stellen. Am nächsten Morgen schleicht sich Reema in aller Frühe an Shareens Haustür. Gerade als sie die Tüten leise abstellen will, geht die Tür auf und ein kleiner Junge steht vor ihr. Er stutzt und ruft dann freudig ins Haus: „Mama! Reema ist da!"

Shareen kommt zur Tür, wirft einen kurzen Blick auf die vielen Tüten und jubelt vor Freude.

„Heute Nacht hatte ich einen sehr realistischen Traum", erzählt sie. „Ich sah mich dabei, wie ich Tüten voller Lebensmittel in meine leeren Regale räumte. Ich war so glücklich, weil wir jetzt endlich nicht mehr hungern mussten! Doch als ich aufwachte, stellte ich fest, dass wir immer noch auf dem Trockenen saßen. Da begann ich zu weinen! Doch dann erinnerte ich mich an unser Gespräch und betete. Ich flehte Gott an, mir Lebensmittel für meine Regale zu geben. Und nun stehst du vor der Tür – mit den Tüten!"

Weinend vor Freude umarmen sich die beiden. Gemeinsam danken sie Gott, dass Er Shareens Gebet so schnell erhört hat.

nach R. Goode

**Tägliche Bibellese** Richter 3,1-11 · 2. Korinther 3,1-6

DIE GUTE SAAT 2026 • CSV-Verlag • www.csv-verlag.de

# 1 Dienstag September

SA 06:36 · SU 20:05
MA 21:13 · MU 11:51

***Durch Glauben verstehen wir, dass die Welten durch Gottes Wort bereitet worden sind.***

Hebräer 11,3

## Glauben, um zu verstehen

Seit dem 18. Jahrhundert gilt die wissenschaftliche Beweisführung als Grundlage allen Wissens. Der aufgeklärte Mensch glaubt nur das, was er versteht und was eindeutig bewiesen ist. Alles andere wird mit Skepsis betrachtet. Kurz: Man will zuerst verstehen und dann glauben.

Der durch die Bibel belehrte Mensch hingegen geht anders vor: Zuerst glaubt er dem, was Gott sagt: „Der Glaube ist aus der Verkündigung, die Verkündigung aber durch Gottes Wort" (Römer 10,17). Daraufhin schenkt Gott ihm ein tieferes Verständnis für das, was er glaubt. Kurz: Er glaubt Gott, um zu verstehen.

Prinzipiell kann der Mensch nur das verstehen, was in seinem begrenzten Bereich liegt. Gottes

Bereich dagegen ist allumfassend. Gott kann Dinge tun, die unser Verstand für unmöglich hält. „Was bei Menschen unmöglich ist, ist möglich bei Gott." Nur der Glaube kann es erfassen und als Realität akzeptieren. „Dem Glaubenden ist alles möglich" (Lukas 18,27; Markus 9,23).

Der bekannte Kirchenlehrer Augustinus (354-430) sagte: „Verstehen ist der Lohn des Glaubens. Ihr müsst also nicht verstehen, um zu glauben, sondern glauben, um zu verstehen! Denn wenn ihr nicht glaubt, werdet ihr nicht verstehen."

Gott hat den Glauben als Mittel zu unserer Errettung gegeben. Zuerst muss ich glauben, dass allein das Opfer von Jesus Christus meine Schuld tilgen kann. Dann öffnet Gott meine Augen für weitere Aspekte seines wunderbaren Heilsplans. Nach und nach verstehe ich mehr von Gottes Heiligkeit und Gerechtigkeit, von der Abscheulichkeit der Sünde, von dem großartigen Erlösungswerk, das Jesus Christus am Kreuz vollbracht hat, und den daraus entstandenen Segnungen. Auch lerne ich mehr und mehr über das rechte Verhalten als Christ und über die Zusammenhänge in der Bibel.

*„Durch Glauben verstehen wir ..."!*

**Tägliche Bibellese** Richter 3,12-31 · 2. Korinther 3,7-18

# 2 Mittwoch September

SA 06:37 · SU 20:03
MA 21:37 · MU 13:16

***Wie könnt ihr glauben, die ihr Ehre voneinander nehmt und die Ehre, die von Gott allein ist, nicht sucht?***

Johannes 5,44

## Nicht glauben können

Viele Menschen sagen, sie könnten nicht an Gott glauben – vor allem nicht daran, dass Jesus Christus wirklich der Sohn Gottes, unser Retter und Herr ist. Doch woran liegt das?

Auch in der Bibel begegnen uns Menschen, die nicht glauben konnten. Die religiösen Führer Israels, denen Jesus damals die Frage stellte (siehe Tagesvers), hatten ein zentrales Hindernis: ihr Geltungsbedürfnis: Sie suchten die Anerkennung anderer, statt sich auf Gott auszurichten. Auch heute steht vielen die Angst vor der Meinung anderer im Weg. Wer nach menschlichem Ansehen strebt, verliert den Blick für Gott.

Doch genau das wiegt schwer bei Gott. Stolz, Ehrsucht und Selbstverliebtheit verdunkeln die Sicht auf Ihn. Entweder stellen wir Gott über alles und erkennen unsere Verantwortung als seine Geschöpfe – oder wir erheben uns selbst und verfehlen den Weg zu Ihm.

Die Bibel warnt: „Gott widersteht den Hochmütigen ...“ Ein stolzes Herz kann keine Verbindung mit dem Ewigen finden. Doch im Bibelwort heißt es weiter: „... den Demütigen aber gibt er Gnade“ (1. Petrus 5,5). Wer sich von der Illusion der eigenen Größe löst, seine eigene Sündhaftigkeit erkennt und sich vor Gott beugt, empfängt Gottes Liebe und Vergebung.

**Tägliche Bibellese** Richter 4,1-16 · 2. Korinther 4,1-6

# 3 Donnerstag September

SA 06:39 · SU 20:01
MA 22:09 · MU 14:41

***Gott der HERR bildete den Menschen, Staub vom Erdboden, und hauchte in seine Nase den Odem des Lebens; und der Mensch wurde eine lebendige Seele.*** 1. Mose 2,7

## Der Mensch

Als Gott die Pflanzen schuf, sprach Er: „Die Erde lasse Gras hervorsprossen, Kraut, das Samen hervorbringe, Fruchtbäume, die Frucht tragen nach ihrer Art!" Bei der Erschaffung der Vögel und der Wassertiere sagte Er: „Es sollen die Wasser wimmeln vom Gewimmel lebendiger Wesen, und Vögel sollen über der Erde fliegen!" Und bei den Landtieren sprach Er: „Die Erde bringe lebendige Wesen nach ihrer Art hervor: Vieh und kriechende Tiere und Tiere der Erde nach ihrer Art!"

Als es aber um den Menschen ging, sprach Gott: „Lasst uns Menschen machen in unserem Bild, nach unserem Gleichnis; und sie sollen herrschen über die Fische des Meeres und über die Vögel des Himmels und über das Vieh und über die ganze Erde und über alle Tiere, die sich auf der Erde regen!“ (1. Mose 1,9-31).

Unabhängig von sämtlichen wissenschaftlichen Diskussionen bleibt festzuhalten, dass die Heilige Schrift versichert: Der Mensch ist als ein besonderes Wesen geschaffen worden.

„Und der Mensch wurde eine lebendige Seele“, präzisiert unser Tagesvers. Diese lebendige Seele unterscheidet sich von der Seele der Tiere (Kap. 1,30). Die der Erde entnommene Materie, die dem Menschen und den anderen Lebewesen gemeinsam ist, erhält hier einen besonderen, göttlichen Hauch: den „Odem des Lebens“. Das verleiht dem Menschen Fähigkeiten, die ihn von den Tieren unterscheiden. Sie spiegeln bestimmte göttliche Eigenschaften wider. Und wenn der menschliche Körper zur Erde zurückkehrt, „kehrt der Geist zu Gott zurück, der ihn gegeben hat“ (Prediger 12,7). Diese Beziehung zwischen dem Menschen und seinem Schöpfer bringt eine Verantwortlichkeit mit sich, die der Mensch freilich leugnen möchte, weil er von Gott unabhängig sein will. Der Mensch aber ist verantwortlich und kann sich dieser Verantwortung nicht entziehen.

**Tägliche Bibellese** Richter 4,17–5,11 · 2. Korinther 4,7-18

**4** **Freitag**
**September**

SA 06:40 · SU 19:59
MA 22:57 · MU 16:00

***Es geschah, als Jesus nach Jerusalem reiste, dass er mitten durch Samaria und Galiläa ging.***

Lukas 17,11

## Jesus Christus kennenlernen – Mittendurch und mittendrin

Es sind nicht gerade die feinsten Gegenden, die hier erwähnt werden: *Galiläa* war eine Arbeiterregion, außerdem politisch unruhig. Und *Samaria* wurde von „Zugezogenen" bewohnt, die ihre eigene Religion mit jüdischen Elementen vermischt hatten – für fromme Juden ein „Sperrgebiet". Lieber überquerten sie zweimal den Jordan und gingen durch heidnisch-römisches Gebiet, als durch Samaria zu reisen.

Und Jesus? Er hat keine Berührungsängste. Er geht mitten durch Galiläa und Samaria, um nach Jerusalem bzw. Judäa zu gelangen. Mittendurch und mittendrin. Warum? Weil dort überall

Menschen lebten, die verzweifelt und enttäuscht waren und denen Er helfen wollte. Ob in Galiläa der Synagogenvorsteher Jairus, dessen Tochter todkrank war, ob in Samaria die Frau am Brunnen, die Durst nach dem Wasser des Lebens hatte, oder in Judäa Nikodemus, der drängende Fragen stellte – sie alle brauchten Jesus. Sie brauchten Vergebung von Schuld und Sünde, Heilung an Leib und Seele, und sehnten sich nach Liebe, Gnade und Erbarmen Gottes.

Und das hat sich bis heute nicht geändert! Auch Deutschland hat seine verschiedenen Städte und Gegenden: Ob Gelsenkirchen oder Bad Homburg vor der Höhe, ob Berlin oder München, ob St. Pauli oder Chemnitz – überall leben Menschen, die den Heiland brauchen. Ob arm oder reich, angesehen oder ausgegrenzt – alle brauchen Errettung und Vergebung, alle brauchen Gottes Liebe.

Wie gut, dass auch heute noch Gottes Botschaft verkündet wird: durch Bibeln, Plakate, Podcasts, YouTube-Videos, Flyer, Kalender. Auch heute ist das Evangelium mittendrin – und erreicht jeden. Denn jeder muss und jeder kann errettet werden!

**Tägliche Bibellese** Richter 5,12-31 · 2. Korinther 5,1-9

**5** **Samstag**
**September**

SA 06:42 · SU 19:57
MA –:– · MU 17:05

***Ich liebe den HERRN, denn er hörte meine Stimme, mein Flehen.*** Psalm 116,1

## Gebet in der Küche

Am 14. Mai 1992, 30 Jahre nach seiner Bekehrung zu Jesus Christus, wird der bekannte Evangelist Stephen Lungu eingeladen, in einer Kapelle seines Geburtslandes Simbabwe zu predigen.

Er beginnt, von seiner unglücklichen Jugend auf der Straße zu sprechen. Früh geriet er in Drogenmissbrauch und Bandenkriminalität, und Gewalt gehörte zu seinem Alltag in einer Gang. Bis zu jenem Tag vor 30 Jahren. An diesem Tag, dem 14. Mai 1962, fand eine Zeltevangelisation statt. Stephen Lungu und seine Gang hatten sich unter die Zuhörer gemischt, um mit ihren Molotow-Cocktails zu zerstören und zu töten. „Aber an diesem Abend trat Gott in mein Leben", berichtet Stephen. Da wurde er auf zwei Frauen unter den Gottesdienstbesuchern aufmerksam, die aufgeregt miteinander tuschelten und ihm immer wieder Zeichen gaben. Eine von ihnen stand sogar auf und rief laut dazwischen. Er versuchte, sie zu ignorieren, aber sie bestand darauf: „Kommen Sie, wir müssen Sie dringend sprechen!“

Etwas genervt begibt sich Stephen schließlich zu den beiden alten Damen. Sie nehmen ihn bei der Hand und sagen: „Gott hat unser Gebet erhört ...“ Sie lachen und weinen durcheinander. „Sehen Sie doch, was hier in meiner Bibel steht“, zeigt ihm die eine der beiden. Stephen liest: „Herr, wir bitten dich, dass sich heute Abend im Zelt in Harare der Chef einer Verbrecherbande zu dir bekehrt.“ Das Gebet ist mit dem Datum vom 14. Mai 1962 versehen. Kein Zweifel, Stephen ist ihre Gebetserhörung!

Diese beiden Christinnen hatten die Gewohnheit, beim Arbeiten in ihrer Küche zu beten und ihre Bitte mit Datum in ihre Bibel zu schreiben. Und als Antwort darauf wird Stephen tatsächlich an diesem Abend in seinem Herzen tief berührt und in seinem Gewissen getroffen. Der Chef der Bande wird ein Jünger Jesu Christi!

Was für eine Ermutigung, voll Vertrauen zu Gott zu beten: „Betet ohne Unterlass“ (1. Thessalonicher 5,17)!

**Tägliche Bibellese** Richter 6,1-13 · 2. Korinther 5,10-21

6 **Sonntag**
**September**

SA 06:43 · SU 19:54
MA 00:02 · MU 17:54

***Die Hohenpriester aber und das ganze Synedrium suchten Zeugnis gegen Jesus, um ihn zu Tode zu bringen; und sie fanden keins. Denn viele gaben falsches Zeugnis gegen ihn, aber die Zeugnisse waren nicht übereinstimmend. Und einige standen auf und gaben falsches Zeugnis gegen ihn und sprachen: Wir hörten ihn sagen: Ich werde diesen Tempel, der mit Händen gemacht ist, abbrechen, und in drei Tagen werde ich einen anderen aufbauen, der nicht mit Händen gemacht ist. Und auch so war ihr Zeugnis nicht übereinstimmend.*** Markus 14,55-59

## Gedanken zum Markus-Evangelium

Bei einer ordentlichen Gerichtsverhandlung wird ein Vergehen nach Recht und Wahrheit beurteilt. Doch hier im Synedrium herrschen skandalöse Zustände: „An der Stätte des Rechts, da war die Gottlosigkeit“ (Prediger 3,16). Man sucht krampfhaft nach

Zeugnissen, um das bereits feststehende Todesurteil rechtskräftig zu machen. Doch es überrascht nicht, dass kein belastbares Zeugnis gefunden wird. Jesus Christus ist „der Heilige und Gerechte" – niemand kann Ihn einer Sünde überführen. Prophetisch heißt es über Ihn: „Wer ist es, der mich für schuldig erklären könnte? Siehe, allesamt werden sie zerfallen wie ein Kleid, die Motte wird sie fressen" (Apostelgeschichte 3,14; Johannes 8,46; Jesaja 50,9).

Die Feinde Jesu haben schon oft versucht, Ihm aus seinen eigenen Worten einen Strick zu drehen. Nun starten sie einen weiteren Versuch und greifen eine Aussage auf, die Jesus bei der Tempelreinigung gemacht hat. Wörtlich sagte Er: „Brecht diesen Tempel ab, und in drei Tagen werde ich ihn aufrichten" (Johannes 2,19). Doch Ihre verfälschte Wiedergabe verdreht völlig den Sinn seiner Worte. In Wahrheit würden sie Ihn gewaltsam zu Tode bringen, und Er würde nach drei Tagen leiblich auferstehen.

Wie paradox: Die Ankläger bringen ein Zeugnis hervor, das sich in diesem Moment erfüllt. Doch anstatt gegen Christus zu sprechen, offenbart es nur die große Sünde derjenigen, die Ihn verurteilen wollen.

**Tägliche Bibellese** Richter 6,14-27 · 2. Korinther 6,1-10

# 7 Montag September

SA 06:45 · SU 19:52
MA 01:23 · MU 18:27

***Wenn jemand nicht geschrieben gefunden wurde in dem Buch des Lebens, so wurde er in den Feuersee geworfen.*** Offenbarung 20,15

## Bis in die Hölle?

Lärmend versammelt sich die Schulklasse um den Bergmann, mit dem sie gleich in das Bergwerk einfahren wird. „Was glaubt ihr wohl, wie tief die Bergleute den Schacht in die Erde getrieben haben?", fragt der Steiger. – „100 Meter tief", meldet sich ein Mädchen. – „Viel tiefer", antwortet der Bergmann. – „Bis in die Hölle!", ruft ein Junge dazwischen. Die umstehenden Erwachsenen lächeln nachsichtig über seine Fantasie.

Fantasie? – Jesus Christus selbst spricht an mehreren Stellen in der Bibel klar und unmissverständlich davon, dass tatsächlich eine Hölle existiert. Allerdings befindet die sich nicht etwa tief in der Erde. Auch der Gedanke, dass der Teufel die armen Seelen dort mit seinem Dreizack quält, ist nur eine Vorstellung, die wahrscheinlich aus dem Mittelalter stammt. Das hat nichts mit der Realität zu tun, die Gott uns in seinem Wort bezeugt.

Die Bibel beschreibt die Hölle als einen „Feuersee", als einen Ort in unendlicher Entfernung und ewiger Trennung von Gott. Dorthin gelangen alle Menschen, die während ihres Lebens das Rettungsangebot Gottes in seinem Sohn Jesus Christus abgelehnt haben.

Gottes Buchführung ist vollständig, einwandfrei und unbestechlich. Im „Buch des Lebens" verzeichnet Er jeden Menschen, der durch den Glauben an Jesus Christus das ewige Leben empfangen hat. Dieser Eintrag garantiert allen Gläubigen, dass sie eine herrliche, ewige Zukunft bei Christus im Himmel haben werden. – Sind Sie schon in diesem Buch eingetragen?

**Tägliche Bibellese** Richter 6,28-40 · 2. Korinther 6,11-18

# 8 Dienstag September

SA 06:47 · SU 19:50
MA 02:51 · MU 18:51

*Kain ging weg vom Angesicht des HERRN.*

1. Mose 4,16

***Kann sich jemand in Schlupfwinkeln verbergen, und ich sähe ihn nicht?, spricht der HERR.***

Jeremia 23,24

## Das Auge Gottes

Vielen sind sie bekannt: Kain und Abel aus der Bibel. Die beiden sind Brüder, die ältesten Söhne des ersten Menschenpaars Adam und Eva.

Eines Tages bringen sie Gott ein Opfer dar. Kain ist Ackerbauer und bringt Gott von den Früchten seines Ertrags. Abel ist Schafhirte und opfert Gott einige seiner besten Tiere samt ihrem Fett. Abels Opfer nimmt Gott an, während Er Kains Opfer zurückweist. Aus Neid auf seinen Bruder Abel entwickelt Kain einen so tiefen Hass, dass er ihn schließlich erschlägt.

Gott stellt Kain daraufhin zur Rede. Aber Kain antwortet Ihm trotzig und sieht seine Schuld nicht ein. Er wendet sich von Gott ab und verfolgt seinen eigenen Weg. Glaubt er wirklich, dass die Sache damit erledigt ist? Dass Gott ihn nun aus den Augen verliert? Die Stimme seines Gewissens wird er auf diese Weise jedenfalls nicht zum Schweigen bringen!

Viele Menschen reden sich ein, es gäbe keinen Gott. Denn wenn es Ihn gäbe, müssten sie Ihm ja eines Tages Rechenschaft über ihr Leben ablegen – weil Gott natürlich ihr ganzes Leben kennen würde, sonst wäre Er ja nicht Gott!

Aber ob man nun an die Existenz Gottes glaubt oder nicht: Es ändert nichts an der Tatsache, dass es Gott tatsächlich gibt. Gott ist unsichtbar, aber allgegenwärtig. Er sieht jeden Menschen, und Er kennt jede Tat, ja sogar jeden Gedanken. Das kann Angst machen!

Doch diese Sicht ändert sich grundlegend für den, der Jesus Christus als seinen Erlöser annimmt. Von da an ist Gott nicht mehr Ankläger und Richter, sondern ein liebender Vater. Dann ist man glücklich, ständig unter seinem gütigen Auge zu leben.

**Tägliche Bibellese** Richter 7,1-8 · 2. Korinther 7,1-9

# 9 Mittwoch September

SA 06:48 · SU 19:48
MA 04:19 · MU 19:10

***Esau fand keinen Raum zur Buße.***

Hebräer 12,17

## Von der Reue zur Buße

Der Begriff *Reue* kommt in der Bibel nur selten vor. In bestimmten Zusammenhängen wird der Ausdruck bildlich in Bezug auf Gott verwendet, wenn es heißt, dass Gott etwas „gereute". Die wenigen anderen Erwähnungen beziehen sich auf das Bedauern oder das Überdenken einer Entscheidung. Ein besonderer Fall ist die Reue von Judas Iskariot, die ihn in die Verzweiflung stürzte (Matthäus 27,3).

Gottes Wort legt den Schwerpunkt viel mehr auf einen verwandten, aber anderen Begriff: die *Buße*. Buße umfasst Reue, geht jedoch weit darüber hinaus. Sie bezieht sich nicht auf äußerliche Bußübungen oder Strafzahlungen, wie etwa „Bußgelder". Wer im biblischen Sinn Buße tut, akzeptiert das Urteil Gottes über die begangene

Sünde, und verurteilt sich auch selbst. In der Buße erkennt und verurteilt man zudem die eigenen bösen Gedanken und Absichten, die zur Tat führten.

Reue hingegen versucht, die Tat ungeschehen zu machen oder zumindest ihre Folgen zu tilgen: „Ach, hätte ich doch nicht ...!" So gesehen, kommt Reue immer zu spät und kann allein nichts bewirken. Buße hingegen ist immer rechtzeitig. Sie ist die Einsicht darüber, was man Gott (und Menschen) angetan hat, und sie gibt Gott die Ehre.

Reue kann zu einer quälenden Erfahrung werden, während Buße zum offenen Bekenntnis der Schuld und damit zur Vergebung führt. Sie schafft Frieden im Herzen und führt zur Freude des Heils (vgl. Psalm 51).

Esau weinte zwar bittere Tränen, weil ihm der Segen entging, der ihm zuvor wenig bedeutete, doch „er fand keinen Raum zur Buße" und blieb ein „Ungöttlicher". Im Gegensatz dazu kam sein Bruder Jakob, der Stammvater des Volkes Israel, zu einer tiefen Einsicht über sich selbst. Trotz seiner unrühmlichen Vergangenheit wurde er schließlich zu einem „Gotteskämpfer" (hebr. *Israel,* Jakobs Ehrenname, den Gott ihm gab).

**Tägliche Bibellese** Richter 7,9-25 · 2. Korinther 7,10-16

# 10 Donnerstag September

SA 06:50 · SU 19:46
MA 05:45 · MU 19:24

***Aus seinem Rachen gehen Fackeln, sprühen feurige Funken hervor. Aus seinen Nüstern fährt Rauch wie aus einem siedenden Topf und aus brennenden Binsen. Sein Hauch entzündet Kohlen, und eine Flamme fährt aus seinem Rachen.***

Hiob 41,11-13

## Ein feuerspuckender Drache

Das hier beschriebene feuerspeiende Tier ist ein Leviatan, ein Drache. Leider kennen wir heute kein einziges Wirbeltier mehr, das diese Fähigkeit besitzt.

Das einzige bekannte Tier mit einer vergleichbaren Fähigkeit ist der Bombardierkäfer. Er besitzt spezielle Drüsen, die zwei hochreaktive Substanzen produzieren. Wird er angegriffen, spritzt er diese Chemikalien in die Explosionskammer, die mit einer dicken Schutzschicht versehen ist. Dort fügt er genau zum richtigen Zeitpunkt Enzyme hinzu, die die Reaktion beschleunigen. So kann der Käfer eine Explosion auslösen, bei der eine Temperatur von über 100 Grad Celsius entsteht. Das heiße, ätzende Gasgemisch verspritzt er aus seinem Hinterleib, sogar über seinen Kopf hinweg.

Genial, nicht wahr? Denn für eine solche Explosion sind verschiedene Komponenten erforderlich: zur Herstellung, zur sicheren Lagerung, zur kontrollierten Zündung und gezielten Freisetzung des Gemischs. Außerdem muss sich der Käfer selbst schützen – innerlich und äußerlich. Es erscheint unmöglich, dass so viele verschiedene Komponenten zufällig, gleichzeitig und von allein entstanden sein sollen, zumal sie einzeln nutzlos wären.

Das im Tagesvers beschriebene Tier könnte ein ähnliches System verwendet haben. Sollte es sich dabei tatsächlich um einen Dinosaurier handeln – wofür einiges spricht –, dann müssten Mensch und Tier zur gleichen Zeit gelebt haben! Denn Gott stellt Hiob diesen „König über alle wilden Tiere" (Kap 41,26) nicht als ausgestorben, sondern als reale und bekannte Bedrohung seiner Zeit dar.

Lesen Sie dazu einmal Hiob 40,25 bis 41,26!

**Tägliche Bibellese** Richter 8,1-17 · 2. Korinther 8,1-8

# 11 Freitag September

SA 06:51 · SU 19:43
MA 07:07 · MU 19:38

*Jesus sprach zu ihr: Ich bin die Auferstehung und das Leben; wer an mich glaubt, wird leben, auch wenn er stirbt; und jeder, der lebt und an mich glaubt, wird nicht sterben in Ewigkeit. Glaubst du dies?*

Johannes 11,25.26

## Jesus Christus kennenlernen – Er ist die Auferstehung

In Bethanien herrscht tiefe Trauer (vgl. Johannes 11,1-44). Lazarus, der Bruder von Martha und Maria, ist nach schwerer Krankheit vor einigen Tagen verstorben.

In die Trauer der Schwestern mischt sich gewiss auch etwas Enttäuschung. Sie haben Jesus doch über Lazarus' Krankheit informiert! Hätte Er ihn nicht heilen können? Schließlich war er sein Freund, und Jesus ist mit seinen Jüngern schon oft in ihrem gastfreien Haus eingekehrt. Und hat Er nicht auch schon viele andere Kranke geheilt? Wenn Jesus rechtzeitig gekommen wäre, wäre

Lazarus nicht gestorben. Diese Überzeugung äußern beide Schwestern, als Jesus vier Tage nach Lazarus' Beisetzung schließlich eintrifft.

Aber Jesus sagt zu Martha: „Dein Bruder wird auferstehen!" Das bestätigt Martha. Sie glaubt an eine Auferstehung am Ende der Zeit. Doch Jesus hat es anders gemeint, viel näher und greifbarer. „Ich bin die Auferstehung! Wer an mich glaubt, lebt, auch wenn er stirbt." Ob Martha die Tragweite dieser Worte ganz begreift? Sie bekennt sich jedenfalls dazu. „Ich glaube, dass du der Sohn Gottes bist!"

Später an diesem Tag wird Jesus Lazarus wieder lebendig machen und ihn spektakulär aus dem Grab rufen. Die Schwestern sind glücklich.

Was Jesus zu Martha gesagt hat (Tagesvers), ist unendlich tröstend. Und es gilt weit über das damalige Ereignis hinaus: Jeder, der an Jesus, den Sohn Gottes glaubt, wird leben, ewig leben, leben, auch wenn sein Körper stirbt. Das kann Jesus versprechen, denn Er wird den Tod ein für alle Mal besiegen – durch seine eigene Auferstehung! Und alle, die an Ihn glauben, werden ebenfalls einmal zum ewigen Leben auferstehen, denn Er ist „die Auferstehung und das Leben".

**Tägliche Bibellese** Richter 8,18-35 · 2. Korinther 8,9-15

# 12 Samstag September

SA 06:53 · SU 19:41
MA 08:26 · MU 19:50

***Erforsche mich, Gott, und erkenne mein Herz; prüfe mich und erkenne meine Gedanken! Und sieh, ob ein Weg der Mühsal bei mir ist, und leite mich auf ewigem Weg!***

Psalm 139,23.24

## Der Fleck ist weg

Unser Haus war alt. Eines Tages entdeckten wir Flecken an der Wohnzimmerwand. Unter Anleitung und Beratung von Freunden strich ich die Wand immer wieder mit verschiedenen, qualitativ hochwertigen Farben. Doch die Flecken kamen jedes Mal wieder durch. Als ich schließlich darüber nachdachte, einen Teil der Wand abzutragen, um der Ursache auf den Grund zu gehen, versuchten einige Freunde, mich davon abzubringen. Sie meinten, das Problem liege an meiner Arbeit oder an den verwendeten Farben.

Doch unbeirrt nahm ich die Wand in Angriff. Ein Teil des Putzes war bereits brüchig und bröckelte ab. Dabei entdeckte ich ein defektes Rohr an der Decke, und als ich versuchte, es freizulegen, beschädigte ich zudem eine elektrische Leitung. Nun musste ich einen Teil des Stromkreises neu verlegen und die Decke instand setzen. Diese auf den ersten Blick einfachen Arbeiten nahmen viel Zeit in Anspruch und verursachten unerwartete Kosten – aber die Flecken waren anschließend restlos und für immer verschwunden!

Ist das nicht ein Abbild unseres Lebens? Eine schlechte Angewohnheit, eine Sucht, ein Versagen, das sich immer wiederholt: Wir fassen gute Vorsätze, bemühen uns mit allen Mitteln, aber nichts ändert sich – weil wir nur oberflächlich „reparieren“, ohne in die Tiefe zu gehen. Bekennen wir unsere Verfehlungen, unserer Schwächen, unsere Feigheit ehrlich vor Gott! Versuchen wir nicht, jemand zu sein, der wir nicht sind! Bitten wir Gott, uns die tieferen Ursachen unseres Versagens zu zeigen! Das mag zunächst schmerzhaft sein, aber nur so ist eine echte Umkehr möglich, die zu einem Neuanfang führt, der Glück und Freude bringt.

**Tägliche Bibellese** Richter 9,1-25 · 2. Korinther 8,16-24

# 13 Sonntag September

SA 06:54 · SU 19:39
MA 09:45 · MU 20:04

*Und der Hohepriester stand auf, trat in die Mitte und fragte Jesus und sprach: Antwortest du nichts? Was bringen diese gegen dich vor? Er aber schwieg und antwortete nichts. Wieder fragte ihn der Hohepriester und spricht zu ihm: Bist **du** der Christus, der Sohn des Gepriesenen? Jesus aber sprach: **Ich** bin es. Und ihr werdet den Sohn des Menschen zur Rechten der Macht sitzen und mit den Wolken des Himmels kommen sehen.*

Markus 14,60-62

## Gedanken zum Markus-Evangelium

Beim Verhör vor dem Hohenpriester Kajaphas treten mehrere Zeugen mit widersprüchlichen Aussagen gegen Jesus auf. Doch Er schweigt – selbst als der Hohepriester aufsteht und Ihn zu einer Stellungnahme auffordert. Beeindruckend ist seine Sanftmut: Er vertraut sich Gott an, der gerecht richtet. So erfüllt sich die Prophezeiung

Jesajas: „Er wurde misshandelt, aber er beugte sich und tat seinen Mund nicht auf, wie ein Lamm, das zur Schlachtung geführt wird, und wie ein Schaf, das stumm ist vor seinen Scherern; und er tat seinen Mund nicht auf" (Jesaja 53,7).

Doch als der Hohepriester Ihn direkt nach seiner Identität fragt, bricht Jesus sein Schweigen. In seiner Antwort offenbart Er seine göttliche Herrlichkeit: „Ich bin"; das ist derselbe Name, mit dem sich der ewige Gott einst Mose offenbarte (vgl. 2. Mose 3,14). Mehr noch: Er ist der „Sohn des Menschen", dem einmal das ganze Universum unterworfen sein wird. Jetzt sitzt Er zur Rechten Gottes, nachdem Er gestorben und auferstanden ist. Auch wenn Er derzeit seine Macht nicht ausübt, wird Er nach seiner Wiederkunft zuerst die Lebenden und später die Toten richten (vgl. 2. Timotheus 4,1).

Dann werden die Rollen vertauscht sein: Jesus Christus wird der Richter sein, während diejenigen, die Ihn jetzt anklagen und verwerfen, selbst vor Ihm stehen. Und sie werden Ihm auf tausend Fragen keine einzige Antwort geben können (vgl. Hiob 9,3).

**Tägliche Bibellese** Richter 9,26-57 · 2. Korinther 9,1-15

# 14 Montag September

SA 06:56 · SU 19:37
MA 11:02 · MU 20:20

***Du bist meine Zuflucht am Tag des Unglücks.***

Jeremia 17,17

## Glück im Unglück

In der Nacht zum 11. September 2024 stürzte ein großes Brückenteil der Carolabrücke in Dresden in die Elbe. Nur sieben Minuten vor dem Unglück hatte die letzte Straßenbahn die Elbbrücke überquert. Wie durch ein Wunder kam bei dem Unglück niemand zu Schaden. Dabei verkehren auf der Carolabrücke auch nachts mehrere Straßenbahnlinien – besonders an Wochentagen. Die Schlagzeilen der Tageszeitungen am nächsten Morgen lauteten: „Glück im Unglück!" – „Schutzengel über Dresden" – „Der liebe Gott liebt Dresden".

Merkwürdig, dass Menschen bei einem Unglück immer wieder Gott ins Spiel bringen – besonders dann, wenn es nicht so glimpflich ausgeht wie in Dresden. Wird aus einem Unglück eine

Katastrophe, fragen viele: „Wo war Gott?“ – „Warum lässt Gott das zu?“ – „Kann das ein Gott der Liebe sein?“

Es gibt ja nicht nur die großen Unglücksfälle, die durch die Medien gehen, sondern auch viele persönliche Krisen: Unfälle, Krankheiten, Verluste, Missgeschicke – Dinge, die uns das Leben schwer machen. Gott lässt sie zu, doch letztlich sind sie eine Folge der Sünde des Menschen, denn erst seit dem Sündenfall, als das erste Menschenpaar sich gegen Gott auflehnte, gibt es Leid, Elend und Unglück in dieser Welt. Niemand ist davor gefeit.

Dem Propheten Jeremia waren „Tage des Unglücks“ nicht fremd. Doch er hatte eine lebendige Beziehung zu Gott – Ihm vertraute er. Auch wir dürfen Zuflucht zu Ihm nehmen, Ihm unsere Not sagen. Er ist nur „ein Gebet weit“ von uns entfernt.

*Herr, unsre Zeiten sind in Deiner Hand,*
*nichts kann uns treffen, was du nicht gesandt.*
*Nicht blindem Schicksal sind wir anvertraut,*
*nein, Deine Hand hat uns den Weg gebaut*
*und jedes Leid zum Guten uns gewandt.*
*Herr, unsre Zeiten sind in Deiner Hand!*

*Paula Botzen (1909-2000)*

**Tägliche Bibellese** Richter 10,1-18 · 2. Korinther 10,1-11

# 15 Dienstag September

SA 06:57 · SU 19:34
MA 12:19 · MU 20:39

***Denn die Weissagung wurde niemals durch den Willen des Menschen hervorgebracht, sondern heilige Menschen Gottes redeten, getrieben vom Heiligen Geist.*** 2. Petrus 1,21

## Wer hat das geschrieben?

Die Lehrerin betritt die Klasse und findet auf dem Pult ein handgeschriebenes Gedicht. Sie lächelt, als sie sieht, dass jede Zeile in einer anderen Farbe gehalten ist. Aufmerksam liest sie den Text durch und ist beeindruckt von der Qualität des Gedichts.

„Wer hat dieses hübsche Gedicht geschrieben?", fragt sie in die Klasse. Nicolas hebt die Hand: „Ich habe die erste Zeile geschrieben. In Rot!" – „Und ich die zweite Zeile in Blau", berichtet Yann. „Und ich die dritte mit einem grünen Stift!", fährt Nadine fort.

„Halt", ruft die Lehrerin, „die Farbstifte sind nur die Mittel, mit denen ihr die Worte zu Papier gebracht habt, und es ist euch – jedem mit seiner eigenen Handschrift! – wunderbar gelungen. Aber ich möchte wissen, wer dieses schöne Gedicht verfasst hat? Wer ist der Autor oder die Autorin?"

Da antwortet die ganze Klasse im Chor: „Das ist Lea!" Und Julia, die Klassensprecherin, ergänzt: „Lea hat das Gedicht zu Ihrem Geburtstag gedichtet, und wir anderen haben es dann aufgeschrieben."

Viele Menschen halten die Bibel einfach für eine Sammlung von Texten verschiedener Autoren. Aber so ist es nicht. Der alleinige Autor ist Gott, und Er hat sich einzelner Menschen bedient, um seine Worte niederzuschreiben: Mose, den Anführer des Volkes Israel, König David, den ehemaligen Schafhirten, Matthäus, den Steuereintreiber, Lukas, den Arzt, die Fischer Petrus und Johannes, usw.

Alle diese Schreiber wurden vom Heiligen Geist inspiriert, das heißt, sie schrieben Wort für Wort das auf, was Gott wollte – ähnlich wie Leas Mitschüler ihr Gedicht wortwörtlich zu Papier gebracht haben. So bildet Gottes Buch, die Bibel, ein wunderbares Ganzes. Es ist Gottes Wort an uns Menschen, das noch im Jahr 2026 zu uns spricht.

**Tägliche Bibellese** Richter 11,1-22 · 2. Korinther 10,12-18

# 16 Mittwoch September

SA 06:59 · SU 19:32
MA 13:33 · MU 21:06

***Sie wird einen Sohn gebären, und du sollst seinen Namen Jesus nennen; denn er wird sein Volk erretten von ihren Sünden.***

Matthäus 1,21

***Es ist kein anderer Name unter dem Himmel, der unter den Menschen gegeben ist, in dem wir errettet werden müssen.***

Apostelgeschichte 4,12

## Der einzigartige Name

Der Name, der errettet:

Oft wird die Ansicht vertreten, dass alle Religionen gut seien und dass man errettet werden könne, wenn man sie nur aufrichtig ausübt. Doch die Bibel spricht eine andere Sprache. Der Apostel Petrus erklärt klar, dass das Heil allein im Herrn Jesus Christus zu finden ist (Apostelgeschichte 4,12).

Jesus selbst sagt: „Ich bin der Weg und die Wahrheit und das Leben. Niemand kommt zum Vater als nur durch mich“ (Johannes 14,6). Also ist Er nicht nur einer von vielen Wegen, sondern der einzige, der zu Gott führt: Wer anerkennt, dass er ein verlorener Sünder ist, und an Christus glaubt, der wird errettet. Einen anderen Weg zum ewigen Heil gibt es nicht.

Der Name, der versammelt:

Für die, die Jesus Christus errettet hat, bildet Er auch den Mittelpunkt des Gottesdienstes. Er selbst sagt: „Wo zwei oder drei versammelt sind in meinem Namen, da bin ich in ihrer Mitte“ (Matthäus 18,20). Am Abend seines Auferstehungstages trat Christus mit den Worten „Friede euch!“ in die Mitte seiner Jünger und zeigte ihnen seine Hände und seine Seite. Wie freuten sich die Jünger, den auferstandenen Herrn zu sehen! (Johannes 20,19.20).

Auch heute, 2000 Jahre später, kommen Christen bewusst im Namen Jesu zusammen und erleben eine ähnliche Freude, selbst wenn es nur zwei oder drei Personen sind. Für sie gilt die Zusage seiner Gegenwart uneingeschränkt.

**Tägliche Bibellese** Richter 11,23-40 · 2. Korinther 11,1-15

DIE GUTE SAAT 2026 • CSV-Verlag • www.csv-verlag.de

# 17 Donnerstag September

SA 07:00 · SU 19:30
MA 14:42 · MU 21:41

***Denn durch ihn sind alle Dinge geschaffen worden, die in den Himmeln und die auf der Erde, die sichtbaren und die unsichtbaren... Alle Dinge sind durch ihn und für ihn geschaffen.*** Kolosser 1,16

## Für IHN geschaffen

Es ist wieder einmal ein herrlicher Tag. Ich genieße einen ausgiebigen Spaziergang durch die Natur: Die Vögel zwitschern, die Blumen blühen in voller Pracht, die Sonnenstrahlen wärmen mich, und die klare Sicht bietet großartige Ausblicke. Ich setze mich auf eine Bank nieder und lasse meine Gedanken schweifen:

- Durch IHN, den Herrn Jesus Christus, ist dies alles geschaffen worden.
- ER ist nicht nur der Schöpfer, sondern auch der Erhalter aller Dinge (Kolosser 1,17).
- ER wird in dem Gemachten wahrgenommen (Römer 1,20).

- Alle Dinge sind für IHN geschaffen worden, d. h. zu seiner eigenen Freude.

Trotz aller Schönheit der Schöpfung gibt es einen Makel: Seit dem Sündenfall lastet ein Fluch auf dieser Schöpfung: Kampf, Krankheit, Tod, Verwesung. Darunter seufzt die Schöpfung und wartet darauf, „von der Knechtschaft des Verderbens" befreit zu werden. Wenn Jesus Christus wiederkommt, um sein Reich des Friedens zu errichten, wird der Fluch weitgehend weggenommen werden: „Der Wolf wird sich beim Lamm aufhalten, und der Leopard beim Böckchen lagern". Dann wird Er alle Dinge mit sich versöhnen – weil Er „Frieden gemacht hat durch das Blut seines Kreuzes" (Römer 8,20-22; Jesaja 11,6; Kolosser 1,20).

Doch Ihm sei Dank, dass Er bis heute so viel Schönheit in seiner Schöpfung bewahrt hat. Glücklich und im Gebet zu Gott bleibe ich noch ein wenig auf meiner Bank sitzen: „Du bist würdig, o unser Herr und unser Gott, zu empfangen die Herrlichkeit und die Ehre und die Macht; denn du hast alle Dinge erschaffen, und deines Willens wegen waren sie und sind sie erschaffen worden" (Offenbarung 4,11).

**Tägliche Bibellese** Richter 12,1-15 · 2. Korinther 11,16-21

# 18 Freitag September

SA 07:02 · SU 19:28
MA 15:42 · MU 22:27

***Vor dem Fest des Passah aber, als Jesus wusste, dass seine Stunde gekommen war, dass er aus dieser Welt zu dem Vater hingehen sollte – da er die Seinen, die in der Welt waren, geliebt hatte, liebte er sie bis ans Ende.*** Johannes 13,1

## Jesus Christus kennenlernen – Jesus liebt unablässig

Es ist das gemeinsame Abendessen zum Passah – das Juden bis heute feiern. Normalerweise findet es im Kreis der Familie statt. Doch in diesem Jahr lässt Jesus es eigens für sich und seine Jünger vorbereiten. Sie versammeln sich in einem „Obersaal", einem festlich hergerichteten Raum im oberen Stockwerk eines Hauses.

Von den Straßen der überfüllten Stadt sind sie hereingekommen. Eine Fußwaschung für die staubigen, müden Füße wäre nun eine echte Wohltat – eine Reinigung und Erfrischung. Doch es sind keine Diener da.

Da steht Jesus selbst auf. Er legt sein Obergewand ab, das Er draußen stets trägt. Dann bindet Er sich ein leinenes Tuch um, gießt Wasser in eine Schüssel und beginnt, den Jüngern sorgfältig die Füße zu waschen – und sie anschließend mit dem Tuch abzutrocknen.

Petrus, der Impulsive, widerspricht entsetzt. Jesus ist doch sein Herr! „Niemals sollst du mir die Füße waschen!" Doch Jesus erklärt ihm geduldig, warum es notwendig und gut für ihn ist. Die Füße werden schmutzig und müde vom Weg durch den Alltag – das gilt auch in übertragenem Sinn. Die Jünger damals und die Gläubigen heute brauchen Reinigung und Ermutigung.

Und so dient Jesus seinen Jüngern in Liebe – in dem Moment, als sein schreckliches Leiden und Sterben unmittelbar bevorsteht. Er denkt niemals an sich selbst. Sein ganzes Wesen ist Liebe.

*„Ja, mit ewiger Liebe habe ich dich geliebt; darum habe ich dir fortdauern lassen meine Güte"* (Jeremia 31,3).

*„Wie der Vater mich geliebt hat, habe auch ich euch geliebt; bleibt in meiner Liebe"* (Johannes 15,9).

**Tägliche Bibellese** Richter 13,1-10 · 2. Korinther 11,22-33

# 19 Samstag September

SA 07:03 · SU 19:25
MA 16:30 · MU 23:25

*Sie steinigten Stephanus, der betete und sprach: Herr Jesus, nimm meinen Geist auf! Und niederkniend rief er mit lauter Stimme: Herr, rechne ihnen diese Sünde nicht zu! Und als er dies gesagt hatte, entschlief er.*

Apostelgeschichte 7,59.60

## Letzte Worte

Ein Arzt und Autor berichtet, welche vier Sätze Sterbende am häufigsten außern. Die Sätze lauten: „Ich möchte dir sagen, dass ich dich liebe", „Ich möchte dir sagen, dass ich dir vergebe", „Würdest du sagen, dass du mich liebst?" und „Würdest du mir verzeihen?"

Der Verfasser betont, dass viele Menschen zu lange warten, um ihre Wertschätzung für andere auszudrücken oder zwischenmenschliche Konflikte zu lösen. Oft sind unterdrückte Wut, Schuldgefühle oder Unsicherheit der Grund dafür. Diese

Gewissensbisse können in der Sterbestunde sehr belastend sein. Er appelliert insbesondere an die jüngere Generation, diese wichtigen Erkenntnisse ernst zu nehmen.

Diese Beobachtungen decken sich übrigens mit den Aussagen der Bibel. Wir alle sehnen uns nach Liebe und Vergebung. Beides finden wir in Jesus Christus, und wir brauchen beides – nicht nur für unsere zwischenmenschlichen Beziehungen, sondern vor allem im Blick auf unsere Beziehung zu Gott. Wir sollten nicht bis zur Sterbestunde warten, um unsere Beziehungen zu klären. Gottes Vergebung kann jeder heute erfahren: „Jeder, der an Jesus Christus glaubt, empfängt Vergebung der Sünden durch seinen Namen" (Apostelgeschichte 10,43).

Wer auf diese Weise Frieden mit Gott hat, ist auch in der Lage, andere um Verzeihung zu bitten und dadurch sein Gewissen zu entlasten.

Andererseits wird er aber auch selbst zum Vergeben bereit sein – so wie Stephanus, der erste christliche Märtyrer. Während seine Feinde ihn mit großen Steinen bewarfen, betete er für sie und starb dann in tiefem Frieden.

**Tägliche Bibellese** Richter 13,11-25 · 2. Korinther 12,1-10

# 20 Sonntag September

SA 07:05 · SU 19:23
MA 17:06 · MU –:–

*Jesus sprach: Ihr werdet den Sohn des Menschen zur Rechten der Macht sitzen und mit den Wolken des Himmels kommen sehen. Der Hohepriester aber zerriss seine Kleider und spricht: Was brauchen wir noch Zeugen? Ihr habt die Lästerung gehört. Was meint ihr? Sie alle aber verurteilten ihn, dass er des Todes schuldig sei. Und einige fingen an, ihn anzuspeien und sein Angesicht zu verhüllen und ihn mit Fäusten zu schlagen und zu ihm zu sagen: Weissage! Und die Diener schlugen ihm ins Angesicht.* Markus 14,62-65

## Gedanken zum Markus-Evangelium

Jesus Christus steht vor dem Hohenpriester Kajaphas und wird verhört. Eine ganze Zeit lang schweigt Er, denn die falschen Zeugenaussagen widersprechen sich selbst. Doch als die entscheidende Frage gestellt wird – wer Jesus wirklich ist –, hören wir wunderbare Worte aus seinem Mund:

Er ist Gott selbst, der Ewige. Nach seinem Tod und seiner Auferstehung würde Er sich „zur Rechten der Majestät in der Höhe“ setzen – und dort ist Er bis heute (vgl. Hebräer 1,3).

Der Hohepriester versteht die Antwort Jesu richtig, doch seine Reaktion ist völlig falsch. Zum einen bezichtigt er den Herrn der Lästerung, obwohl der Mensch Jesus Christus genau das ist, was Er sagt: Gott, der Sohn. Wer Ihm diese Wahrheit abspricht, macht sich selbst schuldig – und lästert.

Zum anderen reagiert der Hohepriester so unbeherrscht, dass er seine Kleider zerreißt. Auch hierin macht er sich schuldig: Im Gesetz Moses wird dem Hohenpriester ausdrücklich untersagt, seine Kleider zu zerreißen (vgl. 3. Mose 21,10).

Wie paradox: Die ungerechten Führer des Volkes verurteilen ihren Messias einzig aufgrund seines Zeugnisses, weil alle anderen Anklagen gegen Ihn scheitern.

Wie entfesselte Wasser bricht die Wut der Menschen hervor. Sie schrecken nicht davor zurück, den „Heiligen und Gerechten“ zu verspotten und Ihn mit Speichel und Faustschlägen zu entehren. Der Sohn Gottes könnte sich dem jederzeit entziehen – und tut es nicht (vgl. Jesaja 50,6).

**Tägliche Bibellese** Richter 14,1-13 · 2. Korinther 12,11-15

# 21 Montag September

SA 07:07 · SU 19:21
MA 17:33 · MU 00:32

***Mein Fels und meine Burg bist du; und um deines Namens willen führe mich und leite mich.***

Psalm 31,4

## Die Zeit seines kurzen Lebens (1)

Mittwoch, 2. Oktober 2013. Ich bin im fünften Monat schwanger mit unserem vierten Kind. Mein Mann begleitet mich zur Ultraschalluntersuchung. Das Schweigen der Gynäkologin, während sie mich untersucht, verheißt nichts Gutes. Behutsam erklärt sie uns dann, dass sie die linke Herzkammer des Babys nicht sehen konnte. Wir verlassen die Praxis, ohne wirklich zu begreifen. Doch eins ist klar: Was uns trifft, ist schrecklich – unser Baby wird nicht lebensfähig sein. Es wird zwar wachsen und sich in meinem Bauch vollkommen entwickeln, doch nach der Geburt nur wenige Minuten, höchstens Stunden überleben. Ein Albtraum ... Warum, Herr?

Bei der Beratung in der Kinder-Kardiologie erklärt man uns drei mögliche Optionen:

1. Einen Schwangerschaftsabbruch vornehmen.
2. Unser Kind direkt nach der Geburt operieren lassen – was die Spezialisten als medizinisch sinnlos einstufen.
3. Das Baby nach der Geburt für die Zeit seines kurzen Lebens begleiten.

Als wir nach Hause kommen, höre ich unseren Zweiten (6 Jahre alt) singen:

*„Sieh, meine Hand ist noch ganz klein!*
*Macht mich das traurig? Nein!*
*Denn Jesu Hand ist stark und groß,*
*Er lässt mich niemals los!"*

Es ist wirklich wahr! Die Hand unseres Babys ist so klein, so zerbrechlich, aber Jesus hält sie bereits fest! Dieses tröstliche Bild wird mich nicht mehr loslassen. Selbst wenn mein Verstand kaum Worte dafür findet, mein Glaube – unser Glaube – weiß es. Müssen wir wirklich zwischen diesen Optionen wählen? – Wir haben nicht gewählt, denn wir spüren, dass Gott von uns Vertrauen erwartet. Wir müssen also im Vertrauen akzeptieren, dass Gott das Beste für dieses Kind und für uns will, unsere Pläne aufgeben und uns seiner guten Hand anvertrauen … Einfach gesagt, aber nicht einfach zu leben …

(Fortsetzung morgen)

**Tägliche Bibellese** Richter 14,14–15,8 · 2. Korinther 12,16-21

# 22 Dienstag September

SA 07:08 · SU 19:19
MA 17:54 · MU 01:45

*Und er nahm ein Kind und stellte es in ihre Mitte; und als er es in die Arme genommen hatte, sprach er zu ihnen: Wer irgend eins von solchen Kindern aufnimmt in meinem Namen, nimmt mich auf.*

Markus 9,36.37

## Die Zeit seines kurzen Lebens (2)

Die junge Frau erzählt weiter:

„Die Wochen vergehen, man muss die Zeit des Wartens so gut wie möglich leben ... Tag für Tag werden unsere Kräfte erneuert.

Sonntag, 2. Februar 2014. Die ersten Wehen setzen ein. Die Entbindung, vor der ich so große Angst hatte, war – es ist schwer zu erklären – die schönste meiner Entbindungen. Er ist da ... Wie lange, wissen wir nicht, aber wir dürfen ihn mit all unserer Liebe umgeben ... ihn seinen stolzen großen Brüdern zeigen, mit einer unverhofften Ruhe und einem tiefen Frieden im Herzen. 48 Stunden vergehen, fast ohne Schlaf, um jede so wertvolle Sekunde auszukosten. 48 Stunden und 2 Minuten – dann hört sein Herz auf zu schlagen.

Die Arme zu öffnen, um ihn gehen zu lassen, ist eigentlich unmöglich ... es ist so hart. Aber es ist vorbei. Wir haben Gottes Beistand in diesen vier Monaten stark empfunden, aber jetzt beschleicht mich ein Gefühl der Verlassenheit. Wir hätten uns so sehr gewünscht, dass die Geschichte anders verlaufen würde ... Gott vertraut uns Kinder an ... Er allein weiß, für wie lange. Es liegt an uns, sie aufzuziehen und für sie zu sorgen.

Wir sind dankbar, dass wir ihm einen Namen geben konnten: Johannes. Dass wir 3480 Gramm und 51 Zentimeter in unsere Arme schließen konnten. Dass wir das Lächeln seiner drei stolzen Brüder sehen durften. Wir sind dankbar, dass wir die Kraft hatten, diese unvergesslichen 48 Stunden und 2 Minuten voll Frieden zu erleben ... Erschüttert vom tiefen Schmerz der Trennung ... und doch von Gott getröstet."

(Sonja)

**Tägliche Bibellese** Richter 15,9-20 · 2. Korinther 13,1-13

# 23 Mittwoch September

SA 07:10 · SU 19:16
MA 18:10 · MU 03:00

***Du bist zu rein von Augen, um Böses zu sehen, und Mühsal vermagst du nicht anzuschauen.***

Habakuk 1,13

## Was ist moralisch?

Moral ist das, was die Mehrheit der Menschen gut findet und praktiziert. Das scheint heute ein allgemeiner Maßstab zu sein. Moral als Mehrheitsmeinung. Und wenn einer es wagt, dies oder jenes, was „man" gut findet oder zumindest duldet, böse zu nennen, dann fragt man erstaunt: „Was ist denn daran schlecht?" – Was alle tun, kann doch nicht so schlimm sein, oder?

So oder ähnlich denkt man heute über Handlungen und Lebensweisen, die die Bibel – was jeder nachlesen kann – Sünde nennt. Aber weil alle gesündigt haben – auch wir persönlich –, haben wir uns an vieles gewöhnt. Wir merken gar nicht mehr, was in unserem Leben alles falsch läuft. Vieles gefällt uns sogar so, wie es ist, obwohl Gott es in seinem Wort Sünde nennt.

Auch wenn wir uns an die Sünde in unserem Leben und an das Verhalten der Allgemeinheit gewöhnt haben – Gott kann sich nicht daran gewöhnen, auch nicht in den Jahrtausenden, in denen Menschen gesündigt haben. Gott ist heilig. Wir mögen an manchen Sünden Gefallen finden, aber Gott ist davon angewidert. Er muss sie verurteilen und wird uns dafür zur Rechenschaft ziehen.

Aber es gibt – Gott sei Dank! – noch eine andere Seite: Obwohl Gott die Sünde hasst, liebt Er die Menschen – trotz ihrer Sünden! Darum hat Er seinen Sohn Jesus Christus auf die Erde gesandt. Und Christus hat durch seinen Tod am Kreuz Sühnung für Sünden bewirkt. Diese Sühnung wird jedem zuteil, der seine Schuld ehrlich vor Gott bekennt und sich im Glauben auf Christus und sein Werk verlässt.



**Tägliche Bibellese** Richter 16,1-12 · Psalm 73,1-8

# 24 Donnerstag September

SA 07:11 · SU 19:14
MA 18:23 · MU 04:16

*Und die zwei Jünger hörten Johannes reden und folgten Jesus nach. Jesus aber wandte sich um und sah sie nachfolgen und spricht zu ihnen: Was sucht ihr? Sie aber sagten zu ihm: Rabbi (was übersetzt heißt: Lehrer), wo hältst du dich auf? Er spricht zu ihnen: Kommt und seht!*

Johannes 1,37-39

## Suchmaschinen

Die bekannteste Suchmaschine im Internet ist wohl „Mr. Google", die durchschnittlich 99.000 Suchanfragen pro Sekunde bearbeitet – das sind mehr als 8,5 Milliarden Suchanfragen täglich weltweit. Ergänzend dazu gibt es sogenannte Meta-Suchmaschinen, die in mehreren Suchmaschinen gleichzeitig nach Ergebnissen suchen. Dadurch gibt es kaum eine Anfrage, die nicht beantwortet werden kann.

Zugegeben, die Internetrecherche kann sehr hilfreich sein. Doch wer überprüft den Wahrheitsgehalt der Ergebnisse? Wie können wir sicher sein, dass es sich nicht um Falschinformationen handelt?

Viele Menschen sind auf der Suche nach dem Sinn des Lebens – oft ein Leben lang. Leider verläuft diese Suche häufig ergebnislos und unbefriedigend. Gibt man in eine gängige Suchmaschine „Sinn des Lebens" ein, erhält man über 600.000 Ergebnisse. Würde man all diesen Seiten nachgehen, wäre man am Ende verwirrter als vorher.

Denn die Frage nach dem Sinn des Lebens kann nur der Schöpfer seinem Geschöpf beantworten. Er hat den Menschen so geschaffen, dass dieser seine wahre Erfüllung nur in der Gemeinschaft mit Ihm findet.

Die beiden Jünger in unserem Tagesvers hatten von Jesus Christus gehört und wollten Ihn persönlich kennenlernen. Deshalb machten sie sich auf den Weg und folgten Ihm. Jesus nahm sofort Notiz davon und lud sie ein, Ihn zu begleiten. So konnten sie sich selbst von dem überzeugen, was Er „zu bieten" hat.

Eine bessere „Adresse" gibt es nicht: Jesus Christus ist die Antwort auf alle unsere Lebensfragen.

**Tägliche Bibellese** Richter 16,13-22 · Psalm 73,9-17

# 25 Freitag September

SA 07:13 · SU 19:12
MA 18:36 · MU 05:33

*Jesus spricht: Noch vieles habe ich euch zu sagen, aber ihr könnt es jetzt nicht tragen. Wenn aber jener, der Geist der Wahrheit, gekommen ist, wird er euch in die ganze Wahrheit leiten; denn er wird nicht von sich selbst aus reden, sondern was er hören wird, wird er reden, und das Kommende wird er euch verkündigen.* Johannes 16,12.13

## Jesus Christus kennenlernen – Er überfordert nicht

Das Passahfest in Jerusalem steht vor der Tür. Es ist eine ereignisreiche Woche für Jesus: Einerseits erfährt Er begeisterte Zustimmung, andererseits aber auch mörderischen Hass.

Über dem Gottessohn und seinen Jüngern brauen sich bedrohlich dunkle Wolken zusammen. In dieser Situation reserviert Jesus einige Stunden für sich und seine Jünger. „Mit Sehnsucht habe ich mich gesehnt, dieses Passah mit euch zu essen, ehe ich leide", sagt Er zu ihnen

(Lukas 22,15). Und dann gibt Er ihnen etwas Neues, das weit über das Passahmahl hinausgeht, welches an die Befreiung der Israeliten aus Ägypten erinnert. Es ist das Abendmahl (Gedächtnismahl), das die Jünger Jesu von nun an zur Erinnerung an seinen Tod feiern sollen.

Der Jünger Johannes berichtet ausführlich über die Abschiedsreden Jesu in diesen letzten Stunden. Der Herr Jesus wird bald zu seinem Vater im Himmel zurückkehren; die Jünger dagegen sollen in dieser Welt ihren Mann stehen und ihren Auftrag erfüllen. Darauf bereitet Er sie nun vor, wobei Er sich sehr bewusst ist, wie wenig sie begreifen. Jesus hat ihnen noch so viel zu sagen. Doch Er weiß, dass seine verängstigte und verunsicherte Jüngerschar das jetzt noch gar nicht aufnehmen und verarbeiten kann. Deshalb hat er einen wunderbaren Trost für sie: Vom Himmel aus wird Er ihnen den Heiligen Geist Gottes senden, der in ihnen wohnen und sie alles lehren wird, was sie jetzt noch überfordert. Der Heilige Geist wird sie mit allem vertraut machen, was Jesus betrifft und was sich in der Zukunft ereignen wird. Mit der Sendung des Heiligen Geistes bricht etwas Neues an: die Gnadenzeit, die Zeit der Versammlung (Gemeinde).

**Tägliche Bibellese** Richter 16,23-31 · Psalm 73,18-28

# 26 Samstag September

SA 07:14 · SU 19:10
MA 18:49 · MU 06:50

***Und Gott wird jede Träne von ihren Augen abwischen.***

Offenbarung 21,4

## Wunderbar getröstet

In einer Kindergrabanlage auf einem großstädtischen Friedhof steht ein junges Paar. Schweigend schauen sie auf ein kleines Grab. Nach einiger Zeit spreche ich sie an. „Sie trauern um Ihr Kind?" – „Ja", sagt die Mutter unter Tränen, „es war vier Monate alt."

Ich spreche ihnen mein Mitgefühl aus und füge hinzu: „Es gibt für Sie einen großen Trost: Ihr Kind ist gerettet. Es ist bei Jesus Christus. Alle kleinen Kinder, die hier in dieser Grabanlage ruhen, sind bei Christus im Himmel und werden für alle Ewigkeit bei Ihm sein."

Das junge Paar hört interessiert zu, und ich erkläre weiter:

„Auch die Kleinen sind nicht ohne Sünde. Doch Gott macht sie noch nicht dafür verantwortlich. Aufgrund der Sünde sind sie zwar – wie alle Menschen – ursprünglich verloren, aber Jesus Christus ist gekommen, ‚das Verlorene zu erretten'. Deshalb kommt sein Sühneopfer auch ihnen zugute (Matthäus 18,11.14; Jona 4,11).

Wenn Sie Ihr Kind wiedersehen wollen, kommt es entscheidend darauf an, dass auch Sie zu Jesus in den Himmel kommen, wo Ihr Kind bereits ist. Nicht nur deshalb ist es jetzt, in diesem Leben, notwendig, Gottes Rettung im Glauben anzunehmen. Bekennen Sie Ihm Ihre Verfehlungen und glauben Sie an Ihn und sein stellvertretendes Sterben am Kreuz. Dann schenkt Er Ihnen Vergebung und das feste Wissen, dass Sie errettet sind. Und Sie dürfen darauf vertrauen, dass Sie in der Ewigkeit mit Ihrem Kind in der Herrlichkeit des Himmels vereint sein werden. Dort gibt es kein Leid und keine Tränen mehr, sondern nur ewige Freude bei dem Herrn Jesus."

*„Der Tod wird nicht mehr sein noch Trauer noch Geschrei noch Schmerz wird mehr sein; denn das Erste ist vergangen"*

(Offenbarung 21,4).

**Tägliche Bibellese** Richter 17,1-13 · Psalm 74,1-12

# 27 Sonntag September

SA 07:16 · SU 19:07
MA 19:03 · MU 08:10

*Und als Petrus unten im Hof war, kommt eine der Mägde des Hohenpriesters, und als sie Petrus sich wärmen sieht, blickt sie ihn an und spricht: Auch du warst mit dem Nazarener Jesus. Er aber leugnete und sprach: Ich weiß nicht, verstehe auch nicht, was du sagst. Und er ging hinaus in den Vorhof; und der Hahn krähte. Und als die Magd ihn sah, fing sie wieder an, zu den Dabeistehenden zu sagen: Dieser ist einer von ihnen. Er aber leugnete wieder.*

Markus 14,66-70

## Gedanken zum Markus-Evangelium

Der Evangelist Markus unterbricht seinen Bericht über die Verhöre Jesu und lenkt die Aufmerksamkeit auf Petrus. Doch warum erfahren wir so detailliert von der dreifachen Verleugnung des Herrn durch Petrus? Offenbar will Gott uns warnen. Gerade in Momenten, in denen wir uns stark fühlen wie Petrus, stehen wir in Gefahr zu versagen:

„Daher, wer zu stehen meint, sehe zu, dass er nicht falle" (1. Korinther 10,12).

Petrus befindet sich „unten im Hof" und wärmt sich am Feuer, während sein Herr in einem oberen Raum verurteilt und misshandelt wird. Trotz der späten Stunde herrscht reges Treiben – Petrus ist keineswegs allein. Durch seine Nähe zum Feuer ist er gut erkennbar. Plötzlich wird er von einer Magd angesprochen. Wie weiß sie, dass Petrus zu den Jüngern Jesu gehört? Hat sie ihn vielleicht schon einmal gesehen? Wir wissen es nicht. Jedenfalls ist sie ihm nicht wohlgesonnen und scheint den Anhängern des „Nazarener Jesus" ebenso wenig freundlich gegenüberzustehen wie Ihm selbst.

Damit hat Petrus nicht gerechnet. Was soll er tun? Offenbar fürchtet er, selbst verhaftet zu werden. Deshalb leugnet er seine Beziehung zu seinem Herrn und tut so, als wüsste er nicht, wovon sie spricht.

Anschließend geht Petrus „hinaus in den Vorhof". Fühlt er sich dort sicherer? Doch auch dort wird er als Jünger Jesu erkannt. Diesmal ist es keine Schrecksekunde; er trifft eine bewusste Entscheidung – und verleugnet erneut seinen Herrn.

Wie hätten wir in dieser Situation reagiert?

**Tägliche Bibellese** Richter 18,1-31 · Psalm 74,13-23

# 28 Montag September

SA 07:17 · SU 19:05
MA 19:20 · MU 09:33

***Bei dir [Gott] ist Vergebung, damit du gefürchtet werdest.***

Psalm 130,4

## Angst vor Gott?

Sarah ist auf der Suche nach dem richtigen Glauben. Während unseres Gesprächs frage ich sie: „Glaubst du an die Existenz Gottes?" Sie nickt eifrig. „Und betest du auch zu Ihm?" Zögernd antwortet sie: „Nicht direkt. Aber seit meiner Kindheit bitte ich die Engel um Hilfe, wenn ich Probleme habe."

Ich schaue sie überrascht an. „Warum betest du zu den Engeln und nicht zu Gott?" „Weil ich Angst vor Gott habe. Ich empfinde Ihn als Richter, der nur fordert und bestraft. Die Engel sind freundlich, sie machen mir keine Angst."

„Du hast Angst vor Gott? – Hast du denn schon mal in der Bibel gelesen?" Sarah schüttelt den Kopf. „Ich habe keine." „Dann bringe ich dir morgen eine mit, damit du Gott kennenlernen kannst.

Ich empfehle dir, mit dem Lukas-Evangelium zu beginnen. Dort erfährst du, dass Gott uns liebt."

„Ist Er denn kein Richter, der uns für unsere Fehler bestraft?", fragt Sarah erstaunt.

„Ja und nein. Er ist gerecht und muss jede Sünde bestrafen. Er ist nicht einfach ‚der liebe Gott', der über das Böse hinwegsieht. Aber im Lukas-Evangelium wirst du lesen, dass Gott in der Person seines Sohnes Jesus Christus auf die Erde gekommen ist, um uns von unseren Sünden zu befreien. ‚Gott erweist seine Liebe zu uns darin, dass Christus, da wir noch Sünder waren, für uns gestorben ist' (Römer 5,8). Jesus selbst hat nie gesündigt und konnte daher die Strafe für unsere Sünden auf sich nehmen – stellvertretend für uns! Wenn du das glaubst, Sarah, und es für dich persönlich in Anspruch nimmst, dann vergibt Gott dir alle deine Sünden. Bekenne Ihm, was in deinem Leben falsch war! Bei allem Respekt, den wir Gott schulden, kannst du ganz offen mit Ihm reden. Er ist ‚ein Gott der Vergebung, gnädig und barmherzig, langsam zum Zorn und groß an Güte' (Nehemia 9,17). Dann wirst du Gott als einen gnädigen Gott kennenlernen, ja sogar als deinen himmlischen Vater!"

**Tägliche Bibellese** Richter 19,1-30 · Psalm 75,1-11

# 29 Dienstag September

SA 07:19 · SU 19:03
MA 19:41 · MU 10:59

*Und Gott sprach zu Adam: Weil du auf die Stimme deiner Frau gehört und gegessen hast von dem Baum, von dem ich dir geboten und gesprochen habe: Du sollst nicht davon essen! – so sei der Erdboden verflucht um deinetwillen.*

1. Mose 3,17

## Biografien der Bibel: Adam und Eva

In der Bibel begegnen uns viele Lebensbilder ausgewählter Personen der Menschheitsgeschichte. Gott berichtet uns offen, was sie gut und was sie falsch gemacht haben. Wenn Gott Biografien schreibt, dann beschönigt Er nichts. Vielmehr macht Er zwei grundlegende Dinge deutlich: Erstens: Gott sieht und registriert alles, was ein Mensch tut. Zweitens: Entscheidend ist allein der Glaube an Gott und an seinen Sohn Jesus Christus.

In dieser Artikelserie werfen wir einen Blick auf einige dieser biblischen Lebensbilder. Den Anfang macht das wohl bekannteste Ehepaar der Bibel: Adam und Eva. Mit ihnen beginnt die Geschichte des Menschen auf der Erde. Gott selbst erschafft Adam und Eva, vollkommen und ohne Sünde. Er gibt ihnen den Auftrag, den paradiesischen Garten Eden zu bebauen und zu bewahren. Sie dürfen dort von allen Bäumen essen – nur nicht von dem Baum der Erkenntnis des Guten und Bösen.

Dieses eine Gebot bricht das Menschenpaar. Eva wird von der Schlange, dem Teufel, verführt und isst von der verbotenen Frucht. Auch Adam isst davon. Der Verstoß gegen Gottes Gebot hat schreckliche Folgen: Die Sünde kommt in die Welt – und mit ihr der Tod. Der Mensch verliert die ungestörte Gemeinschaft mit seinem Schöpfer. Doch Gott hat schon längst einen Rettungsplan vorbereitet: Sein Sohn, Jesus Christus, wird viele Jahrhunderte später am Kreuz sterben, um die Sünde zu sühnen – für alle, die an Ihn glauben.

Die ganze Geschichte von Adam und Eva finden Sie in der Bibel im 1. Buch Mose, Kapitel 2 und 3.

**Tägliche Bibellese** Richter 20,1-48 · Psalm 76,1-13

# 30 Mittwoch September

SA 07:21 · SU 19:01
MA 20:11 · MU 12:26

***Unter den Menschen ist kein Gerechter auf der Erde, der Gutes tut und nicht sündigt.***

Prediger 7,20

***Jesus sprach: Ich bin nicht gekommen, Gerechte zu rufen, sondern Sünder.***

Matthäus 9,13

## Schuld(komplexe)?

„Sie reden zu viel von den Verfehlungen des Menschen! Wenn Sie die Sünde so stark betonen, wecken Sie Schuldkomplexe. Sprechen Sie lieber von der Güte Gottes!"

Diese Kritik, die Prediger des Evangeliums manchmal hören, richtet sich in Wahrheit gegen die Bibel selbst. Nehmen wir das Gleichnis vom „verlorenen Sohn" in Lukas 15 als Beispiel. Welcher von den beiden Söhnen nimmt teil am Fest des Vaters? Ist es der ältere Sohn, der sich seiner Schuld nicht bewusst ist und selbstgerecht auf seinen Bruder herabblickt? Oder ist es der jüngere Sohn, der nach einem ausschweifenden Leben zu seinem Vater zurückkehrt und ihm seine Schuld bekennt? Es ist der Jüngere!

Und was sagt Jesus Christus zu dem Zöllner Zachäus? „Der Sohn des Menschen ist gekommen, zu suchen und zu erretten, was verloren ist" (Lukas 19,10).

Es ist wichtig zu betonen, dass wir keine „Schuldkomplexe" hervorrufen. Wer sich vor Gott als Sünder erkennt, sieht sich selbst im Licht der Wahrheit – und das ist entscheidend für die Rettung! Zwar kann das Empfinden der Schuld schmerzhaft sein, doch es ist keineswegs das Ende, sondern ein hilfreicher und notwendiger Übergang. Die Liebe Gottes führt uns diesen Weg. Denn nur durch die Anerkennung der Schuld und das Bekenntnis vor Gott können wir Vergebung, Frieden und Freude finden. Das ist das Ziel Gottes für den Menschen.

Es lohnt sich, diesen Weg bis zum Kreuz von Golgatha zu gehen, wo Jesus Christus für Sünder gestorben ist.



DIE GUTE SAAT 2026 • CSV-Verlag • www.csv-verlag.de

# 1 Donnerstag Oktober

SA 07:22 · SU 18:58
MA 20:55 · MU 13:49

***Wohin du gehst, will ich gehen, und wo du weilst, will ich weilen; dein Volk ist mein Volk, und dein Gott ist mein Gott; wo du stirbst, will ich sterben, und dort will ich begraben werden. So soll mir der HERR tun und so hinzufügen, nur der Tod soll scheiden zwischen mir und dir!***

Ruth 1,16.17

Das Buch Ruth …

… ist kurz, leuchtet aber wie ein kostbarer Edelstein – ein literarisches Juwel.

Die in diesem Buch geschilderten Ereignisse fallen in die Zeit der Richter (Kap. 1,1). Die Hauptakteure sind:

- Noomi, eine jüdische Frau, die wegen einer Hungersnot mit ihrem Mann und ihren beiden Söhnen das Land verlässt und viele Jahre später als verbitterte Witwe zurückkehrt;

- Ruth, ihre ausländische, ebenfalls verwitwete Schwiegertochter, die sie begleitet und die auf diesem Weg den Gott Israels besser kennenlernt;
- Boas, ein reicher jüdischer Mann, der Ruth heiratet. Sie bekommt einen Sohn, der der Großvater von König David – und damit ein Vorfahre des verheißenen Messias ist.

Das Buch Ruth – eine Liebesgeschichte? Ja, aber noch viel mehr: eine Geschichte von *Glauben* und *Gnade* und *Gottvertrauen.* Ein *Glaube,* der sich – ohne Anspruch oder Herkunft – dem Gott Israels ausliefert, wie Ruth sagt: „Dein Gott ist mein Gott". Eine *Gnade,* die eine arme, rechtlose Ausländerin in das Volk Israel aufnimmt und ihr einen Platz im königlichen Stammbaum des Messias gibt. Ein *Gottvertrauen,* das Noomi zunächst verliert, schließlich aber zurückgewinnt.

Auch heute noch stützt sich der Glaube auf die Verheißungen und Zusagen der Bibel; auch heute noch macht Gottes Gnade aus Fremden und Sündern Kinder Gottes; und auch heute kann verlorenes Gottvertrauen neu wachsen – denn für jeden gibt es einen Weg zurück zu Gott.

**Tägliche Bibellese** Ruth 1,1-22 · Psalm 77,11-21

# 2 Freitag Oktober

SA 07:24 · SU 18:56
MA 21:55 · MU 14:59

***Ihr seid meine Freunde, wenn ihr tut, was ich euch gebiete … Ich habe euch Freunde genannt, weil ich alles, was ich von meinem Vater gehört habe, euch kundgetan habe.***

Johannes 15,14.15

## Jesus Christus kennenlernen – Geduld mit den Jüngern

Für Jesus und seine Jünger wird die Lage immer ernster, die Ablehnung spürbarer, die Bedrohung durch die religiösen Führer im Land greifbarer. Mit klarem Blick sieht der Sohn Gottes, was auf Ihn zukommt. Auch die Jünger spüren vage, dass sich etwas gegen ihren Meister zusammenbraut – doch häufig sind sie gedanklich auf völlig falschen Wegen. Besonders krass tritt das zu Tage, als der Herr sie darauf vorbereitet, dass Er bald verhaftet wird. Sie verstehen das nicht, wagen aber auch nicht, Ihn zu fragen. Stattdessen überlegen sie lieber, wer von ihnen der Größte ist (vgl. Lukas 9,44-46)!

Geduldig erklärt ihnen Jesus wiederholt, dass ihre Vorstellungen über Ihn teils falsch und in jedem Fall unvollständig sind. Zwar sehen sie in Ihm den Messias, der das Volk von der römischen Besatzungsmacht befreien wird, doch sie begreifen nicht, dass der Messias zunächst leiden muss, ehe Er „Frucht sehen" und „die vielen zur Gerechtigkeit weisen" wird (vgl. Jesaja 53). Sie klammern sich an die Hoffnung auf ein herrliches Friedensreich, in dem auch sie eine bedeutende Rolle spielen (vgl. Apostelgeschichte 1,6.7).

Die Jünger sind begriffsstutzig und kleingläubig. Und doch stellt Jesus ihnen kurz vor seinem Tod dieses schöne Zeugnis aus: „Ihr aber seid es, die mit mir ausgeharrt haben in meinen Versuchungen" (Lukas 22,28).

Jede noch so kleine Tat, die für Ihn getan wird, erkennt Er an. Das macht so viel Mut, Ihm nachzufolgen!

**Tägliche Bibellese** Ruth 2,1-23 · Psalm 78,1-16

# 3 Samstag Oktober

Tag d. dt. Einheit

SA 07:25 · SU 18:54
MA 23:11 · MU 15:53

***Lobe den HERRN, meine Seele! Loben will ich den HERRN mein Leben lang ...***

Psalm 146,1.2

## Liedergeschichten: Großer Gott, wir loben dich

Als Angela Merkel im Jahr 2021 als Bundeskanzlerin der Bundesrepublik Deutschland verabschiedet wird, wünscht sie sich für die feierliche Zeremonie des großen „Zapfenstreichs" unter anderem das bekannte Lied: „Großer Gott, wir loben dich". Dieser Choral von Ignaz Franz aus dem Jahr 1768 ist bis heute weltweit bekannt und wird bei verschiedensten Anlässen gesungen. Doch dieses Lied ist weit mehr als ein Abschiedslied – es ist ein Lobpreis der Größe Gottes und der Liebe, die Gott uns Menschen in seinem Sohn Jesus Christus gezeigt hat. Der Choral lenkt unsere Gedanken auf Gottes Majestät und Allmacht. Es war seine Macht, die das Universum und die Erde geschaffen hat. In der Natur und ihren beeindruckenden Phänomenen erkennen wir die Handschrift Gottes. Wer ohne Vorbehalte die Natur betrachtet, kann nicht anders, als hinter ihr einen göttlichen Urheber zu sehen. Und wer schon einmal auf einem Berggipfel stand, das Wolkenmeer, die tiefen Täler und die scheinbar endlose Weite des Himmels bewundert hat, mag an die Worte dieses Liedes denken: „Großer Gott, wir loben dich".

Doch es gibt noch einen größeren Grund, Gott zu loben. Die unermessliche Weite des Himmels und die Grenzenlosigkeit des Universums sind beeindruckend. Noch gewaltiger aber ist die Tatsache, dass Gott sich in seinem Sohn Jesus Christus offenbart hat. „Denn in ihm wohnt die ganze Fülle der Gottheit leibhaftig" (Kolosser 2,9). Jeder Wesenszug Gottes ist in Jesus sichtbar geworden. Was bleibt uns da anderes übrig, als zu singen: Großer Gott, wir loben dich!

*Du, des Vaters ew'ger Sohn,*
*hast die Menschheit angenommen,*
*bist vom hohen Himmelsthron*
*zu uns auf die Welt gekommen,*
*hast uns Gottes Gnad' gebracht,*
*von der Sünd' uns frei gemacht.*

**Tägliche Bibellese** Ruth 3,1-18 · Psalm 78,17-33

## 4 Sonntag Oktober

SA 07:27 · SU 18:52
MA –:– · MU 16:30

*Und kurz darauf sagten wiederum die Dabeistehenden zu Petrus: Wahrhaftig, du bist einer von ihnen, denn du bist auch ein Galiläer. Er aber fing an zu fluchen und zu schwören: Ich kenne diesen Menschen nicht, von dem ihr redet. Und sogleich krähte der Hahn zum zweiten Mal. Und Petrus erinnerte sich an das Wort, wie Jesus zu ihm gesagt hatte: Ehe der Hahn zweimal kräht, wirst du mich dreimal verleugnen. Und als er daran dachte, weinte er.* Markus 14,70-72

### Gedanken zum Markus-Evangelium

Petrus, der Anführer der zwölf Jünger Jesu, hatte selbstbewusst behauptet, Ihm immer treu zu bleiben – unabhängig vom Verhalten der anderen Jünger. Doch Jesus wusste, dass Petrus die Situation nicht ertragen würde, wenn seine Feinde Ihn verurteilen, und sagte es ihm voraus (V. 30).

Petrus hat den Herrn bereits zweimal verleugnet. Hat er kein schlechtes Gewissen? Etwa eine Stunde später, befindet er sich immer noch in der Nähe derer, die Jesus ablehnen. Offenbar verhält er sich nicht nur schweigend, sondern äußert sich auch. An seiner Sprache ist zu erkennen, dass er aus Galiläa kommt, weshalb man vermutet, dass auch er zu Jesus gehört (vgl. Matthäus 26,73).

Es gibt kein größeres Glück, als dem Herrn Jesus Christus anzugehören. Doch Ihm zu folgen, hat seinen Preis: So, wie man Ihn ablehnt, so werden auch seine Jünger abgelehnt – bis heute (vgl. Johannes 15,18-21).

Der Jünger, der zuvor gesagt hat: „Du bist der Christus, der Sohn des lebendigen Gottes", behauptet nun, „diesen Menschen" nicht zu kennen (Matthäus 16,16). Dabei ruft er sogar Gott zum Zeugen an. – So tief kann ein Jünger Jesu sinken, wenn er in seinem Herzen nicht nahe bei Jesus bleibt.

Als Petrus schließlich erkennt, wie untreu er seinem Herrn war, weint er bitterlich. Er bereut seine Sünde zutiefst und erfährt, dass Gott „ein zerbrochenes und zerschlagenes Herz" nicht verachtet (Psalm 51,19).

**Tägliche Bibellese** Ruth 4,1-22 · Psalm 78,34-53

# 5 Montag Oktober

SA 07:29 · SU 18:50
MA 00:35 · MU 16:56

***Weißt du es nicht? Oder hast du es nicht gehört? Ein ewiger Gott ist der HERR, der Schöpfer der Enden der Erde … unergründlich ist sein Verstand.***

Jesaja 40,28

## Was war zuerst?

Viele Menschen hoffen, diese Welt werde sich immer mehr zum Besseren entwickeln. Doch wenn man sieht, was alles achtlos im Mülleimer landet und was moderne Menschen einander antun, dann kommen doch Zweifel an dieser Einschätzung auf. Denn offensichtlich geht es eher bergab als bergauf.

Hätte ein Tourist im Jahr 1990 Dresden besucht, hätte er die Frauenkirche als Ruine vorgefunden – zerstört. Wenn er dann über den Architekten dieses „Bauwerks" geschimpft und ihn als unfähig bezeichnet hätte, hätten alle, die

die Geschichte dieser Kirche kannten, nur den Kopf geschüttelt und gesagt: „Das hier ist doch nicht das Original – diese Ruine ist die Folge einer Katastrophe! Einige Fragmente, Mauern und Torbögen lassen sogar noch etwas von der einstigen Schönheit erahnen, aber dort, wo ursprünglich Ordnung und Schönheit waren, herrschen jetzt (1990) Chaos und Verfall."

Heute erstrahlt die Frauenkirche in neuem Glanz. Der Wiederaufbau zeigt eine Kirche, die (fast) schöner ist als der Originalbau aus dem 18. Jahrhundert. Chaos wurde zu Schönheit – allerdings nicht von selbst, sondern durch äußeren Eingriff!

Gleicht unsere Welt nicht in gewisser Hinsicht einer Ruine? Kämpft die Natur nicht ums Überleben? Zwar lässt vieles noch etwas von der ursprünglichen Schönheit erahnen, doch vieles ist degeneriert oder stirbt. Es geht abwärts statt aufwärts. Weist das nicht darauf hin, dass es auch hier am Anfang einen Architekten, einen Erbauer gegeben haben muss? Einen ewigen Gott, der alles ins Dasein rief und genial und perfekt zusammenfügte? – Und dieser Gott wird auch die verdorbene Schöpfung wieder erneuern (vgl. Römer 8,20.21).

**Tägliche Bibellese** 1. Chronika 1,1-54 · Psalm 78,54-64

# Kalender für das Jahr 2027

**Die gute Saat** (Tageskalender mit Evangeliumsbotschaft)
______ Stück Abreißkalender € 5,90
______ Stück Buchkalender € 5,50

**Gott&du** (Der vielseitige Tageskalender für die junge Generation)
______ Stück Abreißkalender € 7,90
______ Stück Buchkalender € 6,90

**Der Herr ist nahe** (Tägliche Andachten für das Glaubensleben)
______ Stück Abreißkalender € 7,90
______ Stück Buchkalender € 7,50

**Gottes Wort für jeden Tag**
(Abreißkalender mit Bibelworten in großer Schrift)
______ Stück Abreißkalender € 6,90

**Der Kompass** (Tageskalender für Kinder und junge Leute)
______ Stück Abreißkalender € 7,90
______ Stück Buchkalender € 7,50

**TimeKeeper** (Der praktische Mini-Timer mit der Bibel)
______ Stück Taschenbuch € 4,90

**LUPINO** (Kalender zum Lesen und Ausmalen für Kinder)
______ Stück Wandkalender € 4,90

**@home** (Kalender mit 12 Postkarten und Bibelworten)
______ Stück Wand- und Aufstellkalender € 6,90

**EinBlick** (Der praktische Bildkalender für junge Leute)
______ Stück Wandkalender € 3,90

**Mit Zuversicht** (Streifenkalender mit Bibelworten, 42 cm x 10,5 cm)
______ Stück Wandkalender € 3,90

**Schweizer Bildkalender** (mit Bibelworten)
______ Stück Wandkalender € 9,90

**Natur 2027** (Bildkalender mit Bibelworten, 30 x 45 cm)
______ Stück Wandkalender € 13,90

**Ein kleines Stück Land** (Bildkalender mit Bibelworten, 34 x 60,5 cm)
______ Stück Wandkalender € 17,90

Versandkostenfrei im Inland ab € 50,- und bei elektronischer Bestellung über den Online-Shop www.csv-verlag.de ab € 30,- • Preisänderungen vorbehalten!

*Diese und viele andere Kalender, Bibelauslegungen und Bücher finden Sie unter: www.csv-verlag.de*

## Adresse des Bestellers

(Bitte gut lesbar in Druckschrift ausfüllen)

Vorname, Name

Straße, Haus-Nr.

PLZ, Ort

Kunden-Nr.

Ich bestelle auf Rechnung.

Unterschrift

Bitte frankieren

**Christliche Schriftenverbreitung**

An der Schloßfabrik 30

42499 Hückeswagen

Deutschland

# 6 Dienstag
## Oktober

SA 07:30 · SU 18:47
MA 02:01 · MU 17:15

***Saulus aber, noch Drohung und Mord gegen die Jünger des Herrn schnaubend, ging zu dem Hohenpriester und erbat sich von ihm Briefe nach Damaskus an die Synagogen, damit, wenn er einige fände, die des Weges wären, sowohl Männer als Frauen, er sie gebunden nach Jerusalem führe.***

Apostelgeschichte 9,1.2

Biografien der Bibel: Paulus

Saulus ist ein gelehrter, frommer Jude. Doch er glaubt nicht, dass Jesus Christus Gottes Sohn ist – und verfolgt dessen Anhänger erbarmungslos. Mit seinen Begleitern ist er auf dem Weg nach Damaskus, um auch dort die verhassten Christen aufzuspüren, gefangen zu nehmen und sie zu zwingen, ihren Glauben aufzugeben.

Da plötzlich scheint ein strahlendes Licht vom Himmel – es ist Jesus selbst, der seinem Verfolger entgegentritt und ihn ausbremst. Diese

Begegnung verändert alles: Saulus erkennt seine Schuld, bekehrt sich zu Gott und beginnt ein völlig neues Leben.

Aus dem Verfolger der Christen wird ein wahrer Christ, ein Nachfolger Christi – einer, der selbst verfolgt, mehrfach ins Gefängnis geworfen und wegen seines Glaubens gefoltert wird. Doch all das hindert Saulus, der später Paulus genannt wird, nicht daran, durch das Gebiet des heutigen Griechenlands zu reisen, das Evangelium zu verkündigen und die dort entstehenden Versammlungen (Gemeinden) zu unterstützen.

Am Ende seines Lebens erleidet er den Märtyrertod aus Liebe und Treue zu seinem Herrn Jesus Christus.

Sein Leben ist ein eindrückliches Beispiel für die verändernde Kraft der Bibel und der Person Jesu. Der Glaube an Ihn schenkt Glück, Erfüllung und eine ewige Zukunft – bringt jedoch manchmal auch Leiden und Ausgrenzung mit sich. Doch Jesus ist immer an der Seite derer, die sich zu Ihm bekennen. Das hat Paulus erlebt und das werden auch wir erleben.

Mehr aus dem Leben von Paulus erfahren Sie in der Apostelgeschichte, ab Kapitel 9.

**Tägliche Bibellese** 1. Chronika 2,1-55 · Psalm 78,65-72

# 7 Mittwoch Oktober

SA 07:32 · SU 18:45
MA 03:26 · MU 17:31

***Eine gewisse Frau, mit Namen Lydia, eine Purpurhändlerin aus der Stadt Thyatira, die Gott anbetete, hörte zu, deren Herz der Herr auftat, dass sie achtgab auf das, was von Paulus geredet wurde.***

Apostelgeschichte 16,14

## Lydia öffnet ihr Herz

Rund 15 km nördlich der Stadt Kavala in Griechenland erkennt man die eindrucksvollen Ruinen der antiken Stadt Philippi: die Überreste alter Häuser, einer Markthalle, einer Sporthalle (Gymnasion genannt) und eines Theaters. Wenn die alten Steine reden könnten, würden sie die Geschichte von Paulus erzählen. Philippi war die erste Stadt Europas, die der Apostel Paulus besuchte. Ihre Bewohner waren die ersten Europäer, die das Evangelium hörten – die Botschaft von der Sündenvergebung durch den Glauben an den gestorbenen und auferstandenen Herrn Jesus Christus.

Als Paulus in Philippi ankommt, kennt er niemanden. Wo kann er von Gott vorbereitete Zuhörer finden, denen er von Jesus erzählen kann? Nach einiger Zeit bekommt Paulus mit, dass sich ein paar Frauen am Sabbath, dem jüdischen Ruhetag, am Fluss treffen, um zu beten. Das ist die Gelegenheit! Als Paulus zum Fluss kommt, trifft er tatsächlich auf einige Frauen. Sie glauben an Gott und beten auch zu Ihm, aber von Jesus haben sie noch nie etwas gehört.

Paulus erzählt ihnen, dass der Herr Jesus, der Sohn Gottes, als Mensch in diese Welt gekommen ist und dass Er der von Gott gesandte Retter ist. Für alle, die einsehen, dass sie Vergebung ihrer Schuld vor Gott brauchen, ist Er gekommen und gestorben. Eine Frau hört besonders gut zu. Es ist Lydia, eine Händlerin, die wohl Farben oder Stoffe aus Thyatira verkauft. Gott selbst tut ihr Herz auf, so dass sie nicht nur aufmerksam zuhört, sondern auch der Heilsbotschaft von Herzen glaubt.

Genau darauf kommt es bis heute an: Es gilt, die gute Botschaft von Jesus Christus, dem Retter, zu hören und sie für sich persönlich in Anspruch zu nehmen.

**Tägliche Bibellese** 1. Chronika 3,1-24 · Psalm 79,1-7

# 8 Donnerstag Oktober

SA 07:33 · SU 18:43
MA 04:47 · MU 17:44

***Wer hat dem Geist Verstand gegeben?***

Hiob 38,36

## Wunderwerk Gehirn

Schön, dass Sie gerade diese Andacht lesen. Wissen Sie, wie genial Ihr Gehirn dabei arbeitet?

Sie haben das Buch zur Hand genommen und die richtige Seite aufgeschlagen oder ein Blatt vom Abreißkalender abgetrennt. Nun halten Sie es im Abstand von 30-50 Zentimetern vor Ihr Gesicht, während Ihr Hals den Kopf ausrichtet. Zehn kleine Augenmuskeln werden aktiv, um Ihre Augäpfel in exakt koordinierten Bewegungen achsengerecht und punktgenau auf den Text zu richten. Gleichzeitig sorgen haarfeine Muskeln dafür, dass die Linsen in beiden Augen richtig fokussieren, so dass die Buchstaben nicht verschwimmen. Erst jetzt ist Ihr Blick klar auf den Text gerichtet.

Allein bis hierher waren über 50 verschiedene Muskeln im Einsatz – und weit über 100.000 verschiedene Nervenimpulse wurden in Sekundenbruchteilen präzise gesteuert. Ganz automatisch, ohne bewusste Anstrengung.

Jetzt lesen Sie. Pupille, Linse und Netzhaut sind auf das bedruckte Papier gerichtet. Ihre Netzhaut nimmt mithilfe hoch spezialisierter Zellen ein Muster schwarzer Zeichen auf weißem Hintergrund wahr: die Buchstaben. Diese Informationen leitet der Sehnerv an die Sehrinde weiter, wo sie zu einem Gesamtbild zusammengesetzt werden: in Wörter und Sätze. Dieses Bild (!) gelangt dann in einen weiteren Bereich Ihres Gehirns, der Sprache entschlüsselt und ihnen einen Sinn zuweist. Die Inhalte werden anschließend an andere Hirnregionen verteilt. Dort entstehen Gefühle wie Freude, Ärger oder Betroffenheit, dort werden Ihre Fantasie und Ihr konstruktives Weiterdenken angeregt.

Diese Fähigkeiten haben Sie nicht selbst entwickelt – und Ihr Gehirn ist auch kein Zufallsprodukt. Nein, Gott, Ihr Schöpfer, hat Sie damit ausgestattet. Denn Er wollte, dass Sie Ihn durch die Bibel kennenlernen!

**Tägliche Bibellese** 1. Chronika 4,1-43 · Psalm 79,8-13

# 9 Freitag Oktober

SA 07:35 · SU 18:41
MA 06:06 · MU 17:57

***In Christus sind verborgen alle Schätze der Weisheit und der Erkenntnis.***

Kolosser 2,3

## Jesus Christus kennenlernen – Er besitzt Weisheit

Jesus Christus spricht mit seinen Predigten und Reden unzählige Menschen an. Sie fühlen sich von Ihm angezogen und folgen Ihm überallhin und hören Ihm stundenlang zu. (Kaum vorstellbar in unserer Zeit, in der schon eine halbe Stunde konzentriertes Zuhören zur Herausforderung wird.)

Seine ungewöhnliche Weisheit geht weit über ein bloßes Wissen hinaus. Ob vor Tausenden auf freiem Feld oder im Synagogen-Gottesdienst am Sabbat – Jesu Worte faszinieren und fesseln die Menschen:

„Als es Sabbat geworden war, fing er an, in der Synagoge zu lehren; und viele, die zuhörten, erstaunten und sprachen: Woher hat dieser das alles, und was ist das für eine Weisheit, die diesem gegeben ist?“ (Markus 6,2).

Jahrzehnte später schreibt Paulus, ein treuer Verkündiger Jesu, an die Christen in Kolossä und erklärt, was diesen so einzigartig macht: In Ihm sind alle Schätze der Weisheit und Erkenntnis verborgen.

Wer also Antworten auf die grundlegenden Fragen des Lebens sucht – über unsere Existenz, Bestimmung, Vergangenheit und Zukunft –, findet sie in Jesus und seinen Worten. Seine Weisheit ist göttlich. Alles Wesentliche zur Erkenntnis des Lebens ist in seinem Wort, der Bibel, zu finden.

Jesus kam, um uns Zugang zu dieser lebenswichtigen Weisheit zu geben. Er offenbart uns Gott, zeigt uns, wie Gott zu den Menschen steht und was wir über Ihn wissen sollen.

„Jesus spricht: Ich bin der Weg und die Wahrheit und das Leben“ (Johannes 14,6).

**Tägliche Bibellese** 1. Chronika 5,1-26 · Psalm 80,1-8

# 10 Samstag Oktober

SA 07:37 · SU 18:39
MA 07:24 · MU 18:10

*Denn der Herr selbst wird vom Himmel herabkommen, und die Toten in Christus werden zuerst auferstehen.* 1. Thessalonicher 4,16

*Das Meer gab die Toten, die in ihm waren, und der Tod und der Hades gaben die Toten, die in ihnen waren, und sie wurden gerichtet, jeder nach seinen Werken.* Offenbarung 20,13

## Die Katakomben von Paris

Die Katakomben von Paris zählen zu den bekanntesten Sehenswürdigkeiten der Stadt. Sie bestehen aus einem weit verzweigten Netzwerk unterirdischer Gänge und Räume, das sich unter der französischen Hauptstadt erstreckt. Ursprünglich handelte es sich um Kalksteinbrüche, die ab dem späten 18. Jahrhundert in ein Ossuarium (Beinhaus) umgewandelt wurden, da die Friedhöfe von Paris aufgrund von Überfüllung und Gesundheitsrisiken geräumt werden mussten.

Heute beherbergen die Katakomben die Überreste von schätzungsweise sechs Millionen Menschen, die kunstvoll in Knochenhaufen angeordnet sind. Der für die Öffentlichkeit zugängliche Bereich umfasst etwa 1,7 Kilometer und bietet den Besuchern einen faszinierenden, wenn auch etwas düsteren Einblick in die Geschichte und das unterirdische Erbe von Paris.

Unwillkürlich denke ich an die Auferstehung. Die Bibel macht deutlich, dass alle Toten einmal auferstehen werden – entweder zum Leben im Himmel bei Jesus oder zum Gericht (Johannes 5,28.29). Momentan herrscht in den Katakomben Totenstille, doch eines Tages wird Bewegung hineinkommen. Zuerst werden die gläubigen Verstorbenen auferstehen, wenn der Herr Jesus zur Entrückung der Seinen zurückkehrt. Ob viele aus den Katakomben von Paris dabei sein werden? Ungefähr 1000 Jahre später werden alle anderen auferstehen, um dann am „großen weißen Thron" gerichtet und „in den Feuersee geworfen" zu werden (Offenbarung 20,11.15). Dann werden die Katakomben endgültig leer sein.

An welcher Auferstehung werden Sie teilhaben?

**Tägliche Bibellese** 1. Chronika 5,27–6,32 · Psalm 80,9-20

# 11 Sonntag Oktober

SA 07:38 · SU 18:37
MA 08:40 · MU 18:25

***Und sogleich frühmorgens hielten die Hohenpriester samt den Ältesten und Schriftgelehrten und das ganze Synedrium Rat, und sie banden Jesus und führten ihn weg und überlieferten ihn Pilatus.***

Markus 15,1

## Gedanken zum Markus-Evangelium

In der vergangenen Nacht herrschte in Jerusalem keine Ruhe. Die religiösen Führer waren eifrig damit beschäftigt, den Nazarener Jesus zu verurteilen. Die vielen Zeugen der Anklage widersprachen sich gegenseitig. Nur weil Jesus den Anspruch erhob, dass Er Gott gleich sei, erklärte man, dass Er „des Todes schuldig" sei (Kap. 14,64).

Am frühen Morgen tritt das Synedrium, der höchste Gerichtshof der Juden, offiziell zusammen. Er ist sowohl für religiöse als auch für zivile Fragen zuständig und soll das rechtskräftige Urteil fällen. Hier findet die dritte Verhandlung statt, die der Evangelist Markus in *einem* Satz zusammenfasst, während Lukas ausführlicher darüber berichtet (vgl. Lukas 22,66-71).

Das Urteil steht fest: Jesus muss sterben. Allerdings hat die römische Besatzungsmacht den Juden das Recht entzogen, die Todesstrafe zu vollstrecken (vgl. Johannes 18,31). Deshalb sind sie auf die Hilfe des Statthalters Pilatus angewiesen. Ihm muss eine nachvollziehbare Begründung vorgelegt werden, da der große Festsabbat unmittelbar bevorsteht und der Prozess zügig weitergeführt werden muss.

Pilatus war kein Mann mit Mitgefühl – im Gegenteil: Er war ein grausamer Herrscher (vgl. Lukas 13,1). Der jüdische Schriftsteller Philo (ca. 15 v. Chr.–45 n. Chr.) schreibt über ihn, dass er nicht gewillt war, etwas zu tun, was seinen jüdischen Untertanen hätte gefallen können. Dass die Juden mit ihrem Anliegen zu diesem verhassten Statthalter kommen, zeigt, wie fanatisch ihr Eifer ist, den Sohn Gottes hinrichten zu lassen.

Jesus wird gefesselt und abgeführt, als wäre Er ein gefährlicher Verbrecher. Was für eine Beleidigung! Doch Er schweigt.

**Tägliche Bibellese** 1. Chronika 6,33-66 · Psalm 81,1-8

# 12 Montag Oktober

SA 07:40 · SU 18:34
MA 09:58 · MU 18:43

***So wird mein Wort sein, das aus meinem Mund hervorgeht: Es wird nicht leer zu mir zurückkehren, sondern es wird ausrichten, was mir gefällt, und durchführen, wozu ich es gesandt habe.***

Jesaja 55,11

## Die wiedergefundene Bibel

Meine Mutter hatte viel für mich gebetet und nie die Hoffnung aufgegeben, dass ich mich eines Tages Gott zuwenden würde. Doch bereits im ersten Jahr meines Medizinstudiums entfernte ich mich noch weiter von Ihm. Da ich für mein ausschweifendes Leben Geld brauchte, verkaufte ich alles, was ich für entbehrlich hielt – darunter auch die Bibel, die meine Mutter mir mitgegeben hatte, als ich das Elternhaus verließ.

Später, während meiner Arbeit im Krankenhaus, wurde ich mit tiefem Leid und Elend konfrontiert.

Eines Tages wurde ein schwer verletzter Maurer eingeliefert. Sein Zustand war aussichtslos, und er wusste, dass er sterben würde. Doch sein glücklicher Gesichtsausdruck berührte mich zutiefst – umso mehr, als ich sah, wie sehr er litt.

Der Kranke hatte keine Angehörigen. Nach seinem Tod sichteten wir seine wenigen Besitztümer. Darunter war eine Bibel. Als ich sie aufschlug, erkannte ich sie sofort wieder: Es war die Bibel, die meine Mutter mir einst geschenkt hatte. Mein Name stand noch darin, ebenso der mir gewidmete Bibelvers in ihrer Handschrift: „Kehre um zu dem HERRN, so wird er sich deiner erbarmen!" (Jesaja 55,7). Das traf mich tief ins Herz!

Der letzte Besitzer hatte offensichtlich oft darin gelesen – zahlreiche Stellen waren unterstrichen. Auch ich begann nun, die Bibel zu lesen. Dabei spürte ich, wie Gott zu mir sprach. Mein ganzes sündiges Leben und meine Entfernung von Gott zogen an mir vorüber. Erst als ich Jesus Christus als meinen Erretter und Herrn annahm, fand ich Frieden und Ruhe für mein Gewissen.

**Tägliche Bibellese** 1. Chronika 7,1-40 · Psalm 81,9-17

# 13 Dienstag Oktober

SA 07:41 · SU 18:32
MA 11:14 · MU 19:07

***Da sandte der König von Jericho zu Rahab und ließ ihr sagen: Führe die Männer heraus, die zu dir gekommen sind, die in dein Haus eingekehrt sind; denn sie sind gekommen, um das ganze Land zu erkunden.***

Josua 2,3

## Biografien der Bibel: Rahab

Gott berichtet in der Bibel von einer Frau namens Rahab. Sie lebt in Jericho, einer bedeutenden Handelsstadt, nur wenige Kilometer vom Toten Meer entfernt. Rahab ist keine angesehene Frau, sondern eine Prostituierte – eine Lebensweise, die in den Augen Gottes eine schwerwiegende Sünde ist.

Rahabs Haus liegt direkt an der Stadtmauer – also weit entfernt von den schönen Vierteln und dem geschäftigen Stadtkern. Eines Tages kehren zwei Männer bei ihr ein. Es sind Kundschafter des Volkes Israel. Rahab versteckt die beiden Männer vor den Soldaten des Königs von Jericho. Im Gegenzug versprechen die Kundschafter ihr, sie und ihre Angehörigen bei einem künftigen Angriff auf Jericho zu verschonen.

Dieser Angriff wurde von Gott selbst angeordnet, weil Jericho eine gottlose Stadt war, reif für das göttliche Gericht. Gott greift auf wunderbare Weise ein: Beim Schall der Kriegsposaunen stürzen die Mauern Jerichos ein und die Stadt wird vollständig zerstört. Nur Rahab und ihre Angehörigen bleiben verschont.

Wie ist es möglich, dass eine Hure, die obendrein noch Hochverrat beging, gerettet wurde, während alle anderen Einwohner ums Leben kamen? Die Antwort gibt das Neue Testament: „Durch Glauben kam Rahab, die Hure, nicht mit den Ungläubigen um, da sie die Kundschafter in Frieden aufgenommen hatte“ (Hebräer 11,31). Sie lehnte sich nicht gegen den lebendigen Gott auf, dessen Macht auf verschiedene Weise sichtbar geworden war, sondern glaubte an Ihn und vertrat seine Interessen.

Die beeindruckende Glaubenstat Rahabs finden Sie im Buch Josua, Kapitel 2 und 6, und im Hebräerbrief, Kapitel 11,30.31.

**Tägliche Bibellese** 1. Chronika 8,1-40 · Psalm 82,1-8

# 14 Mittwoch Oktober

SA 07:43 · SU 18:30
MA 12:25 · MU 19:39

***Ihr werdet mich suchen und finden, denn ihr werdet nach mir fragen mit eurem ganzen Herzen; und ich werde mich von euch finden lassen, spricht der HERR.***

Jeremia 29,13.14

## „Warum bist du Atheist?" (1)

Pedro, ein junger Südamerikaner aus bestem Elternhaus, war in seiner Kindheit sehr religiös. Doch mehr und mehr war er entsetzt über das Verhalten und die Heuchelei mancher Kirchenleute. Er besorgte sich freidenkerische Literatur und gründete zusammen mit anderen jungen Leuten eine atheistische Vereinigung.

Jetzt aber sehen wir ihn grübelnd an seinem Schreibtisch sitzen. Ganz plötzlich ist die Frage in ihm aufgestiegen: „Warum bist du Atheist?" Die Argumente aus der Literatur kennt er zur Genüge, wirklich beweiskräftig erscheinen sie ihm jedoch nicht.

„Warum bist du Atheist?" Die Frage lässt Pedro nicht los. „Kannst du denn beweisen, dass es keinen Gott gibt? Kannst du die materielle Welt mit ihren Gesetzen und ihrer zweckmäßigen Ordnung erklären? Und ist die Tatsache, dass du Gott noch nicht begegnet bist, denn schon ein Beweis dafür, dass es Ihn nicht gibt? Vielleicht hast du Ihn nicht auf die richtige Weise gesucht. Oder vielleicht hast du die Suche zu früh abgebrochen, wie ein Mann, der nach Gold sucht und gerade in dem Augenblick mit dem Graben aufhört, wo er der Goldader am nächsten ist. Dann hättest du – ähnlich wie der Goldgräber – nichts als den Staub und die Steine des Materialismus geerntet."

Pedro überlegt weiter: „Zu behaupten, dass die Welt von selbst entstanden sei, ist dumm. Wenn ich aber sage, dass sie schon immer existiert hat, würde ich ihr göttliche Eigenschaften zuschreiben. Vielleicht habe ich mich noch nicht eingehend genug mit der Religion beschäftigt, um Gott finden zu können." So kam er zu dem Entschluss, Gott ernsthaft zu suchen.

(Fortsetzung morgen)

**Tägliche Bibellese** 1. Chronika 9,1-44 · Psalm 83,1-9

# 15 Donnerstag Oktober

SA 07:45 · SU 18:28
MA 13:30 · MU 20:20

***Niemand hat Gott jemals gesehen; der eingeborene Sohn, der im Schoß des Vaters ist, der hat ihn kundgemacht.***

Johannes 1,18

## „Warum bist du Atheist?" (2)

Ist Atheismus eine tragfähige Grundlage, um das Leben und die Welt zu erklären? – Diese Frage bringt Pedro dazu, gründlich nachzudenken und ernsthaft nach Gott zu suchen. Lange bemüht er sich vergeblich, durch religiöse Übungen, Rituale und Lehrsätze zur Gewissheit und zu einem inneren Frieden zu kommen. Dann trifft er jedoch einen Prediger, mit dem er ins Gespräch kommt. „Wissen Sie", beginnt Pedro, „ich habe schon lange nach Frieden und Erlösung gesucht, aber immer nur Enttäuschungen erlebt. Jetzt möchte ich Sie etwas fragen: Bitte sagen Sie mir, ob Sie Frieden in Ihrem Herzen haben. Bitte sagen Sie mir die Wahrheit, damit ich nicht noch einmal enttäuscht werde!"

Berührt von Pedros Ernsthaftigkeit und seinem Ringen um die Wahrheit antwortet der Prediger: „Ich kann und will mit Ihnen keine theologischen Fragen diskutieren. Doch ich will Ihnen erzählen, was ich erlebt habe: Vor vielen Jahren bin ich mit der Last meiner Schuld und einem Herzen voller Unruhe zu Jesus Christus gekommen. Ich habe Ihm meine Sünden bekannt. Und Er hat sie alle vergeben. Nun habe ich Frieden und Heilsgewissheit. Für Sie wird Er dasselbe tun."

Sie beten gemeinsam. Der Prediger ist es gewohnt, täglich mit seinem Erretter Jesus Christus zu sprechen. Pedro dagegen beginnt zuerst stockend. Es ist ja das erste Mal, dass er frei zu Christus betet, ohne vorformulierten Text. Doch mehr und mehr fühlt er sich ermutigt, Ihm sein ganzes Herz auszuschütten. Und während er das tut, versteht er völlig, dass Christus auch für ihn am Kreuz gestorben ist und dass seine Schuld vor Gott bezahlt ist – vor dem heiligen Gott, an dessen Existenz er jetzt fest glaubt! Pedro hat Frieden gefunden – Frieden und die Gewissheit, gerettet zu sein.

**Tägliche Bibellese** 1. Chronika 10,1-14 · Psalm 83,10-19

# 16 Freitag Oktober

SA 07:46 · SU 18:26
MA 14:22 · MU 21:14

***Jesus aber sprach zu Judas: Freund, wozu bist du gekommen!*** Matthäus 26,50

***Jesus aber sprach zu ihm: Judas, überlieferst du den Sohn des Menschen mit einem Kuss?*** Lukas 22,48

## Jesus Christus kennenlernen – Verraten

Autokratische Regimes setzen bis heute auf diese bewährte Strategie und finden sowohl unwillige als auch willige Mittäter: bespitzeln, belauern, Vertrauen missbrauchen, verraten – sogar im engsten Freundes- und Familienkreis. Verrat hinterlässt tiefe Wunden. Das Urbild des Verräters ist Judas Iskariot mit seinem berüchtigten „Judaskuss".

Die letzte gemeinsame Mahlzeit Jesu mit seinen Jüngern ist das feierliche Passahfest, das an den Auszug Israels aus Ägypten erinnert. Jesus sagt ihnen: „Mich hat sehnlich verlangt, vor meinem

Leiden mit euch dieses Passahlamm zu essen" (vgl. Lukas 22,15).

Während der Mahlzeit kündigt Er an, dass einer aus ihrer Mitte Ihn an die Feinde verraten wird. Die Jünger sind so verunsichert, dass jeder von ihnen sich vergewissern will: „Ich bin es doch nicht, Herr?" (Matthäus 26,22). Jesus macht den Verräter kenntlich: „Der ist es, dem ich den Bissen geben werde, wenn ich ihn eingetaucht habe."

Judas nimmt die Entlarvung ungerührt hin. Er verlässt den Herrn, den Jüngerkreis – und geht hinaus in die Dunkelheit (vgl. Johannes 13,26-30).

Später in der Nacht, draußen im Garten Gethsemane, taucht Judas wieder auf. Doch er kommt nicht allein, sondern führt eine bewaffnete Schar an. Sein Gesicht wird vielleicht vom flackernden Licht der Flammen beleuchtet, als er sich Jesus nähert, um Ihn zu küssen. Denn das ist das vereinbarte Zeichen für diejenigen, die Jesus verhaften wollen.

Unfassbar, wie liebevoll der Herr Judas anspricht: „Freund" – obwohl der Satan bereits in seinen Jünger gefahren ist. Doch Jesu Liebe beantwortet Judas mit Heuchelei – er verrät den Sohn Gottes mit einem Kuss. Wie niederträchtig!

**Tägliche Bibellese** 1. Chronika 11,1-47 · Psalm 84,1-13

DIE GUTE SAAT 2026 • CSV-Verlag • www.csv-verlag.de

# 17 Samstag Oktober

SA 07:48 · SU 18:24
MA 15:03 · MU 22:17

***Dies dürft ihr essen von allem, was im Wasser ist: Alles, was Flossen und Schuppen hat im Wasser, in den Meeren und in den Flüssen, das dürft ihr essen; aber alles, was keine Flossen und Schuppen hat in den Meeren und in den Flüssen, von allem Gewimmel des Wassers und von jedem lebendigen Wesen, das im Wasser ist, sie sollen euch ein Gräuel sein.***

3. Mose 11,9.10

## Frösche

In 3. Mose 11 unterscheidet die Bibel die Tiere in rein und unrein. Die reinen durfte man essen, die unreinen hingegen weder verzehren noch – wenn sie tot waren – berühren. Berücksichtigt man heutige medizinische Erkenntnisse, drängt sich fast der Eindruck auf, dass es bei diesen Vorschriften auch um das Thema Gesundheit ging. Denn bei einigen Tieren, die als unrein bezeichnet wurden, wie dem Schwein oder der Maus, ist der Verzehr mit Gesundheitsrisiken verbunden.

Frösche galten ebenfalls als unrein, durften also nicht gegessen werden. Aus medizinischer Sicht ist ihr Verzehr jedoch unbedenklich; in einigen Ländern gelten sie sogar als Delikatesse. Als aber Bangladesch ab 1975 begann, Frösche in großer Anzahl zu fangen und für den Export nach Europa zu nutzen, um die Nachfrage nach Froschschenkeln zu bedienen, stieg einige Jahre später die Zahl der Malariaerkrankungen im Land drastisch an. Frösche sind nämlich natürliche Fressfeinde der Mückenlarven – sie vertilgen Hunderttausende davon. Durch den massiven Export fehlten die Frösche, die Mücken vermehrten sich explosionsartig und verbreiteten die Krankheit. Als Bangladesch den Zusammenhang erkannte, wurde der Export von Fröschen sofort gestoppt.

Auch in Israel gab es später versumpfte Gebiete, etwa rund um den Jordan und den Hule-See. Vielleicht bewahrte Gott sein Volk durch das Verbot bestimmter Tiere in weiser Voraussicht vor späteren Insektenplagen und Fieberkrankheiten.

**Tägliche Bibellese** 1. Chronika 12,1-19 · Psalm 85,1-14

# 18 Sonntag Oktober

SA 07:50 · SU 18:22
MA 15:34 · MU 23:27

***Und Pilatus fragte ihn: Bist du der König der Juden? Er aber antwortet und spricht zu ihm: Du sagst es. Und die Hohenpriester klagten ihn vieler Dinge an. Pilatus aber fragte ihn wieder und sprach: Antwortest du nichts? Sieh, wie vieler Dinge sie dich anklagen! Jesus aber antwortete gar nichts mehr, so dass Pilatus sich verwunderte.***

Markus 15,2-5

## Gedanken zum Markus-Evangelium

Im Prozess gegen Jesus von Nazareth gelangen wir nun zum vierten Verhör. Nachdem Jesus Christus sich vor den Hohenpriestern Annas und Kajaphas sowie vor dem jüdischen Gerichtshof verantworten musste, steht Er jetzt vor dem römischen Statthalter Pilatus.

Offensichtlich haben die religiösen Führer Israels Pilatus bereits über den Fall informiert. Seine Frage an Jesus, ob Er der König der Juden sei, zielt darauf ab, Ihn als politischen Verbrecher zu überführen. Denn wer sich selbst zum „König der Juden" erklärt, wird zwangsläufig zum Feind des Römischen Reiches.

„Du sagst es", antwortet Jesus – wie ein bescheidener Diener, der Rede und Antwort steht. Das sollte Pilatus zu denken geben: Welcher Verbrecher würde so offen und ehrlich antworten? Doch Jesus tut das nur, weil es um seine wahre Identität geht. Er ist gekommen, um von der Wahrheit zu zeugen.

Der Apostel Paulus erwähnt in seinem ersten Brief an Timotheus das gute Bekenntnis, das Christus Jesus vor Pontius Pilatus abgelegt hat. Diese Szene soll Timotheus und damit auch uns ermutigen, treue Zeugen zu sein, das heißt, im Vertrauen auf den lebendigen Gott für die Wahrheit einzustehen (vgl. 1. Timotheus 6,13-16).

Gegen alle falschen Beschuldigungen schweigt Jesus konsequent. Weil Er sich niemals selbst rechtfertigen oder verteidigen will, erwidert Er nichts – „wie ein Schaf, das stumm ist vor seinen Scherern" (Jesaja 53,7). Das ungewöhnliche Verhalten gibt Pilatus zu denken: Nicht *Jesus* ist schuldig, sondern die *Hohenpriester.*

**Tägliche Bibellese** 1. Chronika 12,20-41 · Psalm 86,1-8

# 19 Montag Oktober

SA 07:51 · SU 18:20
MA 15:56 · MU –:–

***Wohlan nun, ihr, die ihr sagt: Heute oder morgen wollen wir in die und die Stadt gehen und dort ein Jahr zubringen und Handel treiben und Gewinn machen, die ihr nicht wisst, was der morgige Tag bringen wird.***

Jakobus 4,13-14

## Unsere Pläne – Gottes Pläne

Der Mensch ist ein planendes Wesen. So hat der Schöpfer uns geschaffen. Wir planen den Tag, das Wochenende, den Urlaub, und haben Vorstellungen für unsere Zukunft. Das ist grundsätzlich positiv. Dennoch sollten wir einige wichtige Aspekte beachten:

Das Leben liegt nicht in unserer Hand:

1. Die Bibel berichtet von einem reichen Kornbauern, der sich fragte: „Was soll ich tun?" Er hatte für sich vorgesorgt und wollte nun den

Rest seines Lebens genießen. Allerdings hatte er seinen plötzlichen Tod nicht eingeplant. Bedenken wir immer, dass jeder Tag der letzte sein könnte? Klug ist, wer in seine Pläne einbezieht: „Wenn der Herr will und wir leben, so werden wir auch dieses oder jenes tun“ (Jakobus 4,15).

2. Bitten wir Gott um Führung bei unseren Plänen? Oder interessieren wir uns nicht für Gottes Willen und konzentrieren uns nur auf das eigene Wohlergehen?

3. Seien wir nicht enttäuscht, wenn unsere Pläne mal nicht sofort aufgehen. Wenn es sein Plan war, will Gott vielleicht nur unser Vertrauen prüfen, und wird den Plan doch noch zum Ziel führen. War es aber unser eigener Plan, sollten wir dankbar sein, dass Gott ihn verhindert hat, und Ihn um weitere Führung bitten.

4. Wenn unsere Pläne im Einklang mit Gottes Plänen stehen, finden wir Frieden für unsere Herzen!

**Tägliche Bibellese** 1. Chronika 13,1-14 · Psalm 86,9-17

# 20 Dienstag Oktober

SA 07:53 · SU 18:18
MA 16:14 · MU 00:40

***Josephs Brüder sprachen: Kommt, lasst uns Joseph an die Ismaeliter verkaufen.***

1. Mose 37,27

## Biografien der Bibel: Joseph

In der Bibel berichtet Gott vom Leben Josephs (ca. 1850 v. Chr.). Joseph ist der zweitjüngste der zwölf Söhne Jakobs. Zur Erinnerung: Jakob ist der Enkel Abrahams und Stammvater des Volkes Israel.

Joseph war seinem Vater besonders lieb, denn er erfüllte seine Aufgaben stets treu und war bereit, seinem Vater und seinen Brüdern zu helfen. Doch gerade deshalb wurden seine älteren Brüder neidisch auf ihn – und begannen, ihn zu hassen.

Dann kommt der Moment, in dem sich ihr Hass entlädt: Joseph soll seine Brüder aufsuchen, die weit entfernt von zu Hause die Herden ihres Vaters weiden. Außerhalb der Reichweite des Vaters, ergreifen sie die Gelegenheit, Joseph loszuwerden. Wutentbrannt werfen sie ihn in eine leere Zisterne und verkaufen ihn schließlich an vorbeiziehende Händler. Diese nehmen Joseph mit nach Ägypten und verkaufen ihn dort weiter.

Aber Joseph glaubt an Gott und vertraut auf Ihn. Und Gott bekennt sich zu diesem Vertrauen und hält seine schützende Hand über ihn. Viele Versuchungen und Prüfungen erwarten Joseph in Ägypten – schließlich wird er sogar unschuldig verurteilt ins Gefängnis geworfen. Doch Gott hilft ihm und sorgt dafür, dass Joseph wieder freikommt. Mit der Zeit steigt er bis zum ersten Minister unter dem Pharao auf.

Solche Wunder kann Gott im Leben aller wirken, die an Ihn glauben! Gott hat einen guten Plan für jedes seiner Kinder, auch wenn die Wege, die Er mit ihnen geht, manchmal nicht sofort zu verstehen sind. Joseph wird am Ende seines Lebens sagen: „Gott hatte im Sinn, es gut zu machen" (1. Mose 50,20). Jeder, der an den Herrn Jesus glaubt und Ihm vertraut, wird das eines Tages ebenfalls sagen können.

Die ganze Geschichte Josephs finden Sie in der Bibel im 1. Buch Mose (Genesis), Kapitel 37-50.

**Tägliche Bibellese** 1. Chronika 14,1-17 · Psalm 87,1-7

# 21 Mittwoch Oktober

SA 07:55 · SU 18:16
MA 16:28 · MU 01:55

***Unser Heiland-Gott will, dass alle Menschen errettet werden und zur Erkenntnis der Wahrheit kommen.***

1. Timotheus 2,3.4

## Aus der Finsternis zum Licht (1)

In einem Land, in dem die Todesstrafe noch angewendet wird, werde ich gebeten, einen Gefangenen in seiner Zelle zu besuchen. Sein strahlender Gesichtsausdruck berührt mich tief. Er erzählt mir seine Geschichte:

„Es ist drei Jahre her, dass ich wegen eines Mordes zum Tod verurteilt wurde. Meine Zelle wurde mir zur wahren Hölle. Der Gedanke an den nahenden Tod verfolgte mich Tag und Nacht. Nur noch wenige Wochen – und dann die Ewigkeit!

Je mehr ich versuchte, diesen Gedanken zu verdrängen, desto mehr beherrschte er mich. Mir verging der Appetit und ich schlief nicht mehr. Schließlich beschloss ich, aus meinem Bettlaken ein Seil zu knüpfen, um meinem Leben ein Ende zu setzen. Doch der Gedanke an die Ewigkeit hielt mich zurück, denn ein Selbstmord hätte mich nur noch schneller dorthin gebracht.

Eines Tages wurde mir ein kleines Flugblatt zugesteckt. Ich warf einen flüchtigen Blick darauf und legte es beiseite. Beim ersten Lesen ergab der Text wenig Sinn. Doch dann las ich ihn erneut und begann, in meiner Zelle auf und ab zu gehen. Ein seltsames Gefühl überkam mich: Was ich da las, traf auf eine tiefe Sehnsucht meiner Seele. *Ein* Satz sprach mich besonders an: ‚Der Sohn des Menschen ist gekommen, zu suchen und zu erretten, was verloren ist' (Lukas 19,10). Diese Worte waren für mich bestimmt! Ich hatte nur noch den einen Wunsch: von der schrecklichen Last, die mich bedrückte, befreit zu werden. Aber wie?

Ich bat um eine Bibel und begann sie zu lesen – mit einer Mischung aus Angst und Hoffnung. Dann stieß ich auf diesen Vers aus 1. Johannes 1,7: ‚Das Blut Jesu Christi, seines Sohnes, reinigt uns von aller Sünde.'"

(Fortsetzung morgen)

**Tägliche Bibellese** 1. Chronika 15,1-24 · Psalm 88,1-10

# 22 Donnerstag Oktober

SA 07:56 · SU 18:14
MA 16:41 · MU 03:10

***Siehe, zum Heil wurde mir bitteres Leid: Du zogst liebevoll meine Seele aus der Grube der Vernichtung; denn alle meine Sünden hast du hinter deinen Rücken geworfen.***

Jesaja 38,17

## Aus der Finsternis zum Licht (2)

Der Gefangene berichtet weiter: „Ich las es noch einmal: ‚Das Blut Jesu Christi, seines Sohnes, reinigt uns von aller Sünde' (1. Johannes 1,7). Ich schüttelte den Kopf und dachte: Das gilt nicht für einen Mörder wie mich.

In der folgenden Nacht erlebte ich den größten Kampf meines Lebens. Mein Herz schrie zu Gott, um Barmherzigkeit – und Er antwortete mir. Am Morgen hatte ich Frieden gefunden. Gott gab mir die Gewissheit, dass Jesus auch für meine Sünden gestorben war. Von dem Moment an hatte ich keine Angst mehr vor dem Tod.

Völlig unerwartet wurde das Todesurteil in eine lebenslange Haftstrafe umgewandelt. Nun lag nicht mehr der Tod vor mir, sondern eine lange, einsame Zeit hinter Gittern. Doch ich wusste: Jesus würde bei mir sein. Später wurde ich in ein Arbeitsdienst-Zentrum verlegt. Meine Kameraden waren erstaunt über meinen fröhlichen Gesichtsausdruck. Ich erzählte ihnen von meinem Erlebnis. Einige lachten, andere wurden nachdenklich und baten mich um eine Bibel. Mit Erlaubnis des Gefängnisdirektors, der meine Veränderung bemerkt hatte, konnte ich dreißig Bibeln und hundert christliche Traktate verteilen. Mehrere meiner Mitgefangenen fanden ihr Heil in dem Herrn Jesus Christus. Ich dachte bei mir: Vielleicht war das der Beginn einer Mission ...“ So weit der Bericht des Gefangenen.

Kürzlich frage mich jemand scherzhaft, ob ich je ein Wunder gesehen hätte. Ich erzählte ihm die Geschichte dieses Gefangenen. Daraufhin wurde er sehr nachdenklich ...

(Ende)

**Tägliche Bibellese** 1. Chronika 15,25–16,6 · Psalm 88,11-19

# 23 Freitag Oktober

SA 07:58 · SU 18:12
MA 16:54 · MU 04:25

***Christus hat für euch gelitten, … der keine Sünde tat noch wurde Trug in seinem Mund gefunden, der, gescholten, nicht wiederschalt, leidend, nicht drohte, sondern sich dem übergab, der gerecht richtet.*** 1. Petrus 2,21-23

## Jesus Christus kennenlernen – Er schweigt …

… wenn es um seine eigene Person geht. Seit langem wird Er von der religiösen Oberschicht gehasst und verfolgt. Sie klagen Ihn der Gotteslästerung an. Die folgende Verhaftung und die unsäglichen Gerichtsverhandlungen – vor dem Hohenpriester, dem Hohen Rat der Juden und dem römischen Statthalter – spotten jedem Rechtsempfinden. Verfahrensfehler, falsche Zeugen und unzulässige Beschuldigungen sind nur einige der Untaten dieser Unrechtsjustiz und führen zu einem unvergleichlichen Justizmord.

Wie kann man dazu schweigen? Warum verteidigt sich Jesus nicht? Es wäre Ihm doch ein

Leichtes, jede dieser unsinnigen Anschuldigungen zu entkräften und die falschen Zeugen zu entlarven.

Doch der Sohn Gottes schweigt. Er schweigt zu den Lügen. Er schweigt, als man Ihn beschuldigt. Er schweigt, als man Ihn verspottet, verhöhnt und herausfordert. Petrus, der Apostel, der vieles davon aus nächster Nähe miterlebte, schreibt voller Bewunderung, dass Jesus sich ganz Gott ausgeliefert und nichts zu seiner eigenen Verteidigung unternommen hat. Nicht einmal, als die religiösen Oberen höhnisch sagten: „Er vertraute auf Gott, der rette ihn jetzt, wenn er ihn begehrt; denn er sagte: Ich bin Gottes Sohn" (Matthäus 27,43).

Gerade hierin offenbart sich das Geheimnis des Kreuzes: Gott kann seinen Sohn nicht retten, wenn Er schuldige Menschen retten will. Denn Jesu Mission steht und fällt mit dem Tod am Kreuz, den Er unschuldig erduldet – stellvertretend für sündige Menschen. So empfängt jeder, der an Ihn glaubt, Vergebung und muss nicht mehr vor Gott ins Gericht treten. Und Gott hat Jesus gerechtfertigt, geehrt und verherrlicht: Am dritten Tag erweckte Er Ihn aus den Toten, und vierzig Tage später nahm Er Ihn in den Himmel auf. – Jesus lebt!

**Tägliche Bibellese** 1. Chronika 16,7-22 · Psalm 89,1-10

# 24 Samstag Oktober

SA 08:00 · SU 18:10
MA 17:08 · MU 05:44

***Was ist der Mensch, dass du ihn hochhältst und dass du dein Herz auf ihn richtest?***

Hiob 7,17

## Was ist der Mensch?

Wie klein erscheint die Erde im Vergleich zu den endlosen Weiten des Weltalls! Und was sollen wir erst über die Bewohner dieses Planeten sagen?

Es ist gewiss richtig, sich der eigenen Kleinheit bewusst zu sein und sich nicht übermäßig wichtig zu nehmen. Jedoch wäre es unangemessen, sich selbst zu verachten oder zu behaupten: „Ich bin nichts, ich habe keinen Wert für irgendjemanden." Diese Aussage trifft auch Gott nicht über uns, obwohl Er in seiner ganzen Majestät und Größe unendlich erhaben über uns kleine Wesen ist.

„Gott ist ein Geist" (Johannes 4,24). Das schließt mit ein, dass Er völlig unabhängig von den Dimensionen des Sichtbaren ist, das ja von Ihm geschaffen wurde – sei es groß oder klein.

Das Erstaunen Hiobs in unserem heutigen Bibelzitat ist verständlich. An anderer Stelle sagt Hiob: „Der Mensch ist kurz an Tagen und mit Unruhe gesättigt. ... Er flieht wie der Schatten und hat keinen Bestand. Dennoch hast du über einen solchen deine Augen aufgetan." Ja, „Gott ist mächtig, und doch verachtet er niemand" (Hiob 14,1-3; 36,5).

Ebenso erstaunt ist König David beim Anblick des Sternenhimmels: „Was ist der Mensch, dass du seiner gedenkst?" – „Was ist der Mensch, dass du Kenntnis von ihm nimmst ..., dass du ihn beachtest?" (Psalm 8,5; 144,3).

Ja, Gott schenkt uns Beachtung und kümmert sich um jeden Einzelnen von uns. Er will uns glücklich machen und uns eine Heimat bei Ihm in der ewigen Herrlichkeit geben. Bereits vor Erschaffung des Universums war es sein Plan, Gemeinschaft mit Menschen zu haben, die seine Eigenschaften widerspiegeln, und ihnen mit seinem Sohn Jesus Christus alles zu schenken (vgl. Römer 8,32). So viel sind Ihm die Menschen wert!

# 25 Sonntag Oktober

SA 07:01 · SU 17:08
MA 16:23 · MU 06:06

*Zum Fest aber pflegte Pilatus ihnen einen Gefangenen freizulassen, um den sie baten. Es war aber einer, genannt Barabbas, mit den Aufrührern gebunden, die in dem Aufruhr einen Mord begangen hatten. Und die Volksmenge erhob ein Geschrei und fing an zu begehren, dass er tue, wie er ihnen zu tun pflegte. Pilatus aber antwortete ihnen und sprach: Wollt ihr, dass ich euch den König der Juden freilasse? Denn er hatte erkannt, dass die Hohenpriester ihn aus Neid überliefert hatten.* Markus 15,6-10

## Gedanken zum Markus-Evangelium

Als der Statthalter Pilatus hörte, dass Jesus ein Galiläer sei, schob er Ihn zu dem König Herodes ab, der Galiläa regierte und zu diesem Zeitpunkt in Jerusalem war (vgl. Lukas 23,6-12). Doch darüber berichtet der Evangelist Markus nicht; er geht gleich zum sechsten und letzten Verhör über, das erneut vor Pilatus stattfindet.

Pilatus steht vor einem Dilemma: Er weiß genau – und Herodes hat es bestätigt –, dass dieser Nazarener unschuldig ist, wogegen die neidischen Hohenpriester der Juden die Todesstrafe fordern. Wenn Pilatus sich nicht darauf einlässt, droht ein möglicher Aufstand des Volkes, der seinem Ansehen in Rom schaden könnte. Wie kann er also den Prozess gegen Jesus beenden und die Ankläger dennoch zufriedenstellen?

Als Pilatus deutlich macht, dass er Jesus „freilassen" will (Lukas 23,16), fordert die Volksmenge, dass er ihnen das gewohnte Privileg gewährt, einen Gefangenen ihrer Wahl freizugeben. Darin sieht Pilatus offensichtlich eine Chance, kein unschuldiges Blut vergießen zu müssen. Ihm ist zudem bewusst, dass sich das jüdische Volk nach einem eigenen König sehnt. Deshalb bietet er ihnen gleich den „König der Juden" an, den er politisch für harmlos hält.

Außer Jesus käme nur noch ein weiterer Gefangener für diese außergewöhnliche Begnadigung in Frage: Barabbas („Sohn des Vaters"), ein Aufrührer und Mörder. Auf wen wird die Wahl fallen?

**Tägliche Bibellese** 1. Chronika 17,1-27 · Psalm 89,20-28

# 26 Montag Oktober

SA 07:03 · SU 17:06
MA 16:43 · MU 07:33

***Lehre mich, HERR, deinen Weg: Ich werde wandeln in deiner Wahrheit.*** Psalm 86,11

## Christen in aller Welt – Leyla aus Südostasien

Leyla und ihr jüngerer Bruder wachsen in einer liberal-muslimischen Familie auf. Die Mutter kümmert sich wenig um die Kinder, so dass Leyla die Verantwortung für sich selbst und ihren kleinen Bruder ganz allein tragen muss. Als die Ehe der Eltern zerbricht, heiratet die Mutter erneut. Ihr zweiter Mann nimmt den Islam sehr ernst, und Leylas Mutter trägt jetzt den Hidschab – den traditionellen Schleier muslimischer Frauen.

Leyla tut alles, um die Aufmerksamkeit und die Unterstützung ihrer Mutter zu gewinnen. „Ich wurde eine gehorsame Tochter", erzählt sie später. Und das meint sie ernst. Stundenlang rezitiert sie nachts den Koran, versäumt keine Gebetszeit und sucht aufrichtig nach Gott. Doch vergeblich: Sie findet keinen Frieden, keine Ruhe, keine

Gewissheit – und auch nicht die ersehnte Anerkennung ihrer Mutter. Immerhin kann Leyla nun ihre Schulbildung bis zum Abschluss fortsetzen. Während des Studiums teilt sie sich eine Wohnung mit einer christlichen Kommilitonin. Zögernd fragt sie, ob es störe, wenn sie sich nachts den Wecker stelle, um ihre Gebetszeiten einzuhalten. Die Mitbewohnerin verneint und so entwickeln sich Gespräche über Religion.

Leyla zeigt großes Interesse und beginnt, auch in der Bibel zu lesen, die sie von ihrer Mitbewohnerin erhält. Sie lernt Bibelverse auswendig und spürt einen Unterschied. „Es sind lebendige Worte, sie trösten mich." Leyla erkennt, dass die Bibel die Wahrheit ist. Sie glaubt, dass Jesus Christus der Sohn Gottes ist, und nimmt Ihn als ihren Herrn und Retter an, der sie von aller Schuld befreit.

Zurück zu Hause, wird es für Leyla schwierig. Sie darf ihrer Mutter und dem strengen Stiefvater nichts von ihrem Glauben erzählen, wenn sie nicht den Bruch mit der Familie riskieren will. Doch der innere Konflikt wächst. Schließlich trifft Leyla eine Entscheidung: Sie zieht in eine eigene Wohnung und nimmt ihren leiblichen Vater, der arbeitslos und hilfsbedürftig ist, bei sich auf.

**Tägliche Bibellese** 1. Chronika 18,1-17 · Psalm 89,29-38

# 27 Dienstag Oktober

SA 07:05 · SU 17:04
MA 17:11 · MU 09:02

***Gott ist einer, und einer ist Mittler zwischen Gott und Menschen, der Mensch Christus Jesus, der sich selbst gab als Lösegeld für alle.***

1. Timotheus 2,5.6

## Christus, der Mittler

Im alltäglichen Sprachgebrauch kennen wir einen Mittler als jemand, der vermittelnd zwischen zwei Personen oder Parteien tritt und sich selbstlos bemüht, ihnen dabei zu helfen, ihre Konflikte zu lösen. In der Regel versucht er, die beiden Parteien dazu zu bewegen, die Ansprüche, die sie aneinander haben, herunterzuschrauben und so zu einem Kompromiss zu kommen.

Auch die gewaltige Kluft, die durch die Sünde zwischen den Menschen und Gott entstanden ist, kann nur durch einen Mittler überbrückt werden. Doch hier ist ein einzigartiger Mittler nötig; ebenso ein ganz anderer Lösungsweg. Denn die Situation zwischen Gott und Mensch ist viel problematischer:

Schuld auf der Seite des Menschen trifft auf Heiligkeit und absolute Gerechtigkeit auf der Seite Gottes. Hier hilft kein Kompromiss und kein gutes Zureden. Gott ist heilig und kann von seinen gerechten Ansprüchen nichts preisgeben. Der Mensch aber ist der Sünde und ihren Folgen erlegen; ihm hilft nur eine vollständige Erlösung.

Kein Mensch ist fähig, in dieser Frage zu vermitteln, weil die Sünde jedem von uns anhaftet. Auch kein Engel ist in der Lage, Gottes Anspruch auf Vergeltung für all das zu erfüllen, was der Mensch an Schuld angehäuft hat. Nur *einer* war fähig, der Mittler in diesem dramatischen Fall zu werden: der Sohn Gottes selbst.

Dazu ist Jesus Christus auf die Erde gekommen und Mensch geworden. Er ist gekommen, um durch seinen Sühnetod alles zu erfüllen, was die Gerechtigkeit Gottes fordert. Deshalb kann nun jedem Menschen die Erlösung angeboten werden. – Was für ein einzigartiger Mittler, der sich selbst gegeben hat, um Gott zu ehren und uns einen Weg zu Gott zu bahnen!

# 28 Mittwoch Oktober

SA 07:07 · SU 17:02
MA 17:51 · MU 10:30

***Alle sind abgewichen, sie sind allesamt untauglich geworden; da ist keiner, der Gutes tut, da ist auch nicht einer.*** Römer 3,12

## Gute Menschen?

Der Großvater war gestorben. Wenige Tage nach der Beerdigung suchte seine kleine Enkelin mit ihrer Mutter das Grab auf. Nachdenklich fragte das Mädchen: „Mama, wo ist denn jetzt der Opa?" Die Mutter antwortete: „Der Opa ist jetzt dort, wo alle guten Menschen hinkommen, wenn sie sterben: bei Gott im Himmel."

Sicher hatte die Kleine ihren Großvater noch als den guten Opa in Erinnerung. Die Antwort der Mutter wird ihr eingeleuchtet haben. Aber entspricht sie auch der Wahrheit?

Die Entscheidung, wer in den Himmel kommt, liegt bei Gott, der den Himmel bewohnt und dort das alleinige Hausrecht besitzt. Es ist erschütternd zu lesen, was Gott in der Bibel über die

Menschen sagen muss: Alle sind „abgewichen, untauglich geworden“; „da ist keiner, der Gutes tut“! – Ohne Ausnahme? Ja, denn selbst der beste Mensch schafft es nicht, Gottes heiligen, absoluten Ansprüchen gerecht zu werden. Das eigenwillige und sündige Herz des Menschen beeinflusst selbst seine edelsten Taten. Deshalb ist keiner so, wie er ist, für Gottes Gegenwart rein genug.

Vor fast 2000 Jahren gab es jedoch einen Menschen, der stets nur das tat, was Gott gefiel: Jesus Christus, der Sohn Gottes. Er kam als Mensch auf die Erde, um „der Mittler zwischen Gott und Menschen“ zu werden (1. Timotheus 2,5).

Nur Jesus Christus kann zwischen Gott und Menschen vermitteln. Nur durch Ihn kann der Mensch in die ewige Herrlichkeit Gottes kommen. Aus eigener Kraft heraus schafft er es nicht – auch wenn er sich ein Leben lang darum bemüht, das zu sein, was wir landläufig einen „guten Menschen“ nennen. Er braucht Jesus Christus als Mittler, der sich selbst als Lösegeld für alle Menschen gab. Nur für den, der dieses Angebot annimmt, steht der Himmel offen.

**Tägliche Bibellese** 1. Chronika 21,1-13 · 1. Timotheus 1,1-7

DIE GUTE SAAT 2026 • CSV-Verlag • www.csv-verlag.de

# 29 Donnerstag Oktober

SA 07:08 · SU 17:01
MA 18:46 · MU 11:48

***Paulus, Apostel Christi Jesu ... Timotheus, meinem echten Kind im Glauben.***

1. Timotheus 1,1.2

**Die beiden Briefe an Timotheus ...**

... sind letzte Briefe von Paulus, geschrieben an seinen engsten Mitarbeiter.

Paulus wird in Jerusalem gefangen genommen, anschließend zwei Jahre in Cäsarea inhaftiert und später nach Rom überstellt, wo er nochmals zwei Jahre im Gefängnis verbringt. Nach seiner Freilassung besucht er zusammen mit Timotheus die Versammlung in Ephesus, lässt ihn dort zurück und reist weiter. Wenig später – etwa im Jahr 63 n. Chr. – schreibt Paulus seinen ersten Brief an seinen jüngeren Mitarbeiter.

Dieser erste Timotheusbrief ist zwar persönlich gehalten, behandelt jedoch ein Thema, das alle Gläubigen angeht: die Versammlung (Gemeinde) als Haus Gottes, „der Pfeiler und die Grundfeste der Wahrheit" (Kap. 3,15).

Ungefähr drei Jahre später ist Paulus erneut in römischer Haft. Von dort aus schreibt er seinen zweiten Brief an Timotheus, der zugleich sein letzter ist. Und letzte Worte haben oft besonderes Gewicht. Paulus erkennt den beginnenden Verfall des Christentums: Es wird zunehmend schwer, Gläubige und Ungläubige zu unterscheiden. Es sieht düster aus, doch Paulus resigniert nicht.

Er erinnert Timotheus an Jesus Christus, der auch in Zeiten des Verfalls treu bleibt, und fordert ihn auf, selbst auch dem Herrn treu zu bleiben. Er macht ihm Mut, seinen Dienst als Evangelist fortzusetzen – auch unter schwierigen Umständen.

Letzte Briefe sind oft spannende Briefe – wie auch hier. Während der erste Brief das Gebet sowie Tätigkeiten und Umgangsformen im Miteinander der Gläubigen thematisiert, wirkt der zweite Brief teilweise wie ein Spiegelbild der heutigen Zeit (z. B. Kap. 3,1-5). Gleichzeitig motiviert er jeden echten Christen, dem Herrn treu nachzufolgen – zunächst persönlich, dann aber auch im Miteinander.

**Tägliche Bibellese** 1. Chronika 21,14-30 · 1. Timotheus 1,8-11

# 30 Freitag Oktober

SA 07:10 · SU 16:59
MA 19:59 · MU 12:48

***Er war verachtet und verlassen von den Menschen, ein Mann der Schmerzen und mit Leiden vertraut, und wie einer, vor dem man das Angesicht verbirgt; er war verachtet, und wir haben ihn für nichts geachtet.***

Jesaja 53,3

## Jesus Christus kennenlernen – der leidende Knecht Gottes

Der Sohn Gottes kommt aus dem Himmel, aus jener wunderbaren Sphäre, in der Gott wohnt, wo Licht, Liebe, Frieden und Freude herrschen. Von dort hat Er mehrere tausend Jahre das Treiben auf der Erde beobachtet. Doch nun ist Er als Mensch mitten in dieser Welt. Was Er empfindet, als Er tagtäglich Unehrlichkeit, Neid, Ablehnung, Besserwisserei und Selbstüberschätzung begegnet, können wir kaum begreifen.

Da Er absolut sündlos ist, trifft Ihn alles Grobe, Lieblose, Brutale und Verlogene ungleich tiefer als jeden anderen Menschen. Selbst bei den edelsten Menschen sind die besten Regungen durch Egoismus und Auflehnung gegen Gott durchzogen – doch nicht bei Jesus. In Ihm entspricht alles vollkommen den Vorstellungen Gottes: jedes Motiv und jeder Gedanke, jedes Wort und jede Tat. Doch genau deshalb wurde Er gehasst, abgelehnt und angefeindet. Niemals vorher prallten Licht und Finsternis so sehr aufeinander.

Und dennoch nahm Er alles auf sich – aus Liebe, weil Er die Menschen aus dem Dunkel und der Verdorbenheit retten wollte. Er wurde von den Obersten seines Volks in einem korrupten Prozess ohne Grund angeklagt, von den Römern verurteilt und unter furchtbaren Qualen am Kreuz hingerichtet.

Die schwersten Leiden erduldete Jesus Christus in den drei Stunden am Kreuz, als es dunkel war. Da rechnete Gott mit der Sünde ab. In diesem Zusammenhang heißt es, dass Jesus „zerschlagen" und „zur Sünde gemacht" wurde (Jesaja 53,5.10; 2. Korinther 5,21). Dieser unvorstellbare Schmerz ließ Ihn stöhnen und schreien – Gott hatte Ihn verlassen und konnte Ihm nicht antworten (Psalm 22,2.3).

Mich berührt die unvergleichliche Liebe Jesu …

**Tägliche Bibellese** 1. Chronika 22,1-19 · 1. Timotheus 1,12-17

# 31 Samstag Oktober

SA 07:12 · SU 16:57
MA 21:23 · MU 13:31

***Durch die Gnade seid ihr errettet, mittels des Glaubens; und das nicht aus euch, Gottes Gabe ist es; nicht aus Werken, damit niemand sich rühme.***

Epheser 2,8.9

## Die 95 Thesen und die Folgen

Heute vor 509 Jahren schickte Martin Luther einen Brief an den Erzbischof Albrecht von Brandenburg. Beigelegt waren seine 95 Thesen, in denen er sich vor allem gegen den geschäftsmäßigen Handel mit Ablassbriefen wandte. Da eine Antwort ausblieb, leitete Luther die Thesen an einige Bekannte weiter, die sie kurz darauf ohne sein Wissen veröffentlichten. So wurden sie zum Auslöser einer reichsweiten Diskussion.

Ein Höhepunkt dieser Bewegung war der Reichstag zu Worms, wo Luther am 17. April 1521 vor dem Kaiser erschien. Am ersten Tag legte man ihm viele seiner Schriften vor, zu denen er Stellung beziehen sollte. Dann wurde er zum wiederholten Mal aufgefordert, alles zu widerrufen. Luther bat um eine Nacht Bedenkzeit. Am folgenden Tag erklärte er, dass er nicht widerrufen könne, ohne gegen sein Gewissen und Gottes Wort zu handeln. Damit stellte er sich auf die Seite der Bibel – und gegen Rom.

Als Folge wurde Luther zum Ketzer erklärt. Die Reichsacht wurde über ihn verhängt, seine Schriften verboten, seine Person vogelfrei. Doch Kurfürst Friedrich III. erkannte, in welcher Gefahr sein Wittenberger Professor schwebte, und ließ ihn in einer Nacht-und-Nebel-Aktion auf die Wartburg bringen und verstecken. Dort begann Luther, das Neue Testament ins Deutsche zu übersetzen. Zwölf Jahre später erschien die vollständige Lutherbibel – eine außerordentliche Leistung!

Der Tagesvers bringt die Schlüsselerkenntnis Luthers auf den Punkt: Kein Mensch kann sich den Himmel durch eigene Leistung verdienen. Gott rettet den Sünder allein aus freier Gnade – und schenkt jedem, der an Jesus Christus glaubt, völlige Vergebung seiner Schuld und ewiges Leben.

**Tägliche Bibellese** 1. Chronika 23,1-32 · 1. Timotheus 1,18-20

1 **Sonntag**
**November**

SA 07:13 · SU 16:55
MA 22:50 · MU 14:00

*Die Hohenpriester aber wiegelten die Volksmenge auf, dass Pilatus ihnen lieber Barabbas freilasse. Pilatus aber antwortete und sprach wieder zu ihnen: Was wollt ihr denn, dass ich mit dem tue, den ihr König der Juden nennt? Sie aber schrien wieder: Kreuzige ihn! Pilatus aber sprach zu ihnen: Was hat er denn Böses getan? Sie aber schrien übermäßig: Kreuzige ihn! Da aber Pilatus der Volksmenge einen Gefallen tun wollte, ließ er ihnen Barabbas frei und überlieferte Jesus, nachdem er ihn hatte geißeln lassen, damit er gekreuzigt würde.*

Markus 15,11-15

## Gedanken zum Markus-Evangelium

Das Verhältnis des römischen Statthalters Pilatus und der Juden könnte man mit „Antipathie" beschreiben. Kein Wunder, dass Verhandlungen zwischen diesen beiden Parteien schwierig sind. Da Pilatus nicht riskieren will, dass ihn die Juden beim Kaiser anklagen, versucht er, Revolten in Judäa zu verhindern. Die Gepflogenheit, zum Passahfest einen Gefangenen zu begnadigen, hilft ihm dabei, das Volk zu besänftigen.

Jetzt ist es wieder so weit: Die Volksmenge fordert eine Freilassung. Sogleich bietet Pilatus ihnen „den König der Juden" an und hofft, dass sein Angebot ihnen zusagt. Denn am liebsten möchte er kein unschuldiges Blut vergießen.

Der Vergleich zwischen Barabbas und Jesus fällt eindeutig aus: dieser – ein Sohn des Teufels, jener – der Sohn Gottes; dieser – ein Mörder, jener – der Retter der Welt; dieser – ein Aufrührer, jener – ein Mann, „in dessen Mund keine Gegenreden sind" (Psalm 38,15).

Doch der Neid der Hohenpriester ist grausam: Sie hetzen die Volksmenge gegen Jesus auf, so dass diese nicht mehr zu bändigen ist. Ohne jegliche Begründung fordert sie die Kreuzigung Jesu, ganz gleich, was Pilatus ihnen auch entgegensetzt.

Das Volk, in dem Jesus Christus wohltuend und heilend gewirkt hat, entscheidet sich schließlich gegen Ihn. Genauso tragisch ist die Entscheidung des Pilatus: Er lässt den „Heiligen und Gerechten" töten, um seine politischen Vorteile zu sichern.

**Tägliche Bibellese** 1. Chronika 24,1-31 · 1. Timotheus 2,1-7

# 2 Montag November

SA 07:15 · SU 16:54
MA –:– · MU 14:21

***Wenn sie aber nicht hören, so rennen sie ins Geschoss [d. h. erleiden einen plötzlichen Tod] und verscheiden ohne Erkenntnis.***

Hiob 36,12

## Die Geisterfahrt (1)

22.12.2019, 0.36 Uhr. Eine Straßenbahn fährt durch die nächtliche Stadt. Der nächste Haltepunkt naht – doch die Wagen stoppen nicht. Einige der 20 Fahrgäste werden zwar misstrauisch, ahnen jedoch nicht, in welch großer Gefahr sie sich befinden.

Der Grund: Der Fahrzeugführer ist ohnmächtig geworden. Bewusstlos liegt er mit seinem ganzen Körpergewicht auf dem sogenannten *Totmannschalter*. Dieser muss dauerhaft gedrückt bleiben – wird er losgelassen, leitet die Elektronik nach wenigen Sekunden automatisch eine Zwangsbremsung ein. Doch da der Körper des Fahrers den Schalter weiterhin betätigt, greift die Sicherung nicht.

Erneut überfährt die Straßenbahn einen Haltepunkt. Inzwischen hat sie über 80 km/h erreicht. Jemand zieht die Notbremse, doch die Bahn fährt ungebremst weiter. Denn die Notbremse bewirkt lediglich, dass der Fahrer ein Warnsignal erhält – das der Bewusstlose aber nicht wahrnimmt. Daraufhin betätigen einige Fahrgäste die Notentriegelung der Türen, aber auch das bringt die Bahn nicht zum stehen. Nur die Fahrmotoren werden abgeschaltet, so dass die Bahn jetzt ausrollt – allerdings viel zu schnell. Sie rast über mehrere Bahnübergänge, ohne dass sich die Schranken schließen. Denn die Steuerkontakte, die das auslösen, sind auf eine derart hohe Geschwindigkeit nicht ausgelegt – sie reagieren zu langsam. Und noch immer rollt die Bahn ungebremst dahin.

Ist diese Geisterfahrt nicht ein Bild meines Lebens? Ich lebe, habe aber keine Kontrolle darüber. Ich renne und hetze durch den Tag, aber kann nicht anhalten. Manchmal spüre ich, dass das Tempo meines Lebens gefährlich ist – doch ich ahne nicht, wie groß die Gefahr wirklich ist. Wo ist der *Totmannschalter,* der mich retten kann?

**Tägliche Bibellese** 1. Chronika 25,1-31 · 1. Timotheus 2,8-15

# 3 Dienstag November

SA 07:17 · SU 16:52
MA 00:14 · MU 14:38

***Ein Zufall ist es uns gewesen.***

1. Samuel 6,9

## Die Geisterfahrt (2)

Die Straßenbahn rast ungebremst durch die nächtliche Stadt, denn der Fahrzeugführer ist ohnmächtig geworden. Die Fahrgäste betätigen die Notbremse – doch nichts passiert. Schließlich alarmieren sie die Polizei, die sich mit der Leitstelle der Verkehrsbetriebe in Verbindung setzt. Dort ist man noch völlig ahnungslos. So schnell wie möglich wird nun den Fahrgästen per Telefon erklärt, was sie tun sollen: Die Tür zur Fahrerkabine eintreten und den Totmannschalter freilegen! Gleichzeitig machen sich zahlreiche Rettungsdienste mit Blaulicht auf den Weg. Dann endlich – nach mehr als zehn langen Minuten – kommt die Bahn zum Stehen. Die albtraumartige Geisterfahrt ist zu Ende!

Natürlich wird der Vorfall untersucht. Der zuständige Regierungspräsident sagt später: „Mit einem führerlosen Zug durch die Nacht zu rasen, stellt man sich höchstens in Horrorfilmen vor. Das lässt einen den Atem stocken." 6,5 Kilometer fuhr die Bahn unkontrolliert mit nahezu 80 km/h durch die Dunkelheit. Was hätte alles passieren können, da sich viele Schranken nicht schlossen? Was wäre, wenn die Bahn entgleist wäre? Die Behörden recherchieren, prüfen – und kommen zu dem Schluss: „Es hätte alles viel schlimmer kommen können." Und: „Eine Verkettung von Zufällen, die es deutschlandweit so noch nie gab."

Natürlich – es hätte alles viel schlimmer kommen können. Aber: Eine bloße Verkettung von Zufällen? Deutet das Ganze nicht vielmehr darauf hin, dass jemand seine Hand über die Fahrgäste gehalten hat? So viele „Zufälle" auf einmal – beim Entstehen der Gefahr und bei der Bewahrung mittendrin? Ob der Fahrer oder die Fahrgäste Gott für die Rettung gedankt haben? Oder ist der Vorfall für sie nur eine Anekdote des Lebens, eine Geschichte zum Weitererzählen?

**Tägliche Bibellese** 1. Chronika 26,1-32 · 1. Timotheus 3,1-7

# 4 Mittwoch November

SA 07:19 · SU 16:50
MA 01:35 · MU 14:51

***Von hinten und von vorn hast du mich eingeengt und deine Hand auf mich gelegt.***

Psalm 139,5

## Von der Enge in die Weite

Der antike Psalmendichter David gewährt uns einen tiefen Einblick in seine Gedanken und Gefühle. Er beobachtet und stellt fest: „HERR, du hast mich erforscht und erkannt! Du kennst mein Sitzen und mein Aufstehen, du verstehst meine Gedanken von fern. Du sichtest mein Wandeln und mein Liegen und bist vertraut mit allen meinen Wegen. Denn das Wort ist noch nicht auf meiner Zunge, siehe, HERR, du weißt es ganz" (V. 1-4). Wir können nachvollziehen, dass David sich eingeengt und nahezu erdrückt fühlt, als hätte er kaum Luft zum Atmen.

Im Verlauf des Psalms lernt er Gott jedoch immer besser kennen: Er erkennt, dass Gott alles weiß (V. 1-6), dass Er überall gegenwärtig (V. 7-12) und allmächtig ist (V. 13-18). Es gibt keinen Ort, sei es in der Höhe oder in der Tiefe oder weit entfernt, an dem Gott nicht ist. Er bildet sogar die „Gebeine im Leib der Schwangeren" (Prediger 11,5), sieht die Persönlichkeit, die vom Knäuel und Embryo zum Baby heranwächst. Gott ist der Schöpfer, der alles gestaltet und formt.

Je mehr David Gott kennenlernt, desto mehr Vertrauen fasst er zu Ihm. Deshalb schließt er seinen Psalm mit dem innigen Wunsch: „Erforsche mich, Gott, und erkenne mein Herz; prüfe mich und erkenne meine Gedanken!" (V. 23).

David hat verstanden: Gott meint es gut mit mir, Er will mich segnen. Daher bittet er Gott, ihm die verborgenen Stellen in seinem Leben zu zeigen, wo Sünden schlummern, die bereinigt werden müssen, weil sie zwischen ihm und Gott stehen. David sehnt sich danach, nah bei Gott zu sein, und möchte, dass nichts das Miteinander mit Ihm stört.

Wer Gott in sein Leben hineinlässt, wird Großes erleben – auch heute noch. Er wird von der Enge in die Weite geführt.



**Tägliche Bibellese** 1. Chronika 27,1-34 · 1. Timotheus 3,8-16

# 5 Donnerstag November

SA 07:20 · SU 16:48
MA 02:52 · MU 15:04

*Die Himmel erzählen die Herrlichkeit Gottes.*

Psalm 19,2

## Das Weltall ist überwältigend

Es gibt eine *unvorstellbar große Anzahl* an Himmelskörpern. Und je weiter Raumsonden ins All vordringen und je leistungsfähiger Teleskope werden, desto mehr werden entdeckt. Die Bibel hat recht, wenn sie sagt, dass „das Heer des Himmels nicht gezählt werden kann" (Jeremia 33,22; ca. 600 v. Chr.).

Und doch ist das *Universum nahezu leer*. Ein Wissenschaftler verglich es einmal mit einer Kirche, die völlig leer ist – abgesehen von drei Sandkörnern, die man vergessen hat. Er kommt zu dem Schluss, dass diese Kirche voller wäre als das ganze Universum. Was für eine unvorstellbare Leere! Die Bibel beschreibt es poetisch so: Gott hat „die Erde über dem Nichts" aufgehängt (Hiob 26,7; ca. 2000 v. Chr.).

Die *Himmelskörper sind alle unterschiedlich.* Es gibt keine Standardgrößen, keine Sterne vom Fließband – jeder Stern, jede Galaxie, jeder Sternhaufen ist einzigartig. „Es unterscheidet sich Stern von Stern an Herrlichkeit" (1. Korinther 15,41; ca. 50 n. Chr.).

Hinzu kommen *unvorstellbare Entfernungen:* Könnte ein Mensch mit Lichtgeschwindigkeit reisen (300.000 Kilometer pro Sekunde), würde er in einem Jahr rund 10 Billionen Kilometer zurücklegen. Doch erst nach etwa 10 Milliarden Jahren hätte er – nach unserem heutigen Wissen – die Grenze des Universums erreicht.

Manche glauben, die Natur habe das alles von selbst hervorgebracht. Andere sprechen ehrlicher von einem Designer, weil ihnen klar ist, dass dies nicht ohne Plan entstanden sein kann. Und wieder andere wissen: Gott ist der Urheber, der Schöpfer. In der Kraft seiner Person hat Er das Weltall geschaffen – es ist „durch ihn und für ihn" geschaffen (Kolosser 1,16). Sie sind überzeugt: „Die Himmel erzählen die Herrlichkeit Gottes"!



**Tägliche Bibellese** 1. Chronika 28,1-21 · 1. Timotheus 4,1-6

# 6 Freitag November

SA 07:22 · SU 16:47
MA 04:08 · MU 15:17

***Die Vorübergehenden aber lästerten ihn, indem sie ihre Köpfe schüttelten und sagten: Wenn du Gottes Sohn bist, so steige herab vom Kreuz!***

Matthäus 27,39.40

## Jesus Christus kennenlernen – Was wäre, wenn …

… Jesus getan hätte, was die Menschen forderten?

Dann hätte Er sicherlich für jede Menge Gesprächsstoff gesorgt – bis neue Schlagzeilen aufgekommen wären.

Dann hätten die religiösen jüdischen Führer trotzdem nicht geglaubt, obwohl sie es angekündigt hatten: „Er steige jetzt vom Kreuz herab, und wir wollen an ihn glauben" (V. 42). Sie hatten seine vielen Wunder miterlebt und nicht geglaubt. Weshalb sollte ein weiteres Wunder ihre Einstellung ändern?

Doch wenn Jesus wirklich vom Kreuz gestiegen wäre und sich damit dem Spott der Massen entzogen hätte, …

... dann gäbe es für uns keinen Retter. Es gäbe keine Vergebung der Sünden, so dass Gott uns für unsere Schuld mit der ewigen Gottesferne bestrafen müsste.

... dann wüssten wir nicht, wie groß und gewaltig die Liebe Gottes ist, und der folgende Vers wäre nicht wahr: „Hierin ist die Liebe: nicht dass wir Gott geliebt haben, sondern dass er uns geliebt und seinen Sohn gesandt hat als Sühnung für unsere Sünden" (1. Johannes 4,10).

... dann gäbe es keinen Frieden mit Gott. Dann wären und blieben wir für immer Feinde Gottes und es gäbe nirgendwo eine Perspektive, dass sich diese Situation ändern würde.

... dann wäre Satan nicht besiegt, es gäbe keinen ewigen Trost und der Tod bliebe ein grausamer und gnadenloser Feind.

... dann wäre die Welt ohne Licht, ohne Hoffnung und ohne Liebe. Das Leben wäre dann einfach nur schrecklich.

Wie gut, dass Jesus Christus nicht vom Kreuz gestiegen ist – sondern dort litt und starb, so dass nun auch ich sagen kann: „Der Sohn Gottes hat mich geliebt und sich selbst für mich hingegeben" (Galater 2,20).

**Tägliche Bibellese** 1. Chronika 29,1-9 · 1. Timotheus 4,7-16

# 7 Samstag November

SA 07:24 · SU 16:45
MA 05:25 · MU 15:32

***Als Jesus in das Schiff gestiegen war, folgten ihm seine Jünger. Und siehe, ein großes Unwetter erhob sich auf dem See, so dass das Schiff von den Wellen bedeckt wurde.***

Matthäus 8,23.24

## Tabarly

Éric Tabarly gilt als einer der bekanntesten Hochseesegler des 20. Jahrhunderts. Zahlreiche Siege bei Segelregatten zeugen von seinem Können und seiner Fähigkeit, den Kräften des Ozeans zu trotzen. Doch 1998 endet seine Erfolgsgeschichte abrupt: Bei einer Nachtfahrt in der Irischen See geht er über Bord und ertrinkt. Zeit seines Lebens hatte er darauf bestanden, ohne Eigensicherung zu segeln.

Das Leben eines jeden Menschen gleicht einer Schiffsreise, die mit der Geburt beginnt und mit dem Tod endet. Niemand weiß, wann die Wellen so hochschlagen, dass unser „Lebensschiff" zu kentern droht. So erging es damals den Jüngern Jesu im Tagesvers. In ihrer Angst riefen sie: „Herr, rette uns, wir kommen um!“ (V. 25). Sie wussten, dass ihre eigene Kraft nicht mehr ausreichte und sie dem tobenden Seesturm hilflos ausgeliefert waren. In dieser Not wandten sie sich an den Einzigen, der sie retten und den Sturm stillen konnte: Jesus Christus. Als Sohn Gottes und Schöpfer aller Dinge müssen Ihm auch die Naturgewalten gehorchen. Auf sein Wort hin „trat eine große Stille ein“ (V. 26).

Éric Tabarly vertraute auf seine eigene Stärke im Kampf gegen die Wellen – doch dieser Glaube kostete ihn das Leben. Wenn wir hingegen nicht auf uns selbst, sondern auf Jesus Christus vertrauen, besitzen wir die beste „Eigensicherung“ für unser Leben: Der Glaube an Ihn macht den Himmel zu unserem „Heimathafen“. Und auf dem Weg dorthin ist der Herr Jesus in unserem "Lebensschiff" bei uns. Wir werden erleben, wie Er Stürme beruhigt – und vor allem, wie Er unsere Herzen selbst mitten im Sturm mit seinem Frieden erfüllt.

**Tägliche Bibellese** 1. Chronika 29,10-19 · 1. Timotheus 5,1-16

# 8 Sonntag November

SA 07:25 · SU 16:44
MA 06:40 · MU 15:49

***Die Soldaten aber führen Jesus in den Hof hinein, das ist das Prätorium; und sie rufen die ganze Schar zusammen. Und sie legen ihm einen Purpurmantel an und flechten eine Dornenkrone und setzen sie ihm auf. Und sie fingen an, ihn zu grüßen: Sei gegrüßt, König der Juden! Und sie schlugen ihn mit einem Rohrstab auf das Haupt und spien ihn an, und sie beugten die Knie und huldigten ihm.***

Markus 15,16-19

## Gedanken zum Markus-Evangelium

Barabbas, ein Mörder oder Jesus, der Gerechte und Wohltäter? Einen von diesen beiden Männern will der römische Statthalter Pilatus freilassen. Die aufgebrachte Volksmenge hat die Wahl – und entscheidet sich für Barabbas! Hinter dieser Entscheidung stecken die religiösen Führer des Volkes, die neidisch auf Jesus sind, weil sie durch Ihn an Ansehen und Einfluss verlieren.

Nun übernehmen die römischen Soldaten das „Kommando“. Sie meinen, mit Jesus machen zu dürfen, was sie wollen. Da sie keinerlei Beziehung zu Ihm haben, ist Schlimmstes zu befürchten. Denn vor Brutalität und Grausamkeit schrecken sie nicht zurück ...

Haben die Soldaten gut zugehört: Jesus meint ein König zu sein? Dann wird Ihm gewiss der rote Purpurmantel gut anstehen. Auch eine Krone soll Er tragen – natürlich nicht aus Gold und Edelsteinen, sondern aus Dornen. Dornen stehen für den verfluchten Erdboden; sie sind eine Folge des Sündenfalls, als Adam und Eva von der verbotenen Frucht aßen. Was für ein Spott: Jesus Christus, der Sündlose, trägt eine Dornenkrone!

Wie tief die heiligen Empfindungen des Herrn Jesus durch die Schläge, den Speichel und den Hohn verletzt wurden, können wir nicht ermessen. Uns bleibt nur, Ihm zu huldigen, der von Herzen demütig und sanftmütig ist (vgl. Matthäus 11,29).

Es kommt der Augenblick, wo alle, die Jesus zu ihren Lebzeiten die Ehre verweigert haben, ihre Knie vor Ihm beugen werden „und jede Zunge bekennen wird, dass Jesus Christus Herr ist“ (Philipper 2,10.11).

**Tägliche Bibellese** 1. Chronika 29,20-30 · 1. Timotheus 5,17-25

# 9 Montag November

SA 07:27 · SU 16:42
MA 07:56 · MU 16:10

***Ich werde euch ein neues Herz geben und einen neuen Geist in euer Inneres.*** Hesekiel 36,26

***Niemand näht einen Flicken von neuem Tuch auf ein altes Kleidungsstück.***

Markus 2,21

## Irreparabel!

Ein alter Mann besaß ein kleines, baufälliges Haus. Eines Tages kommt ein reicher Fremder zu ihm und fragt, ob er das Häuschen samt Grundstück kaufen könne. Der Alte schaut ihn verdutzt an, doch als der Fremde ihm einen sehr guten Preis nennt, willigt er ein. Er hat ohnehin vor, bald in ein Seniorenheim zu ziehen. Der Kaufvertrag wird besiegelt und der Fremde verabschiedet sich.

Nachdenklich sieht sich der alte Mann in seinem Haus um und murmelt: „In diesem Zustand kannst du das nicht verkaufen." Also beschließt er, alles Mögliche zu reparieren. Zuerst ersetzt er die zerbrochenen Fensterscheiben, dann richtet er die Türen neu aus und befestigt die wackelige Treppe. Zuletzt kümmert er sich um den Ofen und das Dach. Stolz betrachtet er sein Werk und denkt: „Jetzt kannst du das Haus mit gutem Gewissen übergeben!"

Doch kaum ist der Kaufpreis bezahlt, lässt der neue Besitzer das alte Haus einfach abreißen. Er will das Grundstück für einen Neubau nutzen.

Diese Erzählung erinnert mich daran, wie Gott das Leben eines Menschen verändert.

Wer hat nicht schon versucht, sein „Haus", also sich selbst, zu verbessern, um Gott zu gefallen? Doch Gott benötigt unsere „Reparaturen" nicht. Kein Mensch kann sich selbst veredeln, und Gott tut es auch nicht. Er schafft etwas Neues!

Jeder, der erkennt, dass er mit seiner Schuld vor Gott nicht bestehen kann, und glaubt, dass nur Christus ihn von seinen Sünden befreien kann, erhält ein „neues Leben". Seine belastete Vergangenheit wird von Gott endgültig ausgelöscht. Solchen Menschen verspricht Gott: „Ihrer Sünden und ihrer Gesetzlosigkeiten werde ich nie mehr gedenken" (Hebräer 10,17). Er schenkt ihnen ein neues Herz, das fähig ist, Ihn zu lieben und Ihm zu gefallen.

**Tägliche Bibellese** 2. Chronika 1,1-18 · 1. Timotheus 6,1-10

# 10 Dienstag November

SA 07:29 · SU 16:41
MA 09:10 · MU 16:38

***Vor Traurigkeit zerfließt in Tränen meine Seele; richte mich auf nach deinem Wort!***

Psalm 119,28

## Worte der Bibel: zur Ermutigung

Die Bibel ist ein faszinierendes Buch, das mit keinem anderen zu vergleichen ist. Sie ist weit mehr als ein „Buch" – sie ist das Wort Gottes. In ihr erfahren wir, wer Gott ist, was den Menschen ausmacht und wie Gott handelt.

Gott hat uns sein Wort aber nicht nur zur Erkenntnis, sondern auch zur Ermutigung gegeben. Er weiß um die vielen Herausforderungen, die uns im Leben begegnen, und möchte uns durch sein Wort Mut machen und trösten.

Manche Menschen fragen sich, warum Christen selbst in leidvollen Umständen einen tiefen Frieden ausstrahlen. Die Antwort liegt in der Bibel: Die Gläubigen stützen sich auf Gottes Verheißungen und erfahren darin seinen Frieden.

Hier einige Bibelverse, die alle ermutigen, die täglich mit Jesus Christus leben und voller Hoffnung auf die herrliche Zukunft bei Ihm warten:

- „Der HERR ist mein Fels und meine Burg und mein Retter; mein Gott, mein Schutz, zu ihm werde ich Zuflucht nehmen ... Mit meinem Gott werde ich eine Mauer überspringen" (Psalm 18,3.30).
- „Jesus sprach: Seid guten Mutes, ich bin es; fürchtet euch nicht!" (Matthäus 14,27).
- „Seid um nichts besorgt, sondern in allem lasst durch Gebet und Flehen mit Danksagung eure Anliegen vor Gott kundwerden; und der Friede Gottes, der allen Verstand übersteigt, wird eure Herzen und euren Sinn bewahren in Christus Jesus" (Philipper 4,6.7).
- „Bis in euer Greisenalter bin ich derselbe, und bis zu eurem grauen Haar werde ich euch tragen" (Jesaja 46,4).
- „Gott wird jede Träne von ihren Augen abwischen, und der Tod wird nicht mehr sein noch Trauer noch Geschrei noch Schmerz wird mehr sein" (Offenbarung 21,4).

**Tägliche Bibellese** 2. Chronika 2,1-9 · 1. Timotheus 6,11-21

# 11 Mittwoch November

SA 07:30 · SU 16:39
MA 10:17 · MU 17:17

***Das Wort vom Kreuz ist denen, die verloren gehen, Torheit. ... Das Törichte Gottes ist weiser als die Menschen, und das Schwache Gottes ist stärker als die Menschen.***

1. Korinther 1,18.25

## Das Wort vom Kreuz

„Das Wort vom Kreuz" ist die Botschaft vom Sühnetod Jesu Christi. Nicht wenige Menschen glauben zwar an die Existenz Gottes, können aber mit Jesus und seinem Kreuz nichts anfangen oder reagieren ungehalten, wenn sie darauf angesprochen werden. Dagegen fänden sie es ganz akzeptabel, wenn der Mensch sich die ewige Glückseligkeit durch gute Taten erwerben müsste. Ein zum Tod verurteilter Jesus könne sie ihrer Meinung nach nicht erretten.

Deshalb nehmen unter den „Weisen" dieser Welt nicht viele „das Wort vom Kreuz" an (V. 26). Denn wer seinen eigenen Kenntnis- und Erfahrungshorizont zum Maßstab macht, statt auf Gott zu hören, hält das Kreuz für unsinnig und kraftlos. Wie sollte ein Hingerichteter es auch wert sein, dass man Ihm vertraut, wenn Er sich nicht einmal zu wehren verstand und nicht die Kraft hatte, seine Idee durchzusetzen? – So wendet man sich hochmütig von dem gekreuzigten Retter ab.

Doch was in den Augen vieler Menschen „töricht" und „schwach" ist, ist in Wahrheit „weise" und „stark". Und wer die Weisheit und Stärke Gottes, die sich im Kreuzestod Jesu zeigt, anerkennt und glaubend an sich erfährt, wird frei und glücklich. Verlorene Sünder erkennen, dass Gott ihnen in Christus „Weisheit, Gerechtigkeit und Erlösung" anbietet (V. 30). Deshalb vertrauen sie Ihm als ihrem Retter.

**Tägliche Bibellese** 2. Chronika 2,10-17 · 2. Timotheus 1,1-8

# 12 Donnerstag November

SA 07:32 · SU 16:38
MA 11:14 · MU 18:06

***Warum wird es bei euch für unglaubhaft gehalten, wenn Gott Tote auferweckt?***

Apostelgeschichte 26,8

## Unmöglich!?

Jesus Christus hat Tote auferweckt: ein junges Mädchen, das gerade erst gestorben war, einen jungen Mann, der schon ein paar Stunden tot war, und Lazarus, der bereits vier Tage im Grab lag.

Jesus sagt auch, dass eines Tages „alle, die in den Gräbern sind, seine Stimme hören und hervorkommen werden: die das Gute getan haben, zur Auferstehung des Lebens, die aber das Böse verübt haben, zur Auferstehung des Gerichts" (Johannes 5,28.29). Doch viele Menschen halten das für unmöglich. Sie glauben nicht, dass einmal alle – Lebende wie Tote – vor Gott Rechenschaft über ihr Leben ablegen müssen.

Unmöglich? Ein Blick in die Geschichte zeigt etwas anderes: Hätte man 539 v. Chr. die Bewohner

Babylons gefragt, ob der persische Eroberer Kyros ihre Stadt einnehmen könnte, hätten sie es für ausgeschlossen gehalten. Babylon galt als uneinnehmbar – geschützt durch zwei meterdicke Mauern und einen tiefen Wassergraben. Zudem waren Vorräte für zwanzig Jahre eingelagert, so dass man die Belagerer ignorieren konnte. Man fühlte sich sicher.

Eines Nachts jedoch feierten sie ein großes Fest (vgl. Daniel 5). Dort wurde König Belsazar prophezeit, dass sein Königreich zerteilt und den Medern und Persern gegeben werden würde (V. 28). Währenddessen ließ Kyros den Euphrat, der durch die Stadt floss, in die Belagerungsgräben umleiten. So konnten seine Truppen auf dem trockenen Flussbett unter den Mauern hindurchmarschieren. Belsazar wurde getötet (V. 30), das babylonische Weltreich fiel, und die Meder und Perser übernahmen die Herrschaft.

Die Eroberung war nicht unmöglich – nur unvorstellbar. Genau darin lag der Fehler.

Warum wird es heute für unglaubhaft gehalten, dass Gott Tote auferweckt? Wenn Er das nicht könnte, wäre Er nicht Gott.

**Tägliche Bibellese** 2. Chronika 3,1-17 · 2. Timotheus 1,9-18

# 13 Freitag November

SA 07:34 · SU 16:36
MA 11:59 · MU 19:06

***Jesus sprach: Es ist vollbracht! Und er neigte das Haupt und übergab den Geist.***

Johannes 19,30

## Jesus Christus kennenlernen – Es ist vollbracht!

Drei Stunden tiefe Finsternis herrschen über Golgatha, dem Hinrichtungshügel vor Jerusalem. Was sich in dieser Zeit an diesem Ort abspielt, übersteigt jegliche menschliche Vorstellungskraft. Jesus Christus, der Sohn Gottes, hängt am Kreuz, beladen mit Sünden, und wird von Gott gerichtet. Die äußere Finsternis spiegelt nur schwach die grenzenlose Dunkelheit und das Grauen wider, das Jesus durchlebt. In seiner tiefsten Not schreit Er: „Mein Gott, mein Gott, warum hast du mich verlassen?" (Matthäus 27,46).

Dunkelheit und Grabesstille, bis es schließlich wieder hell wird. Eine letzte Verhöhnung, vermutlich um den Tod des Gequälten weiter hinauszuzögern: Gegen den schrecklichen Durst hält man Jesus einen Schwamm an die Lippen, der mit essigsaurem Wein getränkt ist.

Jesus nimmt den Essig und erhebt noch einmal seine Stimme: „Es ist vollbracht!“ Mit diesen Worten stirbt Er. Johannes, der selbst Zeuge dieser letzten Stunden war, beschreibt es so: „Jesus übergab den Geist.“ Ein erstaunlich aktives Sterben!

„Es ist vollbracht!“ – diese Botschaft gilt für alle Ewigkeit. Jesus hat seinen Auftrag für Gott und die Menschen so vollständig erfüllt, dass es nie mehr irgendeiner Ergänzung bedarf!

*Es ist vollbracht,*
*das große Werk, das schwere.*
*Gott ist gerecht, Ihm ward nun Seine Ehre*
*durch Seinen Sohn, der laut verkündet hat:*
*„Es ist vollbracht!“*

*Es ist vollbracht!*
*Was Gottes Liebe wollte,*
*was für den Sünder, den verlornen, sollte*
*zur Rettung und zum ew'gen Heile sein,*
*das ist vollbracht.*

Jacques Erné (1825 -1883)

**Tägliche Bibellese** 2. Chronika 4,1-22 · 2. Timotheus 2,1-6

# 14 Samstag November

SA 07:36 · SU 16:35
MA 12:33 · MU 20:13

***Ich habe deine Übertretungen getilgt wie einen Nebel, und wie eine Wolke deine Sünden. Kehre um zu mir, denn ich habe dich erlöst!***

Jesaja 44,22

## Smog

Bei kaltem Wetter, ausgeglichenen Druckverhältnissen und Windstille steht die Luft buchstäblich still. Tritt eine solche Wetterlage in einer Großstadt auf, reichern sich schädliche Emissionen schnell an – die Luft wird stark verschmutzt. Es entsteht ein Wintersmog, der der Gesundheit ernsthaft schadet. In solchen Zeiten bleibt man am besten zu Hause, wenn es irgendwie möglich ist.

Eine wirklich unangenehme Zeit! Umso größer ist die Erleichterung, wenn sich der Himmel wieder aufklart und man wieder frei durchatmen kann.

Ein ähnliches – nur weit tiefergehendes – Gefühl der Befreiung erlebt ein Mensch, wenn sich die „Luft" zwischen ihm und Gott klärt. Auf jedem Menschen lastet nämlich eine dicke Wolke von Sünden, die ihn von Gott trennt. Je länger man zögert, seine Schuld zu bekennen, desto dichter und dunkler wird dieser „Sündensmog".

In dieser bedrückenden Lage besteht die Gefahr, dass wir nach irgendeiner Ablenkung suchen. Man greift zu Alkohol, beginnt regelmäßig zu spielen oder sucht auf anderen Wegen das Gewissen zu betäuben. Doch echte Befreiung kann nur von oben kommen.

Gott will uns von der Sündenlast erlösen, wenn wir bereit sind, unser Versagen anzuerkennen und auf sein Wort zu hören: „Nehmt Worte mit euch und kehrt um zu dem HERRN; sprecht zu ihm: Vergib alle Ungerechtigkeit" (Hosea 14,3).

Dann geschieht das Wunder, das im Tagesvers beschrieben ist: Gott tilgt unsere Sünden wie Nebel – und wir dürfen aufatmen in der klaren, frischen „Luft" der Vergebung.

**Tägliche Bibellese** 2. Chronika 5,1-14 · 2. Timotheus 2,7-13

# 15 Sonntag November

SA 07:37 · SU 16:34
MA 12:58 · MU 21:24

***Und als sie Jesus verspottet hatten, zogen sie ihm den Purpurmantel aus und zogen ihm seine Kleider an; und sie führen ihn hinaus, um ihn zu kreuzigen. Und sie zwingen einen Vorübergehenden, einen gewissen Simon von Kyrene, der vom Feld kam, den Vater von Alexander und Rufus, sein Kreuz zu tragen.***

Markus 15,20.21

## Gedanken zum Markus-Evangelium

Nachdem der römische Statthalter Pilatus sich darauf eingelassen hatte, den Mörder Barabbas freizulassen, übergab er Jesus dem Willen seiner Ankläger (Lukas 23,25). Diese Entscheidung – ebenso wie alles, was in den Stunden darauf geschah – war das schlimmste Verbrechen in der Geschichte der Menschheit. Denn es war nicht irgendein Mensch, der misshandelt und gekreuzigt wurde, sondern der Sohn Gottes selbst. Seine Zeichen und Wunder ließen keinen Zweifel daran, wer Er war.

Jetzt geht es „hinaus“. Außerhalb der Stadt lag ein Ort, wo Verbrecher gekreuzigt wurden – ähnlich wie zur Zeit Moses Lästerer „außerhalb des Lagers“ gesteinigt wurden. Bemerkenswert, dass für gewisse Opfer, die für Sünden dargebracht wurden, eine ähnliche Anweisung galt: Das Opfertier musste „außerhalb des Lagers“ verbrannt werden. So erfüllte sich auch diese Vorschrift in der Person Jesu. Denn Er wurde das Opfer für die Sünden und litt „außerhalt des Tores“ (3. Mose 24,14; 4,12.21; Hebräer 13,12).

Es ist zwischen 8:00 und 9:00 Uhr am Morgen. Auf dem Weg nach Golgatha, wo Jesus gekreuzigt werden soll, erscheint plötzlich ein Nordafrikaner. Offensichtlich hat er seine Feldarbeit unterbrochen oder beendet. Ist er neugierig? Oder einfach nur auf dem Heimweg? Wir wissen es nicht. Doch seine Begegnung mit Jesus hat weitreichende Folgen. Zum einen wird ihm das Kreuz Jesu aufgebürdet. Zum anderen sind seine beiden Söhne „Alexander und Rufus“ später als Christen bekannt.

Wer heute mit Jesus in Berührung kommt, wird Ihm gegenüber nicht neutral bleiben können: Entweder lehnt er Ihn ab – oder er folgt Ihm nach.

**Tägliche Bibellese** 2. Chronika 6,1-21 · 2. Timotheus 2,14-26

# 16 Montag November

SA 07:39 · SU 16:32
MA 13:18 · MU 22:36

***Ich habe alle Taten gesehen, die unter der Sonne geschehen; und siehe, alles ist Eitelkeit und ein Haschen nach Wind.***

Prediger 1,14

## Die Titanic: Der Mensch und seine Grenzen

Die Titanic zählt ohne Zweifel zu den bekanntesten Passagierschiffen der Geschichte. Bei ihrer Inbetriebnahme war sie nicht nur das größte Schiff weltweit, sondern wurde auch als Höhepunkt der damaligen Schiffbaukunst gefeiert. Neben der fortschrittlichen Technik bot sie außergewöhnlichen Komfort: exklusive Appartements, elegante Salons, einen Konzertsaal, ein beheiztes Schwimmbad, einen Gymnastikraum und sogar eine mehrstöckige Squash-Anlage – wahrhaft ein schwimmender Palast. Darüber hinaus wurde sie als unsinkbar angesehen, weshalb man auf eine ausreichende Anzahl von Rettungsbooten verzichtete.

Ihre erste Atlantiküberquerung verspricht ein Triumphzug zu werden. Am 10. April 1912 sticht die Titanic im englischen Southampton in See. Mehr als 2200 Menschen sind an Bord, darunter zahlreiche Prominente.

Der Abend des 14. April endet in absoluter Hochstimmung. Obwohl eine Warnung vor Eisbergen vorliegt, werden die Maschinen auf Hochtouren gefahren. Es ist eine mondlose, klare Nacht. Die See ist ruhig und hat eine Temperatur von –1 °C. Um 23.40 Uhr schlägt der Ausguck dreimal die Alarmglocke und meldet: „Eisberg direkt voraus!" Ein verzweifeltes Manöver wird versucht – doch zu spät! Das Schiff wird leicht durchgeschüttelt und man hört ein Geräusch von reißendem Metall. Die Maschinen werden ausgeschaltet und die Titanic liegt scheinbar friedlich auf dem Meer. Doch unten strömt Wasser mit einer Geschwindigkeit von fünf Tonnen pro Sekunde in das Schiff.

Viertel nach zwölf: Kapitän Edward Smith muss feststellen, dass das Unmögliche geschehen ist und die Titanic in den nächsten zwei Stunden sinken wird. – Es hat sich gezeigt, wie schnell Menschenwerk vergehen kann. Allein Gott schafft Werke, die in Ewigkeit Bestand haben.

(Fortsetzung morgen)

**Tägliche Bibellese** 2. Chronika 6,22-42 · 2. Timotheus 3,1-9

# 17 Dienstag November

SA 07:40 · SU 16:31
MA 13:33 · MU 23:50

***Die sich auf Schiffen aufs Meer hinabbegeben, auf großen Wassern Handel treiben ... Sie fahren hinauf zum Himmel, sinken hinab in die Tiefen; es zerschmilzt in der Not ihre Seele.***

Psalm 107,23.26

## Die Titanic: Eine schmerzhafte Lektion

Dreißig Minuten nach der Kollision mit dem Eisberg fordert der Kapitän der leckgeschlagenen Titanic die Passagiere auf, an Deck zu gehen. Um 0:40 Uhr wird das erste Rettungsboot zu Wasser gelassen. Es Ist nur zur Hälfte gefüllt, da die meisten Passagiere sich auf dem riesigen Schiff sicherer fühlen als in einem schwankenden Kahn. Doch das Drama wird immer offensichtlicher und langsam breitet sich Panik aus. Zur Beruhigung spielt die Bordkapelle verschiedene Melodien, zuletzt vermutlich das Lied „Näher, mein Gott, zu dir".

Um 2:17 Uhr bricht das Schiff auseinander. Das Heck richtet sich noch kurz auf und drei Minuten später ist die unsinkbare Titanic verschwunden. Mehr als 1500 Menschen werden mit in den Tod gerissen. Ihr Schicksal berührt uns bis heute.

Das Drama der Titanic symbolisiert die Überheblichkeit des Menschen. Viele glauben, mit ihrem Verstand und ihren Fähigkeiten alles erreichen zu können. Sie fordern die Kräfte der Natur heraus, ohne zu bedenken, dass sie damit auch Gott herausfordern. Doch „Gott ist erhabener als ein Mensch" (Hiob 33,12). Er ist der souveräne Schöpfer, der alles unter Kontrolle hat. Manchmal lässt Er tragische Ereignisse wie den Untergang der Titanic geschehen, damit wir uns bewusst werden, dass wir ganz auf Ihn und seine Hilfe angewiesen sind. Zudem sollen wir über unser eigenes Leben nachdenken. „Was, wenn ich dort umgekommen wäre?"

Niemand kann den Zeitpunkt seines Todes voraussehen. Wer ohne Vergebung seiner Sünden stirbt, hat Gottes gerechte Strafe zu erwarten. Das Heilsangebot Gottes muss zu Lebzeiten angenommen werden – heute ist es noch möglich!

**Tägliche Bibellese** 2. Chronika 7,1-10 · 2. Timotheus 3,10-17

# 18 Mittwoch November

SA 07:42 · SU 16:30
MA 13:47 · MU –:–

***Der HERR ist mein Hirte, mir wird nichts mangeln.***

Psalm 23,1

## Rundum versichert

In der Werbung einer Versicherung lesen wir: „Die Zukunft gehört denen, die dafür vorsorgen." Dann werden alle Risiken aufgezählt, gegen die man sich bei dieser Versicherung schützen kann.

Auf geistlichem Gebiet hat der gläubige Christ ebenfalls eine „Versicherung", und die ist viel weitreichender als jede irdische Versicherung. Er weiß sich wie der Dichter von Psalm 23 sicher geborgen: „Der HERR ist mein Hirte, mir wird nichts mangeln." Heißt das, dass es nun keine Schwierigkeiten mehr gibt? Das nicht, aber selbst mitten in den Schwierigkeiten des Lebens weiß der Gläubige, dass sein Herr ihm versprochen hat, für alle seine Belange zu sorgen, so dass ihm „nichts mangeln" wird.

Ein Hirte, der die Bezeichnung „guter Hirte" verdient, führt seine Herde auf Weiden, wo es genug frisches Grün und Wasser gibt. Er sorgt auch für Schutz vor Unwetter und Räubern. Schließlich wacht er über den Gesundheitszustand jedes einzelnen Schafes und pflegt die kranken Tiere. Die Schafe sind sicher und geborgen bei diesem Hirten.

Genauso erleben Gläubige täglich die treue Fürsorge ihres Meisters. Die „Versicherungspolice" tritt dann in Kraft, wenn ein Mensch sich seiner Schuld vor Gott bewusst wird und Jesus Christus als seinen Erretter annimmt. Die „Deckung" dieser Versicherungspolice erstreckt sich sowohl auf das Diesseits als auch auf das Jenseits. Jesus sagt von seinen Schafen: „Ich gebe ihnen ewiges Leben" (Johannes 10,28). Und das ganz umsonst: Es ist die Gabe Gottes. Das Angebot gilt allen, aber man muss es persönlich in Anspruch nehmen.

**Tägliche Bibellese** 2. Chronika 7,11-22 · 2. Timotheus 4,1-8

# 19 Donnerstag November

SA 07:44 · SU 16:29
MA 13:59 · MU 01:03

***Ich nehme heute den Himmel und die Erde als Zeugen gegen euch: Das Leben und den Tod habe ich euch vorgelegt, den Segen und den Fluch! So wähle das Leben, damit du lebst.***

5. Mose 30,19

## Die sichere Wahl

In demokratisch regierten Ländern gibt es jedes Jahr Wahlen – vom Gemeinderat und Ortsvorsteher bis hin zum Parlament und der Staatsregierung. In manchen dieser Länder besteht Wahlpflicht, in anderen bleibt es jedem Bürger selbst überlassen, ob er wählen geht oder nicht.

Auch im Berufs- und Privatleben müssen täglich Entscheidungen getroffen werden. Viele davon sind unproblematisch oder lassen sich leicht korrigieren. Andere dagegen haben weitreichende Bedeutung, gravierende Auswirkungen oder können nicht rückgängig gemacht werden. Dann gilt es, das Für und Wider sorgfältig abzuwägen.

Ob in der Politik oder im persönlichen Leben – aus menschlicher Perspektive bleibt bei jeder Entscheidung die Unsicherheit, ob es die richtige Wahl war. Denn niemand weiß, ob sich die Zukunft so entwickelt, wie wir es zu dem Zeitpunkt unserer Entscheidung angenommen haben.

Gott forderte sein irdisches Volk Israel damals auf, zwischen Fluch und Segen, Leben und Tod zu wählen. Diese Wahl muss auch heute noch jeder Mensch treffen – unabhängig von Staatsangehörigkeit und Herkunft. Sie entscheidet darüber, wo er die Ewigkeit verbringt. Es gibt nur zwei Möglichkeiten: ewige Gottesferne oder ewiges Leben in der Gemeinschaft mit dem Sohn Gottes. Gott selbst verspricht in der Bibel: „Glaube an den Herrn Jesus, und du wirst errettet werden" (Apostelgeschichte 16,31). Wer dieser Einladung folgt, hat die richtige Wahl getroffen – eine Entscheidung, die lebensrettend ist und für immer Bestand hat.

**Tägliche Bibellese** 2. Chronika 8,1-18 · 2. Timotheus 4,9-22

# 20 Freitag November

SA 07:45 · SU 16:28
MA 14:12 · MU 02:18

***Jesus rief mit lauter Stimme und sprach: Vater, in deine Hände übergebe ich meinen Geist! Als er aber dies gesagt hatte, verschied er.***

Lukas 23,46

***Christus ist für unsere Sünden gestorben.***

1. Korinther 15,3

## Jesus Christus kennenlernen – Gestorben

Es ist grauenhaft, beängstigend und erschütternd, was die Bekannten Jesu miterleben müssen. Diese kleine Gruppe bildet den letzten harten Kern, der wirklich bis zum bitteren Ende in der Nähe von Jesus geblieben ist. Von den zwölf Jüngern ist nur der vermutlich jüngste dabei: Johannes. Ihr geliebter Meister, der sonst so souverän und siegreich allen Situationen begegnete, wurde von seinen Feinden verhaftet, angeklagt, beleidigt, angespuckt und brutal geschlagen. Schließlich wurden sie Zeugen seiner Hinrichtung am Kreuz.

Warum hatte Er sich dieses Mal nicht in Sicherheit gebracht, wie Er es zuvor in brenzligen Situationen getan hatte (vgl. Lukas 4,28-30)? Vielleicht hallt in Johannes der düstere Satz nach, den Jesus bei seiner Verhaftung sprach: „Dies ist eure Stunde und die Gewalt der Finsternis" (Lukas 22,53). Und dann wurde es buchstäblich finster, mitten am Tag. Die Sonne verbarg sich völlig – drei unheimliche Stunden lang! Am Ende schrie Jesus nach seinem Gott: „Warum hast du mich verlassen?" Schließlich wurde es wieder hell, und Jesus starb.

Sie alle sind Zeugen: Jesus ist gestorben. Um dies zu bestätigen, folgt noch eine letzte „Misshandlung" durch einen Soldaten, der Ihm einen Speer in die Seite stößt. Aus der Wunde treten Blut und Wasser getrennt hervor – ein sicheres Zeichen für den eingetretenen Tod (vgl. Johannes 19,34).

Ein kleiner Trost für die trauernden Nachfolger Jesu: Zwei einflussreiche Männer aus der versteckten Anhängerschaft Jesu treten mutig hervor und sorgen für ein würdiges Begräbnis.

Erst später verstehen die stillen Zeugen: Jesus wusste, was kommen würde. Er starb freiwillig und aus Liebe, damit sündige Menschen gerettet werden und zu Gott kommen können.

**Tägliche Bibellese** 2. Chronika 9,1-12 · Offenbarung 1,1-11

DIE GUTE SAAT 2026 • CSV-Verlag • www.csv-verlag.de

# 21 Samstag November

SA 07:47 · SU 16:26
MA 14:26 · MU 03:37

*Nimm zu Ohren, HERR, mein Gebet, und horche auf die Stimme meines Flehens! Am Tag meiner Bedrängnis werde ich dich anrufen, denn du wirst mich erhören.*

Psalm 86,6.7

## Liedergeschichten – Welch ein Freund ist unser Jesus

„Welch ein Freund ist unser Jesus" ist ein bekanntes und berührendes Glaubenslied des irischen Christen Joseph Scriven (1819-1886). Darin weist der Autor auf die Bedeutung des Gebets hin – eine Erfahrung, die tief in seinem eigenen Leben verwurzelt ist. Denn solch tiefgehende Glaubenslieder entstehen nicht ohne eine persönliche Vorgeschichte:

Scrivens Leidensgeschichte beginnt am Tag vor seiner ersten Hochzeit: Seine Braut stirbt direkt vor seinen Augen bei einem tragischen Unfall. Von diesem Schicksalsschlag gezeichnet, wandert er nach Kanada aus. Einige Jahre später verlobt er sich dort mit einer Frau namens Eliza Roche. Doch auch dieses Glück hält nicht lange an. Wenige Wochen vor der geplanten Hochzeit stirbt Eliza an einer Lungenentzündung.

Erneut bleibt Scriven allein zurück. Von da an widmet er sich ganz dem Dienst an seinen Mitmenschen. Einige Zeit nach dem Tod seiner zweiten Verlobten schreibt er dieses Lied über das Gebet und sendet es seiner besorgten Mutter in Irland. Er konnte nun anderen mit demselben Trost begegnen, den er selbst bei Jesus Christus erfahren durfte.

Sein Lied ist bis heute ein lebendiges Zeugnis für den Trost, der jedes Leid überwindet, weil Gott selbst es ist, der tröstet.

*Sind mit Sorgen wir beladen,*
*sei es frühe oder spät,*
*hilft uns sicher unser Jesus,*
*fliehn zu Ihm wir im Gebet.*
*Da erweist sich Jesu Treue,*
*wie Er uns zur Seite steht*
*als ein mächtiger Erretter,*
*der erhört ein ernst Gebet.*

**Tägliche Bibellese** 2. Chronika 9,13-31 · Offenbarung 1,12-20

# 22 Sonntag November

SA 07:49 · SU 16:25
MA 14:44 · MU 05:00

***Und sie bringen Jesus zu der Stätte Golgatha, was übersetzt ist: Schädelstätte. Und sie gaben ihm Wein, mit Myrrhe vermischt; er aber nahm es nicht. Und als sie ihn gekreuzigt hatten, verteilen sie seine Kleider unter sich, indem sie das Los darüber werfen, was jeder bekommen sollte.***

Markus 15,22-24

## Gedanken zum Markus-Evangelium

Die Bezeichnung *Golgatha* ist die griechische Form des aramäischen Wortes *gulgultha.* Der Evangelist Markus fügt die Übersetzung gleich hinzu, damit seine Leser verstehen, was *Golgatha* bedeutet: *Schädelstätte.* Vermutlich handelte es sich um eine Felsformation, die einem Schädel glich. Dieser höhergelegene Ort bei Jerusalem war gut geeignet, um eine Hinrichtung für viele Menschen sichtbar und abschreckend durchzuführen.– An diesem Ort soll der Sohn Gottes sterben!

Die Vorbereitungen für die Kreuzigung laufen auf Hochtouren. Doch bevor die schweren Nägel durch die Hände bzw. Handwurzeln getrieben werden, bieten die Henker Jesus ein Betäubungsgetränk an, das die Schmerzen der Kreuzigung lindern soll. So erfüllt sich eine weitere Aussage des Alten Testaments: „Sie gaben in meine Speise Galle“ (Psalm 69,22; vgl. Matthäus 27,34).

Doch warum nimmt der Herr Jesus dieses Getränk nicht an? Gewiss, weil Er bis zu seinem Tod bei vollem Bewusstsein sein will. Denn Er würde nicht allein die unsäglichen Schmerzen der Kreuzigung erleiden, sondern dort auch von Gott verlassen werden, wie wir noch sehen werden (vgl. Markus 15,34).

Markus schildert keine Einzelheiten der Kreuzigung. Offensichtlich konnte er davon ausgehen, dass seine Leser wussten, dass es sich um eine der qualvollsten Hinrichtungsarten handelt. Es erfüllt mich mit großer Bewunderung für Jesus, meinen Retter, dass Er dieses Leid bewusst ertrug.

Unter dem Kreuz Jesu teilen die Soldaten seine Kleider unter sich auf. Obwohl auch dieses Detail exakt vorausgesagt war, blieben sie voll verantwortlich für ihr pietätloses Verhalten (vgl. Psalm 22,19).

**Tägliche Bibellese** 2. Chronika 10,1-19 · Offenbarung 2,1-7

# 23 Montag November

SA 07:50 · SU 16:24
MA 15:08 · MU 06:28

***Gott hat seinen eigenen Sohn nicht verschont, sondern ihn für uns alle hingegeben.***

Römer 8,32

## Der silberne Stern

Kurz nach dem Zweiten Weltkrieg ging ein Vater mit seinem kleinen Sohn am Abend durch die Straßen einer amerikanischen Großstadt. Immer wieder entdeckten sie an Fenstern silberne Sterne, die an die Scheiben geklebt waren – ein Zeichen dafür, dass aus dieser Familie ein Sohn im Krieg gefallen war. Manchmal sahen sie sogar zwei Sterne, was bedeutete, dass diese Familie gleich zwei Söhne hergeben musste. Das Kind begann, die Sterne zu zählen.

Als sie weitergingen, erschien zwischen zwei Häusern funkelnd der Abendstern am Himmel.

Der Junge blieb stehen und rief: „Papa, hat denn auch Gott einen Sohn hingegeben?" Der Vater ergriff fest die Hand seines Kindes und antwortete bewegt: „Ja, Gott hat seinen einzigen, geliebten Sohn gegeben – zur Rettung für jeden von uns."

Gott wusste genau, wie die Menschen seinen geliebten Sohn auf der Erde behandeln würden: eine Krippe für seine Geburt und ein Kreuz für seinen Tod. Er kannte im Voraus die Missgunst und den Hass der frommen Führer, die Beleidigungen und Lästerungen, die Schläge und die Nägel.

Und doch hat Er seinen Sohn gegeben – aus Liebe zu uns. Wir waren völlig unwürdig, ja Feinde Gottes. Doch gerade darin hat Gott seine Liebe erwiesen: „Christus ist für uns gestorben, als wir noch Sünder waren" (Römer 5,8).

Jetzt kommt es darauf an, dass wir unser Herz für diese Liebe öffnen, sie erkennen und an seinen Sohn glauben: „Wir haben erkannt und geglaubt die Liebe, die Gott zu uns hat" (1. Johannes 4,16).

**Tägliche Bibellese** 2. Chronika 11,1-23 · Offenbarung 2,8-11

# 24 Dienstag November

SA 07:52 · SU 16:23
MA 15:42 · MU 07:58

***Lasst euch versöhnen mit Gott!***

2. Korinther 5,20

## Versöhnung

Im Alltag verstehen wir unter „Versöhnung" meist Folgendes: Wenn zwei Menschen nach einem Streit wieder Frieden schließen, söhnen sie sich aus. Sie klären ihre Unstimmigkeiten und wollen wieder miteinander auskommen.

Im Blick auf das Verhältnis zu Gott hat „Versöhnung" jedoch eine tiefere Bedeutung.

Zuerst ist wichtig zu betonen, dass Gott kein Feind des Menschen ist. Er trägt keine Schuld an der gestörten Beziehung zwischen Ihm und seinen Geschöpfen. Im Gegenteil – Er liebt die Menschen und will nicht, dass sie ewig verloren gehen.

Wir Menschen hingegen haben das Verhältnis zu unserem Schöpfer belastet. Statt Ihn zu ehren und seinen Anweisungen zu folgen, haben wir uns gegen Ihn aufgelehnt. In unseren Herzen hat sich eine Feindschaft gegen Gott eingenistet.

Doch diese Rebellion hat Gott nicht davon abgehalten, uns seine Hand zur Versöhnung zu reichen. Vor rund 2000 Jahren sandte Er seinen Sohn auf die Erde.

Durch seinen Tod am Kreuz hat Jesus Christus eine Brücke gebaut, die den Weg zurück zu Gott möglich macht. Seither ruft Gott durch seine Boten: „Lasst euch versöhnen mit Gott!" – und gerade in diesem Moment, wo Sie das lesen, geschieht es erneut.

Wenn Sie diese Brücke betreten, indem Sie zu Gott umkehren, Ihm Ihre Schuld bekennen und an den Erlöser glauben, werden Sie mit Gott versöhnt. Sie treten in eine ganz neue Beziehung zu Ihm: Er macht Sie zu seinem Kind und schenkt Ihnen seine Vaterliebe.

**Tägliche Bibellese** 2. Chronika 12,1-16 · Offenbarung 2,12-17

# 25 Mittwoch November

SA 07:53 · SU 16:23
MA 16:31 · MU 09:24

***Wir haben Zuflucht genommen zum Ergreifen der vor uns liegenden Hoffnung, die wir als einen sicheren und festen Anker der Seele haben.***

Hebräer 6,18.19

## Gibt es Gewissheit?

Unterhaltung im Wartezimmer eines Arztes. Meine freundliche Gesprächspartnerin ist 17 Jahre alt. Sie ist muslimisch erzogen und weiß wenig darüber, was Christen glauben. In der Schule besucht sie jetzt den Religionsunterricht, um mehr über andere Glaubensformen und -inhalte zu erfahren.

Sie sagt: „Ich bin Muslimin. Wir haben den Koran und den Propheten." Während des Gesprächs zeigt sich bald, dass sie keine frohe Gewissheit darüber hat, ob sie in den Himmel kommt. Alles hinge ja davon ab, wie sie ihr Leben führe. Allah würde einmal alle ihre Handlungen gegeneinander abwägen. Nach der Lehre des

Islam muss jeder Mensch selbst für seine Sünden geradestehen. Schuld und Strafe für seine Verfehlungen kann ihm niemand abnehmen.

Die Schülerin denkt, dass Jesus nur ein Prophet ist. Sie kennt Ihn nicht als den Sohn Gottes, der Mensch geworden ist, um unser Retter zu werden. Sie weiß nichts von seinem Sühnetod am Kreuz. Und sie kennt das Heilsangebot Gottes nicht, dass Er allen, die Ihm ihre Sünden bekennen und an Jesus Christus glauben, aus freier Gnade Vergebung und ewiges Leben schenken will.

Aufmerksam und mit großen Augen hört sie zu, als ich ihr von Jesus Christus erzähle. „Wenn diese Botschaft wahr wäre, wäre sie die Lösung für alles, was wir im Leben falsch machen", sagt sie staunend. „Ich könnte dann völlig sicher sein, dass Gott mich für immer annimmt!" – „Die Botschaft ist wahr", versichere ich ihr. – „Ich muss es selbst nachlesen. Ich werde mir eine Bibel kaufen." Gern nimmt sie vorab das Neue Testament an, das ich ihr geben kann. „Ich hoffe, dass wir uns einmal im Himmel wiedersehen bei Christus, dem Retter", sage ich zum Abschied. Sie lächelt und erwidert: „Ich auch."



**Tägliche Bibellese** 2. Chronika 13,1-12 · Offenbarung 2,18-29

# 26 Donnerstag November

SA 07:55 · SU 16:22
MA 17:40 · MU 10:34

***Kein Geschöpf ist vor ihm unsichtbar, sondern alles ist bloß und aufgedeckt vor den Augen dessen, mit dem wir es zu tun haben.***

Hebräer 4,13

## Versteckt, aber nicht unentdeckt

Wenn Maschinen, Bauwerke oder andere Konstruktionen besonders sicher sein müssen, ist eine sorgfältige Fertigung entscheidend. Eine fehlerhafte Schweißnaht oder ein feiner Riss im Stahlträger – etwa bei einer Eisenbahnbrücke – könnte zu schweren Unfällen führen, bei denen Menschen verletzt werden oder sogar zu Tode kommen. Ein tragisches Beispiel dafür ist die Challenger-Katastrophe am 28. Januar 1986. Die Raumfähre explodierte nur wenige Sekunden nach dem Start, weil ein Dichtungsring durch frostige Temperaturen spröde geworden war.

Oft sind solche Schäden mit bloßem Auge nicht zu erkennen. Trotzdem müssen sie aufgespürt werden, denn es kommt nicht darauf an, ob Menschen den Fehler sehen können, sondern ob er existiert. Verschiedene technische Verfahren ermöglichen es, Werkstoffe zu prüfen, ohne sie zu beschädigen oder zu zerstören. So machen Röntgenstrahlen selbst kleinste Haarrisse in Schweißnähten sichtbar. Spezielle Infrarotkameras erfassen die Oberfläche einer Metallplatte: Wo sie in Ordnung ist, leuchtet es grün, während schadhafte Stellen je nach Schwere des Defekts gelb oder rot erscheinen.

Gottes Augen sind unendlich viel besser als jedes technische Prüfwerkzeug. Gott sieht alles: unsere Gedanken und Beweggründe – und Er weiß auch, wie wir uns fühlen, ob wir glücklich sind oder mit Problemen kämpfen. Das mag uns manchmal unangenehm sein, denn Gott ist heilig und duldet keine Sünde. Doch wenn wir ehrlich und aufrichtig vor Ihm leben, Ihm unser Versagen bekennen und uns Ihm ganz anvertrauen, erfahren wir seine Liebe und Barmherzigkeit. In jedem Fall will Er nur das Beste für uns – Er ist Liebe!

**Tägliche Bibellese** 2. Chronika 13,13-23 · Offenbarung 3,1-6

# 27 Freitag November

SA 07:56 · SU 16:21
MA 19:03 · MU 11:26

***Und von Mose und von allen Propheten anfangend, erklärte Jesus ihnen in allen Schriften das, was ihn selbst betraf.***

Lukas 24,27

## Jesus Christus kennenlernen – Er erklärt die Bibel

Die wunderbare Nachricht, dass Jesus von den Toten auferstanden ist, verbreitet sich seit diesem Morgen in Jerusalem unter seinen Anhängern. Sie ist so frisch und unglaublich, dass viele sie kaum fassen können. Zwei von ihnen verlassen die Stadt und machen sich auf den Weg ins Dorf Emmaus. Dabei unterhalten sie sich über die Ereignisse der letzten Tage. Da nähert sich jemand, der mit ihnen geht und ihrem Gespräch zuhört. Er fragt sie, worüber sie sprechen. Für die beiden, die in ihren trüben Gedanken gefangen sind, ist das wie ein Ventil. Sie bleiben stehen und berichten von den schrecklichen Ereignissen rund um den Prozess und die Kreuzigung Jesu. Nur beiläufig erwähnen sie, dass einige von ihren Leuten berichtet haben, Jesus sei auferstanden.

Der unerkannte Begleiter – es ist Jesus selbst! – weist sie darauf hin, dass sie die Schriften des Alten Testaments nicht genau genug gelesen haben. Denn dort ist klar vorhergesagt, dass der Messias leiden muss, bevor Er seine Herrschaft antreten kann (z. B. Jesaja 53; Daniel 9,25.26). Schließlich erklärt Er ihnen in allen Schriften das, was dort über Ihn gesagt wird.

Die Zeit vergeht wie im Flug und bald erreichen sie ihr Ziel in Emmaus. Nach diesem beeindruckenden Bibelunterricht können sie Jesus, den sie immer noch nicht erkannt haben, nicht einfach gehen lassen. Sie laden Ihn ein, mit ihnen zu Abend zu essen. Jesus nimmt ihre Einladung an – und als Er für das Brot dankt und es austeilt, da erkennen sie Ihn endlich.

Die Bibelstunde mit ihrem Herrn haben die beiden Jünger garantiert niemals vergessen. Was Er ihnen erklärt hat, hat ihre Herzen ganz neu für Ihn entfacht. Und das gilt auch heute noch: Wenn Sie die Bibel mit Gebet lesen, wird Jesus, der Herr, sie Ihnen lebendig machen.

**Tägliche Bibellese** 2. Chronika 14,1-14 · Offenbarung 3,7-13

# 28 Samstag November

SA 07:58 · SU 16:20
MA 20:32 · MU 12:01

***Gott ist treu, der die Verheißung gegeben hat.***

Hebräer 10,23

## Gott hat zugesagt!

Jeder kann die Liebe Gottes erfahren – und wie schön wäre es, wenn sich niemand seiner Liebe verschließen würde! Den größten Beweis für seine bedingungslose Liebe gab Gott, indem Er seinen Sohn für uns hingab. Doch nicht nur das: Gott begegnet uns auch in allem, was wir erleben, mit grenzenloser Liebe. Denen, die sich der Liebe Gottes öffnen und sie erwidern, macht Er in seinem Wort wunderbare Zusagen. Einige Beispiele:

- Gott verspricht nicht, dass uns niemals ein schlimmes Ereignis treffen wird. Aber Er versichert uns, dass wir in keiner Situation unseres Lebens allein sind (Jesaja 43,2; Hebräer 13,5).
- Gott verspricht nicht, dass wir vor Ängsten oder Zweifeln verschont bleiben. Aber Er wird

mit uns und für uns kämpfen und uns Mut zusprechen. Er wird uns bei der Hand fassen und uns sicheren Halt geben (2. Mose 14,14; Josua 1,9; Matthäus 14,31).

- Gott garantiert nicht, dass wir keine Tränen vergießen werden, aber Er wird sie sammeln und aufzeichnen. Und wenn die Zeit gekommen ist, wird Er jede Träne von unseren Augen abwischen. Wer Gott liebt, hält daran fest, dass letztlich alle Dinge zum Guten mitwirken. Das hat Er zugesagt (Psalm 56,9; Offenbarung 21,4; Römer 8,28).
- Gott verspricht nicht, dass wir nie das Gefühl haben werden, die Kontrolle über unser Leben zu verlieren. Aber Er wird uns auf den richtigen Weg leiten und sicher zum Himmel führen. Denn Jesus ist der Weg und die Wahrheit und das Leben (Psalm 23,3; Johannes 14,6).

Gottes Zusagen sind wie ein helles Licht inmitten der Dunkelheit, denn Gott ist treu und hält jedes seiner Versprechen, weil Er nicht lügen kann. Er hat immer nur Gedanken des Friedens über uns. Und nichts und niemand kann uns von seiner Liebe trennen (1. Korinther 1,9; Titus 1,2; Jeremia 29,11; Römer 8,39).

**Tägliche Bibellese** 2. Chronika 15,1-19 · Offenbarung 3,14-22

# 29 Sonntag November

SA 07:59 · SU 16:19
MA 22:00 · MU 12:25

***Es war aber die dritte Stunde, und sie kreuzigten Jesus. Und als Aufschrift mit seiner Beschuldigung war angeschrieben: Der König der Juden. Und mit ihm kreuzigen sie zwei Räuber, einen auf der rechten und einen auf seiner linken Seite.***

Markus 15,25-27

## Gedanken zum Markus-Evangelium

Wie viele Menschen während des Römischen Reiches gekreuzigt wurden, lässt sich nicht genau sagen. Schätzungen gehen von über 100.000 aus. Noch weniger bekannt sind Details wie die Uhrzeit, an denen die Gehängten diesen qualvollen Tod erlitten. Umso bemerkenswerter ist es, dass im Bericht über die Kreuzigung Jesu die „dritte Stunde" genannt wird. Gemeint ist die Zeit zwischen 8:00 und 9:00 Uhr am Morgen, da die Juden die Stunden des hellen Tages von Sonnenaufgang an zählten (vgl. Johannes 11,9).

Wieder sind die Parallelen zwischen dem Tod Jesu und den jüdischen Vorschriften unübersehbar: Jeden Morgen sollten ein Lamm als Brandopfer dargebracht und Gewürze geräuchert werden. Diese Vorschriften finden in Jesus Christus, dem Lamm Gottes, ihre volle Erfüllung: „Christus hat uns geliebt und sich selbst für uns hingegeben als Darbringung und Schlachtopfer, Gott zu einem duftenden Wohlgeruch" (Epheser 5,2; vgl. 2. Mose 29,39; 30,7).

So wertvoll Jesus für Gott ist, so wertlos erscheint Er seinen Feinden. Das zeigen sowohl die Aufschrift über dem Kreuz als auch der Platz, an dem es aufgerichtet wurde. Gott gebraucht hier ein schlichtes Schild, um weithin zu verkündigen, dass der verachtete Jesus von Nazareth in Wahrheit „der König der Juden" ist. Diese Aufschrift wird somit zu einer „Beschuldigung" derjenigen, die Ihn verworfen haben.

Dass Jesus zwischen zwei Räubern gekreuzigt wird, soll unmissverständlich zeigen, dass Er als „Abscheu der Nation" gilt. Unbegreiflich, dass Christus, der Sohn Gottes, sich unter die Abtrünnigen zählen ließ (Jesaja 49,7; 53,12)!

Es bleibt die Frage: Was empfinden Sie und ich für den leidenden Knecht Gottes?

**Tägliche Bibellese** 2. Chronika 16,1-14 · Offenbarung 4,1-11

# 30 Montag November

SA 08:00 · SU 16:19
MA 23:24 · MU 12:44

***So seid nun nicht besorgt für den morgigen Tag, denn der morgige Tag wird für sich selbst sorgen. Jeder Tag hat an seinem Übel genug.***

Matthäus 6,34

## Sorgen auf Vorrat

Wer kennt sie nicht – die „Sorgen auf Vorrat"? Die Zukunft liegt im Dunkeln: Wer weiß schon, was morgen, im nächsten Jahr oder in fünf Jahren sein wird? Auch die Nachrichten liefern immer wieder neue Gründe zur Beunruhigung. Und dann sind da noch die persönlichen Sorgen – um Angehörige, den Arbeitsplatz, die Miete oder die Gesundheit. Solche Gedanken können uns so sehr gefangen nehmen, dass wir einen regelrechten „Vorrat" an Sorgen anlegen, der uns jede Zuversicht raubt.

Manche Sorgen lassen sich nicht vermeiden. Doch Jesus Christus ermutigt seine Jünger im heutigen Tagesvers, sich keinen „Sorgenvorrat" anzulegen. Sie sollen sich nicht von aufziehenden dunklen Wolken entmutigen lassen. Christen, die an Jesus glauben, brauchen sich ihre Freude und Hoffnung nicht rauben zu lassen. Sie wissen: Gott liebt sie und hat ihnen ihre Schuld vergeben. Und mehr noch – Er hat ihnen eine herrliche Zukunft im Himmel verheißen. Das Beste kommt also noch; es überstrahlt bei weitem alle Sorgen dieses irdischen Lebens.

Darum dürfen sie all ihre Sorgen im Gebet bei Gott abladen. Weil Er sie liebt, schenkt Er ihnen Frieden ins Herz und die Gewissheit, dass Er alles in der Hand hält. Der Herr Jesus macht seinen Jüngern Mut, indem Er sie daran erinnert, welchen Wert sie in den Augen Gottes haben:

„Seid nun nicht besorgt, indem ihr sagt: Was sollen wir essen?, oder: Was sollen wir trinken?, oder: Was sollen wir anziehen? Denn euer himmlischer Vater weiß, dass ihr dies alles nötig habt" (Matthäus 6,31.32).



DIE GUTE SAAT 2026 • CSV-Verlag • www.csv-verlag.de

# 1 Dienstag Dezember

SA 08:02 · SU 16:18
MA –:– · MU 12:59

***Der Himmel und die Erde werden vergehen, meine Worte aber werden nicht vergehen.***

Markus 13,31

## Vergänglich – unvergänglich

Unser Tagesvers zeigt zwei bedeutsame Gegensätze auf: Die Schöpfung ist vergänglich, das Wort Gottes unvergänglich. Diesen Vers lesen wir gleichlautend in drei Evangelien: in Matthäus 24,35; Markus 13,31 und Lukas 21,33. In der Bibel bestätigt die übereinstimmende Aussage von drei Zeugen, dass etwas unzweifelhaft wahr ist und wir völlig gewiss sein können: „Aus dem Mund von zwei oder drei Zeugen wird jede Sache bestätigt werden" (2. Korinther 13,1).

Gemäß unserem Tagesvers werden zwei Dinge zuverlässig eintreten:

Das *Vergängliche:* Es wird in der Zukunft ein Tag kommen, „der Tag des Herrn", „an dem die Himmel vergehen werden ..., und die Erde und die

Werke auf ihr werden verbrannt werden". Doch Gott hat uns versprochen, dass Er „neue Himmel und eine neue Erde" schaffen wird (2. Petrus 3,10.13). Unsere Welt, die Gott „sehr gut" erschaffen hatte (1. Mose 1,31), wurde in Mitleidenschaft gezogen und verdarb, als der erste Mensch sündigte. Gott wird sie nicht reparieren, sondern sie wird verbrennen, und an ihrer Stelle wird Gott einen neuen Himmel und eine neue Erde gründen.

Das *Unvergängliche:* Doch es gibt etwas, das niemals ersetzt werden wird. Wenn Gott spricht, bleibt sein Wort für immer bestehen; seine Worte werden nicht vergehen. Menschenwort ist nur begrenzt gültig, weil wir – im Gegensatz zu Gott – nicht alles wissen. So haben sich viele Erkenntnisse vergangener Zeiten durch neuere Forschungen inzwischen als falsch erwiesen und müssen umgeschrieben werden. Doch das Wort Gottes braucht niemals korrigiert oder angepasst zu werden. Es ist heute noch genauso wahr wie früher, denn „das Wort unseres Gottes besteht in Ewigkeit"; „In Ewigkeit, HERR, steht dein Wort fest in den Himmeln" (Jesaja 40,8; 1. Petrus 1,25; Psalm 119,89).

**Tägliche Bibellese** 2. Chronika 18,1-34 · Offenbarung 6,1-8

# 2 Mittwoch Dezember

SA 08:03 · SU 16:18
MA 00:43 · MU 13:12

***Siehe, die Hand des HERRN ist nicht zu kurz, um zu retten, und sein Ohr nicht zu schwer, um zu hören; sondern eure Ungerechtigkeiten haben eine Scheidung gemacht zwischen euch und eurem Gott, und eure Sünden haben sein Angesicht vor euch verhüllt, dass er nicht hört.***

Jesaja 59,1.2

## Frieden mit Gott

Vor kurzem hatte ich Gelegenheit, mit einem meiner Nachbarn zu sprechen, dessen Frau im Krankenhaus lag. Ich überreichte ihm ein kleines Geschenk für seine Frau und wir kamen ins Gespräch über den Glauben an Jesus Christus. Mein Nachbar war jedoch nicht daran interessiert zu erfahren, wie er mit Gott in Verbindung treten kann, und meinte nur: „Wenn es einen Gott gibt, warum tut Er dann nichts gegen das Leiden in der Welt? Außerdem“, so fuhr er fort, „bin ich mein Leben lang ein guter Mensch gewesen und habe niemals jemanden falsch behandelt." Er war überzeugt, dass er nichts Schlechtes verdient habe und Gott keinen Grund finden würde, ihn abzuweisen.

Unser Tagesvers sagt, dass die Ursache niemals bei Gott liegt, wenn Er nicht auf unser Rufen hört. Es sind unsere Verschuldungen, die uns von Gott trennen, und unsere Sünden, die sich wie ein Schleier auf Gottes Angesicht legen, so dass Er nicht auf uns hört. Das fällt uns oft nicht leicht einzugestehen. Lieber weisen wir die Schuld von uns und machen sogar Gott für die Ursache unserer Probleme verantwortlich. Doch wenn wir ehrlich vor Gott sind, werden wir zugeben, dass unser Herz „arglistig und verdorben" ist. Wenn wir Ihm dann sagen: „Sei mir, dem Sünder, gnädig", öffnet Er uns die Arme und wäscht uns rein in dem Blut seines Sohnes Jesus Christus (vgl. Jeremia 17,9; Lukas 18,13; 1. Johannes 1,7).

Damit verschwindet zwar nicht sogleich alles Leid, weder persönliche noch globale Not, aber es steht nichts mehr zwischen uns und Gott. Wir selbst „haben Frieden mit Gott" (Römer 5,1), und werden erleben, dass Er unsere Gebete erhört.

**Tägliche Bibellese** 2. Chronika 19,1-11 · Offenbarung 6,9-17

# 3 Donnerstag Dezember

SA 08:04 · SU 16:17
MA 01:59 · MU 13:25

***Lobt den HERRN! Denn es ist gut, unseren Gott zu besingen; denn es ist lieblich, es geziemt sich Lobgesang.***

Psalm 147,1

## Liedergeschichten – Luther

Der Reformator Martin Luther (1483–1546) spielte eine wichtige Rolle bei der Einführung deutscher Kirchenlieder, die die lateinischen Gesänge ablösten. Luther legte sehr großen Wert darauf, dass die Christen verstehen, was sie singen, damit sie mit Herz und Mund Gott loben können. Eines seiner bekanntesten Werke ist das in den 1520er Jahren entstandene Lied „Ein feste Burg ist unser Gott", für das er vermutlich zusammen mit dem Komponisten Johann Walter auch die Melodie verfasst hat. Der Text ist angelehnt an den 46. Psalm, der mit den Worten beginnt: „Gott ist uns Zuflucht und Stärke, eine Hilfe, reichlich gefunden in Drangsalen."

Schon bald wurde das Lied wegen seiner Ausdrucksstärke unter Christen sehr geschätzt und später mit zahlreichen Chorsätzen versehen. Auch heute noch verleiht es vielen Menschen Trost und Zuversicht. Die ersten beiden seiner vier Strophen lauten:

*Ein feste Burg ist unser Gott,*
*ein gute Wehr und Waffen.*
*Er hilft uns frei aus aller Not,*
*die uns jetzt hat betroffen.*
*Der alt böse Feind*
*mit Ernst er's jetzt meint,*
*groß Macht und viel List*
*sein grausam Rüstung ist,*
*auf Erd ist nicht seinsgleichen.*

*Mit unsrer Macht ist nichts getan,*
*wir sind gar bald verloren;*
*es streit' für uns der rechte Mann,*
*den Gott hat selbst erkoren.*
*Fragst du, wer der ist?*
*Er heißt Jesus Christ,*
*der Herr Zebaoth,*
*und ist kein andrer Gott,*
*das Feld muss er behalten.*

**Tägliche Bibellese** 2. Chronika 20,1-13 · Offenbarung 7,1-8

# 4 Freitag Dezember

SA 08:06 · SU 16:17
MA 03:15 · MU 13:39

***Jesus spricht nun zu ihnen: Kinder, habt ihr nicht etwas zu essen?*** Johannes 21,5

## Jesus Christus kennenlernen – Er ist fürsorglich

Die Jünger hatten in letzter Zeit sehr viel zu verarbeiten: die erbitterte Feindschaft gegen Jesus, der Prozess, die grausame Hinrichtung – und die bedrückende Erkenntnis, dass auch sie in Lebensgefahr kommen könnten.

Zwar sind sie überglücklich, dass Jesus aus den Toten auferstanden ist und sie Ihn gesehen haben, doch irgendwie ist es nicht mehr wie früher. Er steht nicht mehr sichtbar im Mittelpunkt ihrer kleinen Gruppe. Wer gibt ihnen jetzt den Weg vor? Wie soll alles weitergehen?

Jesus hatte ihnen gesagt, dass sie nach Galiläa vorausgehen sollen, um Ihn dort zu treffen. Doch der aktive, lebhafte Jünger Simon Petrus, dem das Warten schwerfällt, schlägt vor, am See Genezareth wieder fischen zu gehen. Das war ja ihr alter

Beruf. Einige der Jünger schließen sich ihm an. Doch sie fangen nichts in dieser Nacht. Ob Petrus sich wohl an eine andere vergebliche Fischfangnacht erinnert (vgl. Lukas 5,1-11)?

Bei Tagesanbruch steht plötzlich ein Mann am Ufer des Sees. „Werft die Netze auf der rechten Seite des Schiffes aus!", ruft Er ihnen zu. Sie tun es – und erleben ein Wunder: Das Netz ist zum Bersten voll – als hätten sich alle großen Fische im See genau an dieser Stelle verabredet. Da fällt es Johannes wie Schuppen von den Augen: „Es ist der Herr!" Als Petrus das hört, fackelt er nicht lange: Er springt ins Wasser und schwimmt ans Ufer, um möglichst schnell bei seinem Herrn zu sein. Die anderen folgen mit dem Boot. Dort erwartet sie eine liebevolle Überraschung: Jesus hat in der kühlen Morgenluft ein Feuer angezündet und ein Frühstück für die müden und hungrigen Jünger vorbereitet. Auch von ihrem selbst gefangenen Fisch dürfen sie etwas dazu beitragen.

Dann wird gefrühstückt. Zwar hat der Herr später noch eine wichtige Frage an Petrus, doch zunächst ist Pause angesagt. Sie dürfen einfach mit ihrem geliebten Meister zusammen sein, die Gemeinschaft mit Ihm genießen – und neue Kraft schöpfen.

**Tägliche Bibellese** 2. Chronika 20,14-23 · Offenbarung 7,9-17

# 5 Samstag Dezember

SA 08:07 · SU 16:16
MA 04:29 · MU 13:54

***Der Lohn der Sünde ist der Tod,***
***die Gnadengabe Gottes aber ewiges Leben***
***in Christus Jesus, unserem Herrn.***

Römer 6,23

## Fairer Lohn

Leistungsgerechte Bezahlung wird heute in allen Lebensbereichen gefordert. Jeder möchte angemessen entlohnt werden. – Haben Sie schon einmal darüber nachgedacht, was Sie bekämen, wenn Gott unser Tun „leistungsgerecht" entlohnen würde? Denn bei Ihm hat jede Art von „Leistung" ihren Lohn! Jede Lüge, jedes böse Wort und jeder schlechte Gedanke, ganz zu schweigen von Diebstahl, Habsucht und Ehebruch, werden entlohnt.

Und der Lohn? Die Bibel ist klar: der Tod. – „Wie", werden Sie erstaunt fragen, „wird man gleich mit dem Tod bestraft?" – Nun, das ist eben der Lohn der Sünde! Auch wenn wir aus der Sünde gern ein „Kavaliersdelikt" machen, der heilige Gott ändert seinen Maßstab nicht. So wenig übrigens wie sich die technischen Maßeinheiten ändern. Sünde bleibt bei Gott immer Sünde und verdient den Tod.

Aber Gott will unseren ewigen Tod nicht, weil Er uns so sehr liebt. Deshalb ist sein eigener Sohn für uns Sünder am Kreuz gestorben. Auf dieser Grundlage bietet Gott ein Geschenk an, das nicht auf Verdienst beruht: das ewige Leben. Das ist viel mehr als die Vergebung der Sünden. Er schenkt ein neues Leben und die lebendige Gewissheit, dass alle, die an Christus glauben, bei Ihm in der Herrlichkeit des Himmels sein werden.

Wenn wir eine „Verdienstbilanz" ziehen würden, müssten wir feststellen, dass es gerecht wäre, wenn Gott jeden von uns verdammen würde. Wer aber seine Sünden zutiefst bereut und darüber traurig ist, für den gibt es Hoffnung! Bringen Sie diese Gewissensnot zum Herrn Jesus Christus und bekennen Sie Ihm Ihre Sünden. Dann ist Gott „treu und gerecht", dass Er Ihnen Ihre Sünden vergibt (1. Johannes 1,9).

# 6 Sonntag Dezember

SA 08:08 · SU 16:16
MA 05:44 · MU 14:14

*Und die Vorübergehenden lästerten Jesus, indem sie ihre Köpfe schüttelten und sagten: Ha, der du den Tempel abbrichst und in drei Tagen aufbaust, rette dich selbst und steige herab vom Kreuz. Ebenso spotteten auch die Hohenpriester samt den Schriftgelehrten untereinander und sprachen: Andere hat er gerettet, sich selbst kann er nicht retten. Der Christus, der König Israels, steige jetzt vom Kreuz herab, damit wir sehen und glauben. Auch die mit ihm gekreuzigt waren, schmähten ihn.* Markus 15,29-32

## Gedanken zum Markus-Evangelium

Es ist zwischen 9:00 und 12:00 Uhr. Jesus, der Sohn Gottes, hängt am Kreuz! Die vollständige Inschrift, die über Ihm angebracht ist, lautet: „Dieser ist Jesus, der Nazaräer, der König der Juden." Da Golgatha nicht weit von der Stadt entfernt ist, können auch vorbeikommende Passanten erkennen, was geschehen ist. Auch sie beteiligen sich nun an der Hassflut, die sich in Form von Lästerung und Spott über Jesus ergießt.

Hier erfüllt sich das nächste Schriftwort aus dem Alten Testament: „Alle, die mich sehen, spotten über mich; sie reißen die Lippen auf, schütteln den Kopf." Jesus wird verspottet, wobei sich die Spötter zu Unrecht auf seine eigene Aussage berufen. Doch was hatte Jesus wirklich gesagt? „Brecht diesen Tempel ab, und in drei Tagen werde ich ihn aufrichten" (Psalm 22,8; Johannes 2,19). Gemeint war nicht der Tempel des Herodes, sondern sein eigener Körper. Diesen Tempel würden sie – nicht Er – abbrechen, das heißt: Ihn töten. Genau das geschieht gerade. Und nach drei Tagen würde Er vom Tod auferstehen.

Wie treffend ist das Wort: „Andere hat er gerettet" – es fasst das ganze Leben Jesu zusammen. Zugleich ist es der Beweis, dass Jesus der verheißene Messias ist. Doch wie verfehlt ist ihre Forderung, Jesus solle seine Macht durch Selbstrettung beweisen. Nichts davon hätte sie zum Glauben geführt. – Gerade weil der Sohn Gottes sich nicht selbst rettete, ist Er der Retter der Welt geworden.

# 7 Montag Dezember

SA 08:09 · SU 16:15
MA 06:57 · MU 14:40

*Gott erhält alles am Leben.*

1. Timotheus 6,13

## Stromausfall

Im Februar 2021 verursachte ein extremer Wintersturm in Texas einen massiven Stromausfall. 4,5 Millionen Haushalte waren tagelang ohne Strom, was den Tod von mindestens 57 Menschen zur Folge hatte. Viele mussten ihre Häuser vorübergehend verlassen, und Millionen weitere Menschen waren von Versorgungsengpässen betroffen. Die Sachschäden beliefen sich auf über 195 Milliarden US-Dollar.

Kein Strom bedeutet: kein Licht, keine Heizung, kein Kühlschrank, kein Fernsehen, kein Telefon, kein Internet, keine Treibstoffversorgung usw. Dieser Vorfall zeigt eindrucksvoll, wie abhängig die moderne Welt von diesem Energieträger ist. Ohne Strom funktioniert nichts!

Aber wissen Sie, wovon und von wem wir noch mehr abhängig sind? In jeder Sekunde, selbst wenn wir gar nicht daran denken? Von Gott! Denn Er ist der Schöpfer und Erhalter des Lebens – auch derer, die seine Existenz leugnen! Würde Er die scheinbar automatisch ablaufenden chemischen und physikalischen Prozesse im menschlichen Körper für eine Weile stoppen – und das kann Er! –, wäre niemand mehr am Leben. Im Buch Hiob sagt der weise Elihu: „Wenn er seinen Geist und seinen Odem an sich zurückzöge, so würde alles Fleisch insgesamt verscheiden und der Mensch zum Staub zurückkehren" (Hiob 34,14.15).

Gleichzeitig betont die Bibel, dass Gott das Wohlergehen des Menschen im Sinn hat: „Ich habe kein Gefallen am Tod des Sterbenden. So kehrt um und lebt!" (Hesekiel 18,32). Gott will also nicht, dass jemand stirbt, ohne sich vorher an Ihn gewandt und Ihm seine Sünden bekannt zu haben. Denn nur, wer an Jesus Christus glaubt und die Vergebung seiner Sünden empfangen hat, „lebt, auch wenn er stirbt" (Johannes 11,25).

**Tägliche Bibellese** 2. Chronika 22,1-12 · Offenbarung 9,13-21

***Du siehst, dass der Glaube mit seinen Werken zusammenwirkte und dass der Glaube durch die Werke vollendet wurde.***

Jakobus 2,22

## Aus Liebe

Als ich heute nach Hause kam, entdeckte ich auf dem Küchentisch einen Teller mit zwei feinen Sandwiches – wunderschön zubereitet. Daneben lag eine Notiz meiner 12 jährigen Enkeltochter Anna:

„Liebe Opa und Oma, ich habe das für euch gemacht, weil ich euch liebhabe. Eure Anna."

Niemand hatte ihr gesagt, dass sie das tun soll. Sie musste nicht – und doch tat sie es. Aber warum? Wollte Anna sich damit unsere Gunst verdienen? Hatte sie Angst, nicht genug geliebt zu werden? Wollte sie sich einen Bonus bei Opa und Oma sichern? Nein – sie tat es einfach aus Liebe. Ihr kleines Geschenk war Ausdruck ihrer guten Beziehung zu uns.

Genauso ist es mit den guten Werken der Nachfolger des Herrn Jesus Christus. Diese Menschen sind nicht aktiv, um sich einen Platz im Himmel zu verdienen. Vielmehr sind ihre guten Taten ein Zeichen dafür, dass sie durch Glauben errettet sind. Diese Taten sind das *Ergebnis* des Glaubens – nicht seine Ursache. Der Retter Jesus Christus hat alles für ihre Errettung getan. Als Antwort darauf wollen sie Gott danken, Ihn lieben und anderen Gutes tun. So zeigen sie ihren Glauben.

Christen handeln nicht aus Zwang. Sie leben in einer wunderbaren Freiheit und wollen Gott von Herzen dienen. Darum nehmen sie sich gern die Worte ihres Herrn zu Herzen: „Wenn ihr mich liebt, so haltet meine Gebote" (Johannes 14,15).

Dem Gesetz zu gehorchen ist Pflicht – in Liebe zu dienen ist Freude und Erfüllung.

**Tägliche Bibellese** 2. Chronika 23,1-11 · Offenbarung 10,1-11

**9** **Mittwoch** **Dezember**

SA 08:12 · SU 16:15
MA 09:07 · MU 16:00

***Siehe, sie brachten einen Gelähmten zu ihm, der auf einem Bett lag; und als Jesus ihren Glauben sah, sprach er zu dem Gelähmten: Sei guten Mutes, Kind, deine Sünden werden vergeben.*** Matthäus 9,2

## Sei guten Mutes

Gerade ist der Herr Jesus wieder nach Kapernaum gekommen, wo Er wohnt. Sogleich versammeln sich viele, um Ihm zuzuhören. Da wird ein gelähmter Mann von seinen Freunden zu Ihm gebracht. Jesus sichert Ihm zu: „Deine Sünden werden vergeben." Diese Worte werden den Mann überrascht haben, denn er hatte sicherlich gehofft, dass Jesus ihn von seiner körperlichen Behinderung heilen würde.

Einige der Zuhörer sind empört und denken, dass Jesus Gott lästert, da nur Gott umfassend Sünden vergeben kann und kein Mensch dazu in der Lage ist. Jesus erkennt ihre kritischen Gedanken und fragt sie: „Was ist leichter, zu sagen: Deine Sünden werden vergeben, oder zu sagen: Steh auf und geh umher?“ (V. 5). Es ist einfach, zu behaupten, dass Sünden vergeben sind, denn niemand kann es überprüfen. Im Gegensatz dazu wird schnell sichtbar, ob ein Lahmer aufsteht, wenn man ihn dazu auffordert. Indem Jesus den Gelähmten heilt, beweist Er, dass Er sowohl heilen als auch Sünden vergeben kann. Noch deutlicher beweist Er, wer Er ist: nicht nur ein Mensch, sondern auch Gott – Gott und Mensch in einer Person. Er ist gekommen, um Menschen von der Sünde zu befreien.

Der geheilte Mann hat allen Grund, guten Mutes zu sein. Er ist jetzt gesund und weiß, dass seine Sünden vergeben sind. Sein Glaube und der Glaube seiner Freunde, die ihn zum Herrn Jesus gebracht haben, werden wunderbar belohnt.

*„Glückselig die, deren Gesetzlosigkeiten vergeben und deren Sünden bedeckt sind! Glückselig der Mann, dem der Herr Sünde nicht zurechnet!“* (Römer 4,7.8).

**Tägliche Bibellese** 2. Chronika 23,12-21 · Offenbarung 11,1-11

# 10 Donnerstag Dezember

SA 08:13 · SU 16:15
MA 09:56 · MU 16:57

***Keine Rede und keine Worte, doch gehört wird ihre Stimme. Ihre Mess-Schnur [d. h. ihr Schall] geht aus über die ganze Erde, und ihre Sprache bis an das Ende des Erdkreises.***

Psalm 19,4.5

## Sonne, Mond und Sterne

Der Psalmendichter David blickt zum Himmel und ist überwältigt. Denn die an sich leblosen Himmelskörper „reden“: Sie sprechen ohne Worte – und können doch von allen Menschen gehört werden. Und da sie nicht in einer bestimmten Sprache reden, kann auch jeder Mensch sie verstehen.

Als man während der Französischen Revolution alle Kirchtürme in Frankreich dem Erdboden gleich machen wollte, um jede Erinnerung an Gott auszulöschen, verwiesen Christen auf die Sterne. Diese zögen unbeirrt ihre Bahn und würden, selbst wenn alle Kirchtürme verschwunden wären, weiterhin von Gott zeugen. Ja, Sonne, Mond und Sterne „erzählen die Herrlichkeit Gottes" (V. 2) – und nichts und niemand kann sie zum Schweigen bringen.

Diese Botschaft richtet sich an alle Menschen: Viele Stämme und Völker haben bis heute – trotz aller Übersetzungsbemühungen – noch keine Bibel in ihrer Muttersprache. Vielleicht haben sie noch nie von Jesus Christus gehört, doch die Himmelskörper reden auch zu ihnen vom Schöpfer-Gott. „Ihr Schall ist ausgegangen zu der ganzen Erde" (Römer 10,18 – ein Zitat aus Psalm 19). Auch ohne Bibel kann jeder Mensch Gottes ewige Kraft und Göttlichkeit erkennen, denn sie kann von Erschaffung der Welt an in dem Gemachten wahrgenommen werden. Deshalb kann sich niemand entschuldigen: Jeder kann Gott erkennen und ist verpflichtet, Ihn zu ehren und Ihm zu danken. Tut er es nicht, lädt er Schuld auf sich (vgl. Römer 1,19-21).

Es ist wahr: Gott, „der den Himmel und die Erde und das Meer gemacht hat und alles, was in ihnen ist", hat sich keinem Menschen „unbezeugt gelassen" (Apostelgeschichte 14,15.17).



**Tägliche Bibellese** 2. Chronika 24,1-27 · Offenbarung 11,12-19

# 11 Freitag Dezember

SA 08:14 · SU 16:15
MA 10:33 · MU 18:02

***Simon, Sohn Jonas, liebst du mich mehr als diese?*** Johannes 21,15

## Jesus Christus kennenlernen – Er ist sorgfältig

Das Desaster für Simon Petrus. Schlimmer als alles, was er sich hätte vorstellen können. Jesus war verhaftet und abgeführt worden. Petrus ist dem Trupp von weitem durch die kalte, dunkle Nacht gefolgt. Während Jesus verhört wird, will er sich am Feuer wärmen, das die Soldaten im Hof entzündet haben. Er setzt sich zu ihnen, mitten hinein, wie ein verirrtes Schaf in die Höhle des Löwen tappt. Und schon erkennt ihn eine Magd als Begleiter Jesu. Petrus nimmt instinktiv eine Abwehrstellung ein und versichert: „Ich bin es nicht!" Von seinem Platz aus kann er sehen, wie sein Meister gerade geschlagen und angespuckt wird. In der Folge wird Petrus noch zweimal auf seine Beziehung zu Jesus angesprochen, und zuletzt schwört er sogar: „Ich kenne diesen Menschen nicht!"

Da dreht sich Jesus zu seinem Jünger um und sieht ihn an. Siedend heiß fällt es Petrus ein: Der Herr hatte ihn doch gewarnt und gesagt: „Der Hahn wird heute nicht krähen, ehe du dreimal geleugnet hast, mich zu kennen." Bitterlich weinend schleicht er aus dem Hof. Doch Jesu Blick ist wie ein Seil, das Petrus vor der völligen Verzweiflung bewahrt. Denn Jesus hatte ihm gesagt: „Ich habe für dich gebetet, dass dein Glaube nicht aufhört" (Lukas 22,34.32).

Dann, am Tag seiner Auferstehung, führt Jesus ein Vier-Augen-Gespräch mit Petrus. Die Bibel berichtet nichts weiter darüber, aber eins steht fest: Der Herr hat Petrus vergeben.

Einige Tage später am See Genezareth. Jesus frühstückt mit einigen seiner Jünger. Danach fragt Er: „Simon, liebst du mich mehr als die anderen mich lieben?" Petrus antwortet bescheiden: „Ja, Herr, du weißt, dass ich dich lieb habe." Noch zweimal befragt Jesus seinen Jünger nach dessen Liebe – bis Petrus traurig wird. Ist das denn nötig? Unbedingt! Petrus soll begreifen, dass er nur lieben kann, weil Jesus ihn zuerst geliebt hat. Dann vertraut ihm Jesus eine wichtige Aufgabe an, damit alle mitbekommen: Mit Petrus ist alles wieder in Ordnung. – Ja, Jesus ist sorgfältig!

**Tägliche Bibellese** 2. Chronika 25,1-28 · Offenbarung 12,1-9

# 12 Samstag Dezember

SA 08:15 · SU 16:15
MA 11:01 · MU 19:13

***Du hast meine Seele vom Tod errettet, ja, meine Füße vom Sturz, damit ich vor dem Angesicht Gottes im Licht der Lebendigen wandle.***

Psalm 56,14

## Belohntes Gottvertrauen

In Psalm 56 beschreibt David seine Erfahrungen in einer Zeit großer Bedrängnis. Tag für Tag sieht er sich Feinden gegenüber, die ihn bekämpfen, seine Worte verdrehen, ihn blockieren und ihn innerlich verletzen:

- „Meine Feinde schnauben den ganzen Tag; denn viele bekämpfen mich in Hochmut" (V. 3).
- „Meine Worte verdrehen sie den ganzen Tag, alle ihre Gedanken sind gegen mich zum Bösen" (V. 6).
- „Sie rotten sich zusammen, verstecken sich, sie beobachten meine Fersen, weil sie meiner Seele auflauern" (V. 7).

Angesichts dieser Anfeindungen wendet sich der Psalmendichter an Gott: „An dem Tag, da ich mich fürchte, vertraue ich auf dich" (V. 4). Und tatsächlich: Gott greift ein, rettet ihn vor seinen Widersachern. David erkennt:

„Dann werden meine Feinde umkehren an dem Tag, da ich rufe; dies weiß ich, dass Gott für mich ist" (V. 10).

Er wird befreit und lebt jetzt „vor dem Angesicht Gottes im Licht der Lebendigen".

Der Gott Davids ist auch der Gott der Christen. Ja, Er ist ihr himmlischer Vater, der sie liebt und für sie ist. Wenn sie Angst haben oder sich bedroht fühlen, dürfen sie sich auf seine Gnade stützen und Ihm vertrauen.

Sie wissen, dass Gott seinen Sohn für sie in den Tod gegeben hat. Damit hat Er eindeutig gezeigt, wie sehr Er sie liebt! Nicht Menschen haben das letzte Wort, sondern Er – und Er verheißt seinen Kindern eine herrliche Zukunft:

„Wenn Gott für uns ist, wer gegen uns? Er, der doch seinen eigenen Sohn nicht verschont, sondern ihn für uns alle hingegeben hat – wie wird er uns mit ihm nicht auch alles schenken?" (Römer 8,31.32).

**Tägliche Bibellese** 2. Chronika 26,1-15 · Offenbarung 12,10-18

# 13 Sonntag Dezember

SA 08:16 · SU 16:15
MA 11:22 · MU 20:24

***Und als die sechste Stunde gekommen war, kam eine Finsternis über das ganze Land bis zur neunten Stunde; und zur neunten Stunde schrie Jesus mit lauter Stimme: Eloi, Eloi, lama sabachtani?, was übersetzt ist: Mein Gott, mein Gott, warum hast du mich verlassen?*** Markus 15,33.34

## Gedanken zum Markus-Evangelium

„Gekommen, um zu dienen“ – so beschreibt Markus den Herrn Jesus Christus in seinem Evangelium. Hier nähern wir uns dem Höhepunkt seines Dienstes: dass Er sein Leben gab „als Lösegeld für viele“ (Kap. 10,45).

Mit Beginn der sechsten Stunde, als Jesus bereits drei Stunden am Kreuz hängt, geschieht etwas Außergewöhnliches: Obwohl die Sonne im Zenit steht, wird es finster. Wohlgemerkt: keine Sonnenfinsternis! Denn diese tritt nur bei Neumond ein, während das Passahfest bei Vollmond stattfand. Außerdem dauert eine totale Sonnenfinsternis nur wenige Minuten, nicht drei Stunden.

Ließ Gott es dunkel werden, um deutlich zu machen, dass niemand ermessen kann, wie unsagbar schwer die Leiden seines Sohnes in diesen drei Stunden waren? Die „Finsternis über das ganze Land" erinnert jedenfalls an die Empfindungen, die der Psalmendichter prophetisch im Blick auf Jesus ausspricht: „Du hast mich in die tiefste Grube gelegt, in Finsternisse, in Tiefen" (Psalm 88,7).

Der Schrei am Ende dieser drei Stunden gewährt uns einen Einblick in das Geschehen: Weil Jesus mit Sünden beladen, ja sogar zur Sünde gemacht worden ist, muss Gott sich von Ihm abwenden und antwortet nicht auf sein Rufen. Wie unbeschreiblich sind seine Qualen – fern von Gott! Und doch hält Er unbeirrt daran fest, dass Gott sein Gott ist. Dabei weiß Jesus genau, warum Gott Ihn verlässt. In Psalm 22, aus dem Er hier Wort für Wort zitiert, lesen wir, wie Er seine Frage selbst beantwortet: „Du bist heilig" (V. 4). Auf die Frage „Warum hast du mich verlassen?" antwortet der Glaubende: Weil Er aus Liebe das Strafgericht Gottes ertrug, das ich verdient hatte.

**Tägliche Bibellese** 2. Chronika 26,16-23 · Offenbarung 13,1-10

# 14 Montag Dezember

SA 08:17 · SU 16:15
MA 11:38 · MU 21:36

***Der das Ohr gepflanzt hat, sollte er nicht hören? Der das Auge gebildet hat, sollte er nicht sehen?***

Psalm 94,9

## Töne sehen

Überall ist immer irgendetwas zu hören. Mal lauter, mal leiser dringen Töne an das menschliche Ohr. Aber haben Sie schon einmal eine Schallwelle gesehen? „Natürlich nicht!", werden Sie jetzt antworten. „Die kann man doch nur *hören!*" Stimmt – und stimmt auch wieder nicht. Denn was wir hören, sind ja genau genommen nicht die Schallwellen selbst, sondern mechanische Schwingungen, die unser Trommelfell erreichen, in elektrische Impulse umgewandelt und schließlich im Gehirn interpretiert werden.

Natürlich sind Schallwellen mit bloßem Auge nicht sichtbar, doch sie lassen sich sichtbar machen. Ein einfaches Experiment zeigt das: Spannen

Sie eine Frischhaltefolie straff über ein Glas und streuen Sie ein paar Reiskörner darauf. Stellen Sie das Glas auf einen Lautsprecher und spielen Sie Musik mit höherer Lautstärke ab – die Reiskörner beginnen zu hüpfen. Zugegeben, man muss genau hinschauen, aber es funktioniert tatsächlich.

Noch präzisere Möglichkeiten bieten sogenannte Akustik-Kameras, mit denen Schallwellen sichtbar gemacht werden können. Sie kommen vor allem dort zum Einsatz, wo Rohre oder Tanks, in denen gefährliche Stoffe transportiert oder gelagert werden, auf undichte Stellen überprüft werden müssen.

Interessanterweise verbindet die Bibel Hören und Sehen manchmal miteinander. Unser Tagesvers zeigt: Gott hört und sieht uns immer und überall – egal ob wir laut zu Ihm beten oder nur in Gedanken zu Ihm rufen. Er hört und sieht unser Elend und unsere Freude, denn Er hat großes Interesse an uns und unserem ewigen Heil.

„Du bist der Gott des Schauens", rief einst eine entlaufene Sklavin, als der Engel des HERRN sie fand und ihr ins Herz sprach (1. Mose 16,13). Wie wahr ihre Worte doch sind!

**Tägliche Bibellese** 2. Chronika 27,1-9 · Offenbarung 13,11-18

# 15 Dienstag Dezember

SA 08:17 · SU 16:15
MA 11:52 · MU 22:47

***Kann aus Nazareth etwas Gutes kommen?***

Johannes 1,46

## Klein, ärmlich und unbedeutend

Es gibt verrufene Städte oder Orte, die eine sprichwörtliche Bedeutung erlangt haben. Man braucht nur ihren Namen zu erwähnen – schon hat jeder ein entsprechendes Bild vor Augen. Ein solcher Ort war im 1. Jahrhundert Nazareth. Die Stadt lag in der ländlichen, armen Region Galiläa, war zu felsig für eine lohnende Landwirtschaft und zu weit vom See Genezareth entfernt, um vom Fischfang zu profitieren. Ausgrabungen deuten darauf hin, dass es sich lediglich um eine Ansammlung einfacher Häuser handelte. Kein wirklicher Publikumsmagnet!

Trotzdem muss die Frage im heutigen Text eindeutig mit Ja beantwortet werden. Denn Jesus Christus, der „Herr der Herrlichkeit" (1. Korinther 2,8), entschied sich bewusst dafür, sich mit diesem unbedeutenden, verachteten Nazareth zu identifizieren.

Als direkter Nachkomme von König David hätte Er das Recht gehabt, im angesehenen Bethlehem, seinem Geburtsort, zu wohnen. Doch seine Eltern kamen aus Nazareth, und so verbrachte Er seine Kindheit und Jugend in dieser verachteten Stadt. Obwohl Er zu Beginn seines öffentlichen Auftretens nach Kapernaum übergesiedelt war, nannte man Ihn damals wie auch heute „Jesus von Nazareth".

Wenn die Römer jemanden kreuzigten, wurde das jeweilige Verbrechen auf einer Tafel über dem Kopf des Verurteilten angegeben – als abschreckendes Beispiel für andere. Die Anklage über dem Kreuz von Jesus Christus lautete: „Jesus, der Nazaräer, der König der Juden" (Johannes 19,19).

Jahre später näherte sich Saulus von Tarsus der Stadt Damaskus, als ihn plötzlich ein helles Licht umstrahlte und er zu Boden stürzte. Auf seine Frage: „Wer bist du, Herr?", bekam er zur Antwort: „Ich bin Jesus, der Nazaräer" (Apostelgeschichte 22,8). Selbst als der Auferstandene, der in den Himmel aufgefahren war, bekannte sich Jesus noch immer zu seiner verachteten Heimatstadt Nazareth.

**Tägliche Bibellese** 2. Chronika 28,1-15 · Offenbarung 14,1-8

**16** **Mittwoch** **Dezember**

SA 08:18 · SU 16:15
MA 12:04 · MU 23:59

***An der Stätte des Rechts, da war die Gottlosigkeit.***

Prediger 3,16

## Absolut gerechte Rechtsprechung

König Salomo hatte die Welt aufmerksam beobachtet. Seine Einsichten und Ratschläge hielt er in den Büchern der Sprüche und des Predigers fest – unter der Leitung des Geistes Gottes.

Damals wie heute zeigt sich, dass selbst die beste Gesetzgebung nicht jede einzelne Situation angemessen regeln kann. Und selbst bei größter Sorgfalt sind Richter vor Fehlentscheidungen nicht gefeit. – Doch Salomo erkannte noch ein weiteres Problem: Es gibt ungerechte Gesetzgeber und Richter, die sich bewusst nicht nach Gott und seinen guten Geboten richten, sondern willkürlich handeln.

Diese Haltung zieht sich wie ein roter Faden durch die Menschheitsgeschichte. Deshalb darf man an irdischen „Stätten des Rechts" keine vollkommene Gerechtigkeit erwarten – schon gar nicht nach Gottes Maßstäben. Der größte Justizirrtum aller Zeiten, die Verurteilung Jesu Christi, bestätigt diese Wahrheit auf dramatische Weise.

Ganz anders verhält es sich mit dem Gesetz und dem Gericht Gottes. Seine Gebote sind „heilig, gerecht und gut" (Römer 7,12) – sie dienen dem Wohl des Menschen. Und wenn Gott richtet, geschieht dies in vollkommener Gerechtigkeit. Im zukünftigen Endgericht, von dem die Bibel spricht, wird jeder Mensch das gerechte Urteil Gottes anerkennen müssen.

Doch heute offenbart Gott seine Gerechtigkeit noch auf eine andere Weise: Er spricht denjenigen gerecht, der an den Herrn Jesus Christus glaubt; Er spricht ihn frei von aller Schuld (vgl. Römer 3,26). – Wie kann das sein? Ist das nicht ein Widerspruch? Nein! Denn Christus hat am Kreuz stellvertretend für alle Glaubenden die Schuld und die gerechte Strafe auf sich genommen.



DIE GUTE SAAT 2026 • CSV-Verlag • www.csv-verlag.de

# 17 Donnerstag Dezember

SA 08:19 · SU 16:15
MA 12:16 · MU –:–

*O dass ich Flügel hätte wie die Taube!*

Psalm 55,7

## Morgen wird geflogen!

Die Gebrüder Wright haben alles gelesen, was es zum Thema Fliegen gibt. Ihr Ziel: ein Fluggerät bauen, dass sich steuern lässt, stabil in der Luft bleibt – und sicher wieder landen kann.

Ihr großes Vorbild ist Otto Lilienthal, ein deutscher Ingenieur und Flugpionier, der mit seinen Gleitfliegern Distanzen von bis zu 250 Metern erreichte. Im Jahr 1896 kam er bei einem dieser Flüge um Leben. Die Wrights erkennen, dass allein mit Muskelkraft kein anhaltender Flug möglich ist. So bauen sie sich einen Benzinmotor – 81 Kilogramm schwer, mit einer Leistung von 12 PS.

Zehn Jahre Entwicklungsarbeit liegen hinter ihnen, als sie am 17. Dezember 1903 die Bauern der Umgebung einladen, am Strand von Kitty Hawk (North Carolina) den ersten motorisierten Flug mitzuerleben. „Morgen wird geflogen!" heißt es – doch nur fünf Männer erscheinen. Sie sehen, wie Orville Wright mit 16 km/h drei Meter über dem Boden fliegt und nach zwölf Sekunden wieder sicher im Sand landet. Der erste kontrollierte, motorisierte Flugversuch ist geglückt. Bei weiteren Versuchen gelingt es den Brüdern, ihr Flugzeug 250 Meter in der Luft zu halten. Dabei ist dieses Flugzeug kein Zufallsprodukt. Es steht am Ende jahrelanger, zielgerichteter Forschung, geprägt von Sachverstand und Durchhaltevermögen.

Auch Vögel fliegen und sind dabei viel wendiger und sicherer in der Luft, als der Mensch es je erreichen wird. Sollte das, was bei Menschen mühsam und kostenintensiv entwickelt wurde, bei Vögeln ganz ohne Plan und ohne Ziel einfach durch Zufall entstanden sein? Muss man beim Vogelflug nicht ebenso ein planerisches Genie hinter Technik, Funktion und Material erkennen?

**Tägliche Bibellese** 2. Chronika 29,1-19 · Offenbarung 15,1-8

DIE GUTE SAAT 2026 • CSV-Verlag • www.csv-verlag.de

# 18 Freitag Dezember

SA 08:20 · SU 16:16
MA 12:29 · MU 01:14

***Jesus Christus hat sich gesetzt zur Rechten des Thrones der Majestät in den Himmeln.***

Hebräer 8,1

## Jesus Christus kennenlernen – Aufgefahren in den Himmel

Jesus Christus lebt! Nach seiner Auferstehung aus den Toten ist Er Hunderten von Menschen erschienen. Er hat mit ihnen gegessen und ihnen die Wundmale von seiner Kreuzigung gezeigt. Sie alle können bezeugen, dass Er wirklich wieder lebt.

Aber wo ist Er jetzt? Niemand kann Ihn sehen. Die Antwort liefert uns das Lukas-Evangelium: „Jesus führte seine Jünger hinaus bis nach Bethanien und hob seine Hände auf und segnete sie. Und es geschah, während er sie segnete, dass er von ihnen schied und hinaufgetragen wurde in den Himmel" (Kap. 24,50.51). Dieser „Himmel" ist natürlich nicht einfach der sichtbare Himmel, das riesige Weltall über unseren Köpfen. Nein, es ist der für uns unsichtbare Bereich der Gegenwart Gottes. Dort ist Jesus, der Sohn Gottes, als Mensch eingegangen – für uns unvorstellbar, aber wahr.

Markus schreibt: „Der Herr nun wurde in den Himmel aufgenommen und setzte sich zur Rechten Gottes“ (Markus 16,19). Diesen Ehrenplatz bei Gott hat Er sich verdient, weil Er am Kreuz gestorben ist und dadurch riesige Scharen von erlösten Menschen zu Gott gebracht hat. Für diese Menschen, die an Ihn glauben, hat Er im Himmel eine Stätte bereitet, wo sie einmal für immer bei Ihm sein werden (vgl. Johannes 14,2.3). Das wird für sie ein herrlicher Ort des Lichts und der Liebe sein!

Zurzeit ist Jesus vom Himmel aus tätig, um die an Ihn Glaubenden durch den Heiligen Geist zu leiten und zu stärken. Einige seiner letzten Worte auf der Erde waren: „Mir ist alle Gewalt gegeben im Himmel und auf der Erde ... Siehe, ich bin bei euch alle Tage bis zur Vollendung des Zeitalters“ (Matthäus 28,18.20).

**Tägliche Bibellese** 2. Chronika 29,20-36 · Offenbarung 16,1-11

# 19 Samstag Dezember

SA 08:20 · SU 16:16
MA 12:45 · MU 02:31

***Gott ist Liebe. Hierin ist die Liebe Gottes zu uns offenbart worden, dass Gott seinen eingeborenen Sohn in die Welt gesandt hat, damit wir durch ihn leben möchten. Hierin ist die Liebe: nicht, dass wir Gott geliebt haben, sondern dass er uns geliebt und seinen Sohn gesandt hat als Sühnung für unsere Sünden.***

1. Johannes 4,8-10

## Gottes rettende Liebe

Gott ist Liebe. Er liebt alle Menschen. Aber durch die Sünde sind wir von Natur aus fern von Ihm. Deshalb zeigt sich seine Liebe vor allem in seinem Erbarmen, mit dem Er uns sucht. Ein Christ schrieb einmal: „Lange Zeit habe ich darum gekämpft, Gott zu finden und Ihn zu lieben. Jetzt erkenne ich, dass Er es war, der mich während dieser ganzen Zeit suchte und mir seine Liebe offenbaren wollte."

Wenn wir Gott suchen, entdecken wir: Seine Liebe ist längst da – sie ist bereit, uns aufzunehmen und anzunehmen. Aber dann müssen wir uns seiner Liebe auch öffnen. Denn wir brauchen keine Angst zu haben, verurteilt oder niedergemacht zu werden. Die Tür zu Ihm ist niemals verschlossen – weder für den, der zum ersten Mal kommt, noch für den, der zurückkehren möchte. Selbst wenn wir uns schämen oder am Ende unserer Kraft sind: Der Weg zu Gott bleibt offen.

Er wartet darauf, dass wir zu Ihm kommen – bereit, uns wie ein liebender Vater in seine Arme zu schließen (Lukas 15,20). Diese überraschende und tiefgreifende Entdeckung macht jeder, der sich Gott anvertraut.

*Singt es froh, dass Gott die Liebe;*
*so hat Er die Welt geliebt,*
*dass, vom ewgen Tod zu retten,*
*Er den eignen Sohn uns gibt.*

*Ira David Sankey (1840-1908)*

**Tägliche Bibellese** 2. Chronika 30,1-14 · Offenbarung 16,12-21

# 20 Sonntag Dezember

SA 08:21 · SU 16:16
MA 13:05 · MU 03:55

*Und als einige der Dabeistehenden es hörten, sagten sie: Siehe, er ruft Elia. Einer aber lief und füllte einen Schwamm mit Essig und legte ihn um einen Rohrstab und gab Jesus zu trinken und sprach: Halt, lasst uns sehen, ob Elia kommt, um ihn herabzunehmen. Jesus aber gab einen lauten Schrei von sich und verschied. Und der Vorhang des Tempels zerriss in zwei Stücke, von oben bis unten.*

Markus 15,35-38

## Gedanken zum Markus-Evangelium

„Mein Gott, mein Gott, warum hast du mich verlassen" – so hören die Menschen Jesus schreien, nachdem Er sechs Stunden am Kreuz gehangen hat. Dieser Schrei ist markerschütternd und spiegelt die unsagbaren Leiden wider, die Jesus als das „Lamm Gottes" erduldete, um die Sünde durch sein Opfer abzuschaffen (Johannes 1,29; Hebräer 9,26). Die umstehenden Juden erkennen offenbar nicht, dass Jesu Schrei ein Zitat aus Psalm 22 ist. Stattdessen bringen sie Elia ins Spiel – vielleicht in der Erwartung, der Vorläufer des Messias könne eingreifen und den Gekreuzigten vom Kreuz holen, um die messianische Zeit einzuläuten. Einer von ihnen verhöhnt diese Überlegung, indem er ein weinhaltiges Getränk holt – nicht aus Mitgefühl, sondern um das Leiden Jesu zu verlängern und sein Sterben hinauszuzögern.

Plötzlich geschieht das Unerwartete: Jesus stirbt! Man erwartet, dass der Gekreuzigte irgendwann erstickt, wie es sonst gewöhnlich geschieht. Aber hier schreit jemand noch laut auf – und ist dann tot. Einmalig: Der Sohn Gottes hat die Macht, sein Leben selbst hinzugeben – und es wiederzunehmen (vgl. Johannes 10,17).

Gott sorgt dafür, dass der Tod seines Sohnes mit einem Wunderzeichen im Tempel bestätigt wird. Der aus dickem Gewebe bestehende Vorhang, der normalerweise den Zutritt zum sogenannten Allerheiligsten versperrt, zerreißt von oben bis unten. Damit beginnt eine neue Zeitepoche: Durch das Blut Jesu haben alle Gläubigen freien Zugang zu Gott; sie treten als Priester vor Ihn, um Lobopfer zu bringen (vgl. Hebräer 10,19-22).

**Tägliche Bibellese** 2. Chronika 30,15-27 · Offenbarung 17,1-6

# 21 Montag Dezember

SA 08:21 · SU 16:17
MA 13:33 · MU 05:23

***In Jerusalem war ein Mensch, mit Namen Simeon; und dieser Mensch war gerecht und gottesfürchtig und wartete auf den Trost Israels; und der Heilige Geist war auf ihm.***

Lukas 2,25

***Wir erwarten die glückselige Hoffnung und Erscheinung der Herrlichkeit unseres großen Gottes und Heilandes Jesus Christus.***

Titus 2,13

## Erwartung

Simeon wartet sehnsüchtig auf den Retter Israels. Er hat den festen Glauben, dass er dessen Ankunft noch erleben wird, bevor er stirbt – ein Versprechen, das ihm Gott gegeben hat. Überglücklich erkennt er, dass Gott ihn zur richtigen Zeit in den Tempel geführt hat, wo er den Erlöser als kleines Kind in den Armen von Maria und Joseph trifft. Jesus Christus, der von Gott gesandte Sohn, ist als „Licht der Welt“ auf einer grandiosen Rettungsmission. Davon zeugen Simeons Worte, die er als Lobpreis an Gott richtet (Lukas 2,29-32). Anna, eine Prophetin, gesellt sich dazu. Sie erzählt allen, die sie trifft, von der Ankunft des ersehnten Messias.

Von dem Israeliten Simeon und der gottesfürchtigen Anna möchte ich lernen, was es heißt, aktiv und jederzeit auf Gottes Verheißung zu warten. Sie hofften auf den vor Jahrhunderten angekündigten „Trost Israels“, den Messias, und ihre Hoffnung war lebendig und prägte ihr Leben und ihren Alltag.

Auch Christen warten über Jahrhunderte hinweg darauf, dass sich ein Versprechen erfüllt: *Jesus Christus wird wiederkommen.* Zuerst wird Er alle, die an Ihn glauben, zu sich in den Himmel holen, und dann wird Er mit ihnen sein Friedensreich auf dieser Erde errichten – ein Reich, in dem Frieden und Gerechtigkeit herrschen werden.

In Jesus Christus finden wir Hoffnung, selbst in den dunkelsten Zeiten der Geschichte, die hinter uns und vielleicht noch vor uns liegen. Er schenkt allen, die an Ihn glauben, bereits heute ewiges Leben und eine sichere Zukunft bei Ihm! Diese Erwartung macht einfach froh!

**Tägliche Bibellese** 2. Chronika 31,1-8 · Offenbarung 17,7-18

# 22 Dienstag Dezember

SA 08:22 · SU 16:17
MA 14:13 · MU 06:50

***Dies ist Gottes Gebot, dass wir an den Namen seines Sohnes Jesus Christus glauben und einander lieben. … Lasst uns nicht lieben mit Worten noch mit der Zunge, sondern in Tat und Wahrheit.*** 1. Johannes 3,23.18

***Durch die Liebe dient einander.*** Galater 5,13

## Ein Buch voller Überraschungen (1)

Zu Beginn des 20. Jahrhunderts besucht ein christlicher Missionar eine japanische Insel. In einem kleinen Dorf trifft er auf zwei Brüder, Shosei und Majan, und schenkt ihnen eine Bibel.

Die beiden beginnen darin zu lesen. Eines Morgens sagt Shosei zu seinem Bruder: „Das Buch steckt voller Überraschungen! Es lehrt uns, einander zu lieben und sich gegenseitig zu unterstützen. Das klingt vielversprechend! Wäre es nicht einen Versuch wert, von heute an nach diesen Prinzipien zu leben?“

Eines Tages kommt ein Bettler vorbei. Die Brüder laden ihn ein und geben ihm etwas zu essen. Als er sie erstaunt ansieht, erklären sie ihm: „Wir lesen gerade ein Buch, das von einem liebenden Gott berichtet. Dieser Gott hat seinen Sohn auf die Erde gesandt, um uns von unseren Sünden zu erretten. Sein Name ist Jesus. Wir haben unser bisheriges Leben verurteilt und Jesus als unseren Erlöser angenommen. Jetzt wollen wir so leben, wie uns dieses Buch lehrt."

Der Bettler möchte mehr darüber erfahren und setzt sich fortan täglich vor die Hütte der beiden Brüder, um ihnen beim Lesen zuzuhören. Mit der Zeit schließen sich immer mehr neugierige Dorfbewohner an, und bald bildet sich eine große Gruppe von Zuhörern um Shosei und Majan. Viele nehmen die Worte in ihr Herz auf, und nach und nach bekennen sich immer mehr Dorfbewohner zum christlichen Glauben, wie er in der Bibel gelehrt wird. Dadurch verändert sich die Atmosphäre im Dorf allmählich: Manche schlechten Gewohnheiten verschwinden und die Menschen beginnen, sich gegenseitig zu unterstützen.

Fortsetzung morgen

**Tägliche Bibellese** 2. Chronika 31,9-21 · Offenbarung 18,1-10

# 23 Mittwoch Dezember

SA 08:22 · SU 16:18
MA 15:12 · MU 08:09

***So wuchs das Wort des Herrn mit Macht und nahm überhand.*** Apostelgeschichte 19,20

***Die Waffen unseres Kampfes sind nicht fleischlich, sondern göttlich mächtig zur Zerstörung von Festungen.***

2. Korinther 10,4

## Ein Buch voller Überraschungen (2)

Seitdem die beiden Brüder Shosei und Majan, die auf einer japanischen Insel leben, die Bibel lesen und ihre Entdeckungen mit ihren Nachbarn teilen, verbreitet sich das Evangelium im ganzen Dorf. Bald gibt es kaum noch jemand, der nicht an Jesus Christus glaubt.

Im Jahr 1945 wird die Insel von der US-Armee besetzt. Eines Tages erreichen die Amerikaner auch das Dorf, in dem Shosei und Majan leben. Diese beiden Brüder gehen den Soldaten entgegen, verbeugen sich und heißen sie willkommen.

Der herbeigerufene Dolmetscher ist verblüfft und übersetzt: „Sie sagen, dass sie uns sehr freundlich aufnehmen wollen." Noch nie sind die Soldaten so empfangen worden. Als sie das Dorf betreten, schauen sie sich überrascht um. Alles ist sauber und in gutem Zustand. Es gibt kaum Bettler, und die Bewohner wirken friedfertig und glücklich – ganz anders, als es die Soldaten auf ihrem Vormarsch bisher erlebt haben.

Einer der Offiziere möchte den Grund dafür wissen. Man erzählt ihm von dem Buch, das ein Missionar vor vielen Jahren hier abgegeben hat und das ihre Lebensweise völlig verändert hat. Das ganze Dorf lebe nun nach den Lehren von Jesus Christus.

Als der Offizier seinem Vorgesetzten Bericht erstattet, fügt er nachdenklich hinzu: „Könnte es sein, dass wir nicht die besten Waffen einsetzen, um die Welt zu verändern?"

Die Bibel, das Wort Gottes, ist in der Tat ein Buch voller Überraschungen: Sie verändert die Lebensweise derer, die sie lesen und beherzigen.

Schluss

**Tägliche Bibellese** 2. Chronika 32,1-15 · Offenbarung 18,11-24

# 24 Donnerstag Dezember

SA 08:23 · SU 16:19
MA 16:30 · MU 09:12

***Fürchtet euch nicht, denn siehe, ich verkündige euch große Freude ...; denn euch ist heute in der Stadt Davids ein Erretter geboren, welcher ist Christus, der Herr.***

Lukas 2,10.11

## Grund zur Freude

„Frohe Weihnachten!" Diesen Gruß hört man in diesen Tagen immer wieder. Doch welche Bedeutung hat er für Alleinstehende, Alte, Kranke, Behinderte oder Inhaftierte? Und was ist mit denen, die die Feiertage zwar äußerlich festlich verbringen, aber innerlich verletzt, verzweifelt, besorgt, verängstigt oder mutlos sind?

„Fürchtet euch nicht!" – Diese Worte ruft Gott den Hirten auf dem Feld bei Bethlehem durch einen Engel zu. Und sie gelten auch dir und mir. Gott kennt unsere Lebensumstände und unser Inneres genau.

„Siehe, ich verkündige euch große Freude." – Diese große Freude hat nichts mit Kerzenglanz und Geschenkpapier zu tun. Nein, der Grund zur Freude ist ein ganz anderer:

„Denn euch ist heute in der Stadt Davids ein Erretter geboren." – Von Natur aus befindet sich jeder Mensch in einer hoffnungslosen Lage. Wir sind „verloren", „tot in Vergehungen und Sünden", ja, sogar „Feinde Gottes" (Lukas 19,10; Epheser 2,1; Kolosser 1,21).

In dieser Situation hätten wir keinen Grund zur Freude – wenn nicht der Erretter gekommen wäre, „welcher ist Christus, der Herr". Dieser Herr, der Sohn Gottes, wurde Mensch wie wir, jedoch ohne Sünde. Er kam, um uns von unseren Sünden zu retten. Freiwillig gab Er sein Leben hin, damit wir von unserer Schuld befreit und von der ewigen Gottesferne bewahrt werden können.

Wirklich froh werden können wir nicht durch religiöse Feste, so andächtig wir diese Tage auch verbringen mögen. Die große Freude finden wir nur in einer lebendigen Glaubensbeziehung zu Christus, dem Erretter und Herrn.

**Tägliche Bibellese** 2. Chronika 32,16-33 · Offenbarung 19,1-10

# 25 Freitag Dezember

1. Weihnachtstag

SA 08:23 · SU 16:19
MA 18:01 · MU 09:56

*Jesus Christus machte sich selbst zu nichts und nahm Knechtsgestalt an, indem er in Gleichheit der Menschen geworden ist, und, in seiner Gestalt wie ein Mensch erfunden, sich selbst erniedrigte, indem er gehorsam wurde bis zum Tod, ja, zum Tod am Kreuz. Darum hat Gott ihn auch hoch erhoben und ihm den Namen gegeben, der über jeden Namen ist.*

Philipper 2,7-9

Jesus Christus kennenlernen –
Von der Krippe über das Kreuz zur Herrlichkeit

*In Bethlehem, der kleinen Stadt,*
*ward unser Herr gebor'n.*
*der Heiland, von der Welt gehasst,*
*zur Rettung auserkor'n.*
*Er kam in größter Armut*
*und wurde Mensch wie wir.*
*Die Liebe war es, die Ihn trieb;*
*O Herr, wir danken Dir!*

*Er ging den Weg durch diese Welt,*
*dem Vater, Gott, geweiht.*
*Zum Opfer ward Er auserwählt*
*schon in der Ewigkeit.*
*Er ließ sich nicht erschrecken*
*durch Sünd, Gericht und Tod,*
*Er war auf Seinem ganzen Weg*
*gehorsam Seinem Gott.*

*So wurde uns in Ihm das Heil,*
*weil Er Sein Leben gab,*
*ein herrlich Erbteil uns zuteil,*
*das Er am Kreuz erwarb.*
*Doch nach vollbrachtem Werke*
*hat Gott Ihn hoch erhöht.*
*Wir freu'n uns Seiner Herrlichkeit,*
*mit der Ihn Gott gekrönt.*

*(Verfasser unbekannt)*



**Tägliche Bibellese** 2. Chronika 33,1-11 · Offenbarung 19,11-21

# 26 Samstag Dezember

SA 08:23 · SU 16:20
MA 19:34 · MU 10:25

2. Weihnachtstag

***Ihr werdet ein Kind finden in Windeln gewickelt und in einer Krippe liegend.***

Lukas 2,12

## Weihnachten – Hirten auf dem Feld

Es ist Nacht über den Feldern von Bethlehem. Die Hirten hocken am niedrigen Feuer und bewachen ihre Herden.

Der Beruf des Hirten hatte eine lange Tradition in Israel. Die Patriarchen, die alten Stammväter Israels, besaßen große Herden, und der spätere König David arbeitete in seiner Jugend als Hirte. Es war ein harter und gefährlicher Beruf. Traten die Hirten doch wilden Tieren, die ihre Herde bedrohten, oft nur mit ihrem Stecken, einer Keule von etwa einem Meter Länge, entgegen. Hirten blieben im Sommer ganz bei ihren Herden. Sie nahmen nicht oder nur unregelmäßig am religiösen Leben teil, weshalb sie von den frommen Juden etwas von oben herab angesehen wurden.

Über ihnen breitet sich der Sternenhimmel. Worüber die Hirten wohl sprechen? Vielleicht über ihre Herden, über kranke Tiere? Über ihre Familien? Oder über die politische Lage, Israels bedrückende Lage unter der römischen Besatzungsmacht? Und dass der Retter, den Gott schon so lange versprochen hatte, noch immer nicht gekommen war? Oh ja, Gott würde ihn senden, den Messias Israels, daran glauben sie fest! – Vielleicht hängt auch jeder der Männer still seinen Gedanken nach ...

Mitten in der Stille und Dunkelheit der Nacht umstrahlt sie plötzlich ein Licht – und ein Engel steht vor ihnen! Die Hirten erschrecken. Sie haben Angst. Doch der Engel beruhigt sie und sagt: „Fürchtet euch nicht! Siehe, ich verkündige euch große Freude. Denn euch ist heute ein Erretter geboren, welcher ist Christus, der Herr!" Wie um das Wort des Engels zu bekräftigen, umringt ihn auf einmal das „Heer des Himmels", ein Heer von Engeln, die Gott loben. Die Hirten sehen sich freudig an. Der Erretter ist geboren – in Bethlehem, in ihrer Stadt! Sie laufen und finden das Kind in der Futterkrippe, so wie der Engel es ihnen gesagt hat!

**Tägliche Bibellese** 2. Chronika 33,12-25 · Offenbarung 20,1-6

# 27 Sonntag Dezember

SA 08:24 · SU 16:21
MA 21:03 · MU 10:47

*Als aber der Hauptmann, der ihm gegenüber dabeistand, sah, dass er so schrie und verschied, sprach er: Wahrhaftig, dieser Mensch war Gottes Sohn!*
*Es waren aber auch Frauen, die von weitem zusahen, unter denen auch Maria Magdalene war und Maria, die Mutter von Jakobus dem Kleinen und von Joses, und Salome, die ihm, als er in Galiläa war, nachgefolgt waren und ihm gedient hatten; und viele andere Frauen, die mit ihm nach Jerusalem hinaufgezogen waren.*

Markus 15,39-41

## Gedanken zum Markus-Evangelium

Gott sorgt auf vielfältige Weise dafür, dass sein Sohn Jesus Christus geehrt wird. Bei der Geburt sind es die Hirten, die zu dem Kind kommen, das in Windeln gewickelt liegt. Etwas später sind es die Sternkundigen aus einem fernen Land, die eine weite Reise auf sich nehmen, um dem Kind zu huldigen. Und hier, wo alle Anwesenden und Vorübergehenden den gekreuzigten Nazarener verspottet haben, ist es ein Heide, der bezeugt, wer Jesus Christus wirklich ist: der Sohn Gottes.

Es ist gewiss nicht die erste Kreuzigung, die der Hauptmann beaufsichtigt hat. Vermutlich kann diesen Mann kaum etwas erschüttern. Aber jetzt ist er tief beeindruckt. Solch ein Schreien und Sterben eines Gekreuzigten hat er noch nie erlebt.

Das ist auch unser Wunsch für alle Leser, die in den letzten Monaten die Gedanken zum Markus-Evangelium gelesen haben: dass sie von der Einzigartigkeit des Menschen Jesus Christus überwältigt sind – und Ihn als den Sohn Gottes ehren!

Zuletzt bleiben die Frauen zu erwähnen, die sich von dem Herrn Jesus angezogen fühlten. Einige von ihnen hatten Ihm und seinen Jüngern mit dem gedient, was sie besaßen (vgl. Lukas 8,3). Nie waren sie in den Vordergrund getreten, doch in dem Augenblick, wo von den Zwölfen außer Johannes keiner mehr zu sehen ist, zeigen sie Präsenz. Es ist die Liebe zu ihrem Herrn, die ihnen die Kraft gibt, alle Menschenfurcht zu überwinden. Auch wenn sie nicht alle mit Namen genannt sind – Gott sind sie wohlbekannt.

**Tägliche Bibellese** 2. Chronika 34,1-33 · Offenbarung 20,7-15

# 28 Montag Dezember

SA 08:24 · SU 16:22
MA 22:26 · MU 11:04

***Wer wird uns scheiden von der Liebe des Christus? Drangsal oder Angst oder Verfolgung oder Hungersnot oder Blöße oder Gefahr oder Schwert?***

Römer 8,35

## Christen in aller Welt – Carlo aus Mexiko

„Es geschah alles ganz plötzlich", berichtet Carlos Frau. „Wir saßen mit unserem Sohn gemeinsam beim Frühstück, als die Dorfbewohner kamen und forderten, dass Carlo herauskommen solle. Sie schleppten ihn fort und schlugen ihn halbtot. Ich alarmierte die Polizei, aber sie wagte es nicht, entschieden gegen die wütenden Dorfbewohner vorzugehen. Carlo wurde einige Tage eingesperrt, bis es der Polizei schließlich gelang, ihn in Sicherheit zu bringen."

Carlo und seine Frau leben in Oaxaca in Mexiko. Seitdem Carlo entschiedener Christ ist, wird er von den Dorfbewohnern mit Argwohn beobachtet. Als sich eine kleine christliche Gemeinde bildet, wächst die Ablehnung. Carlo, seine Familie und die übrigen Christen werden gemobbt und bedroht.

Mexiko ist ein überwiegend christliches Land, doch entschiedene Christen erleben trotzdem Verfolgung. Sie geraten entweder ins Visier krimineller Banden – oder sie werden, wie im Fall von Carlo, zu Opfern ihrer eigenen Nachbarn. In vielen Regionen Mexikos vermischt sich der Katholizismus mit alten religiösen Bräuchen aus vorchristlicher Zeit. Wer sich aus diesem Synkretismus verabschiedet und ein klares biblisches Christentum lebt und verkündet, wird ausgegrenzt, mit Geldstrafen belegt oder inhaftiert. Nicht selten eskaliert die Situation in Gewalt – wie bei Carlo und seiner Familie. Die lokalen Behörden sind gegenüber den starken regionalen Gemeinschaften oft machtlos.

Christen in Mexiko bitten um unsere Gebete. Vor allem auch dafür, dass Gott verherrlicht wird und noch viele Menschen zum allein rettenden Glauben an Jesus Christus durchdringen.

**Tägliche Bibellese** 2. Chronika 35,1-15 · Offenbarung 21,1-14

**29** **Dienstag** **Dezember**

SA 08:24 · SU 16:22
MA 23:47 · MU 11:18

***Wie werden wir entfliehen, wenn wir eine so große Errettung vernachlässigen?***

Hebräer 2,3

## Die dringende Botschaft

Unser heutiges Bibelwort richtet sich an Menschen, die mit der biblischen Rettungsbotschaft vertraut sind und wissen, dass es ein ewiges Gericht gibt. Sie kennen auch den Weg, wie man dem Gericht entgehen kann. Dennoch betrachten sich viele nicht als direkt betroffen. Oft neigen sie dazu, eher an „viel schlechtere" Menschen zu denken als an sich selbst.

Für andere scheint das Thema Errettung derzeit nicht besonders dringlich zu sein. Sie sehen keinen Grund, sich intensiver damit zu befassen, jedenfalls noch nicht. Bisher gab es ja viel eiligere und scheinbar wichtigere Angelegenheiten, als Gottes Botschaft nachhaltig auf sich wirken zu lassen.

Doch Gottes Botschaft ist von größter Bedeutung. Es gibt zudem eine Frist, die einzuhalten ist. Viele gute Angebote unserer Zeit sind zeitlich begrenzt, und dies gilt auch für Gottes Gnadenangebot. „Heute, wenn ihr seine Stimme hört, verhärtet eure Herzen nicht!" – dies ist die eindringliche Aufforderung an uns (Hebräer 4,7). Gottes Zeitbegrenzung ist klar: HEUTE! – „denn ihr wisst weder die Zeit noch die Stunde" (Matthäus 25,13). Daher sollte niemand fahrlässig handeln und die Frist zu seiner Rettung verstreichen lassen.

Die Bibel lehrt uns, dass wir alle als vernunftbegabte Menschen die Konsequenzen unseres Verhaltens tragen werden. Auch wenn dies möglicherweise nicht in unserer Lebenszeit geschieht, so wird es doch in der Ewigkeit sein.

Warum wirbt Gott um uns Menschen? Er tut es, weil Er uns vor den furchtbaren Folgen der Gleichgültigkeit bewahren will – aus Liebe!

**Tägliche Bibellese** 2. Chronika 35,16-27 · Offenbarung 21,15-27

DIE GUTE SAAT 2026 • CSV-Verlag • www.csv-verlag.de

# 30 Mittwoch Dezember

SA 08:24 · SU 16:23
MA –:– · MU 11:32

***Meine Schafe hören meine Stimme, und ich kenne sie, und sie folgen mir; und ich gebe ihnen ewiges Leben, und sie gehen nicht verloren in Ewigkeit, und niemand wird sie aus meiner Hand rauben.*** Johannes 10,27.28

## Absolut sicher

Der Herr Jesus benutzt hier das Bild eines Hirten und seiner Schafe, um deutlich zu machen, dass ein Mensch, der an Ihn glaubt und Ihm folgt, niemals verlorengeht. Jeder, der zu Ihm gehört, wird ganz sicher das Ziel bei Ihm erreichen. Jesus sagt:

- *Meine Schafe hören meine Stimme:* Alle, die durch das kostbare Blut Christi erlöst worden sind, haben seine Einladung gehört und angenommen. Sie sind zu Ihm gekommen, sind nun sein, gehören Ihm.
- *Ich kenne sie, und sie folgen mir:* Wie vertraut ist die Beziehung zwischen dem Hirten und seinen Schafen! Er kennt jedes einzelne, weiß

genau, wer zu Ihm gehört – und wer nicht. Er schaut in ihre Herzen und sieht ihre Liebe zu Ihm. Sie vertrauen Ihm, suchen seine Nähe und sagen wie Ruth: „Wo du hingehst, will auch ich hingehen, wo du bleibst, will auch ich bleiben" (Ruth 1,16).

- *Ich gebe ihnen ewiges Leben:* Das Leben, das Jesus gibt, ist ein Geschenk – kostenlos und unverdient. Jeder, der „von neuem geboren wird", empfängt es von Ihm (Johannes 3,3). Dieses Leben kann nie wieder verloren gehen, denn wenn man es verlieren könnte, wäre es nicht ewig! Es ist das gleiche Leben, das auch der Sohn Gottes selbst besitzt, somit ein unermesslich wertvolles Geschenk.
- *Sie gehen nicht verloren in Ewigkeit:* Jesus verwendet unterschiedliche Ausdrücke, um seinen Schafen klarzumachen, dass sie absolut und für alle Zeiten sicher sind. Sie sind in seiner Hand – und „niemand wird sie aus meiner Hand rauben". Weder Satan noch Menschen, nicht einmal sie selbst können daran etwas ändern. Kein Schaf kann vom Hirten getrennt werden, kein Gläubiger vom Herrn Jesus. Niemand kann es – und niemand wird es!

**Tägliche Bibellese** 2. Chronika 36,1-10 · Offenbarung 22,1-7

# 31 Donnerstag Dezember

SA 08:24 · SU 16:24
MA 01:04 · MU 11:45

***In deiner Hand sind meine Zeiten.***

Psalm 31,16

## Rückblick und Ausblick

Dieser Kalender hat Sie das ganze Jahr mit zahlreichen Bibelzitaten begleitet. So wollen wir dieses Jahr auch mit einigen ausgewählten Versen aus dem großen Schatz des Wortes Gottes beenden.

- *Dankbarer Rückblick*
  „Vielfach hast du deine Wundertaten und deine Gedanken gegen uns erwiesen, HERR, mein Gott; nicht kann man sie dir der Reihe nach vorstellen. Wollte ich davon berichten und reden, sie sind zu zahlreich, um sie aufzuzählen" (Psalm 40,6). „... und seid dankbar!" (Kolosser 3,15).
- *Täglicher Beistand*
  „Gepriesen sei der Herr! Tag für Tag trägt er unsere Last; Gott ist unsere Rettung" (Psalm 68,20).

- *Hilfe in Angst und Not*
  „Rufe mich an am Tag der Bedrängnis: Ich will dich erretten, und du wirst mich verherrlichen!" (Psalm 50,15). „Fürchte dich nicht, denn ich bin mit dir; schau nicht ängstlich umher, denn ich bin dein Gott; ich stärke dich, ja, ich helfe dir, ja, ich stütze dich mit der Rechten meiner Gerechtigkeit" (Jesaja 41,10).
- *Zuversicht*
  „Gott hat gesagt: Ich will dich nicht versäumen und dich nicht verlassen; so dass wir kühn sagen können: Der Herr ist mein Helfer, und ich will mich nicht fürchten; was wird mir ein Mensch tun?" (Hebräer 13,5.6).
- *Neuer Schwung*
  „Gott gibt dem Müden Kraft, und dem Unvermögenden reicht er Stärke dar in Fülle. Und Jünglinge ermüden und ermatten, und junge Männer fallen hin; aber die auf den HERRN harren, gewinnen neue Kraft: Sie heben die Schwingen empor wie die Adler; sie laufen und ermatten nicht, sie gehen und ermüden nicht" (Jesaja 40,29-31).

In diesem Sinne wünschen wir Ihnen von Herzen Gottes Beistand und Segen für das Jahr 2027!

**Tägliche Bibellese** 2. Chronika 36,11-23 · Offenbarung 22,8-21

DIE GUTE SAAT 2026 • CSV-Verlag • www.csv-verlag.de

# Glauben –

***WIR BRAUCHEN EINEN RETTER*** – Seit dem Sündenfall gibt es einen tiefen Graben zwischen dem Schöpfer und seinen Geschöpfen. Wir entsprechen nicht den Maßstäben eines heiligen Gottes und sind weit entfernt von Ihm. Darum haben wir alle einen Retter nötig. Das ist das Erste, was wir verstehen müssen: „Da ist kein Gerechter, auch nicht einer; da ist keiner, der verständig ist; da ist keiner, der Gott sucht. Alle sind abgewichen, sie sind allesamt untauglich geworden; da ist keiner, der Gutes tut, da ist auch nicht einer" (Römer 3,10-12).

***WIR KÖNNEN UNS SELBST NICHT RETTEN*** – Weil wir von Geburt an Sünder sind, können wir durch unsere guten Werke keine einzige Sünde unseres Lebens auslöschen. Alle Anstrengungen, die wir unternehmen, reichen nicht. Und das Gesetz Moses kann uns auch nicht helfen. „Darum, aus Gesetzeswerken wird kein Fleisch vor ihm (vor Gott) gerechtfertigt werden" (Römer 3,20).

# wie geht das?

***VON DEM RETTER HÖREN*** – Aber dennoch müssen wir nicht verloren gehen, denn Jesus Christus ist der Retter, den Gott in seiner Liebe zu uns auf die Erde gesandt hat! Jesus hat den garstigen Abgrund überwunden, der uns für immer von Gott getrennt hätte. Er starb am Kreuz von Golgatha für schuldige Menschen und ist drei Tage später aus dem Tod auferstanden. „Das Wort ist gewiss und aller Annahme wert, dass Christus Jesus in die Welt gekommen ist, um Sünder zu erretten" (1. Timotheus 1,15).

***ZU DEM RETTER KOMMEN*** – Gott zwingt uns sein unvorstellbares Liebesangebot nicht auf. Wir müssen es bewusst annehmen, um zu dem Retter zu kommen. Bekennen Sie Ihre Schuld vor Gott und setzen Sie Ihr Vertrauen auf Jesus Christus und seinen Sühnungstod am Kreuz auf Golgatha. „Was muss ich tun, um errettet zu werden? ... Glaube an den Herrn Jesus, und du wirst errettet werden" (Apostelgeschichte 16,30.31).

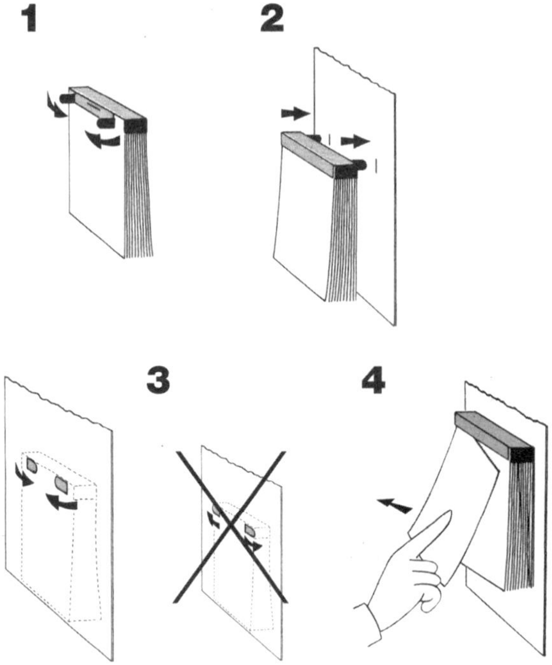


Klammern bitte nach **innen** umbiegen.
Bitte Blätter vorsichtig entlang der Perforation abreißen.
Unsachgemäßer Gebrauch kann zu Verletzungen führen.